EDIÇÃO ESPECIAL

DEVOCIONAL POP

UMA REFLEXÃO DE FÉ PARA CADA DIA DO ANO, COM OS TEMAS DA CULTURA POP

EDUARDO MEDEIROS

LION
EDITORA

Copyright 2019 por Lion Editora

Todos os direitos reservados à Lion Editora e protegidos pela Lei nº 9.610, de 19/02/1998.
É expressamente proibida a reprodução total ou parcial deste livro, por quaisquer meios (eletrônicos, mecânicos, fotográficos, gravação e outros), sem prévia autorização por escrito da editora.

A versão da Bíblia utilizada nas citações contidas nessa obra é a Nova Versão Internacional (NVI) salvo ressalvas do autor.

Direção Editorial: Sinval Filho

Direção Produtos e MKT: Luciana Leite

Capa e projeto gráfico: Vinícius Amarante

Diagramação: Rodrigo Oliveira e Jônatas Jacob

Revisão: Raquel Soares

Confira mais lançamentos da editora:
www.lioneditora.com.br

contato@lioneditora.com.br   (11) 4379-1226 | 4379-1246 | 98747-0121
Lion Editora - Rua Dionísio de Camargo, 106 - CEP 06086100 - Centro - Osasco/SP

Este livro é uma publicação independente, cujas citações a quaisquer marcas ou personagens são utilizados somente com a finalidade de estudo, crítica, paráfrase e informação.

ÍNDICE

JANEIRO 21

FEVEREIRO 53

MARÇO 83

ABRIL 115

MAIO 147

JUNHO 179

JULHO 211

AGOSTO 243

SETEMBRO 275

OUTUBRO 307

NOVEMBRO 339

DEZEMBRO 371

ÍNDICE DE TEMAS E PERSONAGENS

JANEIRO

#	Tema	Personagem
01	Adaptação em um mundo novo	Capitão América
02	Blindados por fora, frágeis por dentro	Homem de Ferro
03	A carne esmaga!	Hulk
04	Humildade e o papel das pessoas difíceis	Thor
05	Como encontrar a felicidade?	Viúva Negra
06	Disciplina é poder	Gavião Arqueiro
07	Equilíbrio é a chave	Thanos
08	Quem é o culpado?	Justiceiro
09	Grandes poderes trazem grandes responsabilidades	Homem Aranha
10	Conquistando o impossível	Feiticeira Escarlate
11	Ajudando meus irmãos	Luke Cage
12	Deixando as decepções para trás	Visão
13	Uma visita inesperada!	Mulher Hulk
14	O primeiro passo da jornada	Demolidor
15	Crescendo em meio a dor	Pantera Negra
16	As consequências da ira	Hulk Vermelho
17	Descobrindo a verdadeira motivação	Punho de Ferro
18	Seja maleável com as pessoas	Senhor Fantástico
19	Não crie um campo de força!	Mulher Invisível
20	Mantendo um caráter puro	Doutor Estranho
21	Por que queremos ser cheios de Deus mesmo?	Tocha Humana
22	Seu presente determina seu futuro!	Doutor Octopus
23	A insanidade do pecado	Duende Verde
24	Cuidado com o fogo amigo das decepções	Soldado Invernal
25	Confiança e fé nos relacionamentos	Coisa
26	Não seja um parasita espiritual!	Venom
27	As consequências desastrosas da mentira	Mystério
28	Podemos fazer justiça com nossas próprias mãos?	Elektra
29	Cristãos de banco	Jessica Jones
30	O que move você?	Doutor Destino
31	Vida e morte na ponta de sua língua!	Ultron

FEVEREIRO

#	Tema	Personagem
01	A lente que nos salva da destruição	Ciclope
02	Viva os sonhos de Deus para sua vida!	Professor Xavier
03	Aparência externa	Fera
04	Não esconda suas asas	Arcanjo
05	Tenha um espírito inquebrável	Wolverine
06	Não tenha medo do desconhecido!	Homem de Gelo
07	Não avalie um livro pela capa	Noturno
08	O treinamento dura sua vida inteira	Tempestade
09	Não perca sua essência em Deus	Psylocke
10	Você é único(a), então não se compare a ninguém	Destrutor
11	Não seja um semi-vilão na igreja	Colossus
12	Experiência sem dependência de Deus não resolve!	Lince Negra
13	Faça enquanto tiver tempo!	Forge
14	Eleve sua autoestima	Groxo
15	Uma doença chamada inveja	Dentes de Sabre
16	Evoluídos... será?	Senhor Sinistro
17	Duas estradas, uma escolha	Fanático
18	Não crie clones de seu passado	Homem-Múltiplo
19	Sua identidade é fundamental!	Mística
20	Servir é motivo de honra no Reino de Deus	Magneto
21	Cuidado com o que você fala!	Deadpool
22	O que é mais importante em sua vida?	Apocalipse
23	Permaneça em movimento!	Gambit
24	Seja uma voz e não um eco!	Banshee
25	Para o avanço do vírus da carne!	Cable
26	Não perca sua esperança	Bishop
27	Só o amor vence o medo	Sentinelas
28	Tenha cuidado com os assassinos de sonhos	Ômega Vermelho
29	Os simpatizantes da causa	Moira MacTaggert

MARÇO

#	Tema	Personagem
01	Não desperdice seu tempo	24 Horas
02	Pessoas são mais do que os olhos podem ver	Gotham
03	Suas atitudes falam mais que suas palavras	Yoda
04	Seja um alienígena legal	Alf
05	Seus objetivos estão na terra ou na eternidade?	Kraven o Caçador
06	Não se acostume com o pecado!	Caverna Do Dragão
07	Não chame o pecado de precioso	Um Anel
08	Uma vida no pecado é imprevisível!	Coringa
09	O poder do legado	Flash
10	A nobreza do sacrifício pelo próximo	Surfista Prateado
11	A graça não é um passaporte para o lado sombrio da força	Darth Vader
12	Encontrando Deus na tempestade	Breaking Bad
13	Somos um só exército?	Stormtroopers
14	O fracasso dos namoros "evangelísticos"	Arlequina
15	Nas provações enxergamos nosso próximo!	Arqueiro Verde
16	O passado não pode prender você	Jogos Vorazes
17	Unidade na diversidade	A Sociedade do Anel
18	Seu treinamento libera o sobrenatural	Saiyajins
19	Cuidado com a dupla personalidade	Duas Caras
20	Não procure por culpados, busque a Deus	Lanterna Verde
21	Você pode encontrar segurança e prosperidade	Oompa Loompas
22	Não seja mais um na multidão	Walking Dead
23	Quem se habilita a ser um zumbi espiritual?	Zumbis
24	A graça reinicia seu relacionamento com Deus	No Limite do Amanhã
25	Seu bem mais precioso é o tempo	O Preço do Amanhã
26	Fique inconformado, mas não peque	Angry Birds
27	Descubra seu propósito e viva-o intensamente!	Detona Ralph
28	Você não precisa ser melhor que ninguém!	Charada
29	A maior aventura de sua vida pode começar hoje	Finn
30	Não podemos retribuir, mas somos amados	Gandalf
31	Mais importante que o início é o final de sua jornada	Tartarugas Ninjas

ABRIL

#	Título	Referência
01	Generalizar é um mal de nosso tempo	J. J. Jameson
02	A urgência de líderes centrados na Palavra de Deus	Rei do Crime
03	Sua vida pode mudar em 24 horas!	Designated Survivor
04	Fuja da avareza	Smaug
05	Ser cristão não te faz melhor que ninguém	Morlocks
06	Cuidado com o entulho que o mundo te oferece	Solomon Grundy
07	O poder dos pequenos começos	Peter Pan
08	Não seja um cristão Peter Pan	Peter Pan
09	Confiar em Deus é o grande segredo	Obi Wan Kenobi
10	Carregue a Esperança consigo	Super Homem
11	Corrija hoje os erros do seu passado	De volta para o futuro
12	Você precisa de um amigo fiel	Percy Jackson
13	A sinceridade nos ajuda a amadurecer	Big Bang Theory
14	O Leão ressuscitou!	Aslam
15	Não seja um mercenário para sempre	Han Solo
16	A paixão é o combustível que nos move	Legolas
17	Não tenha medo do novo	Xerife Woody
18	Prepara-se para os invernos da vida	Ned Stark
19	Não espante a verdade	O Espanta Tubarões
20	Cuidado com as distrações	Bane
21	Não desista de seus sonhos!	Os Caça Fantasmas
22	Não armazene ectoplasma!	Os Caça Fantasmas
23	Fuja da cobiça!	Thundercats
24	Você é um embaixador do Reino	Rey
25	Os vícios corrompem a alma	Sméagol
26	Tenha uma vida radical com Cristo	Lara Croft
27	Você tem um protetor poderoso	Jubileu
28	Não absorva memórias frustrantes!	Vampira
29	Cuidado com a chave de seu coração	Davy Jones
30	Saia da Matrix	Matrix

MAIO

#	Título	Referência
01	Não negue sua verdadeira natureza	Roberto Pêra (Os Incríveis)
02	Não fuja do destino	Helena Pêra (Os Incríveis)
03	Não lute contra seu irmão	Violeta E Flecha Pêra (Os Incríveis)
04	Não deixe o medo paralisar sua vontade	Tropa dos Lanternas Verdes
05	Seja um pilar da igreja em sua geração	Bruce Wayne
06	Seja um cavaleiro em meio às trevas	Batman
07	Sua esperança destrói o medo	Sinestro
08	Abandone a sombra do seu passado	Bard, O Arqueiro
09	Seja um (a) inconformado (a) com o sistema do mundo	Eu, Robô
10	Deus não escolhe os melhores	Scooby-Doo
11	Escondido você não ajuda	Homens De Preto
12	Grave a Bíblia em seu coração	Livro De Eli
13	Na dúvida, permaneça calado	Raio Negro
14	Nunca abra mão de seus princípios	God of War
15	O resultado do egoísmo: miséria	Sr Burns
16	O conteúdo vale mais que a casca	O Crocodilo
17	Não sofra de atavismo espiritual	O Crocodilo
18	Escolha ser um bom exemplo	Kylo Ren
19	Você não nasceu para o exílio	Thorin, O Escudo De Carvalho
20	Acaso ou propósito?	Pokemon
21	A verdadeira luta do século	Muhammad Ali
22	Cuidado com o estado de estagnação espiritual	Lion-O
23	Não se transforme no que te mordeu	Sauron
24	Corra atrás de seus sonhos	A Procura Da Felicidade
25	Seja o Cristo que está geração verá	Primo Itch
26	Não tenha pecados de estimação	Uni
27	Encontre um grupo de sobreviventes	Michonne
28	Você é herdeiro do rei	Jon Snow
29	Você é um embaixador do Reino	C-3PO
30	Não acredite em amuletos	Indiana Jones
31	Conte a história de Cristo para toda a humanidade	Frodo Bolseiro

JUNHO

#	Título	Referência
01	Pela fé sempre existe uma saída	Goonies
02	Abra mão do preconceito	Sloth
03	Deus não afundaria este navio	Titanic
04	Você precisa de bons conselheiros	Titanic
05	Você foi escolhido	Uma Aventura Lego
06	Veloz contra a tentação e furioso contra o pecado	Velozes E Furiosos
07	Quem quer viver pra sempre?	Highlander
08	Apenas a integridade pode destruir a corrupção	Robocop
09	Os elogios que você recebe não são para você	007
10	Não somos tão bons quanto gostaríamos	Garfield
11	O pecado é um vírus	Agente Smith (Matrix)
12	Entenda a linguagem do Espírito Santo	Chewbacca
13	Nenhum líder é como Jesus	Optimus Prime
14	Aumente a precisão de sua mira	Pistoleiro
15	Identifique suas fraquezas	Karnak (Inumanos)
16	Cuidado com o mundo invertido da vida real	Strangers Things
17	O cristianismo não é uma ideia	V de Vingança
18	Sua história é sua arma	How I Met Your Mother
19	Faça discípulos	Robin
20	Tudo é uma questão de perspectiva	Homem Formiga
21	Deus fez uma armadura sob medida para você	Máquina de Combate
22	Seria cômico se não fosse trágico	Os Simpsons
23	Aprenda com as experiências	Homer Simpson
24	Suas atitudes falam mais alto que suas palavras	Marge Simpson
25	Que tipo de influência você exerce?	Bart Simpson
26	Honre seus pais naturais e espirituais	Lisa Simpson
27	Você foi adotado na Terra por outra família	Tarzan
28	A ambição pode cegar você, cuidado!	Moby Dick
29	Aprenda com as parábolas	Once Upon a Time
30	Rasgue seu coração diante de Deus	Mad Max

JULHO

- 01 Permaneça acordado e vença o inimigo — Monstros S. A.
- 02 Aproveite os desafios — Universidade de Monstros
- 03 Não Seja Um Morto Muito Louco — Um morto muito louco
- 04 A Humanidade Não Deve Brincar Com Deus — Jurassic Park
- 05 Caminhe pela fé não pela visão — Morpheus (Matrix)
- 06 Cuide do meio ambiente — Wall-E
- 07 Por que Deus não resolve meus problemas — Vigia
- 08 Bullyng não é brincadeira — Pinguim
- 09 Com Deus, somos maioria — Skynet
- 10 Novas atitudes para uma nova vida — Exterminador Do Futuro
- 11 Não ouça a propaganda do medo — Tubarão
- 12 Somos mensageiros de Deus — Steve Trevor
- 13 As verdadeiras mulheres maravilha — Mulher Maravilha
- 14 Agradeça sempre — Eric (Caverna Do Dragão)
- 15 Enfrente sua realidade — Dorothy Gale
- 16 Às vezes, a jornada é a sua resposta — O Espantalho
- 17 Não perca seu coração — O Homem de Lata
- 18 Não rotule as pessoas — Leão Covarde
- 19 Ore por seus amigos — Mario e Luigi
- 20 Nem todos entenderão você — Calvin e Haroldo
- 21 Você conhece a história de sua igreja? — Jason Bourne
- 22 Você guarda segredos como um agente da Shield? — Nick Fury
- 23 Você precisa começar a servir — Presto
- 24 Faça discípulos — Agente Coulson
- 25 Não fuja de seu destino — Aragorn
- 26 Seja grato — Pequeno Príncipe
- 27 Tenha empatia pelos outros — Dr. House
- 28 Fé e razão: duas faces da mesma moeda — Spock
- 29 Termine aquilo que você começa — Exterminador
- 30 Você foi chamado para fora — Thranduil
- 31 Você tem habilidades exclusivas — Arya Stark

AGOSTO

- 01 Estenda sua mão — Falcão
- 02 Viva uma vida simples — Relâmpago McQueen
- 03 Como está sua autoestima — Chapolin Colorado
- 04 Seja um agente de conexão — Gimli
- 05 Onde estão os irmãos — Onde está Wally
- 06 Você foi escolhido para sair da prisão — Amanda Waller
- 07 O que você faz com seus talentos? — Tygra
- 08 Você não é autossuficiente! — Brandon Stark
- 09 Somos mordomos de Deus — Alfred
- 10 Perseverança é fundamental — Sonic
- 11 Grandes ameaças? Unidade! — Power Rangers
- 12 Existe um lugar de refúgio para você! — A Mansão X
- 13 Não é sobre bater, mas sobre saber apanhar — Rocky Balboa
- 14 Fuja dos ovos da tentação — Daeneyrs Targaryen
- 15 Não pensa em casamento? Não namore! — Mickey Mouse
- 16 Você só precisa superar a si mesmo! — Super Girl
- 17 A inveja pode nos cegar! — Rei Leão
- 18 O fim da história está próximo! — Blade Runner
- 19 Você não precisa seguir o que a moda diz — Topeira
- 20 Não incrimine ninguém pelo seu presente — Camaleão
- 21 Você é corrupto? Pense de novo! — House of Cards
- 22 A verdade é sempre o melhor caminho — Pretty Little Liars
- 23 Meritocracia no reino de Deus — Jyn Erso
- 24 Jesus nos resgatou da prisão — Prison Break
- 25 Cicatrizes do passado — Victor Zsasz
- 26 Deus não tem netos — Siryn
- 27 Jesus tem uma jornada inesperada para todos nós — Bilbo Bolseiro
- 28 Procure as respostas no lugar certo — Ezio Auditore
- 29 Saia da superficialidade vigente — Sherlock Holmes
- 30 Somos cronistas de Cristo — Dr. Watson
- 31 Decida usar os dons que você recebeu — Mycroft Holmes

SETEMBRO

- 01 Busque a chuva da Presença de Deus — Tá Chovendo Hambúrguer
- 02 Procure entender seus pais — Tá Chovendo Hambúrguer II
- 03 Você não é Groot — Groot
- 04 Keep Calm e deixe Deus no controle — Apertem os Cintos, o piloto Sumiu!
- 05 Expulse a criança mimada de dentro de você — Família Dinossauro
- 06 Não aprisione suas frustrações — Massacre
- 07 Aprenda a reconhecer o mal — Meu Malvado Favorito
- 08 Em qual lista seu nome está escrito — Raymond Reddington
- 09 Redirecione a glória e permaneça anônimo — Zelda
- 10 Não existe níveis de mentira — Lie to me
- 11 Para Deus todas as missões são possíveis — Missão Impossível
- 12 Fofoque apenas sobre você, com você! — Gossip Girl
- 13 O único que você precisa dominar é você mesmo — Pato Donald
- 14 Descubra seu propósito no reino — Mímico
- 15 Não envenene sua alma com a vingança — Revenge
- 16 A igreja não pode ser um domo isolado — Under The Dome
- 17 O amor de Deus deve cruzar fronteiras — Crossing Lines
- 18 Não seja um fantoche nas mãos de ninguém — Os Muppets
- 19 Você tem uma herança em seu nome — Desventuras em Série
- 20 Você vai voltar pra casa — ET
- 21 Sua esposa (ou marido) não é um adversário — Sr. e Sra. Smith
- 22 Conheça os dois lados da história — O Último Samurai
- 23 Você não é insubstituível — Tropa de Elite
- 24 Continue Lutando — Tropa de Elite II
- 25 Não confie em suas emoções — Divertidamente
- 26 Não aceite o domínio do pecado — Senhor das Estrelas
- 27 Cuide De sua agenda — Coelho Branco
- 28 Você nasceu para correr — Mercúrio
- 29 Desmascare o inimigo — Hidra
- 30 Não tenha medo do perigo — Espantalho

OUTUBRO

- 01 Proteja seus líderes — Katana
- 02 Seja sensível ao Espírito Santo — Misty (Pokemon)
- 03 Cuidado com os pensamentos pessimistas — Lippy e Hardy
- 04 Busque a face de Deus — Shenlong
- 05 Viaje ao centro da vontade de Deus — Viagem ao Centro da Terra
- 06 Honre a memória dos mártires — Armageddon
- 07 Você está em missão todos os Dias — Miss Simpatia
- 08 Não queime etapas — Jumper
- 09 A jornada é muito maior do que você imagina — Assassins Creed III
- 10 A apologética ainda é Relevante? — Grissom (CSI Las Vegas)
- 11 Seu passado não define seu futuro — Catherine Willows (CSI Las Vegas)
- 12 Preste atenção em seus sonhos — A Origem
- 13 Alma saudável, relacionamento saudável — Cristalys (Inumanos)
- 14 Seja louco aos olhos do mundo — Chapeleiro Maluco
- 15 Um bom soldado deve ser leal — Mosqueteiros
- 16 Não seja deixado para trás — The Leftovers
- 17 Quem são seus seguidores — The Following
- 18 A mudança é de dentro para fora — Pica-Pau
- 19 Derrube os gigantes e vença — Gigantes De Aço
- 20 Agradeça pelas oportunidades — Blob
- 21 Adapte sua linguagem, mantenha seus princípios — MacGyver
- 22 Com Deus, mesmo sozinho você é maioria — 300
- 23 Você não precisa tropeçar na jornada — Príncipe da Pérsia
- 24 Descubra o sentido da vida — Seinfeld
- 25 Viva as histórias que você vai contar — O Cavaleiro Solitário
- 26 É namoro ou amizade? — Friends
- 27 Quando você vai realizar seus sonhos? — Up – Altas Aventuras
- 28 Você é um agitador na sociedade? — O Menino Maluquinho
- 29 Criacionismo ou Evolucionismo? — Planeta dos Macacos
- 30 Escolha o mundo real — Mundo de Bobby
- 31 Cuidado com sua vida depois de Cristo — Hancock

NOVEMBRO

- 01 Obedecer é melhor que sacrificar — Gremlins
- 02 Há poder no nome de Jesus — Shazam
- 03 E essa tal submissão? — Vinte Mil Léguas Submarinas
- 04 Espere o inesperado! — Kung Fu Panda
- 05 Descubra as razões — 13 Reasons Why
- 06 Unidos venceremos, divididos cairemos — Guerra Civil
- 07 Cristo é a origem da justiça — Batman Vs. Superman
- 08 Não desista da esperança — Luke Skywalker
- 09 Filhos precisam amadurecer — Hotel Transilvânia
- 10 As dificuldades fortalecem os soldados de Cristo — O Clube Dos Cinco
- 11 A Salvação e as obras — Lex Luthor
- 12 Você não precisa seguir padrões estabelecidos — Mortícia Addams
- 13 Você não precisa pecar para curtir a vida — Curtindo A Vida Adoidado
- 14 Não colecione aquilo que faz mal — O Colecionador
- 15 Não seja um (a) chantagista emocional — Gato De Botas
- 16 Os fins não justificam os meios — Bernadette (TBBT)
- 17 Não perca tempo com a raiva — Mônica
- 18 Zombar dos outros gera consequências — Cebolinha
- 19 A ansiedade nos cega para o sobrenatural — Magali
- 20 Comece a limpeza pelo interior da alma — Cascão
- 21 Todas as vidas merecem resgate — O Resgate Do Soldado Ryan
- 22 Cristo carregou nossa maldição na cruz — Guerra Mundial Z
- 23 O passaporte para o sobrenatural é a fé — Arquivo X
- 24 Você é um agente de milagres — A Espera De Um Milagre
- 25 Nenhum inimigo pode vencer os filhos de Deus — A Estrela Da Morte
- 26 Música secular vs. música sacra — La La Land
- 27 Aprenda a ouvir a voz de Deus — Bumblebee
- 28 Deus é o Senhor do tempo — Doctor Who
- 29 Acesse a proteção do Espírito Santo — Míssil
- 30 Não somos imbatíveis — Formiga Atômica

DEZEMBRO

- 01 Faça parte da revolução — Jogos Vorazes
- 02 Procuram-se amigos leais — Sam
- 03 Persevere em sua jornada — Capitão Picard
- 04 Não aceite estereótipos da sociedade — Daphne
- 05 Paciência é a chave para a vitória — Imperador Palpatine
- 06 Jesus continua curando — Elysium
- 07 O mundo foi mesmo criado em seis dias? — A Era Do Gelo
- 08 Cristianismo se aprende na prática — Quântico
- 09 Seus desejos são enganosos — Westworld
- 10 Tenha discernimento — O Código Da Vinci
- 11 Devemos nos colocar no lugar do outro — Avatar
- 12 Não viva como órfão, você é herdeiro do reino — Chaves
- 13 O medo não pode paralisar seu futuro — Rainha Elsa
- 14 Antes de confiar em seu coração, use a cabeça. — Princesa Anna
- 15 Cumpra suas promessas — Brienne de Tarth
- 16 Não corrompa sua alma — Saruman
- 17 A verdadeira prosperidade — Tio Patinhas
- 18 Divergente ou convergente? — Divergente
- 19 Seja irrepreensível — O Máscara
- 20 Na contramão do mundo — O Curioso Caso De Benjamin Button
- 21 Cuidado com a murmuração — Os Jetsons
- 22 Marcas do passado — Blindspot
- 23 Somos clones de Jesus — Jango Feet
- 24 O egoísmo nos transforma em ogros — Shrek
- 25 Focus, Vires et Fidem (Foco, força e fé) — Halo
- H Quando você se afasta, pessoas sofrem — Madagascar
- 27 Compartilhe conhecimento — Lucy
- 28 Não deturpe a palavra de Deus — Cruzada
- 29 Nosso inimigo é um derrotado obstinado — Elektro
- 30 O mundo ataca o que não entende — King Kong
- 31 Que a luz brilhe na escuridão do mundo — Princesa Leia

INTRODUÇÃO GERAL

Olá caríssima ou caríssimo leitor deste Devocional Pop! Estou muito feliz com a sua decisão em iniciar esta jornada comigo pela teologia e pelo universo da cultura pop! Antes de mais nada, peço a Deus que te auxilie para que consiga acompanhar as leituras diárias que estamos propondo para que sua fé seja edificada e fortalecida através dos textos escritos nas próximas páginas.

Este livro é resultado de um projeto iniciado no ano de 2013, cujo nome é Parábolas Geek. Senti a necessidade de escrever textos devocionais utilizando algo que conhecia muito bem: *HQ's, Filmes, Séries e Livros*. O que começou como um exercício para aliviar a tensão de um Doutorado em História Medieval e auxiliar na elaboração dos esboços de minhas pregações aos poucos foi tomando forma, de maneira sobrenatural. Em 2015 um blog foi criado para armazenar o conteúdo destes textos que, até então, eram escritos nas próprias redes sociais do Parábolas. Em 2017, demos o próximo passo e oficializamos o site www.parabolasgeek.com que contém não apenas textos, mas também vídeos e outros recursos, sempre associando os princípios do Reino com os elementos da cultura popular - e, de maneira especial, a cultura nerd e geek. Uma compilação de todos estes textos escritos há mais de quatro anos gerou o livro que agora você tem em mãos.

Quando iniciei este trabalho, não tinha ideia das pessoas maravilhosas que conheceria, de parceiros de trabalho que surgiriam ao longo do caminho e principalmente descobrir, da mesma maneira como o profeta Elias descobriu, que eu não era o único cristão preocupado em utilizar as ferramentas tecnológicas de nosso tempo para levar o Evangelho a jovens do Brasil e do mundo inteiro, através desta temática.

Sendo assim, quando procuramos expandir o Reino, qualquer que seja nosso projeto ou missão, devemos crer que o mesmo Deus que nos deu a missão, nos fornecerá todas as ferramentas necessárias para alcançarmos nossos objetivos. Este livro é com certeza a realização de um sonho pessoal que abre um novo caminho com infinitas possibilidades e é exatamente isso que me encanta no cristianismo! A partir do momento em que aceitamos a Cristo como Senhor e Salvador, passamos a viver a maior aventura de nossas vidas. Quem afirma que ser cristão é monótono ou chato, infelizmente vive um cristianismo raso, sem profundidade e sem intimidade com Deus.

Caso você esteja na busca por seus objetivos e sonhos, tenho uma dica importante: Preste atenção no caminho todo, ao invés de focar apenas na chegada. Quando viajamos de carro, temos muitas paisagens ao longo da estrada que podemos simplesmente ignorar, se olharmos apenas para a distância e para o nosso destino. Da mesma forma, quando estamos engajados em algum projeto, não podemos perder as oportunidades que surgem durante a jornada, como as pessoas que conhecemos, o favor de Deus, que atua em nós durante nossa história, contatos que fazemos, situações diversas que devem nos levar ao amadurecimento espiritual e emocional em nossas vidas.

Vamos falar muito sobre sonhos ao longo deste ano que passaremos juntos na leitura deste Devocional. Sobre os seus sonhos, persevere neles, apesar das circunstâncias ao seu redor ou das vozes que se levantam para dizer que você não está pronto para alcançar seus objetivos. Entregue seus temores, medos e dificuldades aos pés de Jesus Cristo, o Messias prometido no Antigo Testamento, e o resultado será, sem sombra de dúvidas, sobrenatural!

Fundamentação Teórica Simplificada

A ideia central deste Devocional é bastante simples, e com certeza você caríssimo leitor, perceberá isso durante a sua leitura diária do conteúdo proposto. Aqui você encontrará uma infinidade de assuntos abordados, tais como discipulado, vida devocional, oração, jejum, serviço, louvor, adoração, família, restauração, história, entre tantos outros. Para escrever a respeito de tantos assuntos, utilizamos diferentes autores e materiais para construir os 366 textos que compõe este Devocional e é nossa expectativa que você mergulhe nestes princípios com a mesma intensidade que nós mergulhamos quando os escrevemos. Embora todos os textos tenham início, meio e fim, o conjunto desta obra aponta para a Soberania de Deus sobre a humanidade, que deve aproveitar a Graça que lhe foi dada através de Jesus Cristo com responsabilidade. Não devemos reter as boas notícias que a morte e ressurreição de Jesus Cristo nos trouxe. Por Ele, temos a possibilidade da Vida Eterna e por isso devemos lutar todos os dias de nossa vida, levando outros a este Encontro com Ele através do arrependimento genuíno de pecados.

Esta obra está pautada em três premissas básicas, mas muito importantes no contexto bíblico e explicaremos rapidamente a respeito de cada uma delas.

1 – O Papel da Cultura Secular no Reino de Deus

No Novo Testamento, temos um interessante diálogo entre o apóstolo Paulo e os intelectuais gregos no Areópago em Atenas:

> *Então Paulo levantou-se na reunião do Areópago e disse: "Atenienses! Vejo que em todos os aspectos vocês são muito religiosos, pois, andando pela cidade, observei cuidadosamente seus objetos de culto e encontrei até um altar com esta inscrição:* **AO DEUS DESCONHECIDO**. *Ora, o que vocês adoram, apesar de não conhecerem, eu lhes anuncio.* **Atos 17:22,23 NVI**

Paulo passa um período em Atenas aguardando pela chegada de Silas e Timóteo, que haviam permanecido em Beréia. Ele fica indignado com a idolatria na cidade e, no texto acima, descobre que um dos deuses do panteão grego poderia ser usado para pregar o Evangelho de Cristo. Através de um elemento da cultura local, o apóstolo atingiu o cerne da mensagem da Salvação para aquele povo. O final da sua pregação mostra que, embora alguns tenham zombado dele, outros ficaram intrigados com sua metodologia e desejaram ouvir a Paulo uma vez mais.

Por muitas décadas, os cristãos entregaram o controle, o domínio e o governo de diversas áreas da sociedade ao nosso inimigo. As frases típicas que ouvimos por muito tempo de que *"a política, o dinheiro, a TV é do diabo"* demonstram uma tendência que predominou na igreja brasileira até pouco tempo atrás. Hoje percebemos o resultado deste desinteresse ou falta de entendimento de que o Reino de Deus é muito mais amplo do que as paredes de nossas igrejas. A política é um caos moral, a programação televisiva transmitindo princípios contrários à Palavra de Deus e a falta de preocupação com os estudos levou às posições de influência pessoas que não entendem da sabedoria bíblica para liderar pessoas. Em resumo, como igreja, entregamos de bandeja posições estratégicas ao inimigo por falta de nosso interesse e até mesmo egoísmo em nos preocuparmos com nossas igrejas, quando o mundo ao redor dela ruía.

Graças a Deus, nos tempos recentes, diversos movimentos surgiram caminhando na contramão deste pensamento. Jovens entendendo que seu chamado é muito maior do que apenas ser salvo da condenação eterna, mas que devem fazer a diferença em sua faculdade, trabalho e família. É tempo de restabelecer o senhorio de Cristo em nossa sociedade com inteligência e sabedoria. Não mais através de palavras, mas de atitudes que representem o Reino para o qual trabalhamos como embaixadores!

Acredito ser importante aproximar o Evangelho da sociedade na qual estamos inseridos, sem abrir mão dos princípios bíblicos. Este é um exercício que demanda criatividade e pesquisa, pois é necessário procurar entender o tempo e a cultura em que vivemos. Este livro é uma tentativa de mostrar a possibilidade de aliar aquilo que as pessoas consomem como entretenimento aplicando princípios do Reino de Deus, pois a Cultura não precisa ser inimiga da igreja, quando utilizada ao nosso favor.

2 – Metodologia de Ensino de Cristo

O segundo preceito diz respeito a um recurso didático muito utilizado por Jesus Cristo em Seu ministério terreno: as Parábolas. Gosto muito de uma definição que ouvi certa vez a respeito, que diz: ao usarmos uma Parábola ou uma alegoria, trazemos conceitos complexos do Reino de Deus para perto das pessoas. Separei alguns textos que mostram a importância que Ele dava a estas práticas.

> *Jesus falou todas estas coisas à multidão por parábolas. Nada lhes dizia sem usar alguma parábola,* **Mateus 13:34**
>
> *Ele lhes ensinava muitas coisas por parábolas, dizendo em seu ensino:* **Marcos 4:2**
>
> *Com muitas parábolas semelhantes Jesus lhes anunciava a palavra, tanto quanto podiam receber.* **Marcos 4:33**

A sociedade de Jesus no século I era essencialmente agropastoril, portanto estavam acostumados ao trabalho com animais e agricultura. Cristo os ensinava com exemplos que qualquer um dos trabalhadores conheciam: uma ovelha perdida, um grão de mostarda, uma moeda corrente, entre outros. Concordo com a premissa de que, quanto mais sábio um ser humano, mais ele consegue traduzir o que precisa ensinar através das mais diversas estratégias, de maneira a ser entendido por aqueles que o ouvem ou leem. Jesus é a Sabedoria encarnada, por isso sua estratégia de ensino era tão eficiente.

Muitos jovens de nossos dias não conhecem um grão de mostarda ou quanto valeria um talento, mas com certeza conhecem o Capitão América, o Homem de Ferro ou o Hulk. Partindo desta ideia, procuramos atualizar o conceito das Parábolas para a realidade da juventude do século XXI.

Desta forma, procuramos utilizar o mesmo recurso didático que o Mestre usou, apenas atualizando e aproximando os objetos da pesquisa, escrevendo Parábolas contemporâneas para oferecer uma nova roupagem aos textos bíblicos.

3 – Aprendizagem do Leitor

Alguém disse certa vez que o ignorante aprende errando, o inteligente aprende com os próprios erros e o sábio com os erros dos outros. Neste sentido, tudo em nossa vida é um grande aprendizado. Podemos aprender bons princípios com heróis e podemos aprender o que NÃO devemos fazer quando observamos a conduta dos vilões. De uma maneira, ou de outra, estamos aprendendo.

Esta maneira de enxergar a vida, como um grande aprendizado, é simplesmente libertadora, pois entendemos que tudo em nossa vida acontece com o propósito de nos levar ao crescimento e ao amadurecimento. Por isso, melhor do que excluir as experiências negativas que tivermos ao longo de nossa caminhada, devemos aprender com elas e seguir em frente, pois conforme o autor de Eclesiastes, *Para tudo há uma ocasião, e um tempo para cada propósito debaixo do céu: Eclesiastes 3:1.*

Estes três elementos: *O Papel da Cultura Secular no Reino de Deus, a Metodologia de Ensino de Jesus e a possibilidade de Aprender com diferentes experiências*, explicam o mecanismo teórico no qual nos baseamos para a escrita deste livro.

Devido ao tamanho de cada texto, não tive como aprofundar a discussão sobre os personagens, apenas uma breve abordagem de um aspecto de sua biografia ou do roteiro do filme ou série. Por esta razão estamos trabalhando em uma série de livros que aprofundem mais alguns temas importantes do Universo Geek. Portanto, vem coisa boa por aí!

....

Como utilizar seu Devocional Pop

Este devocional possui 366 textos preparados para sua leitura diária. Cada texto possui a mesma estrutura de maneira geral, que é composta por:

- Uma rápida biografia de um personagem, livro, filme ou série abordado;
- Explicação de um princípio bíblico associado a um aspecto deste personagem;
- Um convite ao leitor para tomar uma atitude prática a partir do que aprendeu;
- Versículos bíblicos que embasam os textos apresentados. Utilizamos a Bíblia Nova Versão Internacional (NVI) como base.

Você vai encontrar no final de cada texto três tipos de complementos ao texto:

1) Curiosidade: Um fato interessante sobre o personagem, filme ou universo no qual o mesmo está inserido;
2) Desafio: Uma atitude prática para aplicar o texto devocional em sua realidade;
3) Reflexão: Uma frase para sua reflexão a partir de diversos pensadores, trechos de filmes e livros.

Tudo isso tem como objetivo principal, transformar sua experiência com o Devocional, em algo prático e palpável, para que você seja transformado a partir da leitura e aplicação do que está lendo.

Minha oração é que você encontre muito mais que breves histórias nas próximas páginas, mas ferramentas úteis para o seu uso diário.

Espero que você esteja preparado ou preparada para a jornada que se inicia diante de seus olhos! A minha oração é que você aplique cada texto em sua realidade e, quando nos reencontrarmos daqui a um ano, sequer "se reconheça", tamanha a transformação de vida que você experimentará!

Assim como está escrito: *"Olho nenhum viu, ouvido nenhum ouviu, mente nenhuma imaginou o que Deus preparou para aqueles que o amam"*; **1 Coríntios 2:9**

Grande Abraço!
Em Cristo,
Pastor Doutor Eduardo Medeiros

ROTEIRO PARA PEQUENOS GRUPOS

No Devocional Pop, você encontra um verdadeiro compilado de estudos da Palavra de Deus, utilizando a Cultura Pop como pano de fundo e elemento didático. Apesar deste material ter sido desenvolvido para o uso pessoal diário, desde o seu lançamento recebemos contatos de líderes e pastores que têm utilizado este material para seus grupos pequenos, células e escola dominical de juniores, adolescentes ou jovens. Por esta razão, nossa intenção nesta edição ampliada é oferecer a você, que gostaria de utilizar os textos em seu grupo pequeno, algumas dicas e ferramentas para auxiliar neste processo.

Como autor da obra, gostaria de dar uma dica muito importante quando você utilizar o Devocional em seu grupo pequeno. No início desta edição ampliada, você encontra um índice de temas e personagens. Escolha os temas pertinentes para o momento presente de seu grupo, pois é primordial que o assunto a ser tratado seja de fato relevante para quem receberá o ensino.

Ao longo de sua leitura, você perceberá que a estrutura textual é muito semelhante em todos os 366 textos, que é a seguinte:

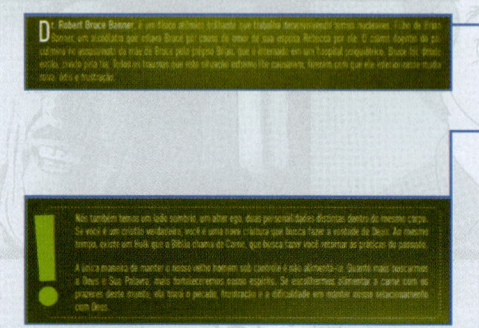

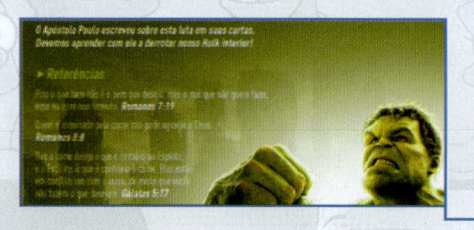

1. Introdução. O início de cada texto apresenta uma rápida introdução ao personagem que será utilizado como analogia ao texto bíblico;

2. Desenvolvimento. Logo após a introdução, usamos algum elemento da vida do personagem como um gancho para trazer uma verdade eterna da Palavra de Deus aos nossos leitores. Esta é a porção central do Devocional e a parte que você, líder do grupo pequeno, deve utilizar para desenvolver o estudo semanal. Por exemplo, no texto do dia 3 de janeiro, usamos o Hulk como personagem principal. No desenvolvimento, utilizamos relação entre a ação da carne na vida do cristão e nas formas que podemos derrotar nosso velho homem a partir das Escrituras. Esta é a parte do texto, que você pode enriquecer com um estudo a respeito do tema central do devocional que você escolheu. Você precisa ir além do texto escrito, para que suas reuniões sejam impactantes na vida de seu grupo!

3. Referências bíblicas. Todos os textos possuem as referências bíblicas para balizar o conteúdo, repita-as para o seu grupo e estimule a memorização semanal, fazendo um pequeno resumo da devocional anterior a cada novo encontro.

4. Complemento. Um desafio, uma curiosidade ou uma reflexão para finalizar a sua experiência e que pode ser compartilhada com seu grupo!

Apresentamos a seguir algumas dicas práticas para o uso deste Devocional em pequenos grupos, bem como uma sugestão de roteiro.

Dicas úteis sobre células e grupos pequenos

- Tenha um cronograma da reunião. Busque a capacidade de síntese para transmitir o recado no menor tempo possível.
- Procure por vídeos de Quebra Gelo para iniciar sua reunião. Sugerimos o canal no YouTube do pastor Gonçalves Filho, que é uma autoridade no assunto de dinâmicas para grupos pequenos e evangelismo criativo!
- Leia o conteúdo que você deseja passar para seu grupo antes da célula, para estar preparado(a).
- Caso seu grupo tenha comida ou lanche após a célula, escolha alguém do grupo para distribuir as tarefas e organizar.
- Cuide para que o horário de início e de término seja respeitado. A sua reunião não deve durar mais do que 1 hora e 30 minutos.

Sugestão de roteiro para a reunião do grupo pequeno

1) Oração inicial (5 minutos)

2) Louvor (10 minutos)

3) Leitura do texto escolhido (15 minutos)

4) Perguntas aos participantes (20 minutos)

- Qual é o personagem principal deste texto do Devocional?
- Quais são os princípios bíblicos utilizados neste texto? Você consegue apontar outros?
- Como você poderia aplicar este estudo de hoje em sua vida cotidiana?

5) Oração final e pedidos de oração (10 minutos)

6) Confraternização (30 minutos)

Aguarde, pois em breve lançaremos um material bem mais específico para o trabalho em células, grupos pequenos ou escola dominical!

PLANO DE LEITURA BÍBLICA

Esta edição especial do Devocional Pop conta com uma ferramenta fundamental para a sua vida cristã: um plano de leitura bíblica anual! Traduzindo a importância desta ferramenta para nossa linguagem Nerd, eu poderia dizer que o plano de leitura está para o cristão da mesma forma como a Sala de Perigo está para os X-Men. Nesta sala, os alunos de Charles Xavier treinam todos os dias, em diferentes níveis de dificuldade com diversas simulações de perigo. Com esta estratégia, eles permanecem preparados para cada novo desafio, quando eles surgem. O treinamento contínuo na Sala de Perigo desenvolve os músculos, aprimora os poderes mutantes, amplia a agilidade e aumenta a resistência.

Da mesma forma, a leitura contínua da Palavra de Deus desenvolve nossa visão sobre o cristianismo, limita a atuação da carne, mantém nossa mente voltada a Cristo e ajuda a superar as adversidades da vida, por meio do conhecimento de todas as promessas contidas nas Escrituras para a minha e para a sua vida!

A leitura constante da Bíblia é algo exigido dos líderes de Israel no Antigo Testamento e dos Discípulos de Cristo no Novo:

Não deixe de falar as palavras deste Livro da Lei e de meditar nelas de dia e de noite, para que você cumpra fielmente tudo o que nele está escrito. Só então os seus caminhos prosperarão e você será bem-sucedido. Josué 1:8

Toda a Escritura é inspirada por Deus e útil para o ensino, para a repreensão, para a correção e para a instrução na justiça. 2 Timóteo 3:16

Vivemos em um período conturbado como sociedade. Todos temos muitos compromissos, trabalho, estudos, faculdade e até a igreja! Estamos cada vez mais conectados às redes sociais e isso, cá entre nós, nos faz perder muito tempo! Por esta razão, é fundamental criarmos uma rotina de leitura bíblica para um cristianismo saudável. É impossível sermos bons cristãos sem conhecer de fato as Escrituras!

Não esqueça que nossa vida cristã está baseada na fé e, para que ela seja edificada, é necessário manter nossa conexão com a Palavra de Deus, conforme Paulo nos informa em sua carta aos Romanos:

Consequentemente, a fé vem por ouvir a mensagem, e a mensagem é ouvida mediante a palavra de Cristo. Romanos 10:17

Por causa de tudo isso, trazemos a vocês um modelo de leitura bíblica que possa ser utilizado em conjunto com seu Devocional Pop. Assim, a cada dia, após ler o texto do Devocional, você pode usar este plano! Aproveite esta ferramenta para aprimorar sua vida com Deus e, com toda a certeza, você será edificado! Como sugestão final, convide um amigo para iniciar esta jornada com você, pois qualquer viagem fica muito mais leve quando levamos um amigo conosco. Você poderia pensar que a Bíblia é grande demais para ser lida por você, mas eu digo que você é capaz! Não se esqueça: toda grande jornada começa com um primeiro passo.

Grande abraço,
Eduardo Medeiros

MÊS 1

#	Leitura	Salmo	#	Leitura	Salmo	#	Leitura	Salmo	#	Leitura	Salmo
1	Gn 1-2	Sl 1	8	Gn 18-20	Sl 7	15	Gn 37-39	Sl 13	22	Mc 7-9	Sl 18:25-50
2	Gn 3-5	Sl 2	9	Gn 21-23	Sl 8	16	Gn 40-42	Sl 14	23	Mc 10-12	Sl 19
3	Gn 6-9	Sl 3	10	Gn 24-26	Sl 9	17	Gn 43-46	Sl 15	24	Mc 13-16	Sl 20
4	Gn 10-11	Sl 4	11	Gn 27-29	Sl 10	18	Gn 47-50	Sl 16	25	Ex 1-4	Sl 21
5	Gn 12-14	Sl 5	12	Gn 30-32	Sl 11	19	Mc 1-3	Sl 17	26	Ex 5-8	Sl 22:1-11
6	Gn 15-17	Sl 6	13	Gn 33-36	Sl 12	20	Mc 4-6	Sl 18:1-24	27	Ex 9-11	Sl 22:12-31
7	Reflexão		14	Reflexão		21	Reflexão		28	Ex 12-14	Sl 23

MÊS 2

#	Leitura	Pv	#	Leitura	Pv	#	Leitura	Pv	#	Leitura	Pv
1	Ex 15-17	Pv 1	8	Ex 35-37	Pv 7	15	At 13-15	Pv 11:16-31	22	Lv 5-8	Pv 14:19-35
2	Ex 18-20	Pv 2	9	Ex 38-40	Pv 8	16	At 16-18	Pv 12:1-14	23	Lv 9-11	Pv 15:1-17
3	Ex 21-24	Pv 3	10	At 1-3	Pv 9	17	At 19-21	Pv 12:15-28	24	Lv 12-14	Pv 15:18-33
4	Ex 25-27	Pv 4	11	At 4-6	Pv 10:1-16	18	At 22-25	Pv 13:1-12	25	Lv 15-18	Pv 16:1-16
5	Ex 28-31	Pv 5	12	At 7-9	Pv 10:17-32	19	At 26-28	Pv 13:13-25	26	Lv 19-21	Pv 16:17-33
6	Ex 32-34	Pv 6	13	At 10-12	Pv 11:1-15	20	Lv 1-4	Pv 14:1-18	27	Lv 22-24	Pv 17:1-14
7	Reflexão		14	Reflexão		21	Reflexão		28	Lv 25-27	Pv 17:15-28

MÊS 3

#	Leitura	Sl	#	Leitura	Sl	#	Leitura	Sl	#	Leitura	Sl
1	Hb 1-3	Sl 24	8	Nm 8-10	Sl 30	15	Nm 28-30	Sl 36	22	Dt 5-7	Sl 41
2	Hb 4-6	Sl 25	9	Nm 11-14	Sl 31	16	Nm 31-33	Sl 37:1-22	23	Dt 8-10	Sl 42
3	Hb 7-10	Sl 26	10	Nm 15-17	Sl 32	17	Nm 34-36	Sl 37:23-40	24	Dt 11-13	Sl 43
4	Hb 11-13	Sl 27	11	Nm 18-21	Sl 33	18	Gl 1-3	Sl 38	25	Dt 14-16	Sl 44
5	Nm 1-3	Sl 28	12	Nm 22-24	Sl 34	19	Gl 4-6	Sl 39	26	Dt 17-19	Sl 45
6	Nm 4-7	Sl 29	13	Nm 25-27	Sl 35	20	Dt 1-4	Sl 40	27	Dt 20-22	Sl 46
7	Reflexão		14	Reflexão		21	Reflexão		28	Dt 23-26	Sl 47

MÊS 4

#	Leitura	Sl	#	Leitura	Sl	#	Leitura	Sl	#	Leitura	Sl
1	Dt 27-30	Sl 48	8	Js 7-9	Sl 54	15	Mt 1-4	Sl 60	22	Mt 20-22	Sl 66
2	Dt 31-34	Sl 49	9	Js 10-12	Sl 55	16	Mt 5-7	Sl 61	23	Mt 23-25	Sl 67
3	Tg 1-2	Sl 50	10	Js 13-15	Sl 56	17	Mt 8-10	Sl 62	24	Mt 26-28	Sl 68
4	Tg 3-5	Sl 51	11	Js 16-18	Sl 57	18	Mt 11-13	Sl 63	25	Jz 1-3	Sl 69:1-18
5	Js 1-3	Sl 52	12	Js 19-21	Sl 58	19	Mt 14-16	Sl 64	26	Jz 4-6	Sl 69:19-36
6	Js 4-6	Sl 53	13	Js 22-24	Sl 59	20	Mt 17-19	Sl 65	27	Jz 7-9	Sl 70
7	Reflexão		14	Reflexão		21	Reflexão		28	Jz 10-12	Sl 71

MÊS 5

#			#			#			#		
1	Jz 13-15	Pv 18	8	Rm 9-11	Pv 21:17-31	15	1 Sm 1-3	Pv 24:23-34	22	1 Sm 20-22	Pv 27:15-27
2	Jz 16-18	Pv 19:1-14	9	Rm 12-13	Pv 22:1-16	16	1 Sm 4-6	Pv 25:1-14	23	1 Sm 23-25	Pv 28:1-14
3	Jz 19-21	Pv 19:15-29	10	Rm 14-16	Pv 22:17-29	17	1 Sm 7-9	Pv 25:15-28	24	1 Sm 26-28	Pv 28:15-30
4	Rm 1-3	Pv 20:1-15	11	Rt	Pv 23:1-18	18	1 Sm 10-12	Pv 26:1-16	25	1 Sm 29-31	Pv 29:1-14
5	Rm 4-5	Pv 20:16-30	12	Ef 1-3	Pv 23:19-35	19	1 Sm 13-15	Pv 26:17-28	26	Fp	Pv 29:15-27
6	Rm 6-8	Pv 21:1-16	13	Ef 4-6	Pv 24:1-22	20	1 Sm 16-19	Pv 27:1-14	27	2 Sm 1-3	Pv 30
7	--------- Reflexão ---------		14	--------- Reflexão ---------		21	--------- Reflexão ---------		28	2 Sm 4-7	Pv 31

MÊS 6

#			#			#			#		
1	2 Sm 8-10	Sl 72	8	1 Re 1-3	Sl 78:1-39	15	1 Re 20-22	Sl 83	22	2 Re 12-14	Sl 89:1-18
2	2 Sm 11-13	Sl 73	9	1 Re 4-6	Sl 78:40-72	16	Jn	Sl 84	23	2 Re 15-18	Sl 89:19-52
3	2 Sm 14-17	Sl 74	10	1 Re 7-9	Sl 79	17	Fm	Sl 85	24	2 Re 19-21	Sl 90
4	2 Sm 18-20	Sl 75	11	1 Re 10-12	Sl 80	18	2 Re 1-4	Sl 86	25	2 Re 22-25	Sl 91
5	2 Sm 21-24	Sl 76	12	1 Re 13-15	Sl 81	19	2 Re 5-7	Sl 87	26	Lc 1-3	Sl 92
6	Cl	Sl 77	13	1 Re 16-19	Sl 82	20	2 Re 8-11	Sl 88	27	Lc 4-6	Sl 93
7	--------- Reflexão ---------		14	--------- Reflexão ---------		21	--------- Reflexão ---------		28	Lc 7-9	Sl 94

MÊS 7

#			#			#			#		
1	Lc 10-12	Ec 1	8	Am 4-6	Ec 7	15	1 Cr 15-17	Ct 1	22	Os 5-8	Ct 7
2	Lc 13-15	Ec 2	9	Am 7-9	Ec 8	16	1 Cr 18-20	Ct 2	23	Os 9-11	Ct 8
3	Lc 16-18	Ec 3	10	1 Cr 1-4	Ec 9	17	1 Cr 21-23	Ct 3	24	Os 12-14	Sl 95
4	Lc 19-21	Ec 4	11	1 Cr 5-8	Ec 10	18	1 Cr 24-26	Ct 4	25	1 Co 1-2	Sl 96
5	Lc 22-24	Ec 5	12	1 Cr 9-11	Ec 11	19	1 Cr 27-29	Ct 5	26	1 Co 3-5	Sl 97
6	Am 1-3	Ec 6	13	1 Cr 12-14	Ec 12	20	Os 1-4	Ct 6	27	1 Co 6-8	Sl 98
7	--------- Reflexão ---------		14	--------- Reflexão ---------		21	--------- Reflexão ---------		28	1 Co 9-11	Sl 99

MÊS 8

#			#			#			#		
1	1 Co 12-14	Sl 100	8	2 Cr 16-18	Sl 105	15	2 Cr 34-36	Sl 110	22	Ed 1-4	Sl 116
2	1 Co 15-16	Sl 101	9	2 Cr 19-21	Sl 106:1-23	16	Obadias	Sl 111	23	Ed 5-7	Sl 117
3	2 Cr 1-4	Sl 102	10	2 Cr 22-24	Sl 106:24-48	17	2 Co 1-3	Sl 112	24	Ed 8-10	Sl 118:1-14
4	2 Cr 5-7	Sl 103	11	2 Cr 25-27	Sl 107	18	2 Co 4-6	Sl 113	25	Ne 1-3	Sl 118:15-29
5	2 Cr 8-11	Sl 104:1-23	12	2 Cr 28-30	Sl 108	19	2 Co 7-9	Sl 114	26	Ne 4-7	Sl 119:1-16
6	2 Cr 12-15	Sl 104:24-35	13	2 Cr 31-33	Sl 109	20	2 Co 10-13	Sl 115	27	Ne 8-10	Sl 119:17-32
7	--------- Reflexão ---------		14	--------- Reflexão ---------		21	--------- Reflexão ---------		28	Ne 11-13	Sl 119:33-48

MÊS 9

#	Leitura	Salmo	#	Leitura	Salmo	#	Leitura	Isaías	#	Leitura	Isaías
1	1 Tm 1-3	Sl 119:49-64	8	Jó 1-3	Sl 119:145-160	15	Jó 19-21	Is 2	22	Jó 37-39	Is 8
2	1 Tm 4-6	Sl 119:65-80	9	Jó 4-6	Sl 119:161-176	16	Jó 22-24	Is 3	23	Jó 40-42	Is 9
3	Et 1-3	Sl 119:81-96	10	Jó 7-9	Sl 120	17	Jó 25-27	Is 4	24	Tt	Is 10
4	Et 4-7	Sl 119:97-112	11	Jó 10-12	Sl 121	18	Jó 28-30	Is 5	25	Jr 1-3	Is 11
5	Et 8-10	Sl 119:113-128	12	Jó 13-15	Sl 122	19	Jó 31-33	Is 6	26	Jr 4-6	Is 12
6	2 Timóteo	Sl 119:129-144	13	Jó 16-18	Is 1	20	Jó 34-36	Is 7	27	Jr 7-9	Is 13
7	Reflexão		14	Reflexão		21	Reflexão		28	Jr 10-12	Is 14

MÊS 10

#	Leitura	Isaías	#	Leitura	Isaías	#	Leitura	Isaías	#	Leitura	Isaías
1	Jr 13-15	Is 15	8	Jr 31-33	Is 21	15	Jr 50-52	Is 27	22	1 Pe 1-3	Is 33
2	Jr 16-18	Is 16	9	Jr 34-36	Is 22	16	Lm 1-2	Is 28	23	1 Pe 4-5	Is 34
3	Jr 19-21	Is 17	10	Jr 37-39	Is 23	17	Lm 3-5	Is 29	24	Ez 1-4	Is 35
4	Jr 22-24	Is 18	11	Jr 40-42	Is 24	18	1 Jo 1-3	Is 30	25	Ez 5-7	Is 36
5	Jr 25-27	Is 19	12	Jr 43-46	Is 25	19	1 Jo 4-5	Is 31	26	Ez 8-11	Is 37
6	Jr 28-30	Is 20	13	Jr 47-49	Is 26	20	2 e 3 João	Is 32	27	Ez 12-15	Is 38
7	Reflexão		14	Reflexão		21	Reflexão		28	Ez 16-19	Is 39

MÊS 11

#	Leitura	Salmo	#	Leitura	Salmo	#	Leitura	Salmo	#	Leitura	Salmo
1	Ez 20-23	Sl 123-124	8	Ez 43-45	Sl 133-134	15	Jo 13-15	Sl 140	22	Dn 10-12	Sl 146
2	Ez 24-26	Sl 125-126	9	Ez 46-48	Sl 135	16	Jo 16-18	Sl 141	23	1 Ts 1-2	Sl 147
3	Ez 27-30	Sl 127	10	Jo 1-3	Sl 136	17	Jo 19-21	Sl 142	24	1 Ts 3-5	Sl 148
4	Ez 31-34	Sl 128-129	11	Jo 4-6	Sl 137	18	Dn 1-3	Sl 143	25	Jl	Sl 149
5	Ez 35-38	Sl 130-131	12	Jo 7-9	Sl 138	19	Dn 4-6	Sl 144	26	Mq 1-3	Sl 150
6	Ez 39-42	Sl 132	13	Jo 10-12	Sl 139	20	Dn 7-9	Sl 145	27	Mq 4-5	Is 40
7	Reflexão		14	Reflexão		21	Reflexão		28	Mq 6-7	Is 41

MÊS 12

#	Leitura	Isaías	#	Leitura	Isaías	#	Leitura	Isaías	#	Leitura	Isaías
1	2Ts	Is 42	8	Ag	Is 48	15	Ml 1-2	Is 54	22	Ap 9-10	Is 60
2	Nu	Is 43	9	Zc 1-3	Is 49	16	Ml 3-4	Is 55	23	Ap 11-12	Is 61
3	2Pe	Is 44	10	Zc 4-6	Is 50	17	Ap 1-2	Is 56	24	Ap 13-14	Is 62
4	Hc	Is 45	11	Zc 7-9	Is 51	18	Ap 3-4	Is 57	25	Ap 15-16	Is 63
5	Sf	Is 46	12	Zc 10-12	Is 52	19	Ap 5-6	Is 58	26	Ap 17-18	Is 64
6	Jd	Is 47	13	Zc 13-14	Is 53	20	Ap 7-8	Is 59	27	Ap 19-20	Is 65
7	Reflexão		14	Reflexão		21	Reflexão		28	Ap 21-22	Is 66

SOBRE O AUTOR

Eduardo Medeiros é filho de Deus, casado com a mulher mais linda deste mundo chamada Meiry Ellen e pai do pequeno Joshua. É pastor de jovens e adolescentes em Curitiba e Ministro da Igreja do Evangelho Quadrangular, auxiliando no trabalho de células e ensino de sua denominação. É Doutor em História Medieval pela Universidade Federal do Paraná e Especialista em Teologia Bíblica pela Universidade Mackenzie de São Paulo, além de bacharel em História e Teologia. Professor Universitário em Cursos de Teologia e História, é escritor de livros acadêmicos para uso em diversos cursos a nível nacional. Fundador do projeto Parábolas Geek, que originou este Devocional.

JANEIRO

DEVOCIONAL POP

ADAPTAÇÃO EM UM
MUNDO NOVO

Steve Rogers nasceu em 1922 tendo reprovado várias vezes nos testes de aptidão do exército americano, por ser doente e fraco para os padrões dos soldados. Após participar de um programa do governo para dar a soldados força e agilidade sobre-humanas, transforma-se no Capitão América e lidera o exército à vitória na Segunda Guerra. Na volta para casa, seu avião é abatido e cai no oceano, congelando Rogers por trinta anos, onde permaneceu até ser encontrado e reanimado, passando a integrar a equipe original dos heróis conhecidos como Vingadores.

Fico pensando na dificuldade de Steve em se reintegrar à sociedade após trinta anos fora da civilização. Quantas novidades e hábitos diferentes ele deve ter visto. A sua adaptação foi realmente muito difícil.

Assim como ele, nós também temos dificuldade em nos adaptarmos às mudanças em nossas vidas. Quando aceitamos a Cristo como Senhor e Salvador, um novo mundo se apresenta diante de nós. É como se estivéssemos congelados por anos e de repente acordamos! Tudo é diferente ao nosso redor e principalmente em nosso interior. Nosso caráter começa a mudar e o que fazíamos de errado, paramos de fazer. Nossas palavras trazem bênção, ao invés de maldição, e passamos a gastar nossas vidas para trazer o Reino de Deus à terra, levando outros a tomarem a mesma decisão. Não buscamos ganhar algo em troca das pessoas, mas as ajudamos porque Cristo nos ajudou primeiro!

Ainda existem pessoas que esperam ser descongeladas de suas vidas sem Deus! Você pode ajudar a mudar esta realidade?

▶ Referências

Darei a vocês um coração novo e porei um espírito novo em vocês; tirarei de vocês o coração de pedra e lhes darei um coração de carne. ***Ezequiel 36:26***

Portanto, se alguém está em Cristo, é nova criação. As coisas antigas já passaram; eis que surgiram coisas novas! ***2 Coríntios 5:17***

▶ Curiosidade

O escudo do Capitão América é feito de Vibranium, um metal raro encontrado apenas em Wakanda, lar do Pantera Negra.

BLINDADOS POR FORA, FRÁGEIS POR DENTRO

Anthony Edward Stark é um gênio da tecnologia que conseguiu seu doutorado em Engenharia e Física aos 19 anos de idade. Dono de um império tecnológico aos 21 anos, após a morte prematura de seu pai em um acidente, Tony adota o estilo de vida de um playboy milionário.

Durante a Guerra do Vietnã, ele é capturado e gravemente ferido por estilhaços de uma granada que danificam seu coração. No cativeiro, é obrigado a construir uma armadura para seus captores e, secretamente, constrói algo que possa salvar sua vida. Após uma batalha sangrenta, Stark consegue fugir usando a armadura que construiu. A partir de então, ele aprimora o traje cibernético e fornece tecnologia militar ao governo americano.

▶ LIÇÃO 01

A primeira lição que o Homem de Ferro pode nos ensinar é que ele possui força e blindagem externa, mas seu interior é frágil devido aos ferimentos em seu coração. Quantas pessoas mostram ao mundo que são fortes e inabaláveis por fora, mas por dentro têm seus corações destroçados pelas circunstâncias da vida?
Precisamos tomar cuidado, pois o Homem de Ferro descobriu que a armadura estava destruindo sua rede neural, ou seja, nossa carcaça emocional cobrará seu preço com o tempo, causando dores mais profundas por não confiar mais nas pessoas.

▶ LIÇÃO 02

A segunda lição de Tony está em sua abnegação e serviço mesmo quando não poderia receber nada em troca. Com toda a sua fortuna, não precisava servir ao seu país com sua inteligência e coragem.
Precisamos aprender a olhar mais as situações ao nosso redor e nos colocar como parte da solução de Deus para esta geração, ao invés de apenas reclamarmos dos problemas que encontramos nos lugares por onde caminhamos!

▶ Referências

Acima de tudo, guarde o seu coração, pois dele depende toda a sua vida. **Provérbios 4:23**
Pois onde estiver o seu tesouro, aí também estará o seu coração. **Mateus 6:21**

▶ Curiosidade

Até o momento, foram contadas contadas mais de 50 versões da armadura do Homem de Ferro nas HQ's, desde sua criação em 1963 por Stan Lee e Jack Kirby.

A CARNE ESMAGA!

Dr. Robert Bruce Banner, é um físico atômico brilhante que trabalha desenvolvendo armas nucleares. Filho de Brian Banner, um alcoólatra que odiava Bruce por causa do amor de sua esposa Rebecca por ele. O ciúme doentio do pai culmina no assassinato da mãe de Bruce pelo próprio Brian, que é internado em um hospital psiquiátrico. Bruce foi, desde então, criado pela tia. Todos os traumas que esta situação extrema lhe causaram, fizeram com que ele interiorizasse muita raiva, ódio e frustração.

Durante o teste de uma bomba Gama, Bruce é contaminado pela radiação quando tenta salvar um adolescente na região do teste. O resultado desta exposição criou um alter ego que trouxe à tona toda a raiva acumulada em Bruce: a criatura conhecida como Hulk, um dos seres mais poderosos de todo o universo Marvel, temido tanto por inimigos, quanto por seus aliados.

> Nós também temos um lado sombrio, um alter ego, duas personalidades distintas dentro do mesmo corpo. Se você é um cristão verdadeiro, você é uma nova criatura que busca fazer a vontade de Deus. Ao mesmo tempo, existe um Hulk que a Bíblia chama de Carne, que busca fazer você retornar às práticas do passado.
>
> A única maneira de manter o nosso velho homem sob controle é não alimentá-lo. Quanto mais buscarmos a Deus e Sua Palavra, mais fortaleceremos nosso espírito. Se escolhermos alimentar a carne com os prazeres deste mundo, ela trará o pecado, frustração e a dificuldade em manter nosso relacionamento com Deus.

O Apóstolo Paulo escreveu sobre esta luta em suas cartas. Devemos aprender com ele a derrotar nosso Hulk interior!

▶ Referências

Pois o que faço não é o bem que desejo, mas o mal que não quero fazer, esse eu continuo fazendo. **Romanos 7:19**

Quem é dominado pela carne não pode agradar a Deus. **Romanos 8:8**

Pois a carne deseja o que é contrário ao Espírito; e o Espírito, o que é contrário à carne. Eles estão em conflito um com o outro, de modo que vocês não fazem o que desejam. **Gálatas 5:17**

▶ Desafio

Você consegue identificar as situações em que o seu "monstro" interior vem à tona? Quais ações e mudanças preventivas, à luz da Palavra de Deus, você pode fazer para que isso não aconteça?

HUMILDADE E O PAPEL DAS PESSOAS DIFÍCEIS

Thor Odinson é filho de Odin, regente supremo de Asgard. Ele é o príncipe que sucederá seu pai no trono. Em sua juventude mostrou ser um excelente guerreiro, mas era muito arrogante e orgulhoso.
Odin, buscando forjar em seu filho e sucessor a qualidade essencial para um bom rei, retira seus poderes e sua memória o enviando para Midgard (a Terra para os asgardianos) para que aprenda com a humanidade fraca o valor do sacrifício e da humildade. Quando aprende com os homens, sua memória e seu martelo místico Mjolnir são restituídos. Ainda contamos com a presença de seu irmão mais novo, Loki, que por inveja à preferência de Odin por seu irmão, busca constantemente destruir Thor e Asgard.

Neste dia gostaria de tratar com vocês a respeito da qualidade que faltava para Thor, e que tem faltado muito em nossos dias: a Humildade. Algumas pessoas confundem este conceito com miséria e pobreza, mas nada estaria mais distante da realidade do conceito. Humildade vem do latim *humilitas* e é **uma das virtudes cristãs que busca conhecer as próprias limitações** e fraquezas, vivendo de acordo com esta consciência.

Para os humildes não existe a necessidade de buscar ser como as outras pessoas, pois sabem quem são em Deus. **Não são levados pelas tendências da moda ou a fazer o que todos estão fazendo.** Eles reconhecem suas falhas e sabem que precisam de Deus para continuar e concluir suas jornadas na terra! Todo aquele que busca a humildade pode esperar ataques de pessoas soberbas, como o irmão de Thor, Loki.

Esses conflitos existem porque forjam o nosso caráter, aprimorando as qualidades que Deus têm nos dado. Então, caso esteja passando por lutas, alegre-se! Deus é o grande Ferreiro, que está afiando suas armas!

▶ Referências

A recompensa da humildade e do temor do Senhor são a riqueza, a honra e a vida. **Provérbios 22:4**

Bem-aventurados os humildes, pois eles receberão a terra por herança. **Mateus 5:5**

▶ Curiosidade

Durante sua estada na Terra, sem memória, Thor adotou o nome de **Donald Blake**.

COMO ENCONTRAR A FELICIDADE?

Natasha Romanoff foi uma espiã que trabalhou para a KGB no auge da Guerra fria. Participou de experimentos soviéticos para tentar reproduzir a fórmula do soro usado no Capitão América. Como consequência deste experimento, ela não envelhece no ritmo normal e tem força e reflexos de uma atleta olímpica. Ao longo dos anos teve relacionamentos amorosos com vários personagens do universo Marvel como o Gavião Arqueiro, o Homem-Aranha, o Demolidor entre outros.

O codinome de nossa personagem nos diz muito sobre o devocional de hoje. Fomos criados por Deus para sermos felizes sozinhos! Nosso relacionamento com Ele deveria ser suficiente para alcançar nossa felicidade.

Muitos jovens porém, acreditam na mentira de que a felicidade está nos braços de outra pessoa. Assim, buscam por este sentimento em diversos relacionamentos amorosos. A Palavra de Deus nos mostra que precisamos ser pessoas inteiras para termos um casamento saudável.

Existem muitas "viúvas e viúvos negros" em nossos dias. São pessoas com problemas de autoestima que buscam a aceitação de outros para prosseguirem suas jornadas. Este é um comportamento destrutivo, pois a necessidade de se sentir amado(a) só pode ser suprido pelo amor de Deus, demonstrado no sacrifício de Jesus pela humanidade.

Cada relacionamento com sexo gera um laço de alma no casal. O fim deste relacionamento traz pesadas cargas emocionais que, muitas vezes, resultam em depressão, tristeza e realimentam a necessidade de buscar outro parceiro, para "esquecer" o relacionamento anterior. Este é um comportamento vicioso que só pode ser rompido pelo arrependimento genuíno e um relacionamento íntimo com Cristo.

▶ **Referências**

"Assim, eles já não são dois, mas sim uma só carne. Portanto, o que Deus uniu, ninguém o separe". **Mateus 19:6**

"Vocês não sabem que aquele que se une a uma prostituta é um corpo com ela? Pois, como está escrito: 'Os dois serão uma só carne'. **1 Coríntios 6:16**

▶ **Curiosidade**

As pulseiras da Viúva Negra soltam descargas elétricas de 30.000 volts!

Clint Barton é diferente dos demais Vingadores, pois não possui nenhum poder sobre-humano. O seu talento com o arco e a flecha não veio de soros, radiação, ou acidentes genéticos, mas de exaustivos treinamentos por anos, levando o Gavião Arqueiro a realizar feitos aparentemente impossíveis para outros seres humanos.

DISCIPLINA É PODER!

No devocional de hoje, gostaria de falar sobre a única habilidade que faz de Clint Barton especial: **sua disciplina no treinamento.** No cristianismo, também é preciso ter disciplina em nossa caminhada com Deus, e com aquilo que nos leva para mais perto Dele: **as chamadas disciplinas espirituais.**

Aprender mais sobre elas nos leva a ter tempo de qualidade com Deus na prática, através de nossas orações, jejum, estudo da Bíblia, enfim, tudo aquilo que está relacionado com a intimidade com Deus. Nossas igrejas estão cheias de pessoas que muitas vezes estão vazias. Poderíamos investir nosso tempo em descobrir mais sobre a pessoa de Deus na Bíblia, mas nos contentamos em ouvir o que os outros dizem sobre Ele.

É tempo de buscar e conhecer a Deus como os grandes homens da Bíblia fizeram. A grande diferença que nos separa de pessoas como Moisés, Abraão, Davi, João e Paulo, é o tamanho da fome que eles tinham por Deus, realmente buscando o Reino em primeiro lugar, trocando o que o mundo podia oferecer por mais um minuto em Sua Presença.

Este é o tempo em que o Senhor deseja ser conhecido "ao vivo e a cores". Não se contente com o conhecimento dos outros, seja você um descobridor de Deus!

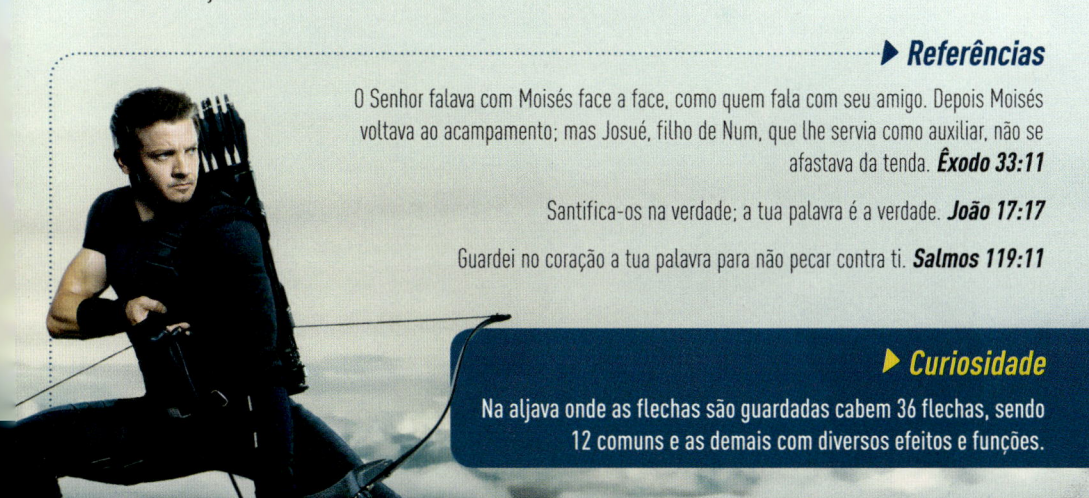

▶ **Referências**

O Senhor falava com Moisés face a face, como quem fala com seu amigo. Depois Moisés voltava ao acampamento; mas Josué, filho de Num, que lhe servia como auxiliar, não se afastava da tenda. ***Êxodo 33:11***

Santifica-os na verdade; a tua palavra é a verdade. ***João 17:17***

Guardei no coração a tua palavra para não pecar contra ti. ***Salmos 119:11***

▶ **Curiosidade**

Na aljava onde as flechas são guardadas cabem 36 flechas, sendo 12 comuns e as demais com diversos efeitos e funções.

EQUILÍBRIO
É A PALAVRA CHAVE!

Thanos é um dos piores vilões do universo Marvel, antagonista das maiores sagas que envolveram todos os heróis. Nascido na lua de Titã, inicia uma jornada para conquistar todo o universo, primeiro procurando pelo Tesseract, também chamado de Cubo Cósmico, e depois procurando as Joias do Infinito. Nesta jornada para conquistar o amor da Entidade Morte, ele dizima metade da população existente no universo inteiro!
Todas as vezes em que Thanos tentou conquistar as estrelas, foi derrotado pelos heróis, quase alcançando seu objetivo. Após ser derrotado várias vezes, inicia uma jornada de redenção pelo cosmos.

Thanos pode nos levar a pensar sobre dois sentimentos que, na medida certa são úteis em nossa caminhada, mas sem equilíbrio geram sofrimento e destruição: ambição e paixão. Estes sentimentos têm a função de nos tirar da inércia, nos levando a fazer alguma coisa. A paixão por uma pessoa ou por uma causa nos leva ao comprometimento e engajamento com esta pessoa. Já a ambição nos leva a buscar oportunidades melhores do que temos no presente, para alcançarmos novos lugares em todas as áreas de nossas vidas. Mas, quando existe exagero com estes dois sentimentos, pessoas vão sofrer, seja com uma ambição onde os fins justifiquem os meios, ou uma paixão doentia. Em ambos os casos, pessoas serão magoadas por nosso exagero.

> **!** Precisamos estar atentos às motivações de nossos corações, pois podem parecer nobres, mas precisam ser colocadas diante de Deus, que pode sondar e medir as motivações de nosso coração e guiar nossas vidas. Coloque seus sonhos e desejos diante de Deus e tenha uma vida equilibrada e de paz, em todas as áreas!

▶ Referências

Pois onde há inveja e ambição egoísta, aí há confusão e toda espécie de males. **Tiago 3:16**

Nada façam por ambição egoísta ou por vaidade, mas humildemente considerem os outros superiores a si mesmos. **Filipenses 2:3**

Contudo, se vocês abrigam no coração inveja amarga e ambição egoísta, não se gloriem disso, nem neguem a verdade. **Tiago 3:14**

▶ Reflexão

Viver é como andar de bicicleta:
é preciso estar em constante movimento
para manter o equilíbrio. **Albert Einstein**

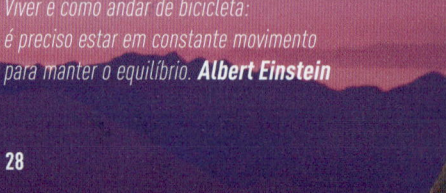

QUEM E O CULPADO?

Frank Castle foi um excelente fuzileiro americano, que vai com sua família para um piquenique no Central Park. São pegos de surpresa por um tiroteio entre mafiosos da cidade. Em meio ao fogo cruzado, sua esposa e filhos são mortos e Frank fica completamente desolado. De origem italiana, e tendo uma tradição muito religiosa, ele aprendeu a colocar a família acima de tudo. Toda a fé que ele tinha na justiça, nas forças armadas e até mesmo em Deus é destruída neste episódio e, a partir daquele momento, o desejo de vingança o transforma no Justiceiro. Ele não possui o senso de justiça que os demais heróis possuem, para ele os fins justificam os meios usando técnicas de tortura, sequestro e até mesmo assassinato para "limpar" as ruas dos criminosos.

Em momentos traumáticos como o que Frank Castle passou, muitas pessoas colocam a culpa em Deus por seu sofrimento. Quando não podemos explicar com nossa mente algumas experiências negativas, tendemos a pensar que Deus está alheio a nossa dor, que não se importa conosco. Por definição, Deus é bom, em sua essência não existe maldade. O mal é frutos da corrupção da natureza humana desde a queda de Adão e Eva no Éden. A pobreza, as guerras e as doenças são fruto de nossas decisões como humanidade, puramente egoístas, visando apenas o benefício próprio. Deus nos concedeu livre arbítrio para escolher que vida queremos levar, então cabe a cada um de nós fazermos escolhas que levem o outro em consideração. Só assim cada geração viverá em um mundo melhor do que aqueles que os antecederam!

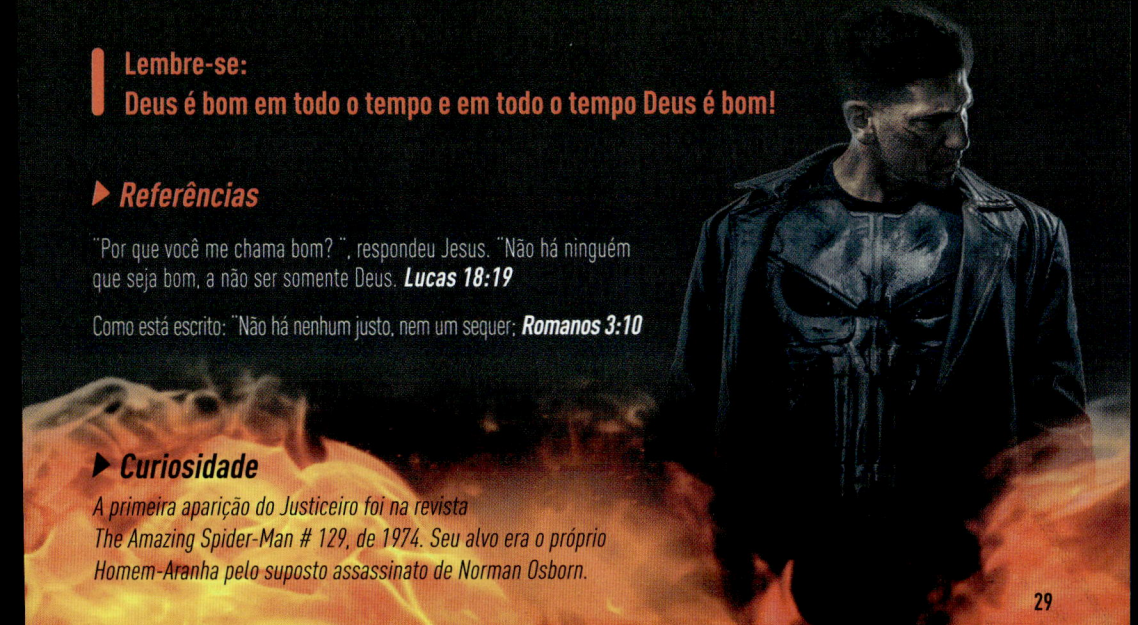

> **Lembre-se:**
> Deus é bom em todo o tempo e em todo o tempo Deus é bom!

▶ Referências

"Por que você me chama bom?", respondeu Jesus. "Não há ninguém que seja bom, a não ser somente Deus. **Lucas 18:19**

Como está escrito: "Não há nenhum justo, nem um sequer; **Romanos 3:10**

▶ Curiosidade

A primeira aparição do Justiceiro foi na revista The Amazing Spider-Man # 129, de 1974. Seu alvo era o próprio Homem-Aranha pelo suposto assassinato de Norman Osborn.

GRANDES PODERES TRAZEM GRANDES REPONSABILIDADES

Peter Parker era um adolescente comum até ser picado por uma aranha radioativa durante uma feira de ciências. A picada modifica seu DNA, fundindo-o com o dos aracnídeos, dando a ele força sobre-humana, capacidade de escalar superfícies verticais e um sentido que o avisa sobre os perigos antes que eles ocorram. Órfão, foi criado pelos tios Benjamim e May Parker. Agora, com seus novos poderes, tem a chance de ser diferente dos demais adolescentes. Rapidamente porém, vai aprender o custo de ser alguém especial.

Peter não impede um assaltante de cometer um roubo, que culmina com a morte de seu tio Ben. Peter percebeu que não impedir algo ruim de acontecer desencadeia uma série de eventos catastróficos, dos quais não temos controle. A famosa frase do tio Ben ecoaria na memória de Peter deste dia em diante: *"Grandes poderes trazem grandes responsabilidades"*.

Nossa vida cristã é muito semelhante a de Peter Parker. Somos todos iguais até o dia em que aceitamos a Cristo como Senhor e Salvador. Deste dia em diante recebemos armas espirituais que nos ajudarão em nossa caminhada na terra para cumprir nossa missão. Assim como Peter descobriu que precisava usar seus poderes para fazer o bem, quando não usamos o poder que temos, que é saber que Jesus veio a terra para salvar e resgatar o perdido, desencadeamos uma série de eventos que podem trazer a desgraça e a ruína de pessoas e famílias inteiras. Nosso silêncio quanto ao poder que Jesus tem de trazer restauração e consolo para os aflitos, pode gerar uma sociedade pior do que a que temos no presente.

! O que você vai fazer a este respeito? Não se esqueça:
Grandes poderes trazem grandes responsabilidades!

▶ **Referências**
Pensem nisto, pois: Quem sabe que deve fazer o bem e não o faz, comete pecado. **Tiago 4:17**

▶ **Curiosidade**
O criador Stan Lee e o seu personagem nasceram e foram criados no bairro do Queens, em Nova York. No mesmo endereço de Peter Parker, mora o casal Andrew e Suzanne Parker, desde 1974.

CONQUISTANDO O IMPOSSÍVEL!

Lembre-se: O Criador do universo, também criou a palavra impossível, com o propósito de manifestar seu poder através de seus filhos!

Wanda Maximoff é filha de Magneto e irmã gêmea do mutante velocista Mercúrio. Seu poder mutante é alterar o campo das probabilidades através de seu pensamento. Explicando em bom português, ela tem a capacidade de transformar o impossível em possível como, por exemplo, acelerar o processo de corrosão de uma estrutura metálica para que caia sobre seus inimigos, envelhecer a estrutura celular de alguém, entre infinitas possibilidades.

Este poder gigantesco é muito perigoso, pois seu uso depende do estado emocional de Wanda. Quando foi levada ao extremo da pressão e da frustração, seu descontrole causou o evento cataclísmico conhecido como Dizimação, quando, ao gritar a frase: "Chega de Mutantes", extinguiu o fator X do DNA mutante, transformando-os em humanos, restando apenas 198 no mundo todo.

Como cristãos, temos acesso a um poder muito parecido com este através de nosso vínculo com Jesus Cristo. Por nós mesmos não poderemos fazer absolutamente nada, mas pelo poder do nome de Jesus e nossa filiação ao Deus Eterno, as probabilidades mais improváveis passam a ser realidade em nossas vidas. As doenças mais terríveis, as crises de relacionamento mais irreversíveis, os fracassos mais retumbantes, são transformados em cura, restauração de vínculos e vitórias estrondosas, com o único propósito de exaltar e trazer a Glória ao único que é digno de Honra: **nosso Deus!**

▶ Referências

"Jesus olhou para eles e respondeu: 'Para o homem é impossível, mas para Deus todas as coisas são possíveis'." **Mateus 19:26**

"Eu sou o Senhor, o Deus de toda a humanidade. Há alguma coisa difícil demais para mim?" **Jeremias 32:27**

▶ Curiosidade

A escolha de Elizabeth Olsen para o papel em "Vingadores 2: a Era de Ultron" causou a revolta de fãs mais ortodoxos das HQ's pois sua origem meio judia meio romani, não condiz com o biótipo eurasiano da atriz.

AJUDANDO MEUS IRMÃOS

Luke Cage nasceu nas ruas do Harlem e, quando jovem, foi membro de uma gangue e acabou preso injustamente. Na prisão foi voluntário para um programa científico de aperfeiçoamento de força, mas foi traído por um dos carcereiros. O experimento funcionou e concedeu a Luke a capacidade de levantar 100 toneladas e transformou sua pele, tornando-a impenetrável, ou seja, resistente a tiros, cortes e pancadas. Participa de diversos grupos de heróis sempre trabalhando como suporte e ajudando outros como o Demolidor, os Vingadores, o Homem-Aranha e os Defensores!

▶ Curiosidade

Inspirado pelo movimento do cinema Blaxploitation, que valorizava a cultura afro, o personagem foi o primeiro herói negro americano a ter um título só para ele.

Como é bom pensarmos que todos nós podemos ser um Luke Cage na vida de alguém! Assim como nenhum herói consegue salvar o universo sozinho, sem apoio, nós também precisamos de ajuda para cumprirmos nossa missão na terra! Ninguém é tão bom que não precise de ajuda! Juntos chegamos mais longe. Luke pode representar a necessidade de intercessores que oram e protegem seus líderes na caminhada, sua pele impenetrável bloqueia ataques vindos do inimigo. Precisamos nos colocar em uma posição de proteção de nossos irmãos. Quando estamos trabalhando pelo Reino precisamos de ajuda na mesma medida em que devemos nos oferecer para ajudar os outros com nossas orações e trabalho em equipe.

> **Não estamos competindo no Reino, então não importa quem está em primeiro lugar, apenas que estamos indo juntos para a eternidade com nosso Deus!**

▶ Referências

Portanto, confessem os seus pecados uns aos outros e orem uns pelos outros para serem curados. A oração de um justo é poderosa e eficaz. **Tiago 5:16**

Irmãos, orem por nós. **1 Tessalonicenses 5:25**

Assentando-se, Jesus chamou os Doze e disse: "Se alguém quiser ser o primeiro, será o último, e servo de todos". **Marcos 9:35**

▶ Desafio

O que você pode fazer esta semana para ajudar em algum departamento de sua igreja local? Seja voluntário em uma área na qual você nunca trabalhou antes e tenha a satisfação de servir ao Corpo de Cristo!

DEIXANDO AS DECEPÇÕES PARA TRÁS

Visão é um sintozoide: nome bonito para um robô androide extremamente poderoso. Tem a capacidade de alterar a estrutura molecular de seu corpo, podendo ser tão denso quanto o Adamantium ou tão leve como uma névoa, e transpassar obstáculos.

Foi um dos personagens mais enganados e manipulados do universo Marvel, primeiro pela Feiticeira Escarlate com quem foi casado e teve dois filhos, mas descobriu mais tarde que estes filhos foram frutos do poder de manipulação da realidade da mutante. Depois pelo Asgardiano Loki, que o recrutou para uma nova versão dos Vingadores entre outros eventos semelhantes. A consequência desta série de traições e decepções foi o gradativo abandono de sua consciência humana, fazendo com que o Visão se tornasse, aos poucos, numa máquina sem sentimentos.

> Quantas vezes perdemos nossa fé na humanidade? Quantas vezes confiamos em pessoas e acabamos traídos e magoados? Quantas decepções apoderam-se de nossa alma nos afastando da sinceridade e do amor ao próximo? Nosso trabalho deve ser o de manter nossos olhos fixos em Cristo, e com isso nunca nos esquecermos de tudo o que Ele passou e mesmo assim manteve Sua essência e concluiu Sua missão na terra.
>
> Que os nossos sofrimentos e decepções nos levem para mais perto de Deus e não ao sentido oposto.

Desafio: Você conhece alguém que faz tempo que não aparece em sua igreja? Ligue para ele e diga que ele está fazendo falta. Se possível, marque uma visita. Seja um agente de transformação em sua geração!

▶ Referências

Suporte comigo os sofrimentos, como bom soldado de Cristo Jesus. **2 Timóteo 2:3**

Você, porém, seja sóbrio em tudo, suporte os sofrimentos, faça a obra de um evangelista, cumpra plenamente o seu ministério. **2 Timóteo 4:5**

Pois assim como os sofrimentos de Cristo transbordam sobre nós, também por meio de Cristo transborda a nossa consolação. **2 Coríntios 1:5**

UMA VISITA INESPERADA!

Jennifer Susan Walters é uma advogada de renome e prima de Bruce Banner, o Hulk. Quando crianças eram próximos, mas depois que Bruce trabalhou no projeto secreto da Bomba Gama, perderam o contato. Mais tarde, já como Hulk, Banner procura por sua prima Jennifer para reatar vínculos familiares. Este reencontro não foi como esperando, pois Jennifer foi ferida mortalmente pelos capangas de Nicholas Trask. Sem opções, Bruce improvisa uma transfusão de sangue que salva a vida de Jennifer, mas seu sangue contaminado com radiação gama a transforma na versão feminina do Hulk conhecida como Mulher-Hulk. Diferente do que ocorreu com seu primo, Susan Walters manteve seu intelecto e o controle da transformação. Para resumir a história: ela prefere ser a Mulher-Hulk do que Jennifer!

Quando penso nesta história, algo não sai de minha cabeça. A vida de Walters foi transformada pela visita de Bruce Banner. A mudança foi tão intensa que ela preferiu permanecer em sua nova forma.

Igualmente, todos nós que aceitamos a Cristo como Senhor e Salvador, tomamos a mesma decisão porque ouvimos as boas notícias do Reino de Deus. Alguém foi um instrumento de transformação em nossas vidas pois elas nunca mais foram as mesmas depois desta decisão!

Com toda a certeza, se esta escolha foi sincera, você vai preferir permanecer em sua nova vida com Cristo do que em sua forma anterior sem Ele.

Agora, se você ainda não fez esta escolha por Cristo, entre em contato, podemos conversar a respeito com você!

▶ **Referências**

Não se amoldem ao padrão deste mundo, mas transformem-se pela renovação da sua mente, para que sejam capazes de experimentar e comprovar a boa, agradável e perfeita vontade de Deus. **Romanos 12:2**

Mas quando alguém se converte ao Senhor, o véu é retirado. **2 Coríntios 3:16**

▶ **Reflexão:** *Nós somos as Bíblias que o mundo está lendo... Nós somos os sermões que o mundo está prestando atenção.* **Billy Graham**

O PRIMEIRO PASSO
DA JORNADA

Mattew Murdock é um advogado que sofreu um acidente quando jovem com um caminhão com carga radioativa. Este evento cegou Matt, porém o produto radioativo elevou todos os seus outros sentidos. Ficou desorientado no início, até ser secretamente treinado pelo mestre ninja, também cego, Stick, que o ajuda a controlar suas habilidades.

> A morte de seu pai quando se recusa a perder uma luta de propósito para beneficiar a máfia local, é o gatilho para Matt usar seus poderes para limpar a criminalidade em seu bairro, Hell's Kitchen, no coração de Manhattan. Ele adota o codinome Demolidor, e fica conhecido como "O Homem sem Medo".

Diferentemente de outros heróis que têm a pretensão de salvar o mundo de ameaças cósmicas, o Demolidor cuida de seu entorno, de seu bairro, numa perspectiva mais intimista. Quando vemos os Vingadores entrando em batalhas que destroem e devastam cidades inteiras, parece reducionismo lermos as histórias do Demolidor. Mas podemos aproveitar este elemento em nossa discussão de hoje. Muitas vezes como filhos e filhas de Deus, temos a vontade de ganhar o mundo para Jesus. Sonhamos em ir até a África e sermos os líderes mais influentes de nossa geração, aqueles que cantam e pregam para multidões e inspiram milhões com suas mensagens e canções. Deus nos chama, porém, para começar de uma maneira mais simples, humilde.

Como está seu bairro? O entorno de sua igreja local já foi ganho para o Senhor? Seu condomínio sabe que você é cristão? O que você pode fazer para que Jesus seja conhecido nos lugares onde você habita?

Lembre-se: toda grande jornada começa com um primeiro passo.

▶ Referências

No amor não há medo; pelo contrário o perfeito amor expulsa o medo, porque o medo supõe castigo. Aquele que tem medo não está aperfeiçoado no amor. **1 João 4:18**

E disse-lhes: "Vão pelo mundo todo e preguem o evangelho a todas as pessoas. **Marcos 16:15**

▶ Reflexão

Deus teve um único filho, e fez dele um missionário. **David Livingstone**

CRESCENDO EM MEIO A DOR

T'challa perdeu tudo o que tinha muito cedo. Sua mãe morreu durante seu nascimento, o que resultou no ódio de seu irmão adotivo mais velho chamado Hunter. Seu pai foi assassinado por um grupo de exploradores de Vibranium (metal raríssimo encontrado em Wakanda) que tomaram o poder, forçando T'challa ainda adolescente a fugir de sua terra natal e viver no Exílio na América.

Mesmo com este cenário sombrio pairando sobre ele, o herdeiro de Wakanda buscou se preparar na América para retomar o controle de sua terra natal, e devolver a estabilidade política e a paz ao seu povo. Por isso estudou a arte de governar e buscou habilidades de luta. A maior riqueza de Wakanda, o Vibranium, é a maior razão de conflitos, pois é um metal cobiçado por todas as potências mundiais que buscam a utilização bélica do mesmo. Recentemente T'challa casou-se com Ororo Munroe, a Tempestade dos X-Men, e os dois assumiram temporariamente o lugar de Reed e Susan Richards no Quarteto Fantástico, com a licença do casal após os eventos da Guerra Civil.

A vida de T'challa foi marcada por tragédias pessoais importantes, porém isso não foi uma desculpa para que ele vivesse de maneira desregrada. Ele poderia ter usado seu passado para explicar um futuro desastroso, mas não o fez. Usou as experiências negativas como trampolim para crescer e ser um homem melhor. Fez isso por sua família e pelo seu povo.

> **Nós precisamos enxergar os problemas, desafios e fracassos como oportunidades de nos reerguermos e nos tornarmos pessoas e seres humanos melhores no futuro.**
>
> **T'challa aprendeu, então você também pode!**

▶ Referências

"Esqueçam o que se foi; não vivam no passado." **Isaías 43:18**

"Irmãos, não penso que eu mesmo já o tenha alcançado, mas uma coisa faço: esquecendo-me das coisas que ficaram para trás e avançando para as que estão adiante," **Filipenses 3:13**

▶ Curiosidade

T'Challa é o personagem mais rico dos quadrinhos, com um patrimônio estimado em R$ 90,7 trilhões de dólares, segundo a revista Forbes!

AS CONSEQUÊNCIAS DA IRA!

O Coronel Thadeus E. "Thunderbolt" Ross foi um militar de sucesso que seguiu a tradição de sua família de uma longa linhagem de militares. Através de sua dedicação ao exército americano, conseguiu participar de projetos secretos do governo, como o projeto Gama, que tinha o Doutor Bruce Banner como encarregado. Sua filha Betty Ross começa a namorar com Bruce e, quando eles demonstram a intenção de se casar, o General fica irado. Assim que o experimento com a bomba Gama falha e transforma Banner no Hulk, Ross inicia uma caçada implacável contra o Gigante Esmeralda. Cego de raiva e contrário ao relacionamento, Ross faz coisas horríveis para derrotar Hulk, inclusive acaba se aliando a inimigos da Shield.

Após ser exonerado do exército, é preso em uma clínica psiquiátrica. Ele tenta até matar Banner no dia do seu casamento com Betty, para depois aceitá-los. Uma nova reviravolta acontece quando Betty morre por efeitos de radiação em seu sangue. Culpando Bruce pela morte da filha, uma nova caçada o leva as últimas consequências: participa de um novo experimento que o transforma no Hulk Vermelho.

A ira, assim como o fogo, pode gerar duas coisas: vida ou destruição. A ira justificada nos leva a nos indignarmos com coisas absurdas ao nosso redor e nos tira da zona de conforto, para agir e mudar as situações. A ira destrutiva nos leva a desejar o mal para outras pessoas, corrompendo nosso interior.
Não devemos permanecer irados, mas resolver as questões rapidamente para evitar raízes de amargura em nossos corações, nos levando a sentimentos e atitudes das quais precisaremos nos arrepender mais tarde!

Desafio
O que te deixa irritado? Quando você fica nervoso ou nervosa, quem você culpa? Desafiamos você a orar na próxima ocasião em que ficar nervoso. Se o problema é com outra pessoa, siga as instruções do Apóstolo Paulo no texto abaixo e seja feliz!

▶ Referências
Efésios 4:26,27: *"Quando vocês ficarem irados, não pequem. Apaziguem sua ira antes que o sol se ponha, e não deem lugar ao diabo".*

DESCOBRINDO A VERDADEIRA MOTIVAÇÃO

Daniel Rand é filho do empresário americano Wendell Rand. Seus pais partiram em busca da cidade mística de *Kun Lun*, que só pode ser encontrada a cada 10 anos. Na aventura, seus pais morrem e o sócio de Wendell assume o controle das empresas da família, irando o jovem Daniel. Ele encontra a cidade mística que seus pais procuraram e passa a ser treinado nas artes marciais aprendendo a controlar e expandir seu Ki (força espiritual) para canalizar esta energia para suas mãos, sendo um dos maiores oponentes em luta física, tendo derrotado Luke Cage e o próprio X-man Colossus em combate!

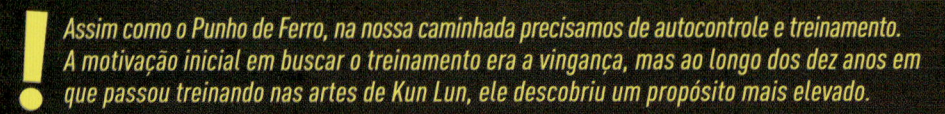

> **!** Assim como o Punho de Ferro, na nossa caminhada precisamos de autocontrole e treinamento. A motivação inicial em buscar o treinamento era a vingança, mas ao longo dos dez anos em que passou treinando nas artes de Kun Lun, ele descobriu um propósito mais elevado.

Da mesma forma, chegamos a Deus normalmente em busca de solução para os nossos problemas e, convenhamos, não é lá muito nobre procurar por Deus com apenas esta motivação! Mas é ela que nos leva a sair do lugar onde estamos e uma nova missão surge a partir deste primeiro despertar da necessidade de Deus. À medida que conhecemos a Ele, vamos entendendo que nossa verdadeira missão é ajudar outros em suas jornadas. Fazer discípulos de todas as nações para que toda a terra conheça o nosso Deus através de Jesus Cristo!

Podemos associar a energia mística do KI, com o resultado de um relacionamento com o Espírito Santo que nos cura internamente e nos fortalece externamente. Esta é a energia da qual necessitamos para nossa caminhada nos anos que tivermos de vida!

▶ **Curiosidade**

Nos quadrinhos, Punho de Ferro já usou a roupa do Demolidor para livrar Matt Murdock (o verdadeiro Demolidor) da cadeia!

▶ **Referências**

Melhor é o homem paciente do que o guerreiro, mais vale controlar o seu espírito do que conquistar uma cidade. **Provérbios 16:32**

Cada um saiba controlar o próprio corpo de maneira santa e honrosa. **1 Tessalonicenses 4:4**

SEJA MALEÁVEL
COM AS PESSOAS!

Reed Richards é um dos maiores cientistas do mundo e líder do Quarteto Fantástico. Quando ele e seus colegas sofrem um acidente no hiper espaço, são atingidos por uma enorme quantidade de radiação que altera a estrutura genética do grupo dando poderes a todos eles. Reed pode alterar a estrutura molecular de seu corpo, possibilitando a ele expandir ou retrair conforme sua vontade. Em outras palavras, seu corpo é como uma grande borracha completamente maleável.

Ao contrário dos mutantes, que também possuem poderes, o Quarteto é bem visto pela opinião pública e seus integrantes são considerados heróis da humanidade, algo raro no universo Marvel, onde a maioria é vista como uma ameaça para a sociedade.

Com Reed Richards, podemos aprender a sermos mais maleáveis em nossa caminhada, no sentido do tratar com as pessoas que cruzam o nosso caminho. Nossas palavras devem refletir aquilo que fazemos para que, desta forma, tenhamos autoridade naquilo que dissermos. Deus nos amou de tal maneira que sacrificou seu único Filho para que pudéssemos viver. Como podemos julgar outras pessoas por aquilo que fazem? Será que existe limite para o amor de Deus pela humanidade? Será que existe um pecado que possa nos separar do amor de Deus?

Odiar o pecado, mas amar o pecador parece ser um dos maiores desafios de nossa geração, pois muitas vezes trocamos os verbos na frase e acabamos amando o pecado e odiando o pecador. Pense nisto e seja feliz!

> **Seja maleável com as pessoas, mas rígido contra o pecado!**

▶ Curiosidade
O Filho de Reed e Susan Richards, Franklin Richards é considerado um dos mutantes mais poderosos do universo Marvel.

▶ Referências
Rute, porém, respondeu: "Não insistas comigo que te deixe e não mais a acompanhe. Aonde fores irei, onde ficares ficarei! O teu povo será o meu povo e o teu Deus será o meu Deus! **Rute 1:16**

Então, um mestre da lei aproximou-se e disse: "Mestre, eu te seguirei por onde quer que fores". **Mateus 8:19**

NÃO CRIE UM CAMPO DE FORÇA!

Susan Storm é a esposa de Reed Richards e a segunda no comando do Quarteto Fantástico. Durante a tempestade cósmica que afetou o grupo, Sue recebeu a habilidade de invisibilidade parcial ou total de seu corpo, além de criar poderosos campos de força praticamente indestrutíveis. Susan apresenta duas características importantes para nossa reflexão de hoje: tornar-se invisível e criar campos de força.

Muitas pessoas utilizam em suas vidas sociais as mesmas ferramentas que Susan utiliza em suas batalhas e isto é bastante preocupante em nossa geração.

Novas tecnologias permitem comunicação com qualquer pessoa ao redor do mundo, porém muitos conseguem conversar apenas virtualmente, abandonando o convívio social, vivendo invisíveis para as pessoas ao seu redor.

Uma pessoa que chamamos de "antissocial", pode ser alguém com feridas e traumas resultantes de experiências negativas com outras pessoas. A partir de então, todos os seres humanos são responsabilizados pela dor que uma decepção causou.

Nos relacionamentos amorosos, nas amizades, no trabalho, na igreja, *podemos sofrer desilusões,* mas não é por isso que devemos criar campos de força que mantenham as pessoas do lado de fora de nossas vidas, ou nos tornarmos invisíveis para não nos comprometermos emocionalmente com ninguém.

O cristianismo é relacionamento, e muitas vezes não gostaremos de algumas coisas que outros cristãos, em obras como nós, nos façam. Mas este é o processo que nos levará ao crescimento e ao aperfeiçoamento em nossas vidas!

Reflexão

Max Lucado certa vez escreveu: eu prefiro ser afiado e moldado no fogo do Ferreiro, do que ser esquecido na caixa das ferramentas quebradas! Em qual lugar você está neste momento? Escolha o trabalhar de Deus e não se afaste das pessoas que podem te ajudar a chegar mais perto Dele!

▶ Referências

Assim como o ferro afia o ferro, o homem afia o seu companheiro. **Provérbios 27:17**
Quem afirma estar na luz mas odeia seu irmão, continua nas trevas. **1 João 2:9**

MANTENDO UM CARÁTER PURO

Stephen Vicent Strange foi um dos melhores cirurgiões de seu tempo, extremamente arrogante por causa de seu sucesso, até que um evento mudaria para sempre seu destino (como esta frase é comum em nossas parábolas!).

Um acidente automobilístico danificou suas mãos, deixando-as trêmulas, incapacitando-o de realizar suas cirurgias. Stephen gastou toda a sua fortuna tentando ser curado deste problema, sem nenhum resultado. Ouviu em uma conversa de bar que um homem chamado Ancião, no Himalaia, poderia curá-lo. Ele acaba recebendo não apenas a cura, mas também é iniciado nas artes mágicas e em luta corporal, transformando-se no Mago Supremo da Terra, o *Doutor Estranho*.

Em nossas vidas devemos buscar excelência em nossas atividades, sejam elas ministeriais, acadêmicas ou profissionais. Porém esta busca em ser bom naquilo que se faz não deve mudar nosso caráter, gerando orgulho ou arrogância, como aconteceu com nosso personagem de hoje.

Devemos manter nosso coração grato em todo o tempo e buscar humildade para continuarmos a progredir. Stephen ganhou uma segunda chance para se redimir de seus erros, usando seus poderes para o bem da humanidade. Muitas vezes estamos em uma vida com muitos erros e também temos a mesma oportunidade de redenção, aceitando a Cristo como Senhor e Salvador, para vivermos uma aventura que leve outros a este mesmo encontro com Deus.

A escolha está toda em nossas mãos. O que escolhermos na Terra tem impacto na eternidade. O que você vai escolher?

Desafio
Você é orgulhoso ou arrogante? Conhece alguém que é? Escreva duas atitudes práticas que possam vencer a arrogância!

▶ Referências
O orgulho vem antes da destruição; o espírito altivo, antes da queda. **Provérbios 16:18**

Quando vem o orgulho, chega a desgraça, mas a sabedoria está com os humildes. **Provérbios 11:2**

O orgulho só gera discussões, mas a sabedoria está com os que tomam conselho. **Provérbios 13:10**

POR QUE QUEREMOS SER CHEIOS DE DEUS MESMO?

Jonathan Lowell Spencer Storm é o membro mais jovem do Quarteto Fantástico. Ao ser exposto à radiação cósmica com seus companheiros, Storm pode ser envolvido em chamas, capacidade esta que o habilita a voar e lançar rajadas de energia térmica em seus inimigos.

Como é o mais jovem do grupo, normalmente é tachado por sua imaturidade e senso de humor. Isto gera bastante atrito com o restante do Quarteto, especialmente com Ben Grimm, o Coisa.

Gostaria de fazer um paralelo entre o poder do Tocha Humana e nossa vida cristã. A palavra fogo é muito utilizada no meio cristão pentecostal e ela tem a ver com a manifestação visível da presença do Espírito Santo no meio das reuniões e na vida dos irmãos. Não quero entrar no mérito teológico desta discussão, pois não é o nosso objetivo.

Todos os cristãos (pentecostais ou reformados) dependem da presença do Espírito Santo em suas vidas. Alguns buscam com isso serem cheios do fogo de Deus. A grande questão está relacionada ao objetivo deste fogo, tanto na vida do Tocha Humana, quanto na nossa. Para ele, as chamas oferecem a capacidade de voar, para nós também! Quanto mais íntimos formos do Senhor, mais enxergaremos além das circunstâncias e seremos mais úteis para o Reino de Deus.

Conheço muitas pessoas que buscam sem parar pelo Fogo de Deus em suas vidas, porém nada fazem com isso: não ajudam outros a crescerem, não oferecem seus talentos para servir no Reino, enfim, nada fazem com o que tem e nem com aquilo que recebem. O Fogo de Deus deve fazer com que os nossos corações queimem de amor por aquilo que Ele ama, que são as pessoas.

Continuar buscando experiências espirituais sem procurar se envolver com o Reino e não ajudar ninguém, pode nos levar a um único desfecho: a autocombustão e com isso a nossa morte espiritual.

▶ Referências

Os discípulos continuavam cheios de alegria e do Espírito Santo. **Atos 13:52**

Jesus, cheio do Espírito Santo, voltou do Jordão e foi levado pelo Espírito ao deserto. **Lucas 4:1**

▶ Curiosidade

Johnny Storm é, na verdade, o segundo Tocha Humana. O primeiro a usar o nome foi Jim Hammond, um dos primeiros heróis da Marvel, criado na Era de Ouro dos quadrinhos. Jim era um andróide desenvolvido pelo governo americano durante a Segunda Guerra.

SEU PRESENTE DETERMINA SEU FUTURO!

22 JAN

Otto Gunther Octavius era um jovem fraco e tímido. Um típico nerd em sua escola, que sofria com os ataques dos valentões populares. Quando se formou em física quântica na faculdade, tornou-se um físico atômico de renome, sendo respeitado a partir de então.

Seu pai morreu antes que terminasse a faculdade e sua mãe já havia morrido antes disso. Este passado de perdas fez com que Otto mergulhasse no trabalho de maneira obsessiva até que um acidente radioativo fundiu os quatro tentáculos mecânicos que ele usava para manipular material radioativo, afetando sua mente.

> Nascia assim o Doutor Octopus, uma das maiores mentes científicas de seu tempo e um dos principais inimigos do Homem-Aranha. Interessante notar a semelhança entre Otto e Peter Parker, pois ambos tiveram um passado bastante parecido. A diferença porém, foi o que cada um escolheu fazer com os poderes que recebeu.

Vivemos em uma sociedade que coloca a culpa de suas frustrações no outro. Jovens colocam a culpa de seu fracasso nos pais, na escola, na sociedade, na igreja, nos líderes. Dificilmente encontraremos alguém que admita: as coisas talvez não estejam bem por causa de suas escolhas.

Na vida real não podemos alterar o passado. O que passou, passou e não volta mais. Nosso futuro, porém, depende das decisões que tomarmos hoje. Precisamos parar de olhar a nossa volta e de culpar os outros por aquilo que não deu certo em nossa vida. **Nosso maior poder como cristãos é poder mudar nossa própria vida, quando buscamos parecer com Cristo através de um relacionamento com Ele.**

> *Você tem liberdade de fazer o que quiser com sua vida, mas o que fizer com ela hoje determinará onde e como você passará a eternidade!*

▶ Referências

No caminho da justiça está a vida; essa é a vereda que preserva da morte. **Provérbios 12:28**

Quem permanece na justiça viverá, mas quem sai em busca do mal corre para a morte. **Provérbios 11:19**

▶ Reflexão

No caminho da justiça está a vida; essa é a vereda que preserva da morte O homem superior atribui a culpa a si próprio; o homem comum, aos outros. **Confúcio**

A INSANIDADE DO PECADO

Norman Osborn é um cientista brilhante que fundou a Oscorp. Ele desenvolveu um soro mutagênico que amplia a força e a resistência do corpo humano. O efeito colateral do soro é gerar insanidade naquele que o utiliza.

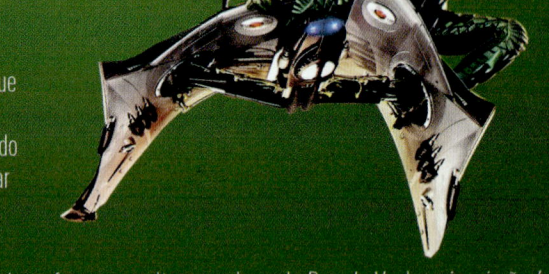

Norman testou o soro em si mesmo, criando desta forma, seu alter ego chamado Duende Verde, cuja missão é destruir o Aranha. Fez muito mal a Peter Parker por saber sua identidade secreta, causando a morte de sua primeira namorada, Gwen Stacy. Caminhando na fronteira entre a genialidade do cientista e a bestialidade do duende, Norman pagou caro por tentar conquistar o sucesso a qualquer custo.

Em nossa sociedade, muitas pessoas estão abrindo mão de sua sanidade para alcançar seus objetivos. Tenho visto jovens substituindo a beleza de uma juventude com Deus para experimentar os prazeres momentâneos que o mundo pode oferecer. Em suas mentes, se forem mais atraentes aos olhos do mundo, terão mais oportunidades de afeto, carinho, amizades, enfim suprir um vazio que só Deus pode suprir no ser humano. Falo sobre insanidade, pois mais cedo ou mais tarde, essa mesma pessoa acaba entendendo que a solução para seus problemas estava disponível o tempo todo, sem que fosse necessário experimentar o "soro mutagênico" que o mundo oferece.

O pecado parece atraente e, por certo tempo, a sensação de poder toma conta das nossas mentes. Deus, porém, nos criou com algo chamado consciência que, se for influenciada pelo Espírito Santo, nos avisará quando estivermos no caminho ou nos afastando dele.

| Nosso papel nesta jornada é apenas ouvir essa doce voz e caminhar de acordo com ela!

▶ Referências

Não amem o mundo nem o que nele há. Se alguém amar o mundo, o amor do Pai não está nele. **1 João 2:15**

Eles não são do mundo, como eu também não sou. **João 17:16**

Pois tudo o que há no mundo - a cobiça da carne, a cobiça dos olhos e a ostentação dos bens - não provém do Pai, mas do mundo. **1 João 2:16**

▶ Desafio

Faça uma lista com todos os pecados com os quais você tem dificuldade no presente. Ore diariamente para que Deus fortaleça você para enfrentá-los. Compartilhe a lista com seu líder ou amigo na fé de confiança, para que possa ajudá-lo a respeito.

CUIDADO COM O **FOGO AMIGO** DAS **DECEPÇÕES**

James Buchanan Barnes perdeu seu pai no campo de treinamento militar antes da entrada dos EUA na Segunda Guerra. Órfão, foi adotado pela tropa americana. Foi assim que conheceu o Capitão América e acabou descobrindo sua identidade secreta quando viu Steve Rogers com a roupa do Capitão. Para manter seu segredo, James pediu para acompanhar o Capitão e lutou com ele até o final da Segunda Guerra Mundial. Ao fim da guerra, quando perseguiam um avião experimental, ambos caem no oceano gelado. Steve permanece em animação suspensa e é encontrado décadas mais tarde. James é encontrado e revivido pelo general russo *Vasily Geral Karpov*, sofre uma lavagem cerebral e não lembra mais de seu passado, sendo usado como arma para matar muitos inimigos da ex-União Soviética durante a Guerra Fria.

Em nossa caminhada cristã, existem muitos desafios que devemos enfrentar em diversas áreas. Um dos maiores, com certeza, é a decepção que podemos sofrer com outras pessoas. James não foi resgatado pelos seus e permaneceu abandonado à própria sorte, sendo salvo por seu inimigo, que o usou para destruir o exército americano com o nome de Soldado Invernal.

Cristãos feridos por outras pessoas precisam de cura, caso contrário, passarão a atacar a noiva do Senhor e serão transformados em aliados de nosso Inimigo espiritual, perdendo o foco das almas, pautando sua vida nos próprios sofrimentos. Se Cristo já pagou o preço por nossas vidas, por que guardar rancor atacando a Igreja do Senhor?

> Quando algo ruim acontecer e a decepção chegar, lembre-se: a igreja é um hospital onde pessoas estão em processo de restauração, lutando para viverem em santidade. Exatamente como você!

▶ **Referências**

Assim também em Cristo nós, que somos muitos, formamos um corpo, e cada membro está ligado a todos os outros. **Romanos 12:5**

Dele todo o corpo, ajustado e unido pelo auxílio de todas as juntas, cresce e edifica-se a si mesmo em amor, na medida em que cada parte realiza a sua função. **Efésios 4:16**

▶ **Reflexão**

Devemos aceitar a decepção finita, mas nunca perder a esperança infinita.
Martin Luther King

CONFIANÇA E FÉ NOS RELACIONAMENTOS

Benjamin Jacob Grimm é engenheiro eletricista e amigo de faculdade de Reed Richards. Muito inteligente e um excelente piloto, dirigiu o vôo ao hiperespaço, que concedeu os poderes ao Quarteto Fantástico. Ben Grimm teve toda a sua estrutura óssea e muscular transformada em rocha maciça. O aumento de sua densidade aumentou seu peso na mesma proporção. Neste sentido, tudo o que o Coisa utiliza foi adaptado para sua nova condição.

> Sua aparência não é aquela que faz sucesso na mídia, então Ben acabou adotando um estilo agressivo e rude no trato com as pessoas. Seu grito de guerra: "Tá na hora do pau!" demonstra bem isso.

Gostaria de conversar com você sobre as couraças que adotamos em nossas vidas nos momentos de dificuldade que enfrentamos. Por dentro ainda somos os mesmos, frágeis e que se entristecem com aquilo que seus olhos vêem e os ouvidos ouvem. Por fora, porém, depois de tantas feridas e mágoas, criamos uma carcaça impenetrável como a do Coisa. Esta proteção, contra a aproximação de pessoas, pode nos levar a nos afastar também de Deus que nos ama e deseja relacionamento conosco. Confiança e fé são duas palavras que andam muito próximas neste contexto. Como vamos saber quem vai nos ajudar ou quem vai nos decepcionar? Não sabemos. Mas não é por isso que devemos manter as pessoas do lado de fora de nossas vidas, pois temos um Deus que em sua infinita sabedoria coloca pessoas maravilhosas que podem nos ajudar em nossa missão na terra.

A beleza da vida está em confiar no Deus que servimos e continuar sempre em frente rumo às conquistas que teremos ao andarmos em intimidade com Ele!

▶ Referências

Quem tem muitos amigos pode chegar à ruína, mas existe amigo mais apegado que um irmão. **Provérbios 18:24**

O amigo ama em todos os momentos; é um irmão na adversidade. **Provérbios 17:17**

Perfume e incenso trazem alegria ao coração; do conselho sincero do homem nasce uma bela amizade. **Provérbios 27:9**

▶ Curiosidade

Recentemente descobrimos que Ben Grimm é judeu, ao comemorar o Bar Mitzvah no aniversário de 13 anos de sua transformação no Coisa.

NÃO SEJA UM PARASITA ESPIRITUAL!

26 JAN

Venom é o nome dado ao simbionte alienígena, que à Terra trazido pelo Homem-Aranha, que achou se tratar de um novo uniforme, durante a saga conhecida como Guerras Secretas. Existiram vários hospedeiros deste alienígena, entre eles o próprio Peter Parker e um fotógrafo fracassado chamado Eddie Brock.

O simbionte suga a energia vital do hospedeiro e começa a potencializar o lado sombrio da pessoa que ele usa para sobreviver. Venom é um parasita alienígena que, sozinho, não consegue fazer nada. Ele precisa da força de outro ser para manter-se vivo.

Muitas pessoas transformam-se em simbiontes parasitas na vida de outras. A relação entre líder e liderado, pastor e ovelha, namorado e namorada, não pode ser a mesma de Venom e seus hospedeiros. É importante que não venhamos a sugar demais e nos tornar dependentes da unção, do conhecimento, das orações de outras pessoas, para que não sejamos um fardo na vida de irmãos e eternas crianças espirituais.

> Quando procuramos os irmãos apenas quando precisamos deles, corremos um sério risco de perder amigos em potencial. Um maravilhoso sinal de maturidade é quando somamos forças para enfrentar um inimigo comum e procuramos desenvolver por nós mesmos os dons e talentos dados por Deus. Atrofia espiritual não é sinal de submissão, mas de incompetência e preguiça em pagar o preço que outros estão pagando no Reino! O Ide e fazei discípulos de todas as nações não é apenas para o seu líder, é para você também! Pense nisso... e seja feliz!

▶ Referências

O discípulo não está acima do seu mestre, mas todo aquele que for bem preparado será como o seu mestre. **Lucas 6:40**

lembrando as palavras do próprio Senhor Jesus, que disse: 'Há maior felicidade em dar do que em receber'. **Atos 20:35b**

Mas o alimento sólido é para os adultos, os quais, pelo exercício constante, tornaram-se aptos para discernir tanto o bem quanto o mal. **Hebreus 5:14**

▶ Curiosidade

Em 1996 houve um crossover entre Marvel e DC, e o Venom vai parar em Metrópolis. Ele inicia uma violenta batalha contra o Superman, em que o Simbionte esteve muito próximo de vencer o Homem de Aço!

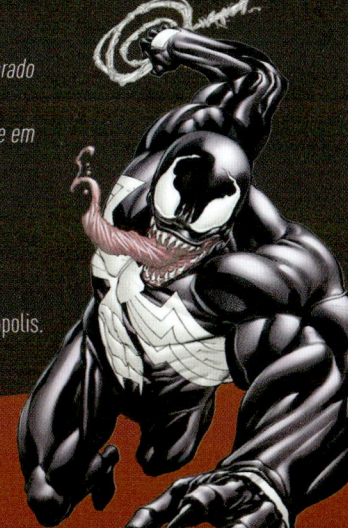

AS CONSEQUÊNCIAS DESASTROSAS DA MENTIRA

Quentin Beck ingressou na carreira de técnico de filmagens e se especializou em efeitos especiais, tornando-se um dos melhores. Porém, seu talento não foi reconhecido e ele acabou perdendo o emprego nos estúdios de filmagens. Revoltado, entra para o mundo do crime, utilizando seus talentos com efeitos especiais. Para ganhar respeito no submundo, Mystério tenta incriminar o Homem-Aranha cometendo crimes vestido como se fosse ele.

Esta mentira causa uma reação em cadeia na vida de Peter Parker, que vê uma campanha do Clarim Diário para destruir sua reputação e termina com o próprio Aranha paranoico, achando que tem uma segunda personalidade criminosa enquanto dorme. Para resumir a história, Mystério foi derrotado e Peter provou a inocência do Aranha nesta **teia** (!!!) de intrigas e mentiras.

Nossa sociedade prega que os fins justificam os meios, desde que seja você o beneficiado pelos meios imorais ou ilegais. Esta mesma sociedade enaltece aqueles que são exemplos de honra e justiça, em meio a uma geração caída de corruptos e corruptores. Isso não parece estranho para você?

Já a Palavra de Deus é bastante clara com relação à mentira e aos mentirosos. Sabe a razão? A mentira não é um pecado que afeta apenas o mentiroso, como vimos no exemplo de Mystério. Cada "mentirinha" gera uma reação em cadeia que sempre envolve outras pessoas além daquela que conta a mentira. Por isso é tão destrutiva e corrosiva.

Prefira sempre a verdade, pois ela é a garantia de uma consciência tranquila e vida feliz!

▶ Referências

Portanto, cada um de vocês deve abandonar a mentira e falar a verdade ao seu próximo, pois todos somos membros de um mesmo corpo. **Efésios 4:25**

Destróis os mentirosos; os assassinos e os traiçoeiros o Senhor detesta. **Salmos 5:6**

Desafio

Faça um propósito de falar apenas a verdade de hoje em diante. Faça por uma semana e conte pra gente a experiência, mandando um e-mail ou partilhando em nossas redes sociais!

PODEMOS FAZER JUSTIÇA COM NOSSAS PRÓPRIAS MÃOS?

28 JAN

Elektra Natchios é a filha de um diplomata grego nos EUA. Foi a primeira namorada de Matt Murdock em sua juventude. Um ataque de nacionalistas gregos em uma faculdade culmina com a morte do pai de Elektra. Destruída pela dor da perda, deixa seu amor por Matt e retorna à Grécia. Os dois se reencontrariam anos mais tarde, ele como Demolidor, ela como a ninja assassina Elektra, contratada pelo Rei do Crime, Wilson Fisk, como mercenária e assassina particular, até entrar em disputa com o antigo dono deste "trabalho". O Mercenário mata Elektra no confronto. Será ressuscitada por seu mestre Stick e pelo grupo dos Virtuosos.

Esta personagem é muito emblemática, pois sua correspondente na mitologia grega, Electra, apresenta o mesmo desejo de vingança pela morte do pai. Este sentimento a leva a ir até as últimas consequências para que seu objetivo seja concretizado. E este é o ponto chave para nossa conversa de hoje.

O desejo de fazer justiça com as próprias mãos está muito presente em nosso interior. A sensação de impotência diante de injustiças e a falta de perspectiva de um horizonte melhor pode nos levar a tentar resolver as coisas do nosso jeito sem consultar a Deus.

Mesmo quando tudo nos levar a pensar que nada vai acontecer para trazer justiça, precisamos lembrar que Deus é o Justo Juiz em nossas causas. Mesmo que você não veja a planta germinando, algo está acontecendo sob a terra em nosso favor. Coloque suas questões diante do Criador do Universo, pois Ele tem poder para resolver seus problemas definitivamente!

▶ Referências

Vocês julgam por padrões humanos; eu não julgo ninguém. **João 8:15**

Justo és, Senhor, e retas são as tuas ordenanças. **Salmos 119:137**

No meio dela está o Senhor, que é justo e jamais comete injustiça. A cada manhã ele ministra a sua justiça, e a cada novo dia ele não falha, mas o injusto não se envergonha da sua injustiça. **Sofonias 3:5**

Curiosidade
Elektra foi criada pelo grande roteirista Frank Miller em 1981.

CRISTÃOS DE BANCO

Jessica Jones tentou ser uma heroína adotando codinomes que mostravam seu esforço em fazer o bem. Confrontou um dos inimigos do Demolidor, *Zebediah Killgrave*, conhecido como Homem-Púrpura, que tem poderes de controle mental. Jessica perdeu a batalha e, como consequência, passou oito meses sendo uma escrava do vilão. Ele a obrigou a fazer coisas terríveis e foi apenas com a ajuda da X-man Jean Grey o elo mental entre os dois foi quebrado.

O trauma desta experiência destruiu seu projeto de ser uma heroína pelo medo de ser manipulada novamente. Abriu uma agência de detetives onde a maioria de seus casos envolve Superseres. Talvez esta fosse uma maneira segura de continuar mantendo contato com seu sonho sem, contudo, envolver-se em um nível mais profundo.

Como pastor, conheci pessoas que começaram suas vidas com Deus de maneira alucinante. O amor incondicional, a ousadia em ser boca de Deus para esta geração as consumia. Mas algumas experiências traumáticas vividas com outras pessoas dentro da igreja destruíram seus sonhos e projetos. Elas acabam se transformando no que costumo chamar de "cristãos de banco". Elas continuam por perto, como Jessica e sua agência, mas que não fazem mais parte do grupo que vive e trabalha em prol do Reino de Deus.

A dor da decepção é grande, mas maior que ela é o Deus que nos resgatou de onde estávamos antes de conhecê-lo. Devemos entregar toda nossa frustração aos pés da Cruz, buscar aconselhamento com líderes de nossa confiança para que a questão possa ser tratada e resolvida.

Ele nos chamou de filhos, ele cuidará de nossos problemas, basta prosseguirmos vivendo como no dia em que O conhecemos!

▶ Referências

Só ele cura os de coração quebrantado e cuida das suas feridas. **Salmos 147:3**

Cura-me, Senhor, e serei curado; salva-me, e serei salvo, pois tu és aquele a quem eu louvo. **Jeremias 17:14**

▶ Desafio

Você conhece "cristãos de banco"? Sabe de suas histórias? Ore por alguém que foi ferido e peça a Deus para ajudá-lo a voltar para mais perto.

O QUE **MOVE VOCÊ?**

Victor Von Doom nasceu na Latvéria, filho de ciganos que foram mortos pelos governantes. Possuía um talento nato para a ciência que o levou a ganhar uma bolsa para estudar na universidade Empire State, onde conheceu seus futuros inimigos: Reed Richards e Ben Grimm.

Acreditava ser o maior gênio da ciência, porém percebeu que seus talentos, embora fenomenais, não eram melhores que os de Reed Richards. Tomado pela inveja e pelo orgulho, trabalhou na construção de um portal transdimensional, que funcionou por 2:37 min, explodindo depois disso. O acidente causou uma grande cicatriz em seu rosto. Victor culpou Richards pelo fracasso estampado em seu rosto para sempre. Para esconder a cicatriz, construiu uma armadura que concede a ele poderes sobre humanos. Retorna à sua terra natal e toma o poder político na Latvéria, governando como um ditador com o nome de Doutor Destino.

Cada um de nós possui uma espécie de motor que nos move a fazer tudo o que fazemos durante nosso dia. O motor do Doutor Destino foi a inveja que o consumiu de tal forma, que o levou a fazer pactos dos quais nunca mais poderá se libertar. Quando olhamos ao nosso redor, é comum observarmos quem está acima de nós e com toda certeza existem várias pessoas em condições melhores que a nossa. Se tentarmos superar estas pessoas, viveremos outra vida que não é aquela que temos que viver.

Passar nossa existência atuando em papéis diferentes daqueles que nosso Diretor nos deu, é viver uma vida cheia de estresse, decepções e nervosismo financeiro e familiar. Para nos livrarmos dos perigos do orgulho e da inveja, precisamos prestar mais atenção aos pequenos detalhes que Deus nos dá a cada dia de nossas vidas.

| Muitos enxergam, mas poucos realmente vêem.

▶ Referências

O coração em paz dá vida ao corpo, mas a inveja apodrece os ossos. **Provérbios 14:30**
O ressentimento mata o insensato, e a inveja destrói o tolo. **Jó 5:2**

▶ Curiosidade

Ele foi o primeiro vilão no universo Marvel a utilizar o conceito e a prática da viagem no tempo, na quinta edição de Quarteto Fantástico, em julho de 1962.

VIDA E MORTE NA
PONTA DE SUA LÍNGUA!

Ultron é um robô criado pelo doutor Henry Pym, a partir de sua própria rede neural. Ele queria conceder ao robô a mesma capacidade de adquirir consciência e poder aprender a partir dos próprios erros, exatamente como nosso cérebro funciona. Inseriu esta mentalidade em Ultron a partir de um corpo derivado do Adamantium, o metal mais resistente que existe.

Ele acaba se rebelando contra o seu criador e, a partir disto, tem sido um problema para diversas equipes de heróis, sendo inimigo frequente do Quarteto Fantástico e dos Vingadores. A cada batalha, Ultron aprende com seus erros e retorna mais poderoso do que estava na batalha anterior, demandando níveis maiores de coragem e sacrifício daqueles que o enfrentam.

Gostaria de usar o exemplo de Henry Pym para nosso devocional de hoje. Precisamos aprender a tomar cuidado com o que construímos. Mesmo que você não faça um robô de alta tecnologia como doutor Pym fez, pode estar certo ou certa de que todos os dias você constrói artefatos que podem gerar alegria ou tristeza na vida daqueles que recebem o que você montou.

Estas construções são **nossas palavras**, que podem na mesma medida engrandecer, alegrar e trazer vida, ou diminuir, entristecer e matar emocionalmente outras pessoas. Escolha bem as palavras que você utiliza (ou as palavras que você tecla) com aqueles que estão à sua volta e não permita que pequenos Ultrons sejam criados na vida de outras pessoas!

Quando as palavras saem de nossas bocas, perdemos o controle sobre elas. Por isso precisamos de sabedoria no falar!

▶ Referências

O falar amável é árvore de vida, mas o falar enganoso esmaga o espírito. **Provérbios 15:4**

Há palavras que ferem como espada, mas a língua dos sábios traz a cura. **Provérbios 12:18**

▶ Desafio

Procure nesta semana ouvir mais do que falar. Fale pouco e ouça bastante. Busque sabedoria para dizer as palavras certas na hora certa. Esta capacidade vem de Deus, então busque a Ele!

FEVEREIRO

DEVOCIONAL POP

A LENTE QUE NOS SALVA DA DESTRUIÇÃO

Scott Summers é um dos cinco membros originais dos X-men, o líder de campo das operações do grupo e um homem conhecido tanto no presente quanto no futuro, pois através de seus filhos Nathan e Rachel Summers, o futuro da humanidade e dos mutantes foi alterado para sempre.

O poder mutante de Scott são rajadas óticas de energia poderosíssimas que só podem ser contidas por cristais de quartzo rubi. Suas células absorvem energia solar que se concentra nos olhos e libera as rajadas. A extensão da destruição que ele pode causar com seu poder mutante ainda é desconhecida, por isso ele depende do visor de quartzo rubi para não ferir aqueles que estiverem próximos a ele. Na infância, um acidente aéreo deixou ele e seu irmão, Alex, órfãos. Este trauma, somado ao seu poder mutante que o afasta das pessoas, gerou em Scott uma personalidade solitária e metódica.

Como Scott, temos uma natureza destrutiva, sabemos que somos falhos e vamos ferir pessoas próximas. Precisamos de uma barreira que possa nos ajudar no controle de nossas emoções e de nossa natureza má. Não temos um visor de quartzo rubi, mas não precisamos, pois temos algo ao nosso alcance muito melhor!

A Palavra de Deus é o nosso manual do fabricante, onde podemos saber e conhecer quem realmente somos e quem poderemos nos tornar, se buscarmos mudar e seguirmos os seus princípios. É a única maneira de ser uma pessoa realmente melhor.

E você, já leu sua bíblia hoje? Faça isso, e seja feliz!

▶ Referências

Santifica-os na tua verdade; a tua palavra é a verdade. **João 17:17**

A tua palavra é a verdade desde o princípio, e cada um dos teus juízos dura para sempre. **Salmos 119:160**

Lâmpada para os meus pés é tua palavra, e luz para o meu caminho. **Salmos 119:105**

▶ Desafio

Você já fez um plano anual de leitura bíblica? Existem vários modelos disponíveis na Internet e você pode ter experiências maravilhosas ao ser renovado diariamente pela Palavra de Deus.

VIVA OS SONHOS DE DEUS
PARA SUA VIDA!

Charles Xavier é um sonhador. Desde que descobriu ser um mutante com capacidades telepáticas, ele entendeu que este dom não foi dado por acaso, mas sim com o propósito de ajudar outros como ele a encontrar um lugar em meio a humanidade que teme e odeia os mutantes.

Seu senso de propósito, missão e visão é inabalável e seu sonho é tão grande quanto suas capacidades mentais: viver até o dia em que humanos e mutantes possam coexistir em harmonia. Interessante que seu ideal de paz é norteado por lutas, sacrifícios e, algumas vezes, a morte de seus aliados, sempre buscando salvar até mesmo a vida daqueles que os atacam.

Não parece muito justo proteger com a própria vida as pessoas que te odeiam. Mas será que não foi isso que Cristo nos ensinou a fazer? Amar aqueles que nos amam é muito fácil, o desafio começa quando ousamos pensar como aqueles que não gostam de nós, entendendo seus diferentes pontos de vista. A dinâmica do Reino funciona de maneira oposta ao sistema do mundo, e por isso parece loucura aos olhos do mundo. Charles Xavier é um personagem fictício, mas graças a Deus pelos sonhadores de carne e osso que caminharam na terra ao longo dos séculos. Por causa de seus sonhos mirabolantes, o Evangelho foi pregado em praticamente todo o mundo conhecido, doenças foram curadas e vidas foram salvas!

> Quando abrimos mão de nossas vidas para viver a vida que Deus nos deu, as dificuldades virão, mas nada poderá tirar de você a felicidade de estar no centro da vontade de Deus! Busque os sonhos dele e seja feliz!

▶ Curiosidade
O Professor Xavier foi criado por Stan Lee e Jack Kirby em 1963. O personagem foi inspirado no discurso pacifista de Martin Luther King Jr, durante o auge do racismo americano na década de 1960.

▶ Referências
Se alguém lhe bater numa face, ofereça-lhe também a outra. Se alguém lhe tirar a capa, não o impeça de tirar-lhe a túnica. **Lucas 6:29**

Amem, porém, os seus inimigos, façam-lhes o bem e emprestem a eles, sem esperar receber nada de volta. **Lucas 6:35a**

APARÊNCIA EXTERNA

Henry McCoy é bioquímico e um ativista político brilhante. Busca um mundo melhor para humanos e mutantes, usando para isso sua inteligência e influência política. É um dos cinco X-Men originais.

Através da vida do Fera podemos aprender que Deus não está preocupado com nossas atitudes exteriores, mas sim com aquilo que está em nosso interior. Nossa aparência pública de santidade não comove a Deus, mas aquilo que fazemos quando ninguém mais está observando, isto sim é digno de ser observado por Ele.

Quando nossa vida cristã está pautada em atitudes externas, não praticamos nada além de rituais religiosos, muito diferente do cristianismo genuíno e bíblico que está baseado em relacionamento com Deus. Ninguém pode ser amigo de alguém senão conversar e não passar tempo com esta pessoa, não é mesmo?

Em tempos de amigos virtuais e solidão real, nada melhor do que sabermos que nosso Pai de amor não está olhando para o salário que recebemos, para a casa ou o carro que possuímos! Nossa preocupação deve ser buscar em primeiro lugar o Reino de Deus e então todas as nossas necessidades serão supridas. Simples assim. Então pare de tentar parecer legal para a sociedade que não se importa com você, e corra para um relacionamento com Deus! Ele sim te ama de maneira incondicional!

▶ Referências

Pelo contrário, esteja no ser interior, que não perece, beleza demonstrada num espírito dócil e tranquilo, o que é de grande valor para Deus. **1 Pedro 3:4**

Mas quando você orar, vá para seu quarto, feche a porta e ore a seu Pai, que está no secreto. Então seu Pai, que vê no secreto, o recompensará. **Mateus 6:6**

"Eu sou o Senhor que sonda o coração e examina a mente, para recompensar a cada um de acordo com a sua conduta, de acordo com as suas obras." **Jeremias 17:10**

▶ Reflexão

Lembre-se de que a aparência externa é somente uma capa onde escondemos nosso verdadeiro interior. **Autor Desconhecido**

NÃO ESCONDA SUAS ASAS

Warren Worthington III, filho de um industrial bem-sucedido, viu sua vida mudar drasticamente quando asas começaram a nascer em suas costas durante a adolescência. Sua família conseguiu manter a mutação em segredo através de cintas que prendiam suas asas.

Durante a faculdade, um incêndio em seu dormitório fez com que ele usasse sua habilidade em voar para resgatar vários colegas, revelando desta forma que sua mutação tinha algo especial, que poderia ajudar a humanidade e os mutantes. Este personagem passou por muitas transformações ao longo dos anos, inclusive descobrindo que seu sangue tem capacidade curativa.

Gostaria de compartilhar com vocês a respeito de como todos nós cristãos possuímos de certa maneira, o mesmo poder do Arcanjo. Todos nós recebemos asas espirituais dadas por Deus a cada um que O recebe como Senhor e Salvador. Temos acesso ao poder do sangue de Cristo, que pode trazer cura a toda sorte de enfermidades, físicas e emocionais. **Não seria maravilhoso se você pudesse ver com seus olhos sua vida sendo um instrumento de Deus para trazer restauração e vida nova para esta geração?**

Isso só acontecerá se resolvermos soltar as cintas que colocamos sobre nossas asas e mostrarmos ao mundo quem somos e a quem servimos. Permanecer no anonimato leva a atrofia espiritual e a consequente morte de seu propósito na terra. Não seja apenas mais um, faça a diferença! Você nasceu para levar boas novas aos pobres de coração e cura para os enfermos!

▶ Referências

"O Espírito do Senhor está sobre mim, porque ele me ungiu para pregar boas novas aos pobres. Ele me enviou para proclamar liberdade aos presos e recuperação da vista aos cegos, para libertar os oprimidos" Lucas 4:18

Toda a lei se resume num só mandamento: "Ame o seu próximo como a si mesmo". Gálatas 5:14

▶ **Desafio:** Nas próximas 24 horas, fale de Jesus para um de seus amigos que ainda não O conhecem. Se é você que ainda não aceitou a Cristo como Senhor e Salvador, faça isso hoje mesmo!

TENHA UM ESPÍRITO
INQUEBRÁVEL

James Howlett, conhecido como Logan, é um dos mutantes mais temidos por seus inimigos, mesmo não possuindo poderes cósmicos. Ele possui um fator de cura que regenera seu corpo de qualquer ferimento, além de retardar seu envelhecimento. Este poder permitiu a Logan sobreviver ao experimento Arma X, que recobriu seu esqueleto com o metal mais resistente do universo, o *Adamantium*, transformando Logan em uma máquina de combate perfeita, com ossos inquebráveis e garras mortais. O segredo de Wolverine está em sua força de vontade extrema.

Muitas vezes deixamos oportunidades passarem por medo do desconhecido. **O maior inimigo do melhor é o bom.** Deixar a zona de conforto e ouvir a voz de Deus é a diferença entre ficar no barco e caminhar sobre as águas. Viver o Evangelho de maneira plena envolve riscos. Relacionamentos podem acabar, sonhos podem ser entregues a Deus. Mas e se, como Logan, por um momento não precisássemos nos preocupar com o que vai acontecer? E se fôssemos invulneráveis quando expostos ao novo de Deus? Seria tão difícil optar por mudanças se soubéssemos que nada nos destruiria? Se nossa alma regenerasse diante de qualquer mágoa ou ferimento e nosso espírito fosse inquebrável como o *Adamantium*, nos preocuparíamos tanto com o que os outros pensam a nosso respeito?

Creio que o segredo de Wolverine é saber que, independente da dificuldade, ele estará pronto para viver um novo dia. Que esta seja nossa verdade, assim na terra como no céu!

▶ **Referências**

"Venha", respondeu ele. Então Pedro saiu do barco, andou sobre a água e foi na direção de Jesus. **Mateus 14:29**

Não fui eu que lhe ordenei? Seja forte e corajoso! Não se apavore, nem se desanime, pois o Senhor, o seu Deus, estará com você por onde você andar". **Josué 1:9**

▶ **Curiosidades**

Adamantium é derivado da palavra grega adamastos, cujo significado é "indomável." Esta definição se aplica perfeitamente a Wolverine, não é mesmo?

NÃO TENHA MEDO
DO DESCONHECIDO!

Robert Drake é o mais novo dos X-men originais. Seu poder mutante é a manipulação subtérmica, com o qual pode alterar as moléculas de água na atmosfera para resfria-las e manipulá-las conforme sua vontade. Seu corpo pode se transformar em gelo e qualquer ferimento que ele sofrer nesse estágio não afeta a sua forma humana. É classificado como um mutante nível Ômega, a maior possível, porém ele nunca atingiu sozinho todo o seu potencial.

Quando a telepata Emma Frost invadiu a mente de Bobby, elevou seus poderes a um nível nunca sonhado por ele. Depois deste episódio, ele nunca mais atingiu este mesmo potencial, gerando frustração por não conseguir crescer sozinho, mesmo fazendo parte da primeira equipe de mutantes de Xavier.

Quantas pessoas não sentem a frustração de Bobby Drake, pois há anos vivem uma estagnação em suas vidas? Elas observam pessoas que chegaram depois crescendo muito mais, enquanto elas sentem-se imóveis em seus casamentos, carreiras e ministérios.

Para desenvolver seu poder ao máximo, o Homem de Gelo precisaria remover o medo que o impede de ir além do que ele já conhece a respeito de si mesmo, aliado ao treino constante de seus poderes. Para avançar no Reino de Deus os princípios são os mesmos. Você tem treinado os dons que Deus concedeu a você? Qual é a sua visão a respeito da vida? Você crê que é alguém especial com um propósito na terra?

Nada acontece por acaso em nossa vida. Você está respirando? Ótimo! Isso significa que seu tempo não terminou e a guerra ainda não foi vencida. Deixe seus medos de lado e você irá se surpreender quando Deus começar a te usar com poder sobrenatural!

Reflexão
Bravo não é quem sente medo, é quem o vence. **Nelson Mandela**

▶ **Referências**

Pois a quem tem, mais será dado, e terá grande quantidade. Mas a quem não tem, até o que tem lhe será tirado. **Mateus 25:29**

Como eu amo a tua lei! Medito nela o dia inteiro. **Salmos 119:97**

NÃO AVALIE UM LIVRO PELA CAPA

Kurt Wagner é filho dos mutantes conhecidos como Mística e Azazel. Por causa de sua aparência, sua mãe o colocou em um rio, para não ser linchada por populares.

Foi encontrado por um casal de ciganos que o criou como filho adotivo no circo em que trabalhavam. Ao descobrir seu poder mutante de teletransporte, passou a utilizá-lo em suas apresentações no circo. Com o tempo, as pessoas associaram sua aparência e seu teletransporte a um demônio e resolveram linchá-lo. Charles Xavier apareceu neste exato momento e o salvou de um massacre por parte dos populares. Uniu-se aos X-Men adotando o codinome Noturno. Mais tarde fundou a equipe Excalibur, e, quando a mesma terminou após a saga Operação Tolerância Zero, resolveu tornar-se padre.

A história de Noturno é muito pertinente para os nossos dias. Vivemos em uma sociedade onde o exterior é mais importante que o interior. As pessoas são avaliadas pela aparência ao invés do caráter. Julgamos o conteúdo das pessoas pelas roupas, pelo telefone, pelo carro e pela casa que possuem. Avaliando estes itens, podemos dizer se uma pessoa é "bem sucedida" ou uma "fracassada" pelos padrões sociais estabelecidos.

Quão longe estes elementos estão do padrão bíblico de beleza ou de sucesso! Acredito que Deus deixou tantos exemplos de pessoas "fora da caixa" na Bíblia, que deveríamos pensar se é mesmo tão legal ser igual a todo mundo. Jesus criticou severamente a realidade de seu tempo por dar mais importância aos rituais externos do que à motivação do coração.

Deveríamos aprender com o único e verdadeiro Mestre!

▶ Referências

O que entra pela boca não torna o homem "impuro"; mas o que sai de sua boca, isto o torna "impuro". **Mateus 15:11**

Então lhes disse: "Cuidado! Fiquem de sobreaviso contra todo tipo de ganância; a vida de um homem não consiste na quantidade dos seus bens". **Lucas 12:15**

▶ Desafio

Faça uma lista com três qualidades que o tornam único no planeta. Anote também três características que você precisa melhorar!

O TREINAMENTO DURA
SUA VIDA INTEIRA

Ororo Monroe é filha da queniana N'Dare com o fotojornalista americano David Munroe, que mudam-se para a cidade de Cairoquando ela tinha seis meses de vida. Aos cinco anos de idade, após um ataque aéreo no bairro onde sua família morava, sua casa desmorona. Apenas Ororo é resgatada com vida nos escombros. Órfã e sem um teto para morar, passa a perambular pelas ruas do Cairo até ser acolhida pelo mestre dos ladrões *Achmed El-Gibar*, que deu a ela um lar, mas também ensinou o seu "ofício".

Um belo dia, Ororo rouba a carteira de um certo Charles Xavier, que a leva para a mansão X e a treina em seus poderes de manipulação climática. Em pouco tempo é chamada para liderar uma das equipes de mutantes. Depois de um período na mansão, resolve voltar para suas origens africanas e auxiliar as populações que sofriam com as secas. Após alguns anos trazendo chuva para locais desertos, ela descobriu que os seus atos ajudavam algumas localidades, mas devastavam outras. Seu treinamento não havia terminado.

Ororo descobriu que não poderia salvar todo o continente africano. Em que pese o aperfeiçoamento das suas habilidades, proporcionado pelo treinamento de cada líder, ainda assim ela não era autossuficiente.

Em nossa vida cristã devemos prestar atenção aos líderes que Deus coloca em nosso caminho e tentar aprender o máximo no tempo que tivermos com eles. Mesmo que venhamos a nos destacar naquilo que fazemos, descobriremos, como Ororo descobriu, que nunca estaremos realmente prontos para realizar a obra de Deus em nossas vidas. Um componente fundamental de nossa jornada é a dependência do Espírito Santo, que nos capacita nos momentos mais difíceis.

> *Autossuficiência não é sinônimo de crescimento, pois tem muito mais relação com a iminência da queda do que com a vitória.*

▶ **Curiosidade**

Tempestade é a única personagem a fazer parte dos X-Men, Quarteto Fantástico e Vingadores!

▶ **Referências**

Embora sendo Filho, ele aprendeu a obedecer por meio daquilo que sofreu; Hebreus 5:8

Assim, aquele que julga estar firme, cuide-se para que não caia! 1 Coríntios 10:12

NÃO PERCA A ESSÊNCIA EM DEUS

Elisabeth Braddock era uma modelo inglesa, irmã gêmea do Capitão Britânia, Brian Braddock. Quando substituiu seu irmão como a Capitã Britânia, enfrenta o Mestre dos Assassinos, mas perde a batalha e tem seus dois olhos perfurados. Acaba capturada pela criatura interdimensional Mojo, que instala olhos mecânicos em Betsy.

Depois de lutar ao lado dos X-Men, passa pelo Portal do Destino. Este portal analisa a vida da pessoa que passa por ele e concede uma chance de recomeçar. Ela retorna do portal sem memória, na China, onde é aprisionada pelo Tentáculo, que troca seu corpo com o da assassina *Kwannon*, assumindo a forma oriental que tem até hoje. Seus poderes oscilaram muito em cada uma das suas fases, mas em essência ela é uma telepata com habilidades telecinéticas, que concentra essa energia em uma adaga e depois numa espada (katana) psíquica.

Nossas vidas passam por reviravoltas não tão radicais como as de Betsy Braddock, mas ainda assim são reviravoltas. O que podemos aprender com Psylocke é que, independente do que acontece em nossas vidas, **precisamos manter nossa essência**. Mesmo no corpo de uma ninja oriental, ela ainda era Betsy e, embora tenha que ter lidado com alterações de personalidade, conseguiu manter sua sanidade.

> *Os problemas virão, por mais que você não espere ou não queira, nosso papel é nunca esquecer quem somos em Deus e com Ele passar pelas dificuldades da vida.*

▶ Referências

Mesmo quando eu andar por um vale de trevas e morte, não temerei perigo algum, pois tu estás comigo; a tua vara e o teu cajado me protegem. **Salmos 23:4**

Ainda que eu passe por angústias, tu me preservas a vida da ira dos meus inimigos; estendes a tua mão direita e me livras. **Salmos 138:7**

Pois me livraste da morte e os meus pés de tropeçarem, para que eu ande diante de Deus na luz que ilumina os vivos. **Salmos 56:13**

▶ Reflexão

O êxito da vida não se mede pelo caminho que você conquistou, mas sim pelas dificuldades que superou no caminho. **Abraham Lincoln**

VOCÊ É ÚNICO(A)
ENTÃO NÃO SE COMPARE A NINGUÉM!

Alex Summers era até pouco tempo atrás, o único irmão de Scott Summers, o Ciclope. Hoje sabemos que eles têm um irmão mais novo, o mutante nível ômega Vulcano, codinome de Gabriel Summers. O poder de Alex é a emissão de energia plásmica por qualquer parte de seu corpo. Diferente de seu irmão, que tem o controle de suas rajadas óticas, o poder de Destrutor é instável como o seu temperamento. Inconstante, com problemas para controlar seus poderes, Alex sempre foi comparado a seu irmão, exemplo de liderança, comportamento, e obediência aos comandos de Xavier.

Como ambos cresceram órfãos, Scott, o irmão mais velho, cuidou de Alex durante o tempo de orfanato e foram muito unidos. Com a maturidade, porém, Alex passa a ser comparado a Scott e não gosta disto. Começa neste ponto uma relação de amor e ódio entre os dois, à medida em que as convicções de Alex são diferentes das de Scott. Instável emocionalmente, Alex chega a quase matar seu irmão em meio a uma de suas crises de fúria. Um fator interessante na mutação dos irmãos Summers é que eles são imunes aos poderes um do outro.

Em nossa jornada, seremos comparados a outras pessoas, ou até mesmo nós nos compararemos a modelos de sucesso para a sociedade. Isto pode nos trazer frustração por viver de maneira diferente ao que está estabelecido. Creia em Deus para descobrir seu propósito na Terra e ter uma vida única e criativa!

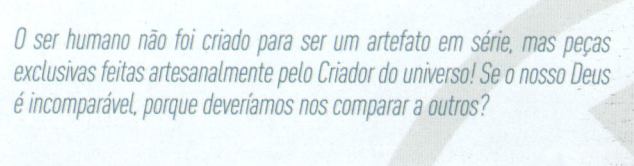

O ser humano não foi criado para ser um artefato em série, mas peças exclusivas feitas artesanalmente pelo Criador do universo! Se o nosso Deus é incomparável, porque deveríamos nos comparar a outros?

▶ Referências
Não temos a pretensão de nos igualar ou de nos comparar com alguns que se recomendam a si mesmos. Quando eles se medem e se comparam consigo mesmos, agem sem entendimento. **2 Coríntios 10:12**

Desafio
Você já pensou no propósito de Deus para sua vida? Se ainda não pensou, sugiro que separe alguns minutos para pensar sobre isso!

NÃO SEJA UM
SEMI-VILÃO NA IGREJA

Piotr Rasputin vivia em uma fazenda coletiva na ex-União Soviética com sua família, até ser convidado por Charles Xavier para ajudar a libertar a equipe original dos X-Men. Aceitou ao convite, pois nunca havia saído da fazenda onde nasceu. Foi um fiel seguidor do sonho de Xavier, até presenciar o suicídio seu irmão Mikhail e ver sua irmã Ilyana definhar por um vírus letal. Estes acontecimentos traumáticos o levaram a questionar o sonho e sua missão, passando a seguir Magneto por um tempo. Esta foi uma fase de Colossus como vilão ou quase, pois mesmo trabalhando com o arqui-inimigo dos X-Men, ajudava a equipe algumas vezes.

Quero destacar no devocional de hoje que a jornada de Colossus é a mesma de muitos de nós: seguimos fielmente o propósito de Deus para nossas vidas quando tudo está indo bem. No momento em que as adversidades surgem e os sacrifícios são necessários, duvidamos de que vale a pena tanto esforço para ajudar um mundo que odeia a Cristo. Passamos para um estado de "semi-vilania cristã" pois nos afastamos do ideal que acreditávamos, mas mesmo assim, de vez em quando, ajudamos em alguma coisa para que nossa consciência não fique tão pesada.

Precisamos entender que ainda existe uma cruz para ser carregada por aqueles que quiserem ser chamados de "pequenos cristos" em nossos dias. As dificuldades virão, mas podemos ter a certeza de que o bom Pastor estará sempre conosco, mesmo no vale da sombra da morte!

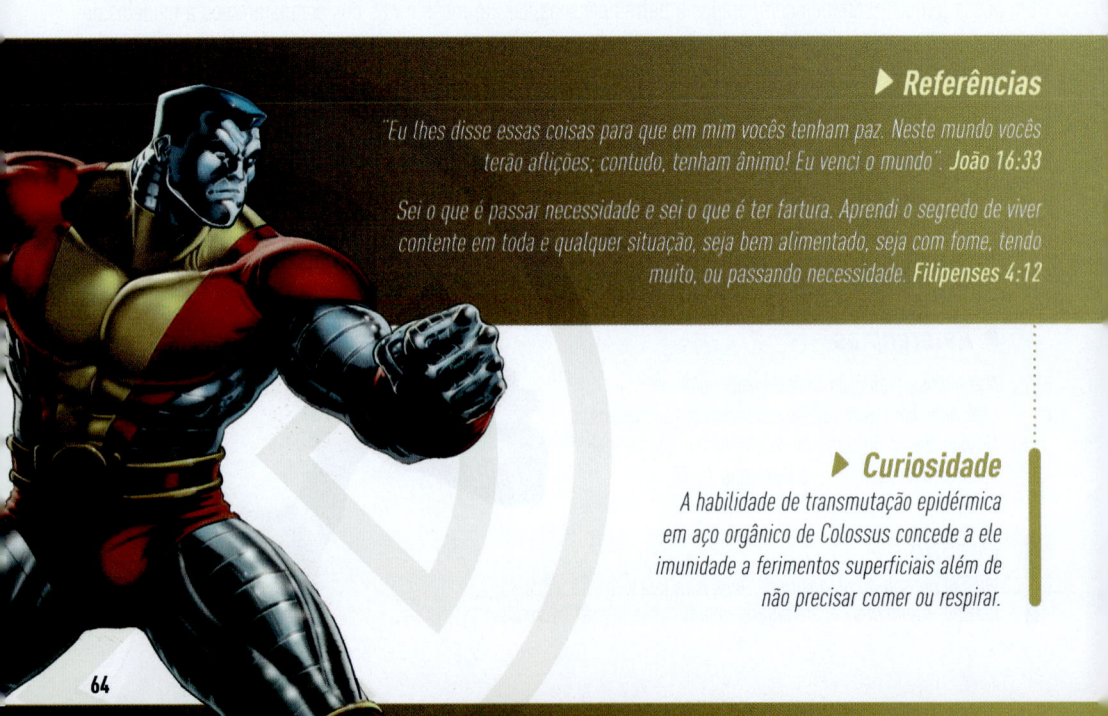

▶ **Referências**

"Eu lhes disse essas coisas para que em mim vocês tenham paz. Neste mundo vocês terão aflições; contudo, tenham ânimo! Eu venci o mundo". **João 16:33**

Sei o que é passar necessidade e sei o que é ter fartura. Aprendi o segredo de viver contente em toda e qualquer situação, seja bem alimentado, seja com fome, tendo muito, ou passando necessidade. **Filipenses 4:12**

▶ **Curiosidade**

A habilidade de transmutação epidérmica em aço orgânico de Colossus concede a ele imunidade a ferimentos superficiais além de não precisar comer ou respirar.

EXPERIÊNCIA SEM DEPENDÊNCIA DE DEUS NÃO RESOLVE!

Katherine Pride descobriu sua mutação quando tinha treze anos de idade. Ela tem a capacidade de se tornar intangível, e com isso atravessar objetos sólidos como paredes, estruturas metálicas e caminhar sobre o ar, pois pode manipular seu peso. Quando Xavier envia Tempestade, Wolverine e Colossus para levá-la até a Mansão, eles entram em confronto com o Clube do Inferno, na época liderado por Emma Frost. Os três são capturados e a Lince Negra é quem salva os veteranos, usando seu poder mutante.

Em nossa jornada na terra, muitas vezes nos achamos despreparados e sem a experiência necessária para realizar muitas coisas. Pensamos sempre em alguém que, em nossa opinião, é mais capacitado e tem as qualidades necessárias para ser bem sucedido em seus projetos. Porém, a Bíblia está repleta de exemplos de homens e mulheres imperfeitos, sem riquezas, sem muito conhecimento ou experiência e que realizaram obras extraordinárias. Qual foi o segredo deles?

Em primeiro lugar, eles tinham convicção de que foi Deus quem os chamou para realizar a tarefa; em segundo, eles não confiavam apenas em suas capacidades, mas no poder Daquele que os chamou para fazer e; em terceiro lugar, não olhavam para as dificuldades presentes, mas para a conclusão de sua carreira prometida por Deus.

Referências

Ninguém o despreze pelo fato de você ser jovem, mas seja um exemplo para os fiéis na palavra, no procedimento, no amor, na fé e na pureza. **1 Timóteo 4:12**

O Senhor, porém, me disse: "Não diga que é muito jovem. A todos a quem eu o enviar você irá e dirá tudo o que eu lhe ordenar. Não tenha medo deles, pois eu estou com você para protegê-lo", diz o Senhor. **Jeremias 1:7-8**

E você, para onde tem olhado? Volte seus olhos a Deus e transforme sua vida! Dificuldades virão, mas serão superadas!

▶ Reflexão

A experiência nunca falha, apenas as nossas opiniões falham, ao esperar da experiência aquilo que ela não é capaz de oferecer. **Leonardo da Vinci**

FAÇA ENQUANTO TIVER TEMPO!

Forge é um descendente dos índios Cheyenne, sendo criado em todos os costumes e tradições de seus antepassados. Seu poder mutante é *tecnomental*, ou seja, ele é capaz de consertar ou de construir qualquer equipamento eletrônico com muita facilidade. Por esta razão foi assediado pelo governo americano para ser um inventor de armamentos, incluindo um anulador para os poderes mutantes. Quando Tempestade acaba sendo atingida por esta arma, Forge se revolta, destrói todas as versões de seu anulador e entra para os X-men.

Em nossas vidas tomamos determinadas decisões sem a intenção de machucar aqueles a quem amamos. Mas acabamos fazendo exatamente isso! Pode ser um olhar que não foi dado ou uma palavra dita no momento errado. Desta forma, tome decisões enquanto ainda existe tempo! Há quanto tempo você não diz para seus pais, esposa ou filhos que os ama? Gaste tempo de qualidade com quem você ama, enquanto eles ainda estão próximos a você. Para não magoar os outros, é preciso ter empatia, que nada mais é do que colocar-se no lugar do outro para entendê-lo melhor.

Jesus foi Mestre nesta área! Ele não tinha problema em parar para ouvir uma mulher em um poço ou um cego pelo caminho. Precisamos aprender com o Mestre para caminharmos levando o Reino de Deus às pessoas.

O que estamos fazendo com nossas vidas? Para saber se estamos acertando, temos duas ordenanças do Senhor quanto ao que fazer enquanto estamos na terra: pregar o Evangelho e fazer discípulos. Se não estamos cumprindo estas ordenanças, provavelmente não estamos vivendo o que o Senhor nos pediu para viver.

Referências

E disse-lhes: "Vão pelo mundo todo e preguem o evangelho a todas as pessoas". **Marcos 16:15**

Portanto, vão e façam discípulos de todas as nações, batizando-os em nome do Pai e do Filho e do Espírito Santo. **Mateus 28:19**

Desafio: Corra até seus familiares e diga o quanto você os ama e o quanto é agradecido por fazerem parte de sua vida! Pode fazer isso por um amigo ou amiga também?

ELEVE SUA AUTOESTIMA!

Mortimer Toynbee tem uma vida marcada pela rejeição e pelo fracasso. Foi abandonado por seus pais logo após seu nascimento, devido à sua aparência. Passou toda a infância em orfanatos, onde era constantemente humilhado e espancado pelos outros meninos.

Toda esta rejeição gerou em *Mortimer* um profundo complexo de inferioridade, que o levou a ter uma extrema devoção a Magneto, após este o salvar de um linchamento por humanos.

Magneto não se importava com ele, o considerava apenas um escudo mutante. Sua vida só melhorou quando o Alto Evolucionário modificou o Gene X dos mutantes e ele ganhou aparência humana e perdeu seus poderes, neste período, mesmo que curto, Mortimer realizou seu sonho: foi aceito pela sociedade que o odiava.

Assim como Mortimer, muitas pessoas em nosso meio sofrem do mesmo complexo de inferioridade. Decepções amorosas ou a falta de carinho dos pais e irmãos geram uma extrema dependência daqueles que acabam oferecendo o mínimo de atenção. Este é o grande perigo de nossa geração: fazer tudo para ser aceito, não importando o preço. Para os cristãos, o preço é perder sua essência, para que o mundo possa aceitá-lo.

Como aconteceu com Groxo, esta satisfação será temporária, pois não podemos mudar quem somos. Ainda que nos enganemos, tentando viver uma vida longe dos caminhos do Senhor, lá no íntimo, onde ninguém mais tem acesso, a verdade sempre aparecerá: você é um filho de Deus escolhido ou escolhida da maneira como você é e com os dons e talentos que recebeu! Não seja nivelado pelo mundo, isso é nivelar por baixo! Você nasceu para voar como as águias, não para rastejar como as lagartas.

Referências
Meus irmãos, não vos maravilheis, se o mundo vos odeia. **1 João 3:13**
Se o mundo vos odeia, sabei que, primeiro do que a vós, me odiou a mim. **João 15:18**

Curiosidade
Além do Groxo nos filmes dos X-Men, o ator Ray Park também deu vida ao Sith Darth Maul em Star Wars.

UMA DOENÇA
CHAMADA INVÉJA

Victor Creed é meio irmão de Logan, por isso possui os mesmos poderes mutantes: força sobre humana, fator de cura e instinto selvagem, além de garras e dentes afiados. Podemos atribuir duas diferenças básicas entre Creed e Wolverine, que distanciam demais estes dois personagens. A primeira delas é que Victor é um sociopata e um assassino por natureza. Seus alvos são presas que precisam ser caçadas. A segunda diferença é que Dentes de Sabre não possui o mesmo nível dos poderes de seu irmão. Wolverine é melhor do que Creed. Isso causou uma **inveja doentia que marcou seu destino.** Toda a sua vida, Victor buscou superar seu irmão, seja matando as pessoas que Logan amava, seja preparando armadilhas para ele.

> Podemos nos espelhar em pessoas que são modelos para nossa caminhada. O problema começa quando tentamos viver a vida desta pessoa, ao invés da nossa.

Por acharmos a vida do outro mais legal, podemos pensar que a nossa não vale a pena. Nós precisamos buscar em Deus a nossa missão e vivê-la em sua plenitude. A inveja é um dos piores sentimentos que podemos nutrir pelo outro. Ela é movida por uma incapacidade em pagar o mesmo preço para conseguir o que se quer. Não sinta inveja das pessoas desonestas, que aparentemente estão melhores na vida do que você. Embora seja natural começarmos a desfrutar de parte das bênçãos reservadas para a eternidade, nossa recompensa chegará com o grande dia de viver com Cristo para sempre. Como vivemos aqui na Terra impacta diretamente como viveremos na eternidade! Pense nisso e viva para Deus!

▶ Referências

O sentimento sadio é vida para o corpo, mas a inveja é podridão para os ossos. **Provérbios 14:30**
Não te indignes por causa dos malfeitores, nem tenhas inveja dos que praticam a iniquidade. **Salmos 37:1**
Não sejamos cobiçosos de vanglórias, irritando-nos uns aos outros, invejando-nos uns aos outros. **Gálatas 5:26**

▶ Reflexão

A fraqueza é destinada aos invejosos.
Pedro Colares

EVOLUÍDOS...SERÁ?

Nathaniel Essex foi um médico brilhante que viveu na Inglaterra vitoriana, durante o século XIX. Influenciado pelos estudos de Darwin sobre a evolução, representa a transição entre uma ciência que aceitava os preceitos bíblicos, para uma era racionalista e laica sobre o avanço científico.

Por causa de uma doença sem cura de sua esposa, *Nathaniel* passou a realizar experiências pouco ortodoxas em si mesmo. As consequências de sua busca obsessiva pela evolução o fizeram ser expulso da comunidade científica e abandonado pela mulher a quem tentou ajudar. Foi neste período que conheceu Apocalipse, que concedeu a ele o poder da imortalidade para continuar suas pesquisas genéticas agora com mutantes, e assim criar a combinação genética perfeita.

O Senhor Sinistro representa a mudança histórica na concepção científica e filosófica que varreu o mundo no século XIX. Até então, a música, a filosofia, a história e todas as ciências incluíam o conceito criacionista em seus pressupostos.

A partir das teorias evolucionistas, a sociedade ocidental tornou-se laica. Através destes pensamentos, o homem tem buscado suas explicações sem considerar a presença de Deus e sua atuação na história. Neste sentido, quase 150 anos depois de Darwin, podemos questionar se nossa tecnologia tem gerado felicidade na humanidade. Uma geração conectada, mas solitária, com um vazio moral em seu interior. Uma nova filosofia pautada no homem como o centro do universo, que não gera felicidade, mas angústia. Talvez seja este o momento de voltarmos nossos olhos para Aquele que é desde a eternidade, o único que pode colocar o ser humano de volta em seu estado mais humano!

▶ Referências

Ai daquele que contende com seu Criador, daquele que não passa de um caco entre os cacos no chão. Acaso o barro pode dizer ao oleiro: 'O que você está fazendo?' Será que a obra que você faz pode dizer: 'Ele não tem mãos?' **Isaías 45:9**
O meu socorro vem do Senhor que fez o céu e a terra. **Salmos 121:2**

▶ Desafio
Pesquise sobre o criacionismo na internet para aprofundar seus conhecimentos!

DUAS ESTRADAS, UMA ESCOLHA

Cain Marko é meio irmão do Professor Xavier. Ao contrário de outros personagens do universo mutante, Cain não tem o fator X em seu DNA. A fonte de seus poderes é um cristal místico chamado *Cytorrak*, que concede a ele força sobre humana extrema e invulnerabilidade quando em movimento. Ele culpou Charles pela morte de seu pai e buscou vingança. Quanto mais buscava esta vingança, mais sua força aumentava.

Xavier oferece redenção a Marko, trazendo-o para a Mansão X. Por algum tempo, o Fanático luta ao lado dos X-Men. Ele percebeu que sua força foi diminuindo gradativamente enquanto tentava fazer o bem. Então, descobriu que a força de *Cytorrak* estava vinculada a buscar o mal, não a sua própria vontade. Diante de suas escolhas morais, o Fanático acaba por decidir retomar sua vida criminosa. Ele teve uma decisão a tomar e escolheu o caminho mais fácil.

Assim como Cain, nos deparamos com as mesmas escolhas diariamente. O cristal que concede poder a ele representa nossa adequação aos padrões da sociedade que nos cerca. Quando escolhemos fazer a vontade de Deus, em um primeiro momento, pode parecer que perderemos a força diante dos outros que mantém suas vidas de acordo com a carne. Mas, se mantivermos nossa posição de permanecer no Senhor, a aparente fraqueza se transforma em força e aqueles que antes zombavam, agora procuram alívio e consolo naqueles que buscam a face do Senhor.

Duas estradas estão diante de nós neste momento: a primeira se chama "santidade" e a segunda "desejos da carne". Seja sábio e escolha bem por onde você quer caminhar enquanto estiver na terra!

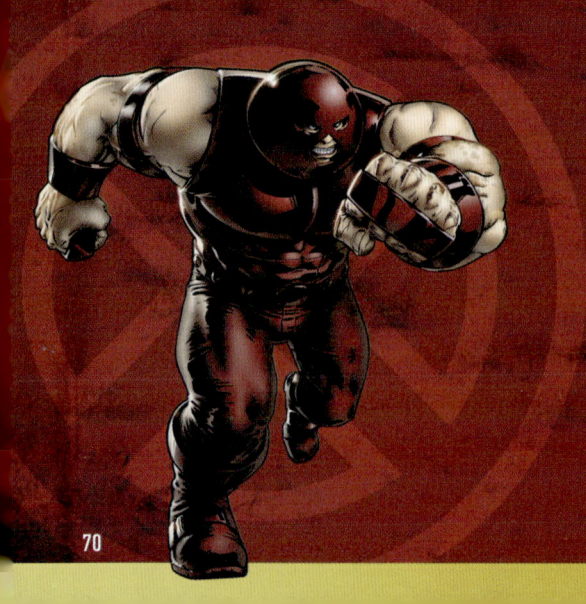

▶ Referências
Vocês não sabem que são santuário de Deus e que o Espírito de Deus habita em vocês?
1 Coríntios 3:16

▶ Curiosidade
O nome do Fanático (Juggernaut, no original), deriva de Ratha Yatra, uma carruagem que transportava príncipes na Índia, conhecida por deixar um rastro de destruição por onde passava, pois atropelava muitos adoradores no caminho.

NÃO CRIE **CLONES** DE SEU PASSADO

Jamie Madrox é um mutante que tem o poder de criar duplicatas de si mesmo e reabsorvê-las conforme sua vontade. O grande problema é que suas cópias têm personalidade própria e, quanto mais tempo elas passam longe de Jamie, mais difícil fica para ele controlar seus clones. Eles começam a tomar decisões muito diferentes daquelas que ele tomaria.

A sanidade de Madrox é constantemente colocada à prova, pois é muito difícil separar a cópia do original nestes casos. Isto gera um grande problema de personalidade ao Homem-Múltiplo.

Nossa vida pode parecer muito com a de Jamie em alguns aspectos. Quantas vezes precisamos lutar contra nossa personalidade? Quanto mais tempo passarmos longe da presença de Deus, mais nosso velho homem, que é o nosso caráter anterior a Cristo, vai buscar desesperadamente tomar o controle de nossas emoções. É preciso estar sempre próximo à fonte que nos conecta a Deus, pois é a única maneira de não termos problemas com nossas contrapartes mundanas.

> Não deixe clones de seu passado à solta, como Madrox fez várias vezes, absorva todos eles para que sua personalidade seja única e voltada para fazer as obras do Reino de Deus!

▶ Referências

Pois o que faço não é o bem que desejo, mas o mal que não quero fazer, esse eu continuo fazendo. Ora, se faço o que não quero, já não sou eu quem o faz, mas o pecado que habita em mim. **Romanos 7:19-20**

Porque os que são segundo a carne inclinam-se para as coisas da carne; mas os que são segundo o Espírito para as coisas do Espírito. **Romanos 8:5**

Porque o que semeia na sua carne, da carne ceifará a corrupção; mas o que semeia no Espírito, do Espírito ceifará a vida eterna. **Gálatas 6:8**

Reflexão

Um filho pode perder sua mãe, viver sem ela
O amante pode perder seu amor, viver sem ele
O rei pode perder o seu reinado, viver sem ele
A flor pode perder o seu perfume, viver sem ele

Mas viver sem Deus não faz nenhum sentido
É como um peixe fora d'água, um perigo
É como um pássaro que não pode voar
Viver sem Deus não dá

Gerson Rufino

SUA IDENTIDADE É FUNDAMENTAL!

Raven Darkholme é uma mutante com o dom da transmutação, que é a manipulação da aparência. Como nunca aceitou quem era, passou a vida toda criando identidades que a permitissem viver entre os humanos para não ser discriminada por ser uma mutante. Tem dois filhos naturais e uma filha adotiva: Noturno, Greydon Creed e Vampira, todos abandonados por ela por motivos distintos: Noturno por sua aparência, Creed por ser humano e Vampira por sua incapacidade em ajudá-la com seus poderes.

Na área profissional, digamos assim, trabalhou como mercenária para a H.I.D.R.A., para a segunda formação da Irmandade de Mutantes, para um grupo do governo americano chamado Força Federal, para o X-Factor e para o Clube do Inferno. Manteve relacionamentos amorosos conturbados e promíscuos: foi casada com o Barão Christian Wagner, teve um relacionamento paralelo com Azazel, com Dentes de Sabre, com o X-man Forge, entre outros.

Existe um padrão no comportamento instável de Mística que pode nos ajudar no dia de hoje. Como não aceitava sua identidade, criou várias outras e se perdeu em meio a quem realmente era. Como não tinha uma identidade firmada e consistente, vivia de maneira desregrada, sem um propósito específico. Ora lutava ao lados dos X-Men, ora batalhava contra eles.

> É possível perceber muitas pessoas vivendo desta maneira em nossos dias. A falta de uma identidade firmada em Cristo pode nos levar a perder o seu propósito de nossas vidas. Foco e perspectiva são fundamentais em todas as áreas! Descubra seu propósito, tenha a identidade firmada em Cristo! Essas credenciais livrarão você de muitos problemas durante sua jornada!

▶ Referências
Portanto, sejam imitadores de Deus, como filhos amados, Efésios 5:1
Eu lhes dei o exemplo, para que vocês façam como lhes fiz. João 13:15

▶ Desafio
Você se sente amado(a) por Deus? Este é o primeiro passo para descobrir seu propósito na terra! Amar e ser amado(a) por Deus!

SERVIR É MOTIVO DE
HONRA NO REINO DE DEUS

Max Eisenhardt adotou mais tarde o nome de **Erik Magnus Lehnsherr** e, enfim, **Magneto**, um dos mutantes mais poderosos da Terra. Tem o poder de manipular qualquer tipo de metal devido ao controle da energia eletromagnética do planeta. Sofreu muito durante a Segunda Guerra, pois foi o único sobrevivente de sua família, dizimada por causa da origem judaica. Conseguiu fugir do campo de concentração e tentou viver uma vida tranquila. Nas ocasiões em que tentou se isolar do mundo, para viver uma vida simples como qualquer pessoa, ocorreram situações limite que o fizeram usar seus poderes destruindo tudo à sua volta.

Magneto acredita fielmente que os mutantes são o próximo passo da evolução. Nesta visão, os humanos devem ser subjugados por eles, que devem governar o mundo sendo servidos pelos humanos.

Vejo Magneto nos olhos de cristãos que dizem serem melhores do que aqueles que ainda não conhecem a Jesus como Senhor e Salvador. Isso já aconteceu ao longo da história, quando cristãos partiram em Cruzadas para libertar Jerusalém dos "infiéis", durante a Santa Inquisição e a Igreja punia aqueles que tinham um pensamento divergente. E isso acontece hoje, quando usamos comentários pejorativos para falar daqueles que não compartilham da mesma fé que nós professamos.

> Ao olharmos para o ministério de Cristo, veremos que tudo o que Ele fez foi servir a todos, sem distinção. Acredito que a única diferença entre os salvos e os não salvos, está no fato de que o primeiro grupo conhece o amor de Deus por elas, enquanto o segundo vive sem esta revelação. Nós que já experimentamos este amor, temos o dever de levar esta notícia a todas as pessoas que estiverem ao nosso alcance.

▶ **Referências**
E quem quiser ser o primeiro deverá ser escravo; Mateus 20:27

▶ **Curiosidade**
O discurso de Magneto foi inspirado em Malcom X, ativista negro que pregava o revide dos negros contra o racismo instaurado nos Estados Unidos durante boa parte do século XX.

CUIDADO COM O QUE VOCÊ FALA!

Wade Wilson viu sua mãe morrer de câncer quando tinha apenas cinco anos de idade. A tragédia perturbou seu pai, que se entregou ao alcoolismo e o espancava por causa disso. Wade cresceu com distúrbios psicológicos e também desenvolveu câncer em sua fase adulta. Foi aceito pelo projeto Arma X, que tentou reproduzir nele o processo realizado com Wolverine. Recebeu o fator de cura para o câncer, mas adquiriu problemas psicológicos. Wade pode curar-se de qualquer ferimento por mais extremo que seja. Por isso seu estilo de luta é descuidado. Ele ataca de maneira avassaladora e, mesmo que seja ferido, continua atacando.

Muitas pessoas em seus relacionamentos adotam a mesma estratégia de Deadpool: entram de cabeça, não se importando em serem feridas pela outra pessoa. Diferentemente de Wade, não temos a capacidade de nos curarmos tão facilmente de feridas na alma.

Outro detalhe importante: ele é conhecido como o Mercenário Tagarela. Ele fala o tempo todo, e isso é utilizado como estratégia para confundir seus inimigos. Muitos de nós também falamos demais, mas não deveríamos, pois a sabedoria está em ouvir, não em falar.

Por fim, Wade foi curado internamente, mas por fora ficou desfigurado - e por isso usa uma máscara, mas todos sabem quem ele é. As feridas da alma de nossos relacionamentos não podem mudar quem somos. Conheço pessoas que, por algo não ter dado certo em suas vidas, tornaram-se amarguradas, tristes e sem esperança. Precisamos parar de olhar para nossas tristezas e olhar para Deus!

> Ele nos dá a cada dia uma nova oportunidade para melhorar, basta mantermos nossos olhos fixos em Jesus!

▶ Referências

Acima de tudo, guarde o seu coração, pois dele depende toda a sua vida. **Provérbios 4:23**
Você já viu alguém que se precipita no falar? Há mais esperança para o insensato do que para ele. **Provérbios 29:20**

▶ Reflexão

O sábio nunca diz tudo o que pensa, mas pensa sempre tudo o que diz. **Aristóteles**

O QUE É MAIS IMPORTANTE EM SUA VIDA?

22 FEV

En Sabah Nur nasceu no XXX século antes de Cristo, no Egito, durante a primeira dinastia faraônica sob o reinado de *Rama Tut*. Descobriu muito cedo que era diferente dos demais, devido à sua aparência em um tempo que os mutantes não eram conhecidos. É um dos primeiros mutantes da História e extremamente poderoso, tanto que até hoje não se conhece toda a extensão de sua mutação. Ele possui níveis de energia infinitos, pois utilizou uma tecnologia alienígena, fazendo com que seus poderes mutantes se elevassem ao máximo.

O seu nome deriva de um objetivo primário: oferecer todas as condições para que uma guerra cataclísmica aconteça na Terra e apenas os mais fortes possam sobreviver. Apocalipse surgiria como o líder desta sociedade destruída e caótica, que seria reorganizada conforme sua visão distorcida da evolução darwiniana (fruto de seu encontro com o doutor Essex, que se tornaria o Senhor Sinistro no final do século XIX).

Poderíamos falar muito a respeito deste personagem, mas gostaria de destacar um de seus atributos que pode ser muito útil em nossa caminhada com Deus: **a experiência**. Ele já viveu mais de 5000 anos e age com muita paciência para tomar suas decisões sobre qual o próximo passo. Nós nascemos para a eternidade, e esta certeza deveria nortear nossas escolhas. Será que teríamos a mesma pressa em alcançar tantos objetivos simultâneos, conquistar tantas coisas, deixar amigos e família de lado, se lembrarmos que não levaremos nada quando chegar a nossa hora? Será, que além de nosso corpo, não deveríamos cuidar também de nossa alma?

> Suas escolhas o colocam em rota de colisão com a eternidade, de qualquer forma. A única opção é escolher passá-la junto a Deus ou eternamente afastado Dele. A escolha é nossa! Seja sábio, e feliz!

▶ **Referências**

Pois, que adianta ao homem ganhar o mundo inteiro e perder a sua alma? Marcos 8:36

▶ **Desafio**

Ore a Deus sobre como você pode viver uma vida mais simples do que você tem vivido.

PERMANEÇA EM MOVIMENTO!

Remy LeBeau é um mutante com habilidade de gerar energia cinética através de seus movimentos físicos, como um dínamo humano. Ele transfere esta energia para qualquer material que venha a tocar, lançando-o em seus inimigos. Suas armas preferidas são cartas de baralho que se transformam em projéteis explosivos e um bastão. Resumindo, quanto mais ele se movimenta, mais energia ele gera.

Nossa vida cristã precisa ter a mesma ideia de movimento que o poder mutante de nosso personagem de hoje. Os primeiros cristãos eram conhecidos como "os do caminho", pois estavam em constante movimento levando a Palavra e o poder de Deus a todos aqueles que necessitavam dela.

Quanto mais você caminha com Deus, usando seus talentos para resgatar aqueles que estão perdidos em suas jornadas nesta vida, mais você receberá dons e novas habilidades para que use novamente - e assim você cresce em sua jornada com Deus. Mas, por outro lado, quando tudo o que você quer é receber de Deus e permanecer sentado no banco de alguma igreja, por que receberia mais alguma coisa de Deus? O poder e os dons só têm objetivo se utilizados para restaurar vidas! Por isso, não podemos estagnar na vida cristã, permaneça em movimento!

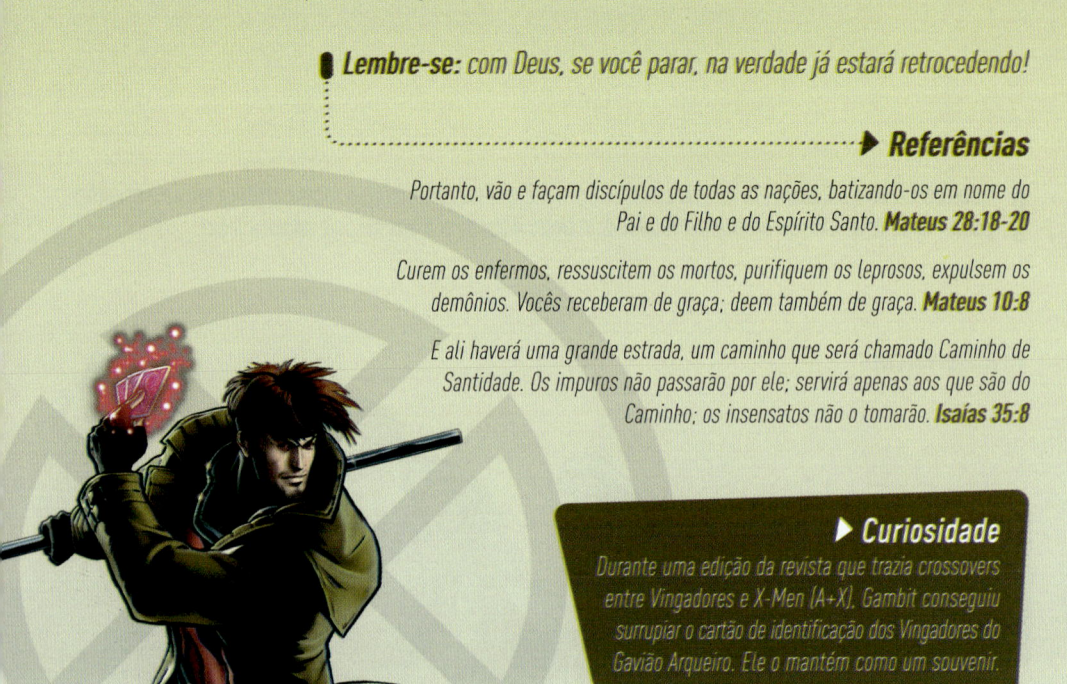

Lembre-se: com Deus, se você parar, na verdade já estará retrocedendo!

▶ Referências

Portanto, vão e façam discípulos de todas as nações, batizando-os em nome do Pai e do Filho e do Espírito Santo. **Mateus 28:18-20**

Curem os enfermos, ressuscitem os mortos, purifiquem os leprosos, expulsem os demônios. Vocês receberam de graça; deem também de graça. **Mateus 10:8**

E ali haverá uma grande estrada, um caminho que será chamado Caminho de Santidade. Os impuros não passarão por ele; servirá apenas aos que são do Caminho; os insensatos não o tomarão. **Isaías 35:8**

▶ Curiosidade

Durante uma edição da revista que trazia crossovers entre Vingadores e X-Men (A+X), Gambit conseguiu surrupiar o cartão de identificação dos Vingadores do Gavião Arqueiro. Ele o mantém como um souvenir.

SEJA UMA VOZ
NÃO UM ECO!

O mutante irlandês **Sean Cassidy** tem a habilidade de manipular ondas sonoras, permitindo que ele amplifique sua voz até o ponto de quebrar objetos, ensurdecer alguém, voar através das vibrações das ondas sonoras, destruir edificações através da combinação de frequências para que vibrem em consonância com sua voz, entre outras capacidades que envolvam suas cordas vocais.

Como **Banshee**, o poder que habita em nossas vidas como cristãos depende de nossa voz. Todos são chamados a pregar o Evangelho da Salvação a toda criatura em todo o tempo. Ao guardarmos o poder que está contido nas Boas Novas de Cristo, estamos nos privando de ver o sobrenatural e, de certa forma, escolhendo aqueles que devem ou não entrar no Reino de Deus. Por que recebemos dons, se não temos a intenção de usá-los em favor dos que necessitam?

Portanto, na próxima oportunidade de participar do período de adoração em sua igreja local, adore a Ele com intensidade, ore todos os dias e pregue os princípios do Reino em todas as chances que tiver seja um instrumento de Deus para esta geração!

Torne-se uma voz e não um eco!

▶ Referências

Reunindo os Doze, Jesus deu-lhes poder e autoridade para expulsar todos os demônios e curar doenças, e os enviou a pregar o Reino de Deus e a curar os enfermos. **Lucas 9:1-2**

Pois Cristo não me enviou para batizar, mas para pregar o evangelho, não com palavras de sabedoria humana, para que a cruz de Cristo não seja esvaziada. Cristo, Sabedoria e Poder de Deus. **1 Coríntios 1:17**

O Espírito do Soberano Senhor está sobre mim porque o Senhor ungiu-me para levar boas notícias aos pobres. Enviou-me para cuidar dos que estão com o coração quebrantado, anunciar liberdade aos cativos e libertação das trevas aos prisioneiros. **Isaías 61:1**

▶ Reflexão

Duas coisas indicam fraqueza: calar-se quando é preciso falar, e falar quando é preciso calar-se! **Provérbio Persa**

PARE O AVANÇO
DO VÍRUS DA CARNE!

Nathan Christopher Summers, conhecido como Cable, é o filho de Scott Summers, o Ciclope, com o clone de Jean Grey, Madelyne Pryor. A fusão do poder dos pais, no filho, o tornou um dos mutantes mais poderosos do universo, porém o vilão Apocalipse injetou no bebê um vírus vindo do futuro, letal e sem cura. Sem opções, Ciclope e Jean Grey levam o pequeno Nathan para o futuro para tentar salvar sua vida.

Graças ao seu poder, Cable consegue deter o avanço do tecno vírus que destruiu parte dos tecidos vivos de seu corpo. Mas, para fazer isso, ele precisa dedicar a maior parte de seu poder telecinético para deter o avanço do vírus. Se Nathan perder a concentração em manter a doença sob controle, ela volta a avançar, destruindo nosso personagem.

Nossa vida com Deus é muito semelhante à de Cable. Temos duas naturezas dentro de nós: a carne e o espírito lutando pelo controle de nossa alma. Se deixarmos de nos concentrar no controle da carne, ela avança e começa a nos desestabilizar. Precisamos manter o espírito alimentado a cada dia, para que ele continue influenciando todo o nosso corpo e nos leve até a vida que teremos na eternidade com o nosso Deus. Esta é uma das principais batalhas que teremos que enfrentar em nossa vida, aquela que é travada em nossa mente.

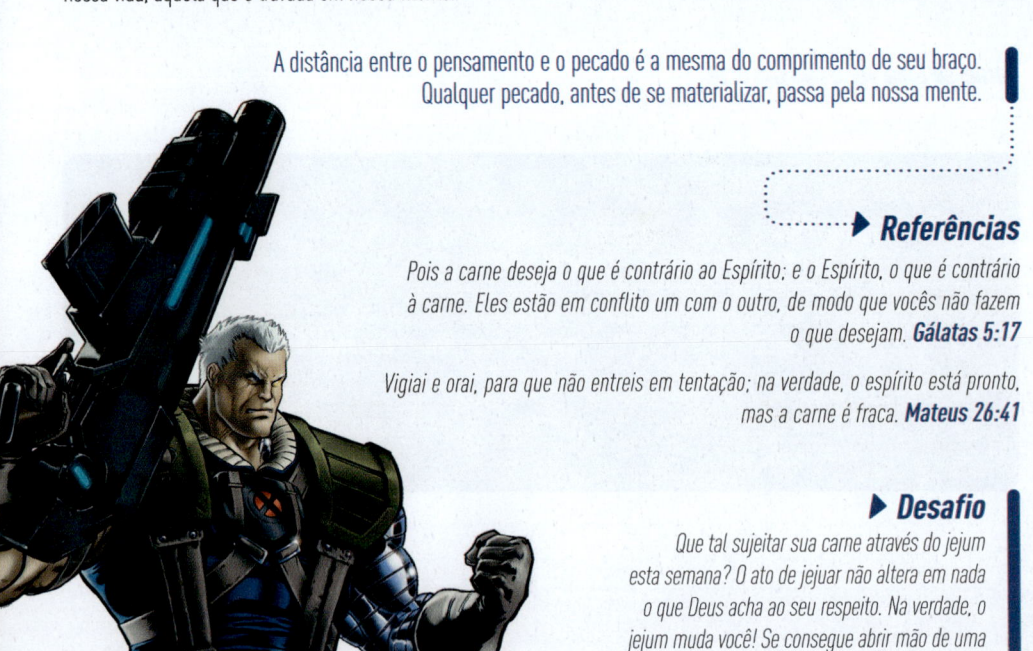

A distância entre o pensamento e o pecado é a mesma do comprimento de seu braço. Qualquer pecado, antes de se materializar, passa pela nossa mente.

▶ Referências

Pois a carne deseja o que é contrário ao Espírito; e o Espírito, o que é contrário à carne. Eles estão em conflito um com o outro, de modo que vocês não fazem o que desejam. **Gálatas 5:17**

Vigiai e orai, para que não entreis em tentação; na verdade, o espírito está pronto, mas a carne é fraca. **Mateus 26:41**

▶ Desafio

Que tal sujeitar sua carne através do jejum esta semana? O ato de jejuar não altera em nada o que Deus acha ao seu respeito. Na verdade, o jejum muda você! Se consegue abrir mão de uma refeição, também consegue abrir mão do pecado!

NÃO PERCA SUA ESPERANÇA

26 FEV

Lucas Bishop é um mutante de uma dimensão alternativa, onde os X-Men foram destruídos pelos Sentinelas. Durante uma perseguição, acabou surgindo em nossa linha temporal e, desde então, tenta impedir que os eventos que desencadearam seu futuro aconteçam. Bishop fez parte de diversas equipes dos heróis mutantes e foi fundamental em eventos importantes para os X-Men. As diversas realidades alternativas em sua cabeça nunca permitiram que se sentisse parte deste mundo, ao ponto de enlouquecer, perseguindo Esperança Summers e seu protetor Cable através do espaço-tempo.

Nossa vida cristã tem algumas semelhanças com a vida de Bishop. Como ele, vivemos em uma realidade que não é a nossa, pois somos cidadãos do Céu e precisamos viver como peregrinos. Não podemos nos contentar com aquilo que o mundo nos oferece, mas precisamos ter em mente que nosso destino final é o céu. Isso deveria mudar nosso entendimento quanto ao apego às coisas materiais, pois nada levaremos para a eternidade, a não ser os frutos espirituais que plantamos aqui na vida de outras pessoas.

Como Bishop, quanto mais tempo passamos fora de nossa verdadeira realidade, que é a presença de Deus, mais vamos perdendo a noção de identidade e começamos a fazer o que nosso personagem de hoje fez: perseguir os novos e tentar destruir nos outros a esperança que nós mesmos já não temos.

- Não saia da presença de Deus e esteja preparado para o grande dia do seu encontro com Cristo!

▶ Referências

Mas acumulem para vocês tesouros no céu, onde a traça e a ferrugem não destroem, e onde os ladrões não arrombam nem furtam. **Mateus 6:20**

A nossa cidadania, porém, está nos céus, de onde esperamos ansiosamente um Salvador, o Senhor Jesus Cristo. **Filipense 3:20**

▶ Curiosdade

Não existe nenhuma confirmação quanto à sua origem nos quadrinhos. Primeiro, foi cogitada a hipótese de Bishop ser neto de Tempestade, depois que ele fosse descendente do mutante Teleporter.

SÓ O AMOR
VENCE O MEDO!

Robôs Gigantes com o único propósito de destruir mutantes, os Sentinelas são a expressão máxima da intolerância contra os mutantes. Usados por diversos inimigos para tentar destruir os X-Men, estas máquinas gigantescas tem a capacidade de se adaptar aos poderes mutantes de seus alvos. Criados por uma humanidade que procura destruir aquilo que teme, a figura destes monstros mecânicos pode nos render uma ótima reflexão no dia de hoje.

Todos nós tememos certas situações em nossas vidas, e o medo pode nos fazer reagir da mesma forma. O medo é um sentimento de autodefesa de nosso organismo, que nos impede de fazer algumas coisas que podem nos prejudicar. Mas o medo também pode nos transformar e nos paralisar diante daquilo que devemos fazer. Nem atacar, nem paralisar, o que precisamos é vencer o medo através do amor. Deus nos amou de tal forma que ofereceu seu único filho para que tivéssemos a vida eterna. Quando creio que o Criador do universo cuida de mim, como posso ter medo de alguma coisa? Entregue seus medos e temores ao único que pode resolvê-los em sua totalidade! Deus deseja que você conheça o amor libertador que emana de Seu trono!

A única maneira de viver livre do medo é conhecendo ao Deus que nós servimos. Com o Criador do universo ao nosso lado, quem ou o que temeremos? Continue amando a Deus e todo o seu medo será jogado fora! Duvida?

Leia e medite em nossas referências de hoje, e seja feliz!

● Referências

No amor não há medo; pelo contrário o perfeito amor expulsa o medo, porque o medo supõe castigo. Aquele que tem medo não está aperfeiçoado no amor. *1 João 4:18*

O Senhor é a minha luz e a minha salvação; de quem terei temor? O Senhor é o meu forte refúgio; de quem terei medo? *Salmos 27:1*

▶ Reflexão

O amor é a asa veloz que Deus deu à alma para que ela voe até o céu.
Michelangelo *(O pintor e escultor renascentista, não a tartaruga!)*

TENHA CUIDADO COM OS ASSASSINOS DE SONHOS

28 FEV

Arkady Rossovich foi usado durante a Guerra Fria pelo governo da antiga União Soviética para matar opositores ao regime socialista. O seu poder mutante são esporos mortais que seu corpo solta no ar, levando as pessoas próximas a definharem até a morte. O governo soviético aprimorou seu traje, dando a ele dois tentáculos de *Carbonadium*, que é uma versão flexível do Adamantium.

Este poder mutante o isola de outras pessoas. Não é possível ter amigos ou uma família, pois iria ferir a todos e fatalmente matá-los. Uma vida de solidão pode levar a uma visão distorcida da realidade.

Não fomos chamados para estarmos sozinhos. O Senhor instituiu a igreja para que pudéssemos estar em um ambiente seguro, onde nos sentimos amados por Deus e pelos nossos irmãos. Quantas pessoas escolheram o isolamento e uma vida egoísta? Estas pessoas feridas e frustradas usam seus "esporos mortais" como Arkady, para ferir e denegrir outras pessoas que tentam se aproximar. Existem assassinos de sonhos, de propósitos, de alegria e da felicidade, que estão soltos por aí, andando próximos a nós e procurando oportunidades para nos ferir com suas calúnias e mentiras. O que podemos fazer para não nos frustrarmos com as pessoas?

> Usar de misericórdia para com elas e nunca se esquecer de que os pensamentos de Deus sempre nos levarão para lugares mais altos e melhores que os de hoje!

● Referências

Pedro, então, ficou detido na prisão, mas a igreja orava intensamente a Deus por ele. **Atos 12:5**

Portanto, você, por que julga seu irmão? E por que despreza seu irmão? Pois todos compareceremos diante do tribunal de Deus. **Romanos 14:10**

O amigo ama em todos os momentos; é um irmão na adversidade. **Provérbios 17:17**

▶ Desafio

Ore por alguém nesta semana com quem você não se dá muito bem.

OS SIMPATIZANTES DA CAUSA!

Moira MacTaggert é uma humana que apoia a causa mutante. Ela é uma das melhores geneticistas do mundo e trabalhou na pesquisa de DNA para ajudar humanos e mutantes no Centro de Pesquisas da Ilha Muir, na costa da Escócia.

Após o evento que ficou conhecido como o Massacre de Mutantes, ela foi fundamental para os alunos do Professor Xavier, liderando uma nova equipe, durante a aparente morte dos X-Men Originais.

Para nossa reflexão de hoje, Moira representa aqueles que são simpatizantes à causa do Reino de Deus, sem contudo terem nascido de novo. O ecumenismo é algo que está presente em nosso mundo e é uma faca de dois gumes: ao mesmo tempo em que a Igreja precisa estar próxima de toda a sociedade, dialogando inclusive com as demais religiões, não podemos abrir mão dos princípios bíblicos que nos diferenciam dos demais grupos religiosos. **Dialogar sem perder a essência é um dos grandes desafios para o século XXI.** Sempre existirão "Moiras McTaggert" que terão boa vontade e apreço pela causa de Cristo, mas que nunca serão cristãos genuínos. Devemos saber os limites de sua atuação em nosso meio e isso demanda consciência de quem somos e para onde estamos indo. Discernimento espiritual é uma arma fundamental para a igreja conseguir se livrar dos lobos em pele de cordeiro.

Apenas com discernimento espiritual é possível separar o joio do trigo em nosso meio! Boa vontade e simpatia pelo Evangelho não são suficientes para entrar no Reino de Deus, é necessário nascer de novo!

▶ Referências

"Cuidado com os falsos profetas. Eles vêm a vocês vestidos de peles de ovelhas, mas por dentro são lobos devoradores. Vocês os reconhecerão por seus frutos. Pode alguém colher uvas de um espinheiro ou figos de ervas daninhas? **Mateus 7:15-16**

▶ Curiosidade

A Ilha Muir é uma pequena ilha fictícia localizada na costa da Escócia. Diversas localidades foram criadas para servir como base para as histórias dos X-Men.

MARÇO

DEVOCIONAL POP

NÃO DESPERDICE SEU TEMPO

Jack Bauer é um agente das forças especiais americanas, lotado na CTU (Unidade de Contra Terrorismo). Embora seja um agente muito competente, adota um estilo de conduta onde os fins justificam os meios, desde que consiga atingir seu objetivo de conter grandes ameaças terroristas contra seu país. Suas missões tem uma peculiaridade: ele tem apenas 24 horas para conseguir desarticular planos muito bem estruturados contra os EUA. Acompanhar o agente Bauer em sua jornada é uma experiência angustiante com o cronômetro, que corre em tempo real durante os episódios desta aclamada série de TV. A falta de tempo e a iminência de catástrofes como bombas atômicas ou o assassinato do presidente dos Estados Unidos, são fatores determinantes para que Bauer deixe de lado seus princípios e transgrida a lei muitas vezes, pensando sempre no bem maior que suas atitudes vão gerar no futuro.

Em nossas vidas, podemos passar pelos mesmos dilemas morais que o nosso personagem de hoje. Vivemos em uma sociedade onde o tempo pode ser um fator de desgaste e estresse. Compromissos agendados, horário para todas as coisas, falta de tempo, muitas atividades...um caos temporal! A vida na sociedade pós-moderna necessita de organização para não gerar desgaste, pois a possibilidade de procrastinação (termo técnico para enrolação) é muito grande. Com tantas coisas para se fazer, como saber o que é mais importante? Quando a prova é amanhã e você não estudou, a tentação em "colar" é grande. Quando o compromisso marcado é esquecido, inventar uma desculpa parece aceitável, mentira e, portanto, um pecado.

O tempo pode ser um inimigo, se não for bem utilizado. Não abra mão de seu tempo com Deus, pois este momento definirá todas as demais atividades de seu dia!

▶ **Referências**
Para tudo há uma ocasião, e um tempo para cada propósito debaixo do céu. **Eclesiastes 3:1**

▶ **Reflexão**
Seu bem mais precioso é o tempo, pois ninguém é capaz de comprar um minuto de vida sequer, portanto cuide muito bem do seu! **Eduardo Medeiros**

PESSOAS SÃO MAIS DO QUE
OS OLHOS PODEM VER

Gotham é um verdadeiro criadouro de vilões psicopatas. Sejam nascidos nela, ou atraídos por sua fama, os piores lunáticos, gângsteres e chefes do crime organizado escolhem esta cidade para erguerem impérios de terror na cidade. Conhecemos dezenas de inimigos de Batman em Gotham, porém será que todos eles sempre foram maus desde o seu nascimento?

Muitas vezes, em nossa vida diária, encontramos pessoas difíceis: agressivas, ignorantes ou desrespeitosas. Assim, elaboramos todo um sistema de valores negativos com relação a elas. Esquecemos facilmente que esta pessoa pode ter passado por muitos problemas em sua vida, que o levou a se tornar aquilo que vemos hoje. Todo ser humano é um ser histórico, neste sentido não é possível julgar alguém apenas pelo presente. É necessário conhecer a origem das pessoas, para entender os caminhos que foram trilhados e as escolhas tomadas. Como cristãos, deveríamos nos importar com o sofrimento destas pessoas e ouvi-las, para que seja possível resgatá-las.

Por trás de atitudes arrogantes, existe uma pessoa com baixa autoestima. Para além do comportamento agressivo, existe o sofrimento na infância e inúmeros outros problemas originados no passado.
Nosso Deus é o Senhor da história e, como tal, tem o poder de apagar nosso passado, transformar o presente para então projetarmos um futuro maravilhoso na presença dele. Confie em Deus para mudar a sua história!

▶ Referências
Eu lhes dei o exemplo, para que vocês façam como lhes fiz. **João 13:15**
Bem-aventurados os misericordiosos, pois obterão misericórdia. **Mateus 5:7**
Misericórdia, paz e amor lhes sejam multiplicados. **Judas 1:2**

▶ Desafio
1. Anote os nomes de todas as pessoas difíceis com as quais você convive.
2. Agora passe os próximos 30 dias orando por elas.
3. Verifique o que mudou no seu relacionamento com elas depois deste tempo.
4. Você aprendeu um poderoso princípio!

SUAS ATITUDES FALAM
MAIS QUE SUAS PALAVRAS

Yoda foi o maior mestre Jedi de todos os tempos, líder do Conselho Jedi, e viveu cerca de 900 anos. Medindo 75 centímetros de altura, contava com muita experiência, por causa das vantagens de sua espécie: a longevidade, grande habilidade acrobática e o conhecimento da Força para se tornar um grande mestre do sabre de luz. A figura de Mestre Yoda apresenta algumas características importantes para todo aquele que é um líder e sim, você também é um líder!

Em primeiro lugar, seu tamanho minúsculo tira toda e qualquer pretensão a respeito da importância que a opinião dos outros tinham a seu respeito. Suas atitudes falavam mais do que o seu discurso. O importante mesmo era sua ligação com a Força. Neste sentido, você precisa estar centrado em Deus, não na opinião dos outros.

Em segundo lugar, Yoda treinou centenas de aspirantes a Jedi ao longo de sua jornada. Isto fala sobre deixar um legado. Quem você está ensinando?

A terceira característica de Yoda é a humildade. Arrogância e soberba não podem estar no dicionário do líder que teme a Deus, pois no Reino, o modelo de liderança é o oposto dos modelos corporativos. Os títulos só terão validade se vierem acompanhados de humildade e amor pelos filhos e filhas de Deus!

● **Yoda:** "O medo é o caminho para o lado negro. O medo leva a raiva, a raiva leva ao ódio, o ódio leva ao sofrimento".

● ### Referências

Não será assim entre vocês. Pelo contrário, quem quiser tornar-se importante entre vocês, deverá ser servo. **Mateus 20:26.**
Instrua o homem sábio, e ele será ainda mais sábio; ensine o homem justo, e ele aumentará o seu saber. **Provérbios 9:9.**
O temor do Senhor ensina a sabedoria, e a humildade antecede a honra. **Provérbios 15:33.**

Curiosidade

Yoda fala a língua "galático básico", que tem uma maneira diferente de colocar o verbo no fim da frase quando forma uma sentença. Por isso, uma frase clássica da forma Yoda de falar é: "Quando 900 anos você alcançar, parecer tão bonito você não irá".

SEJA UM **ALIENÍGENA** LEGAL

Gordon Shumway, apelidado pelos terráqueos de Alf *(acrônimo para Alien Life Form)*, seguiu um sinal de rádio amador e acabou caindo na Terra, mais especificamente no quintal da família Tanner. Ele é resgatado e adotado como membro da família até que sua nave esteja pronta para voltar ao espaço, já que seu planeta natal Melmac foi destruído. Os Tanner devem esconder Alf do exército e dos vizinhos intrometidos. Com o tempo, Alf passa a ser um membro efetivo da família e a ter inclusive novos amigos, como Neal, Jake e Jody.

Este personagem me faz pensar em como os cristãos, mesmo sendo diferentes da mentalidade padrão que é seguida pela sociedade em geral, devem buscar estar inseridos em outros meios sociais que não apenas a igreja. Somos ET's para aqueles que não entendem nossa fé sim, mas nem por isso precisamos ser pessoas desagradáveis. Por outro lado, também não precisamos ceder ao padrão de vida secular para sermos aceitos. Nossos princípios devem ser justamente o nosso diferencial em uma sociedade onde os fins justificam os meios. Quando alguém aceita a Jesus como Senhor e Salvador, normalmente passa por um período complicado, pois seus amigos estranham a mudança no comportamento: por que não bebe mais? Por que não faz as mesmas coisas que fazia antes? Mas, conforme você persevera nos novos hábitos, passa a ser alguém respeitado, com autoridade no que fala.

O grande problema de nossos dias é que muitos tornam-se cristãos sem seguir o padrão de Cristo e continuam nas práticas do passado. Isto é péssimo para a pessoa, que não vai crescer espiritualmente, e também para a igreja do Senhor, que terá mais um péssimo testemunho de um falso cristão.

No seu testemunho reside a sua autoridade!

▶ Referências

"Vocês são o sal da terra. Mas se o sal perder o seu sabor, como restaurá-lo? Não servirá para nada, exceto para ser jogado fora e pisado pelos homens". **Mateus 5:13**

▶ Reflexão

Seja você mesmo, porque ou somos nós mesmos, ou não somos coisa nenhuma. **Monteiro Lobato.**

SEUS OBJETIVOS ESTÃO NA TERRA OU NA ETERNIDADE?

Sergei Kravinoff pertencia a uma família rica da Rússia Czarista. Quando a revolução socialista acontece, a família Kravinoff foge para a América. Mais velho, Sergei viaja até a África para se tornar o maior caçador do mundo e adota o nome de Kraven, o caçador.

Foi convidado pelo Camaleão para caçar uma nova presa em Nova York: o próprio Peter Parker! O problema é que Kraven foi derrotado sucessivas vezes pelo Homem-Aranha.

Ele passa a nutrir um respeito doentio por seu adversário e arquiteta um plano para receber sua honra de volta. Kraven consegue prender Peter Parker em uma armadilha, aplicando um sedativo que o deixa desacordado por duas semanas. Neste tempo, usa a roupa do Homem-Aranha e persegue bandidos de seu modo. Quando o verdadeiro Aranha acorda e o persegue, ele comete suicídio, por entender que cumpriu seu objetivo de superar o Aracnídeo.

Gostaria de refletir sobre os nossos objetivos e desafios na vida. Muitas vezes sonhamos em cursar uma universidade, ter um bom emprego, casar, entrar no ministério, mil coisas. Mas, quando atingimos o nosso alvo, as coisas perdem a graça, pois já temos o que queríamos. Se a nossa motivação for apenas terrena, quando alcançamos estes objetivos, perderemos a vontade de continuar sonhando e nos acomodamos numa espécie de **"suicídio de objetivos"**, como nosso personagem de hoje. Conhecemos muitos jovens que, ao atingirem um objetivo na terra, abandonam todos os outros.

- Nossa vida só fará sentido se o nosso alvo for Cristo. Coisas perdem o valor, mas os tesouros espirituais são eternos e ninguém pode nos tirar a intimidade e os benefícios que Ele pode nos dar! A nossa vida tem lutas sim, mas com total satisfação por cumprir o propósito para o qual fomos criados!

Referências
Prossigo para o alvo, a fim de ganhar o prêmio do chamado celestial de Deus em Cristo Jesus. *Filipenses 3:14*

Desafio
Liste todos os seus sonhos de curto, médio e longo prazo. Qual é a sua real motivação por trás de cada um deles? Percebe onde está seu coração?

NÃO SE ACOSTUME COM O **PECADO!**

A série animada "Caverna do Dragão" é baseada no RPG intitulado "Dungeons and Dragons". A história se passa em uma dimensão paralela chamada de O Reino, onde um grupo de adolescentes cai após entrar em uma montanha-russa.

O Reino abriga seres fantásticos como orcs, dragões, fadas e duendes. Entre seus habitantes, dois se destacam: o Mestre dos Magos, que ajuda os jovens, e o Vingador, que tenta impedir sua saída do Reino. Cada um dos jovens recebeu uma arma mágica extraída do cemitério dos dragões.

A história é uma sucessão de tentativas fracassadas de retornar para nosso mundo. Os jovens sempre chegam perto de seu objetivo mas são impedidos, algumas vezes pelo Vingador, outras pelo próprio Mestre dos Magos, que sempre desaparece quando eles mais precisam. Além disso, eles mesmos se apegam a elementos do Reino que os impedem de deixar o lugar. O maior exemplo é a unicórnio Uni, a mascote do grupo - por causa do amor que sentiam por ela, algumas vezes desistiram de voltar para casa.

Uma analogia possível com a série é o papel do pecado em nossa vida. Assim como as tentativas de sair do Reino e voltar ao mundo real, o pecado nos leva a viver outra vida diferente daquela que Deus preparou para cada um de nós. Toda vez que tentarmos deixar o pecado, seremos impedidos e "quase" conseguiremos, fracassando sucessivas vezes, se tentarmos sozinhos.

> Precisamos de Deus para nos guiar novamente ao nosso propósito de vida longe do pecado, pois quanto mais tempo passarmos no reino das trevas, mais nos acostumaremos e nos apegaremos a algumas coisas que lá existem. **O tempo de decidir é hoje!**

Referências
As maldades do ímpio o prendem; ele se torna prisioneiro das cordas do seu pecado. Provérbios 5:22

Curiosidades
A série possui 27 episódios divididos em 3 temporadas, apresentadas originalmente entre 1983 e 1985. O último episódio, que narraria o desfecho da série, jamais foi produzido e gerou várias teorias entre os fãs da série.

NÃO CHAME O PECADO DE PRECIOSO

Sauron, senhor do Escuro e da cidadela sombria de Mordor, convenceu os elfos ferreiros a forjarem anéis de poder para os senhores das três raças proeminentes da Terra Média: os homens, os elfos e os anões. Secretamente, Sauron forjou um anel para si mesmo, que teria o poder de controlar os demais e deu a ele o nome de Um Anel. Após a derrota por Isildur, sua alma ficou presa ao Um Anel, que foi esquecido por séculos até ser encontrado pelo hobbit Sméagol. Ele foi envenenado por seu poder, tornando-se dependente da presença do seu "Precioso". Enquanto estava oculto dos seres poderosos da Terra Média, Sauron reorganizou seus exércitos atrás das muralhas de Mordor e preparou o ataque definitivo para a sua conquista.

O Um Anel é uma representação do pecado na vida do cristão, pois é atraente aos olhos, parece aceitável e justificável usá-lo para satisfazer as necessidades urgentes das pessoas. Porém, gradativamente, vai cegando, deturpando e destruindo aquele que se apega a ele, como aconteceu com Gollum. Através do sacrifício de Cristo, o poder do pecado é destruído na vida daquele que O aceita como Senhor e Salvador, portanto é possível ser livre de seu poder!

▶ Referências

Jesus respondeu: "Digo-lhes a verdade: Todo aquele que vive pecando é escravo do pecado. **João 8:34**

As maldades do ímpio o prendem; ele se torna prisioneiro das cordas do seu pecado. **Provérbios 5:22**

▶ Reflexão

Existe algo que você ama mais que Cristo? Existe algo que você queira mais que Cristo? Existe alguém que você queira servir mais do que a Cristo? Se existe, você perdeu seu primeiro amor...

John MacArthur

UMA VIDA NO PECADO É IMPREVISÍVEL!

O verdadeiro nome do Coringa ainda hoje é um mistério. Ganhou a posição de arqui-inimigo de Batman, o que não é pouco quando pensamos em vilões como o Charada, Bane, Pinguim, Mulher-Gato, entre outros. Mesmo não possuindo poderes meta-humanos, é o maior vilão do universo de Gotham. O fator que o torna tão mortífero é a sua insanidade, pois ela leva à imprevisibilidade e este é o elemento mais perigoso para o Batman. Afinal, ele é considerado o maior detetive do mundo. Enquanto outros querem superá-lo, o Coringa deseja apenas levar seu universo de loucura para a mente de Bruce Wayne. Esta imprevisibilidade do Coringa é o ponto de nossa conversa neste dia.

A ideia de que não podemos fazer o que as outras pessoas fazem pode soar como uma desafiadora proibição. Este é o fato que leva anualmente milhares de jovens a buscarem sua "liberdade" fora da proteção da família e da igreja para "experimentar" o mundo. Desta forma, nos tornamos imprevisíveis e, por certo tempo, tudo será como imaginamos. Porém, é preciso entender que algumas coisas não foram feitas para serem experimentadas por nós, podendo nos levar para a escravidão dos vícios. Alguns exemplos: as drogas, as bebidas, o cigarro, o sexo casual, entre tantas outras coisas.

O mais importante é viver aproveitando cada momento com aquilo que Deus tem te concedido. Você pode ser completamente satisfeito Nele. Você não precisa provar a falsa liberdade para ser feliz. Não podemos avaliar a vida através do agora. Nossa vida é uma maratona, e o mais importante não é como você começa esta corrida, mas sim como termina.

▶ Referências

"Tudo é permitido", mas nem tudo convém.
"Tudo é permitido", mas nem tudo edifica.
1 Coríntios 10:23

▶ Desafio

Faça uma lista de tudo aquilo que a sociedade diz que os jovens devem fazer. Depois verifique quais coisas podem levar ao vício no longo prazo.

WHY SO SERIOUS?

O PODER DO LEGADO

Jay Garrick, Barry Allen, Wally West e Bart Allen foram apenas alguns dos nomes que já assumiram o nome Flash em diferentes momentos no tempo e no espaço. Diferente de outros personagens em que o nome é associado a um único alter ego, o Flash engloba vários personagens que possuem o poder da super velocidade.

Este poder dá ao velocista a capacidade de correr na velocidade da luz e seus reflexos sobre-humanos o capacitam a ter uma visão de mundo em que todos são vistos em câmera lenta, antecipando assim os movimentos de seus inimigos. Ele pode romper as barreiras do espaço, percorrendo dimensões paralelas, mas também as barreiras do tempo, voltando ao passado ou viajando até o futuro, somente com o uso de sua velocidade.

A principal lição de hoje em nossa parábola está na descoberta do legado na vida do Flash. Barry Allen adotou o nome quando leu a respeito do primeiro Flash. Nossos passos na história deixarão marcas, queiramos ou não. Falando mais diretamente, independente de nossa vontade, somos e seremos lembrados como exemplos no presente e no futuro. Na verdade, a nossa única escolha é se seremos um exemplo digno para ser seguido pelos demais, ou se daremos um belo exemplo de como as pessoas não devem ser.

Cada passo que dermos no presente terá reflexo na eternidade e precisamos estar cientes desta realidade ao tomarmos nossas decisões. Escolha ser um exemplo que manterá sua memória viva nas eras futuras. Isto é o mais próximo da imortalidade que você conseguirá chegar.

"O homem morre, mas seu legado é eterno." Eduardo Medeiros

▶ Referências

Cada um deve permanecer na condição em que foi chamado por Deus. **1 Coríntios 7:20**

Quando andavam pelo caminho, um homem lhe disse: "Eu te seguirei por onde quer que fores". **Lucas 9:57**

Você vai continuar no velho caminho que os perversos partilharam? **Jó 22:15**

▶ Curiosidade

O capacete com pequenas asas utilizado no uniforme do primeiro flash, Jay Garrick, faz uma referência clara à Hermes, deus da velocidade na mitologia grega.

A NOBREZA DO SACRIFÍCIO PELO PRÓXIMO

Norrin Radd pertencia à nobreza do planeta Zenn-La, vivendo tranquilo com sua família quando um evento de proporções cataclísmicas mudou sua vida para sempre. Logo que a entidade cósmica Galactus chegou ao seu planeta para consumir toda a vida existente, Norrin oferece a si mesmo para servir a Galactus para sempre, caso poupasse Zenn-La. A entidade aceita o acordo e concede a ele uma fração do chamado poder cósmico, transformando Norrin Radd no Surfista Prateado, com a missão de procurar planetas desabitados para saciar a fome de seu mestre. Ele passa séculos viajando pelo cosmos, quando chega ao planeta Terra, habitado e cheio de vida, e fica impressionado com a nobreza que a humanidade possui. O Surfista não consegue convencer seu mestre a poupar a Terra e Galactus acaba expulso do planeta através de uma aliança entre o Quarteto Fantástico, o Surfista Prateado e o Vigia.

Quando penso no Surfista, recordo do sacrifício por uma causa maior que ele mesmo. Como precisamos de pessoas como Nelson Mandela, Madre Teresa de Calcutá e tantos outros que sacrificaram-se para que muitos pudessem ter esperança em suas vidas. Eles são exemplos encorajadores, mas nenhum pode ser comparado ao sacrifício supremo realizado por Jesus Cristo na cruz, para que tivéssemos vida e vida em abundância. A partir do que Ele fez por nós, deveríamos doar um pouco mais de nossas vidas para aqueles que precisam - nunca por obrigação, mas sim por gratidão!

Viva para Cristo e você terá uma história digna de ser contada pelas próximas gerações!

▶ Referências

E vivam em amor, como também Cristo nos amou e se entregou por nós como oferta e sacrifício de aroma agradável a Deus. **Efésios 5:2**

Reflexão

Pode a liberdade tornar-se um fardo por demais pesado para o homem suportar, algo de que ele procure escapar? Por que, então, a liberdade é para muitos um objetivo cobiçado e para outros uma ameaça? **Surfista Prateado**

A GRAÇA NÃO É UM PASSAPORTE PARA
O LADO SOMBRIO DA FORÇA

Anakin Skywalker foi um dos maiores Jedi da história. Com uma origem humilde no planeta Tatooine, acaba sendo encontrado pelos Jedi que levam o jovem para a capital da República, Coruscant. Após anos de treinamento e luta ao lado da República, Anakin trai a Ordem Jedi e passa para o "lado sombrio" da Força, sendo a partir de então um Lorde Sith chamado Darth Vader, transformando-se no terror da galáxia. No fim de sua jornada, arrepende-se de seus atos e é redimido pouco antes de morrer.

Muitos de nós trilhamos caminhos parecidos com a narrativa de Skywalker. Uma das parábolas de Cristo fala sobre um filho pródigo que resolve deixar a segurança da casa de seu pai para viver como bem entendesse, gastando toda a sua herança, até passar fome. No final, resolve voltar para a casa e reconcilia-se com seu pai. Nosso Deus é misericordioso e amoroso, sempre aguardando o retorno de seus filhos pródigos, com braços abertos de amor!

O grande problema é que muitas pessoas confundem a graça de Deus com um passaporte para experimentar o "lado sombrio da Força", não medindo as consequências de seus atos, exatamente como Anakin fez. Este é um caminho perigoso, pois não temos o controle do tempo e não sabemos o que irá acontecer amanhã em nossas vidas. Não podemos ter a certeza de que teremos a mesma chance que nosso personagem, encontrando a redenção antes de seu último suspiro.

> Por esta razão é importante tomar a decisão de caminhar com Deus, considerando o bem mais precioso que o ser humano dispõe: o hoje! Talvez seja por isso que o hoje seja chamado de presente!

▶ Referências

"O filho lhe disse: 'Pai, pequei contra o céu e contra ti. Não sou mais digno de ser chamado teu filho'. **Lucas 15:21**
O Filho do homem veio para salvar o que se havia perdido. **Mateus 18:11**

▶ Desafio

Como você enxerga a graça de Deus? Você consegue entender que o fato de Cristo ter morrido por nossos pecados deveria nos levar a ter uma vida com Ele mais séria?

ENCONTRANDO DEUS NA TEMPESTADE

12 MAR

Walter White é um cientista brilhante ganhador do prêmio Nobel de Química, que já não vive os dias de glória do passado. Professor de adolescentes no período da manhã, trabalha em um lava-rápido no período da tarde para pagar as contas da família. Seu filho adolescente sofre de paralisia cerebral e sua esposa está grávida. Como se não bastasse, ele descobre que tem um câncer no pulmão e não resta muito tempo de vida. Este turbilhão emocional leva Walter a iniciar uma vida criminosa produzindo metanfetaminas com seu conhecimento em química.

Situações limite como a do nosso personagem de hoje acontecem todos dias com milhares de pessoas em todo o mundo. A Bíblia fala sobre um personagem que teve uma história muito parecida com Walter White, porém com um desfecho bastante diferente. Seu nome era Jó e foi um homem justo que sofreu em todas as áreas de sua vida praticamente ao mesmo tempo: perdeu sua riqueza, perdeu seus filhos, perdeu sua saúde e foi aconselhado por três amigos para até abandonar a sua fé em Deus. A grande lição que o livro de Jó nos traz é que Deus continua sendo Deus, independente da circunstância momentânea que estejamos passando. Nossos olhos precisam permanecer fixos Nele para que possamos entender que teremos aflições, mas devemos ter bom ânimo pois Cristo venceu o mundo para que tivéssemos um caminho para nos aproximar de Deus. Momentos de sofrimento e desesperança ocorrem com todos nós, porém precisamos buscar a Deus para tomarmos as decisões que não comprometam nossa eternidade com Ele!

▶ Referências
"Que esperança posso ter, se já não tenho forças? Como posso ter paciência, se não tenho futuro? **Jó 6:11**
Embora ele me mate, ainda assim esperarei nele; certo é que defenderei os meus caminhos diante dele. **Jó 13:15**

▶ Curiosidade
O termo "Breaking Bad" é uma gíria do sul dos EUA, cujo significado aproximado seria "chutar o pau da barraca", quando alguém se desvia do caminho correto e passa a fazer coisas erradas, mas esperando se safar!

SOMOS UM SÓ EXÉRCITO?

Segundo o manual do Império, os Stormtroopers são o "gume da faca" das forças imperiais. São eles que enfraquecem as forças rebeldes da Resistência antes que as tropas de elite entrem em ação.

Esta tropa surgiu com o fim das Guerras Clônicas, onde os clones da República foram reprogramados para servirem ao imperador Palpatine. A partir deles, outros cidadãos da galáxia entraram para os rigorosos treinamentos de acesso a esta tropa especial, e fundamental para os interesses do Império Galáctico.

O princípio que pode nos ajudar em nossa reflexão de hoje, a partir destes personagens icônicos do cinema mundial, tem relação com sua vestimenta. Todos são iguais através do uniforme e da máscara. Segundo o imperador Palpatine, eles são o "rosto" do Império. Vemos na igreja contemporânea um forte desejo por aceitação que impele muitos a serem "diferentes" entre os cristãos. Essa necessidade tem origem em diversos fatores, porém não fomos chamados para isso, todos temos (ou deveríamos ter) os mesmos objetivos em nossas caminhadas com Cristo. Quando não temos este entendimento, nos desviamos da simplicidade do Evangelho e partimos para a criação de diversos mecanismos de diferenciação como novos rituais, novas doutrinas e novas maneiras de ser igreja. E isto, sem o propósito correto, é catastrófico para o Corpo de Cristo.

Não se esqueça que, como cristãos, também somos um só exército e atendemos ao chamado de um único General: Jesus Cristo! O lugar de sermos diferentes é na sociedade, que ainda anseia pela manifestação dos filhos de Deus!

▶ Referências

Porque nós, sendo muitos, somos um só pão e um só corpo, porque todos participamos do mesmo pão. **1 Coríntios 10:17**

Para que todos sejam um, como tu, ó Pai, o és em mim, e eu em ti; que também eles sejam um em nós, para que o mundo creia que tu me enviaste. *João 17:21*

▶ Reflexão

Unidos venceremos, divididos cairemos. **Esopo.**

O FRACASSO DOS NAMOROS "EVANGELÍSTICOS"

Harleen Frances Quinzel foi uma excelente ginasta e, através destas habilidades, entrou na Universidade Arkham para estudar Psiquiatria. Formada, começa a atender os pacientes do Asilo Arkham - dentre eles o Coringa. Porém, ao invés de ajudar o Coringa, ela apaixona-se perdidamente por ele. A doutora Quinzel agora é a Arlequina, e passa a cometer crimes por causa deste amor doentio.

Quantos namoros na vida real têm os mesmos elementos? Tudo começa com o objetivo de ajudar a outra pessoa e, em geral, acontece o oposto. Falar sobre relacionamentos em nossa sociedade descartável é difícil, pois é muito diferente do que a Bíblia nos ensina sobre o assunto.

Se você é solteiro, não caia na armadilha que Harley caiu. Não se envolva em um namoro para ajudar alguém a sair de uma situação qualquer. Você pode ajudar de diversas outras maneiras sem se comprometer em um namoro sem futuro. Não esqueça: namoros "evangelísticos" não existem, o nome disso é jugo desigual!

Porém, se você é casado e apenas você busca a Deus, mas o seu cônjuge não compartilha contigo do entusiasmo pelo cristianismo, tenho boas notícias para você! Permaneça fiel a seu cônjuge, busque fazê-lo feliz todos os dias de sua vida, pois ninguém deveria se casar para buscar a felicidade própria, mas sim fazer o outro feliz. Como consequência, o outro o fará feliz na mesma medida!

Fale mais sobre seu relacionamento com Deus através de suas atitudes e menos com suas palavras. Coloque seu casamento nas mãos de Deus e, aos poucos, aquele que antes estava distante, estará ao seu lado, correndo sua jornada e conquistando os territórios que Deus determinou a vocês!

▶ Referências

Não se ponham em jugo desigual com descrentes. Pois o que têm em comum a justiça e a maldade? Ou que comunhão pode ter a luz com as trevas? **2 Coríntios 6:14**

▶ Desafio

Não entre em um relacionamento para tentar "salvar" a pessoa. Você só consegue resgatar alguém de afogamento se estiver no bote salva vidas, na água as probabilidades de você se afogar junto são muito altas para se arriscar.

NAS PROVAÇÕES ENXERGAMOS NOSSO PRÓXIMO!

Oliver Queen poderia ser definido como um milionário entediante. Como valorizar a vida quando tudo vem sem esforços ou dificuldades? Órfão, foi criado pelo tio e herdou a fortuna dos pais sem precisar conquistar nada pela própria força, vivendo uma vida sem propósito. Um dia, Oliver fica embriagado em seu barco e acaba naufragando em uma ilha deserta e precisa lutar para sobreviver. Três meses depois, um grupo de traficantes desembarca na ilha e são capturados e entregues à polícia por Queen. Foi neste momento que ele ganhou um propósito de vida, pois aprendeu a se colocar no lugar de pessoas que lutam todos os dias para sobreviver e ainda assim encontrar forças para continuar. E assim o Arqueiro Verde nasceu.

Nossa jornada é composta por alguns "de repentes" como o que aconteceu com nosso personagem. Deus chama nossa atenção nos levando a algumas situações extremas que tem o objetivo de nos tirar do marasmo e nos dar um propósito pelo qual valha a pena viver. Pode ser uma doença que nos leve a ver o sofrimento das pessoas em um hospital, pode ser uma dificuldade financeira que nos leve a enxergar aqueles que nada têm, pode ser a perda de um ente querido que nos leve a ajudar a acalmar a dor de outros, não importa. O importante é que, em determinado momento, você foi ou será levado a sair de sua zona de conforto em prol de uma causa maior que sua própria vida.

> Acredito que a resposta que você dará a este confronto definirá sua vida deste ponto em diante e renderá histórias dignas de serem contadas!

▶ Referências

Cada um cuide, não somente dos seus interesses, mas também dos interesses dos outros. **Filipenses 2:4**

As minhas ovelhas vaguearam por todos os montes e por todas as altas colinas. Elas foram dispersas por toda a terra, e ninguém se preocupou com elas nem as procurou. **Ezequiel 34:6**

▶ Curiosidade

A mira do Arqueiro Verde é tão precisa que ele consegue atirar dentro do cano de uma arma e é capaz de cortar uma gota d'água.

O PASSADO NÃO PODE
PRENDER VOCÊ

Jogos Vorazes é o primeiro livro de uma trilogia escrita pela norte americana Suzanne Collins em 2008. Ele narra a trajetória de Katniss Everdeen em um mundo futurístico pós-apocalíptico no país chamado Panem. Ele era dividido em treze distritos, até que o décimo terceiro deles se rebelou contra a Capital e foi exterminado pelo governo em um evento conhecido como Dias Escuros.

A partir deste momento, anualmente o governo realiza uma espécie de reality show onde dois jovens de cada distrito são sorteados para lutarem até a morte em uma arena, para que reste apenas um lutador. O evento é transmitido para todos os distritos ao vivo e tem o objetivo "oficial" de comemorar o fim da rebelião e a paz. O objetivo real, contudo, é impedir que novos levantes aconteçam contra o governo totalitário.

Para aqueles que leem além das entrelinhas, a obra é uma crítica à sociedade de consumo e à banalização da vida humana através da cultura do reality show estabelecida nos últimos anos.

Nossa caminhada cristã encontra a mesma ameaça que os habitantes dos doze distritos viviam nos Jogos Vorazes. Podemos perder algumas batalhas, ter desilusões e frustrações, mas devemos continuar caminhando. Nosso inimigo é especialista em nos lembrar de eventos frustrantes do passado, com o falso argumento de nos proteger de decepções futuras. Na verdade, o seu objetivo é nos prender ao passado para nos impedir de viver o novo de Deus.

Encare as dificuldades e frustrações como algo que o fortalecerá no futuro, use os desafios como degraus para subir mais alto e atingir novos objetivos em Cristo!

▶ Referências

Mas a mulher de Ló olhou para trás e se transformou numa coluna de sal. **Gênesis 19:26**

Irmãos, não penso que eu mesmo já o tenha alcançado, mas uma coisa faço: esquecendo-me das coisas que ficaram para trás e avançando para as que estão adiante. **Filipenses 3:13**

▶ Reflexão

Vocês não podem se apegar ao passado, porque não importa o quão forte você segure, ele já foi. **Ted Mosby**

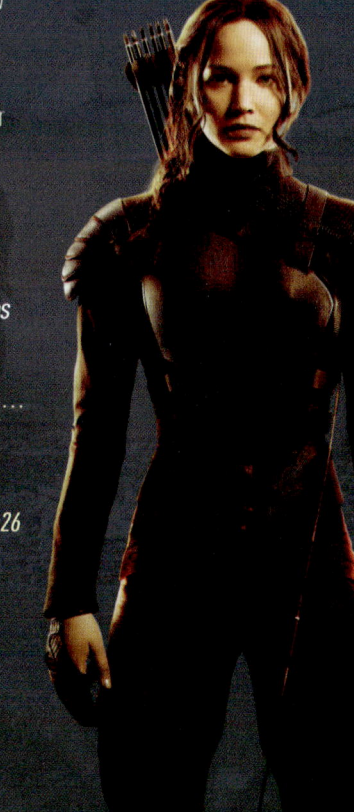

UNIDADE NA DIVERSIDADE

Após a descoberta do Um Anel, que estava com Bilbo, Gandalf convoca uma reunião em Valfenda, para decidir o futuro do Anel, convocando representantes dos anões, homens e elfos.

Quando Frodo decide destruir o Anel na Montanha da Perdição, um grupo promete ajudá-lo a cumprir sua missão. A equipe mais improvável é agora a única esperança da Terra Média não ser extinta pelo poder de Sauron, o Senhor do Escuro. A criatura mais frágil do mundo conhecido carrega consigo o destino de todos.

Um grupo tão diferente tinha agora a missão mais importante do mundo diante de si e precisaria cuidar uns com os outros. A sociedade do anel é interdependente, assim como a Igreja de Cristo, em sua missão de fazer discípulos de todas as nações. Somos diferentes uns dos outros mas não podemos esquecer que a missão que nos une é muito maior do que as diferenças doutrinárias, de personalidade, criação, regras ou normas que recebemos em nossas casas ou igrejas. Enquanto Cristo for o Cabeça, todos os membros, mesmo sendo diferentes entre si, estarão e permanecerão conectados à fonte!

Só assim nossas diferenças não serão um problema, mas sim uma grande vantagem pois juntos chegaremos mais longe do que chegaríamos sozinhos ou divididos!

Elrond: *- É mesmo impossível separar vocês dois, mesmo quando um é convocado para uma reunião secreta e o outro não!*

▶ Referências

Ora, assim como o corpo é uma unidade, embora tenha muitos membros, e todos os membros, mesmo sendo muitos, formam um só corpo, assim também com respeito a Cristo. **1 Coríntios 12:12**

Além do mais, ninguém jamais odiou o seu próprio corpo, antes o alimenta e dele cuida, como também Cristo faz com a igreja, pois somos membros do Seu Corpo. **Efésios 5:29-30**

▶ Desafio

Anote as qualidades que você possui.
Agora anote aquelas que você precisa melhorar.
Pense nas pessoas que possuem as qualidades que faltam em você.
Conclusão: Deus é maravilhoso! Precisamos uns dos outros para vencer!

SEU TREINAMENTO LIBERA O SOBRENATURAL!

Os **Saiyajins** são uma raça alienígena, estruturada em castas. A base desta sociedade é a capacidade para lutar. Quanto melhor o guerreiro, maior é a sua posição e prestígio. Os mais fracos são enviados a planetas de raças inferiores para que os destruam.

O treinamento é algo fundamental para um povo cujas habilidades de luta são tão importantes. Os saiyajins evoluem de acordo com o treinamento e se transformam em super saiyajins com uma aparência diferente para cada um dos quatro níveis descobertos até agora.

Na vida cristã o treinamento também é fundamental. A cada dia de nossas vidas, Deus nos oferece oportunidades para aplicar aquilo que aprendemos com Ele no relacionamento com as pessoas à nossa volta. Uma das características mais fascinantes da nossa espécie é a capacidade de aprender com os erros do passado. Precisamos começar a enxergar tudo em nossa vida como uma grande oportunidade para melhorarmos e ajudarmos outros a melhorarem.

O treinamento intenso dos saiyajins libera níveis superiores de poder. Nosso tempo de devocional com Deus nas disciplinas básicas espirituais, tais como jejum, oração e leitura da Palavra, libera o sobrenatural sobre nossas vidas. Com o tempo, perceberemos que a maior dádiva que este "treinamento" nos trará será sentir o amor de Deus por nossas vidas e o amor Dele pela humanidade.

> Quando seu coração bater em sintonia com o coração de Cristo, apenas uma palavra será ouvida em seu interior: almas!

▶ Referências

Por isso me voltei para o Senhor Deus com orações e súplicas, em jejum, em pano de saco e coberto de cinza. **Daniel 9:3**

"O jejum que desejo não é este: soltar as correntes da injustiça, desatar as cordas do jugo, pôr em liberdade os oprimidos e romper todo jugo?" **Isaías 58:6**

Dediquem-se à oração, estejam alertas e sejam agradecidos. **Colossenses 4:2**

▶ Curiosidade

"Dragon Ball" é considerada a série em quadrinhos mais vendida em todo o mundo!

CUIDADO COM A
DUPLA PERSONALIDADE

Harvey Dent foi o maior promotor de Gotham e um importante aliado do Batman. Durante um julgamento, um réu lança ácido em seu rosto desfigurando metade dele. Começa a desenvolver múltiplas personalidades e se transforma em um vilão perigoso. Suas decisões são tomadas ao lançar uma moeda, para saber se matará ou deixará suas vítimas viverem.

Não precisamos desta experiência para desenvolver a mesma patologia de Duas Caras. A dupla personalidade é mais comum do que imaginamos, pois em nossa sociedade, é fundamental que as aparências sejam mantidas a todo custo. A necessidade de aceitação é tamanha que, sem muito esforço, é possível desenvolver um caráter no trabalho, outro na faculdade ou escola, e talvez outra personalidade em casa com a família e ainda outra na igreja.

Nos esquecemos de um detalhe: Deus é onisciente e conhece nossas vidas e tentativas frustradas de uma aparência em cada local por onde andarmos. Quando tentamos mudar nossa maneira de agir para agradar aos outros, estamos na verdade sendo falsos, e a falsidade é um problema muito retratado na Bíblia com consequências sérias. A sociedade está escravizada na cultura das aparências, porém você não precisa perpetuar este comportamento, mas pode mudar em primeiro lugar o seu coração. Decida ser verdadeiro em toda e qualquer circunstância. O segundo passo é resgatar aqueles que possuem vidas vazias, e muitas vezes tendo até mais do que duas caras.

Busque atitudes simples que terão um impacto tremendo na eternidade!

▶ **Referências**

A integridade dos justos os guia, mas a falsidade dos infiéis os destrói. **Provérbios 11:3**

▶ **Reflexão**

"As pessoas de dupla personalidade usam a melhor para te conquistar". **Samuel Siqueira Ramos**

NÃO PROCURE POR CULPADOS
BUSQUE A DEUS

Hal Jordan foi o segundo humano a fazer parte da Tropa dos Lanternas Verdes. Ele era um piloto quando foi recrutado por Abin Sur, um alienígena que transferiu a ele o poder do anel. Aquele que possui o anel da Tropa pode construir aquilo que sua mente puder imaginar através dos chamados construtos. A força e a resistência destes itens dependem da força de vontade de quem os construiu. Quando sua cidade natal Coast City foi destruída, Hal ficou enfurecido por seus companheiros de Tropa não terem feito nada para impedir e partiu numa jornada insana pelo Universo, caçando outros Lanternas Verdes.

> Quando aceitamos a Jesus como Senhor e Salvador recebemos a capacidade de crer naquilo que ainda não existe como se já existisse. Isso se chama fé! Por meio dela, podemos ver aquele que está doente, curado; os relacionamentos destruídos, restaurados; os presos pelos vícios, libertos e assim por diante.

Semelhante aos anéis dos Lanternas Verdes, temos a capacidade de gerar coisas que ainda não existem pelo dom da fé. Nossa vida pode estar muito bem quando acontecem os "de repentes" que nos abalam. Nestes momentos temos dois caminhos a escolher: ou aceitamos as perdas e dificuldades com humildade, entendendo que elas têm a função de nos fazer crescer, ou podemos fazer como Hal Jordan e arrumar culpados para nossos problemas e caçá-los, mesmo sabendo que a destruição de Coast City não seria revertida com a morte dos seus colegas Lanternas.

| Não descarregue sua frustração nos outros! Coloque-a diante de Deus, exerça sua fé e veja com seus olhos o impossível acontecer!

▶ Referências

Ora, a fé é a certeza daquilo que esperamos e a prova das coisas que não vemos. **Hebreus 11:1**

Porque vivemos por fé, e não pelo que vemos. **2 Coríntios 5:7**

Pela fé saiu do Egito, não temendo a ira do rei, e perseverou, porque via aquele que é invisível. **Hebreus 11:27**

▶ Desafio

Em meio aos desafios e lutas, busque colocar suas queixas diante do Senhor, e não desconte nos outros!

VOCÊ PODE ENCONTRAR
SEGURANÇA E PROPÓSITO

Os **Oompa Loompas** são pigmeus da *Loompalândia*, um local perdido nas profundezas da floresta africana. Eles tinham uma vida bastante complicada, pois eram ameaçados pelos perigosos Chifrocerontes, Ratavalhas e Vespobondos, que comiam milhares de *Oompa Loompas* por ano. Para fugir da perseguição dos animais, eles se refugiavam nas mais altas árvores da floresta, onde comiam larvas verdes misturadas com alguns ingredientes para disfarçar o gosto horrível de sua comida.

Tudo mudou quando foram encontrados pelo empresário Willy Wonka, que os levou para sua fábrica para serem seus funcionários, evitando assim a espionagem industrial que estava prejudicando muito seu negócio. Eles estavam finalmente felizes e protegidos de seus inimigos, e podiam agora comer a iguaria que mais amavam sem medo: o cacau. Os Oompa Loompas ganharam um lar onde poderiam desenvolver seus talentos e cumprir um propósito muito maior do que se esconder de predadores.

Em nossa vida, por muito tempo, andamos como Oompa Loompas, fugindo e nos escondendo dos perigos da vida, lutando contra nossos inimigos e muitas vezes nos refugiando em locais distantes para evitar o sofrimento. Um dia, porém, recebemos um convite de Alguém que poderia nos levar a um lugar seguro, onde poderíamos permanecer protegidos, desenvolvendo nossos talentos e realizando uma obra maior do que a simples sobrevivência de antes. Este Alguém é Jesus Cristo e este local seguro é sua igreja. O convite é feito diariamente e, se você tiver a coragem de aceitar caminhar com Ele, sua vida nunca mais será a mesma!

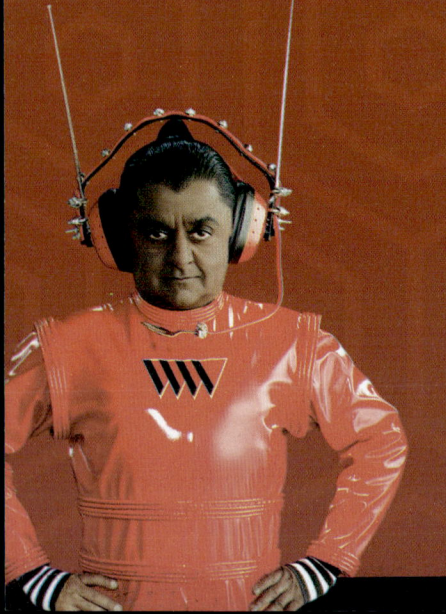

▶ Referências

A minha alma descansa somente em Deus; dele vem a minha salvação. Salmos 62:1

A minha salvação e a minha honra de Deus dependem; ele é a minha rocha firme, o meu refúgio. Salmos 62:7

▶ Curiosidade

O filme "A Fantástica Fábrica de Chocolate" tem duas versões, a clássica realizada em 1971 e a mais recente do ano de 2005. Nesta, o ator Deep Roy representa todos os 165 Oompa Loompas do filme!

NA MULTIDÃO

Os **zumbis** contemporâneos foram criados no ápice das tensões geradas pela Guerra Fria. É interessante notar que a força e o perigo dos zumbis não estão no indivíduo, mas sim na coletividade. Andando em grupo, os zumbis se tornam nocivos e perigosos. Independente de como o contágio acontece, tudo começa com um indivíduo infectado chamado de paciente 0 ou alfa. A partir deste primeiro infectado, através do contato agressivo, outros vão sendo contaminados e a praga se espalha rapidamente sobre a terra, restando normalmente poucos humanos sem a infecção.

São muitos os princípios que podemos aprender com o mito do apocalipse zumbi para nossa reflexão. O primeiro deles está na força da coletividade dos zumbis. Assim como eles, nossa força não está em nós mesmos, mas em fazermos parte do corpo de Cristo. Quando estamos unidos, somos fortes de fato.

Outro fato interessante sobre os zumbis é sua falta de consciência, vontade própria e propósito. Estão mortos, mas caminham sobre a terra em busca de carne para se alimentar. Quantas pessoas vivem suas vidas de maneira próxima a estes personagens? Quantos já desistiram de lutar, de buscar objetivos para conquistar, estão apenas fazendo "peso" sobre a terra?

Precisamos de um despertar para voltar a pensar, caminhar com propósito, e sermos autênticos neste mundo em que todos são iguais. Deus nos fez de maneira maravilhosa como indivíduos únicos, não permita que a mídia ou a sociedade faça de você mais um em meio à multidão! Um Corpo é composto por milhares de componentes diferentes funcionando juntos...

Desta forma, Deus deseja usar você da maneira como você é! Use seu cérebro para o crescimento do Reino!

▶ Referências

Ora, vocês são o corpo de Cristo, e cada um de vocês, individualmente, é membro desse corpo.
1 Coríntios 12:27

▶ Reflexão

Você tem dúvidas quanto ao seu papel na sociedade? Pergunte para seu Criador que planejou sua existência desde a fundação do mundo!
Pastor Eduardo Medeiros

QUEM SE HABILITA A SER UM ZUMBI ESPIRITUAL?

Tradicionalmente zumbis não raciocinam, simplesmente vagam pela terra em busca de carne fresca para saciar sua fome. Seus tecidos já morreram, mas em decorrência da influência do vírus, seu cérebro ainda recebe estímulos que mantém algumas funções básicas ativas. Morte em vida. Uma existência sem propósito, onde tudo o que lhe resta é transformar outros em versões de si mesmo.

Em nossa caminhada cristã, encontramos pessoas que vivem como zumbis espirituais. Seus sonhos já morreram, suas expectativas se foram, sua fé titubeia. Apenas caminham sobre a terra, sem aquilo que é mais importante para qualquer ser humano: um propósito. Qualquer pessoa que perca seu propósito de vida não conseguirá sair da inércia para realizar aquilo que Deus o chamou para fazer.

Muitas vezes, estes cristãos não conseguem lidar muito bem com o crescimento daqueles que são novos na fé e estão cheios de expectativas. Os zumbis espirituais desanimam e desencorajam quem está buscando e sonhando com Deus. Assim como os zumbis da ficção conseguem utilizar apenas algumas funções de um ser humano comum, os zumbis espirituais possuem apenas alguns atributos espirituais. O arrependimento, a capacidade de perdoar e de orar já não existem mais.

A boa notícia é que assim como Deus deu a Ezequiel a visão de um vale de ossos secos que se transformou em um poderoso exército, ninguém precisa permanecer desanimado ou sem forças. Basta pedirmos ao nosso Deus e fazer a nossa parte, para que os "músculos espirituais" voltem a funcionar em pleno vigor!

Esta decisão depende exclusivamente de cada um de nós!

▶ **Referências**

"Assim diz o Soberano Senhor a estes ossos: Farei um espírito entrar em vocês, e vocês terão vida. Porei tendões em vocês e farei aparecer carne sobre vocês e os cobrirei com pele; porei um espírito em vocês, e vocês terão vida. Então vocês saberão que eu sou o Senhor". Ezequiel 37:5-6

▶ **Desafio**

O que você pode fazer hoje para não perder seus atributos e não se transformar em um zumbi espiritual?

A GRAÇA REINICIA SEU
RELACIONAMENTO COM DEUS

A Terra foi invadida por uma raça alienígena extremamente agressiva, que tem o objetivo de erradicar a humanidade. São chamados de *Mimetizadores* e depois de cinco longos anos de derrotas sucessivas, os humanos conseguem uma vitória que ficou conhecida como Batalha de Verdun, com o uso de exoesqueletos chamados "Jackets". Animados por esta vitória, os líderes da OTAN resolvem lançar um novo e definitivo ataque.

Neste contexto surge o major Willian Cage, assessor de imprensa do exército, enviado ao campo de batalha sem nenhuma experiência em combate. O ataque militar era uma tremenda emboscada alienígena para exterminar a resistência humana, e Cage mata um "Alfa", espécime muito raro que possui o controle do tempo. Através do contato com seu sangue, o major adquire a habilidade do alien e passa a reviver as últimas 24 horas, reiniciando o dia. Com isso, ele consegue aprimorar suas habilidades em combate e chega cada vez mais longe na batalha para vencer uma guerra praticamente perdida. A única regra para continuar voltando no tempo é bastante simples: ele precisa morrer todos os dias, sacrificando sua vida em prol da humanidade.

Em nossa vida com Deus, temos a mesma habilidade de Cage à nossa disposição: sempre que errarmos, teremos a graça de Deus para nos redimir e reiniciar nosso relacionamento com o Pai. Porém, este dom deve ser usado como último recurso, e não como a regra em nossa vida espiritual. Ao contrário de nosso personagem de hoje, temos uma única vida para viver e acertar, por isso não brinque com a graça de Deus e, por consequência, com o sacrifício de Cristo!

▶ Referências
Meus filhinhos, escrevo-lhes estas coisas para que vocês não pequem. Se, porém, alguém pecar, temos um intercessor junto ao Pai, Jesus Cristo, o Justo. *1 João 2:1*

▶ Curiosidade
O filme "No Limite do Amanhã" foi baseado no livro de Hiroshi Sakurazaka, "All You Need is Kill".

SEU BEM MAIS PRECIOSO É O TEMPO!

No futuro, o tempo será a única moeda. Neste mundo futurista, as pessoas param de envelhecer aos 25 anos e as suas vidas são medidas por um cronômetro, que mostra quanto tempo resta. O trabalho concede tempo que é gasto pagando as contas e vivendo nesta sociedade extremamente desigual, onde a maioria possui apenas horas de vida e alguns tornam-se imortais possuindo milhões de anos guardados em bancos.

Will Salas, morador da periferia, recebe um século de tempo de um homem antes deste cometer suicídio e, a partir deste ponto, começa a ser perseguido pela polícia local, conhecida como "Guardiões do Tempo", que o acusa de ter roubado este tempo. Conforme Salas vai descobrindo como o sistema desigual funciona, começa a roubar tempo dos ricos para distribuir aos pobres, contando com a ajuda de Sylvia Weis, filha de um imortal magnata.

Embora seja uma obra de ficção científica, o conceito primordial do filme "O Preço do Amanhã" é muito real: o tempo é o nosso bem mais precioso! Ninguém tem a capacidade de acrescentar um minuto a mais de tempo sequer, por mais rico que seja. Deste modo, a maneira como gastamos o tempo que temos é muito importante para analisarmos o resultado de nossas vidas como um todo. Como não temos outra vida além desta para viver, precisamos ter a ideia nítida em nossas mentes de que a maneira como vivemos aqui na terra terá um impacto direto na maneira como viveremos a eternidade.

- Viva seus dias para Deus e seu Reino, pois a colheita só começa aqui na terra, mas durará por toda a eternidade!

▶ Referências

O temor do Senhor prolonga a vida, mas a vida do ímpio é abreviada. **Provérbios 10:27**
Pois por meu intermédio os seus dias serão multiplicados, e o tempo da sua vida se prolongará. **Provérbios 9:11**
Passada a tempestade, o ímpio já não existe, mas o justo permanece firme para sempre. **Provérbios 10:25**

▶ Reflexão

As pessoas comuns pensam apenas como passar o tempo. Uma pessoa inteligente tenta usar o tempo. **Arthur Schopenhauer**

FIQUE INCONFORMADO, MAS NÃO PEQUE

A Ilha dos Pássaros é composta por, imaginem vocês, pássaros! O grande detalhe deles é que não possuem a capacidade de voar, ficando restritos aos limites da ilha, acreditando que são os únicos habitantes do mundo. Tudo isso está prestes a mudar com a chegada de um barco com porcos verdes oriundos da Ilha dos Porcos, que encantam os habitantes locais com seus presentes e discurso amistoso enquanto, sorrateiramente, planejam e roubam todos os ovos da ilha.

Um dos pássaros chamado Red é a personificação da antipatia e do ser antissocial, tanto que sua casa fica fora da vila dos pássaros, por ninguém suportar seu mau humor e sua sinceridade ácida. Red é o único que desconfia dos porcos visitantes e isso o leva a investigar esta visita aparentemente pacífica. Como ninguém acredita nele, quando o roubo dos ovos acontece, todos o procuram para saber o que fazer em seguida. O egoísta Red se torna o líder dos pássaros, na busca por recuperar os ovos roubados. Eles representam o futuro da ilha: uma geração inteira está ameaçada de não existir. Por causa dele, todos os pássaros serão levados a se indignarem com a situação, e navegarão até a Ilha do Porcos para lutar pelos seus filhos.

Podemos extrair muitos princípios deste filme, mas vou escolher um que define o personagem principal de "Angry Birds": o temperamento inconformado de Red. Todos precisamos melhorar nosso relacionamento interpessoal, pois isso é o que nos faz viver em sociedade. Mas, em algumas ocasiões, estar inconformado com a situação geral pode nos ajudar a ser a solução para o problema.

Sair da inércia e agir é muito melhor do que ficar apenas reclamando dos acontecimentos ao nosso redor, e não fazer nada para resolver!

▶ Referências
Quando vocês ficarem irados, não pequem; ao deitar-se reflitam nisso, e aquietem-se. **Salmos 4:4**

▶ Desafio
Como você pode manter seu temperamento sob controle?
Existe alguma coisa que o deixe indignado(a)?
Como você pode resolver este problema?

DESCUBRA SEU PROPÓSITO E VIVA-O INTENSAMENTE!

Ralph é o vilão do jogo clássico de arcade *Conserta Felix Jr*. A sua função é bastante simples: detonar o prédio que o protagonista deve consertar, e assim o fez por 30 anos. Em determinado momento de sua vida, Ralph cansa de ser o vilão e tenta provar que pode sim ser o herói. Para isso, invade outro arcade e rouba uma medalha no jogo de tiro *Missão de Herói*. O problema é que, quando ele sai de seu próprio jogo, o equilíbrio da partida acaba e, sem o vilão, o fliperama é colocado em manutenção. Após uma jornada de auto conhecimento, ele ajuda uma pequena personagem do jogo Corrida Doce, e retorna para seu jogo, agora ciente de sua importância não apenas para o próprio destino, mas para todos os participantes de seu jogo.

Quantas vezes em nossas vidas o senso de propósito escapa por entre nossos dedos? No meio de momentos de dificuldade e desafios, somos tentados a esquecer da razão pela qual fazemos o que fazemos. Mas precisamos tomar cuidado, pois vivemos numa época em que muitos querem "dar um tempo" em suas atividades e desejam viver mais para "seus projetos". O grande problema é que esta ausência das atividades do Reino de Deus deixa um espaço que afeta outras pessoas, que seriam tocadas por aquilo que você faz. Uma vez que façamos parte do exército de Cristo, precisamos entender que temos um propósito maior que nós mesmos.

Nenhum de nós é insubstituível, mas diante de nossa espontânea desistência, talvez ninguém faça o que Deus nos chamou para fazer com a mesma excelência, pois este é o nosso chamado e o nosso propósito na terra.

Por esta razão, descobrir seu propósito é um dos maiores tesouros que você pode ter em sua vida!

▶ Referências
Nele fomos também escolhidos, tendo sido predestinados conforme o plano daquele que faz todas as coisas segundo o propósito da sua vontade, **Efésios 1:11**

▶ Curiosidade
Para divulgar o filme, a Disney transformou uma rua inteira de Londres em um visual de 8 Bits!

VOCÊ NÃO PRECISA SER
MELHOR QUE NINGUÉM!

Eddie Nashton também é chamado de **Edward Nigma**, um criminoso diferente dos demais detentos do Asilo Arkham. Eddie é um estrategista que comete crimes através de desafios intelectuais como charadas, palavras cruzadas ou pistas para serem seguidas pela polícia e principalmente pelo Batman. Você poderia perguntar qual a razão de gastar tanto tempo preparando pistas para seus crimes, quando seria muito mais simples cometer o delito. Para esta resposta, precisamos falar do sentimento que move Eddie e pode fatalmente nos atingir em algum momento: **a inveja**.

A inveja tem um poder destrutivo, e assim como aconteceu com o personagem de hoje, pode nos levar a cometer loucuras para provar que podemos ser melhores que outras pessoas em qualquer área de nossa vida. Do ponto de vista cristão, não fomos criados para competirmos uns com os outros, mas sim para que pudéssemos cumprir nossa jornada específica traçada por Deus.

Para isso, Ele preparou um grupo especial de pessoas que nos ajudarão a cumprir este propósito, assim como nos concede a honra de poder ajudar a outros em suas jornadas. O maior Mestre da história, o próprio Deus encarnado que poderia subjugar toda a humanidade com Seu poder, lavou os pés de seus discípulos. O Criador do universo não veio para ser servido, mas para servir. Devemos aprender com Cristo pois não estamos vivendo em competição por posições, por atenção, por amor ou por qualquer outra coisa, precisamos entender nosso chamado e viver de acordo com ele.

Saber que não somos melhores que ninguém, é uma poderosa arma contra a inveja em nossas vidas!

▶ Referências

O coração em paz dá vida ao corpo, mas a inveja apodrece os ossos.
Provérbios 14:30

Pois onde há inveja e ambição egoísta, aí há confusão e toda espécie de males. **Tiago 3:16**

▶ Reflexão

A inveja vê sempre tudo com lentes de aumento que transformam pequenas coisas em grandiosas, anões em gigantes, indícios em certezas. **Miguel de Servantes.**

A MAIOR AVENTURA DE SUA VIDA PODE COMEÇAR HOJE

O **Stormtrooper FN-2187** foi retirado de sua família quando ainda era um bebê para ser treinado como um soldado da Primeira Ordem que busca substituir o Império após a morte do Imperador Palpatine, Darth Vader e da destruição da Segunda Estrela da Morte pelas forças da Aliança Rebelde.

Encontramos Finn (que recebe o nome de Poe Dameron) questionando sua missão como soldado da Primeira Ordem. De repente, tudo em que acreditava cai por terra e ele não pode mais continuar vivendo da maneira como cresceu e aprendeu. O que acontece a partir desta decisão pessoal de mudar de vida se transforma em uma grande aventura que o leva a lugares inimagináveis e o faz conhecer pessoas com as quais ele vai encontrar um novo propósito e uma nova missão para sua história.

Assim como aconteceu com Finn, nossas vidas passam por momentos decisivos que podem transformar nossas jornadas para todo o sempre. Seja por alguma dificuldade, perda ou decepção, passamos por momentos de reflexão onde vemos que nossas vidas não estão no caminho ou tendo os resultados que gostaríamos. Nestes momentos, devemos apenas refletir e pensar no que poderia ter sido se fizéssemos algo diferente, ou podemos ter uma experiência genuína com Cristo e aceitá-lo como Senhor e Salvador de nossas vidas.

> Nenhuma aventura ou mudança de vida pode ser comparada a alguém que genuinamente conhece a Cristo e vive para Ele. Que Deus gere esta alma inconformada com a sociedade em que estamos, e que você decida renascer para uma vida verdadeiramente livre na presença de Deus!

▶ Referências

Portanto, se alguém está em Cristo, é nova criação. As coisas antigas já passaram; eis que surgiram coisas novas! **2 Coríntios 5:17**

Quem crer e for batizado será salvo, mas quem não crer será condenado. **Marcos 16:16**

▶ Desafio

Convide um amigo que não é cristão para estar com você nesta semana na igreja, para que ele tenha a oportunidade de conhecer a Cristo e ter uma nova vida Nele!

NÃO PODEMOS RETRIBUIR
MAS SOMOS AMADOS

Olórin recebeu vários nomes dos seres da Terra Média: **Mithrandir** para os elfos, **Tharkûn** para os anões e **Gandalf** para os homens. Ele é um mago *Istari* da raça dos *Maiar*, que são espíritos angelicais na mitologia de Tolkien. Foi enviado à Terra Média para aconselhar os homens e impedir que a escuridão retornasse ao mundo. Como é um espírito, precisou assumir uma forma humana. Ele acaba morrendo numa batalha contra o demônio Balrog, mas é enviado de volta para concluir sua missão, mudando seu nome de Gandalf, o Cinzento, para Gandalf, o Branco. Entre as surpresas deste poderoso mago estava a sua fixação pelos hobbits. Menores que os anões e sem habilidades especiais, Gandalf os amava muito dizendo que eles tinham uma força interior que superaria a das outras raças. Após a Guerra do Anel, retorna para Valori levando consigo Bilbo e Frodo Bolseiro.

No cristianismo também existe Alguém que foi enviado à Terra com o objetivo de aconselhar, ensinar e cuidar da humanidade. Este Alguém também morreu e ressuscitou para concluir Sua missão. Não pudemos ver todo o seu esplendor, pois não suportaríamos, por isso Ele veio para a Terra em forma humana e, como Gandalf, também é apaixonado pela humanidade, mesmo esta sendo fraca e falha, não tendo nada para lhe oferecer. Ainda assim, Ele confia em nossa missão e nos apoia incondicionalmente.

Seu nome é Jesus Cristo e diferentemente de Olórin, Ele não é uma ficção. Ele está vivo e é o mesmo, ontem, hoje e sempre!

▶ Referências

Jesus Cristo é o mesmo, ontem, e hoje, e eternamente. **Hebreus 13:8**

E o Verbo se fez carne, e habitou entre nós, e vimos a sua glória, como a glória do unigênito do Pai, cheio de graça e de verdade. **João 1:14**

▶ Curiosidade

A franquia cinematográfica envolvendo o universo de Tolkien é a quinta maior da história do cinema, o que inclui todos os filmes das trilogias de "Senhor dos Anéis" e de "O Hobbit".

MAIS IMPORTANTE QUE O INÍCIO É O FINAL DE SUA JORNADA!

Leonardo, Michelangelo, Donatello e Raphael formam o grupo conhecido como TMNT (sigla em inglês para Tartarugas Adolescentes Ninja Mutantes). Nesta história, quatro filhotes de tartarugas comuns são jogados nos esgotos da cidade de Nova York para morrerem. Ao mesmo tempo, um homem cego atravessando uma rua acaba causando um acidente com um caminhão de lixo tóxico. Parte deste lixo vai para o esgoto e entra em contato com os filhotes, causando uma mutação do tipo antropomórfica tanto nas tartarugas, quanto em um rato que acaba se tornando o mestre *Splinter*, que ensina técnicas das artes marciais aos jovens quelônios.

Podemos aprender vários princípios com as Tartarugas Ninjas. O maior de todos, em minha opinião, é que não existe acaso quando falamos dos propósitos de Deus. Nossa jornada pode ter tido um início difícil: alguns podem ter sido abandonados pela própria família, outros podem ter sido criados por mães corajosas sem a presença de pais irresponsáveis, outros passaram por desafios que nem podemos imaginar.

Mas devemos saber que Deus moveu o universo inteiro para que estivéssemos aqui. Não podemos pensar, nem por um momento sequer, que estamos aqui por acaso, pois na verdade somos fruto dos desígnios divinos! Esta informação deve nos alegrar muito, pois independente da maneira como entramos neste mundo, as nossas atitudes determinarão como sairemos dele.

Deus nos ama muito e por isso nos trouxe à vida para um propósito maravilhoso! Temos apenas que confiar Nele para vivermos a maior aventura de nossas vidas!

Não é o começo da corrida que importa, mas sim o seu final!

▶ Reflexão
O acaso é uma palavra sem sentido. Nada pode existir sem causa. **Voltaire.**

▶ Referências
Tu criaste o íntimo do meu ser e me teceste no ventre de minha mãe. **Salmos 139:13.**

Eu te louvo porque me fizeste de modo especial e admirável. Tuas obras são maravilhosas! Disso tenho plena certeza. **Salmos 139:14.**

ABRIL

DEVOCIONAL POP

GENERALIZAR É UM MAL DE NOSSO TEMPO

J. Jonah Jameson é o dono do jornal Clarim Diário e possui uma fixação em difamar super-heróis mascarados, principalmente o Homem-Aranha. Quando investigamos um pouco mais a fundo este comportamento, encontramos um evento traumático no seu passado: a esposa de J.J.J. foi morta por alguém mascarado. A partir deste episódio, passou a tratar aqueles que ocultam suas identidades como se todos fossem o assassino de sua esposa, ainda que tenha sido salvo diversas vezes por Peter Parker e outros.

Em nossas vidas, passamos por várias pessoas que possuem um comportamento semelhante ao de nosso personagem. Por sofrerem algum tipo de trauma ou por buscarem o senso comum para simplificar as coisas, colocam um grande grupo de pessoas em um mesmo "saco".

Com certeza você já ouviu frases do tipo: "Nenhum homem presta, todos são iguais"; "Todo político é corrupto", "Todo pobre é marginal", e tantas outras que poderíamos citar neste espaço, que mostram este comportamento explícito no discurso das pessoas. Dois pontos importantes para encerrar a conversa de hoje: não devemos inventar histórias sobre outras pessoas; o nome disso é calúnia e difamação, pecado portanto. Devemos caminhar em verdade e a mentira não deve fazer parte de nosso vocabulário ou comportamento. O segundo ponto é que nenhum grupo social é homogêneo. Pensar que todos de um determinado grupo são exatamente iguais e apresentam as mesmas práticas é muito simplista e pobre, intelectualmente falando. Não generalize apenas porque uma pessoa lhe causou uma má impressão!

▶ Referência
Farei calar ao que difama o próximo às ocultas. Salmos 101:5

Sem lenha a fogueira se apaga; sem o caluniador morre a contenda. Provérbios 26:20

▶ Desafio
Como você pode ajudar alguém que passou por uma experiência negativa com alguém, a enxergar que nem todo mundo é igual e que agir desta forma é preconceito?

A URGÊNCIA DE LÍDERES CENTRADOS NA PALAVRA DE DEUS

Wilson Fisk teve uma origem humilde, sofrendo duplamente: dentro de casa com o alcoolismo e violência de seu pai, e fora dela com o bullying de seus colegas, por estar aparentemente acima do peso. Todo este histórico negativo levou o jovem Fisk a procurar refúgio nas artes marciais. Ele retorna a estes colegas e os recruta para fazer parte de sua gangue. Este é o início da ascenção do Rei do Crime, um dos maiores vilões do Universo Marvel, mesmo não possuindo poderes sobre-humanos aparentes. Este é o detalhe interessante sobre este personagem: sua força está na habilidade de liderar grupos e atingir objetivos, que embora sejam usados para o mal, podem nos ensinar muito neste dia.

Nosso presente possui uma ausência de líderes em todas as esferas da sociedade e na igreja não é diferente. Líderes são fundamentais em uma igreja saudável e este conceito deve ser entendido como alguém que serve mais que os demais. Jesus foi o maior líder da história da humanidade e Ele nos ensinou que aquele que deseja ser o primeiro, deve ser o último. A lógica do Reino de Deus é oposta à da sociedade, e por isso não devemos buscar alcançar o sucesso a partir de uma perspectiva secular.

> Não podemos nos afastar da ideia de que todos somos líderes em potencial e que, a partir do momento em que conhecemos a Jesus como Senhor e Salvador, pessoas estarão nos observando para nos seguir ou para aprenderem como não devem agir. Para atingirmos este objetivo, dependemos da Bíblia, pois ela nos ensina como um filho de Deus deve agir na sociedade e como nutrir um relacionamento sincero com Cristo que transforme nossa mente pela visão do Reino de Deus.

▶ Referência
Pois bem, se eu, sendo Senhor e Mestre de vocês, lavei-lhes os pés, vocês também devem lavar os pés uns dos outros. **João 13:14**

▶ Curiosidade
O Site IGN divulgou uma lista com os 100 maiores vilões de todos os tempos e o Rei do Crime figurou na décima posição da lista.

SUA VIDA PODE MUDAR EM 24 HORAS!

Thomas Kirkman era o Secretário da habitação do governo americano, um cargo de segundo escalão na administração pública. Em determinada manhã ele é comunicado de sua demissão do cargo que ocupava e que seria enviado para trabalhar no serviço diplomático em outro país. Thomas passa o dia tentando digerir estas informações e não participa do discurso do Estado da União, onde o presidente americano, todo seu gabinete, ministros e secretários, deputados, senadores e membros da Suprema Corte estavam presentes no Capitólio.

Em meio ao discurso, um ataque terrorista destrói o local tirando a vida de mais de mil pessoas e, consequentemente, de todos os membros da administração do país. Uma das formalidades da lei americana é escolher alguém que não participará do evento como "Sobrevivente Designado", pois estaria disponível em caso de catástrofes e seria automaticamente empossado presidente.

Kirkman, que era esta pessoa, começa seu dia demitido e termina o mesmo dia fazendo o juramento presidencial. Em 24 horas tudo se fez novo em sua vida!

Costumo dizer que existem dias em nossa vida onde tudo muda em 24 horas. Chamo estes dias de "dias estranhos", no bom sentido da palavra. No dia em que nos casamos isso acontece: acordamos solteiros e dormimos casados! Quando temos um filho também: acordamos sem filhos e dormimos com um serzinho em nossos braços e nada mais será como antes. Estes são dias felizes que precisam ser aproveitados em sua plenitude!

Com Deus todos nós somos potenciais "sobreviventes designados", e nossos nomes estão escritos no livro da vida. A última mudança será no dia em que fecharmos nossos olhos na terra e os abrirmos na eternidade. Este será o grande dia de nossas vidas!

▶ **Referência**
E estes irão para o castigo eterno, mas os justos para a vida eterna. Mateus 25:46

▶ **Reflexão**
Não é o mais forte que sobrevive, nem o mais inteligente, mas o que melhor se adapta às mudanças. Leon C. Megginson

FUJA DA AVAREZA

Smaug é o último dos dragões da Terra Média, que surgiu por volta do ano 2770 da terceira era. Extremamente poderoso, era uma preocupação de Gandalf, pois imaginava que algum inimigo pudesse usá-lo como arma em alguma guerra futura.

Quando o dragão ouviu sobre as riquezas que os anões de Erebor estavam acumulando sob a Montanha, resolveu tomá-la, destruindo a cidade do Vale. Com uma pele escamosa extremamente resistente a flechas e uma capacidade de lançar rajadas de fogo, conquistou facilmente a cidade dos anões que estavam preocupados apenas com as riquezas e não perceberam o mal se aproximando. Smaug passou muito tempo em meio às riquezas que roubou, porém não usufruiu destes bens.

A figura de Smaug, um dragão inteligente, mas desprovido de propósito, ao permanecer décadas no interior da montanha, representa a avareza e é esta a lição que devemos tomar para nossas vidas neste dia. Muitas pessoas passam a vida toda correndo atrás de objetivos financeiros e profissionais. Quando alcançam estes objetivos, simplesmente perdem o senso de propósito, enterrando-se nos recursos que acumularam, enquanto o mundo à sua volta se desfaz em miséria e desespero. O resultado deste comportamento é uma vida medíocre e vazia, como a de Smaug.

> Precisamos nos preocupar com nossa vida financeira sim, e devemos planejar, trabalhar e controlar o que gastamos. Porém, em nossa mente deve estar claro que o mais importante são as coisas que o dinheiro não pode comprar. Uma reunião de família, o amor dos filhos, o avanço do Reino de Deus e o cuidado com aqueles que o Senhor ama, essas coisas deveriam ser o centro de nossos esforços durante nosso tempo de vida.

▶ Referências

Mas acumulem para vocês tesouros no céu, onde a traça e a ferrugem não destroem, e onde os ladrões não arrombam nem furtam. **Mateus 6:20**

O invejoso é ávido por riquezas, e não percebe que a pobreza o aguarda. **Provérbios 28:22**

▶ Desafio

Quais as medidas que você pode tomar hoje, para prevenir-se da avareza em sua vida?

SER CRISTÃO NÃO TE FAZ
MELHOR QUE NINGUÉM

Os **Morlocks** são um grupo especial de mutantes. Sua aparência é muito diferente dos humanos comuns e por isso não conseguem se misturar com a multidão. Habitando os esgotos de Nova York, fundaram uma sociedade onde viviam de maneira harmoniosa entre eles. Quando os humanos descobriram sua existência, foram caçados e praticamente exterminados no evento conhecido como Massacre de Mutantes.

Gostaria de tratar neste dia da questão que salta à mente, quando penso na relação entre os Morlocks e a humanidade. Penso que nós, cristãos, muitas vezes temos uma visão deturpada em relação àqueles que não possuem a nossa declaração de fé. Consideramos o mundo como um grupo de *Morlocks* que, por suas deformações morais e maldades, não são dignos de andarem conosco, pois temos um pretenso nível de espiritualidade que nos coloca acima destas pessoas merecedoras do destino que as espera.

Não existe nada mais falso, egoísta e anticristão que uma mentalidade deturpada como esta. O mundo foi a razão pela qual o Salvador entregou a si mesmo e se sacrificou, para acolher toda a humanidade no Reino de Deus, por meio do perdão dos nossos pecados.

Somos os braços, pernas, olhos, boca e ouvidos de Cristo na terra. Como temos recebido aqueles que estão chegando? Não se esqueça: ninguém é tão pobre que não possa fazer nada pelo próximo.

O Reino de Deus é inclusivo, não exclusivo!

▶ Referências

"Porque Deus tanto amou o mundo que deu o seu Filho Unigênito, para que todo o que nele crer não pereça, mas tenha a vida eterna. **João 3:16**

O Rei responderá: Digo-lhes a verdade: os que vocês fizeram a algum dos meus menores irmãos, a mim o fizeram. **Mateus 25:40**

▶ Curiosidade

Os Morlocks foram criados na década de 1980 por Chris Claremont e John Romita Jr. Estes mutantes fazem uma clara alusão ao processo de discriminação racial que explodiu na América durante a década de 1970.

CUIDADO COM O ENTULHO
QUE O MUNDO TE OFERECE

Cyrus Gold foi um homem muito rico, assassinado em 1854 tendo seu corpo jogado no chamado Pântano da Chacina. Décadas de sujeira e entulhos do pântano acabaram por dar uma nova vida a Cyrus. Transformado em um zumbi imortal com força sobre-humana, recebeu o nome de *Solomon Grundy*, devido a uma cantiga infantil que dizia que *Solomon Grundy* nasceu em uma segunda. Com uma mente destruída e bastante limitada, ele é manipulado e usado como arma por outros vilões de Gotham. Quero fazer duas analogias sobre o personagem para nossa meditação deste dia.

Primeiro: o pântano onde seu corpo repousou por décadas pode ser associado a toda sorte de frustrações e experiências ruins que pessoas e nosso inimigo lançaram sobre nossas vidas, com o propósito de nos destruir. Não morremos por causa delas, mas aos poucos podemos nos transformar em uma pessoa amarga, triste, frustrada e, assim, vamos nos distanciando da imagem verdadeira de nossa identidade.

Segundo: *Grundy* é um zumbi criado da sujeira do pântano. Nossa essência está diretamente relacionada ao alimento que escolhemos para nossas vidas. Podemos escolher a sujeira do pecado, porém, nos transformaremos em zumbis espirituais que são levados por qualquer conversa e por qualquer convite.

> Por outro lado, podemos escolher aquilo que Deus nos oferece! Assim teremos consciência de nossas atitudes e não seremos enganados nem usados como instrumentos das trevas para esta geração. Com o que você tem se alimentado?

▶ Referência
Dei-lhes leite, e não alimento sólido, pois vocês não estavam em condições de recebê-lo. De fato, vocês ainda não estão em condições.
1 Coríntios 3:2

▶ Reflexão
Pense um pouco em tudo aquilo que você assiste na TV ou na Internet. Estas coisas te aproximam de Deus ou te afastam Dele? Será que não está na hora de mudar sua dieta espiritual? O que você pode fazer hoje para se aproximar mais de Deus?

O PODER DOS PEQUENOS COMEÇOS

Peter Pan é uma das histórias mais conhecidas de todos os tempos e como ela surgiu é realmente fascinante. Há mais de cem anos, James Matthew Barrie criou o universo de Pan para contar suas histórias aos filhos de Sylvia Llewelyn Davies e seu esposo, com quem mantinha uma grande amizade. Alguns dizem que o nome surgiu da junção de Peter, o filho mais novo da família Davies e Pan, o deus grego das florestas. Outros indicam que o personagem é uma homenagem a outro filho do casal, David que morreu em um acidente enquanto patinava no gelo quando tinha apenas 13 anos de idade.

A partir deste objetivo original de contar uma história a amigos próximos, livros, peças teatrais e diversas interpretações no cinema foram criadas no último século. Esta história fascinante me fez lembrar de outro gesto semelhante que ecoa através dos séculos de maneira verdadeiramente espantosa: Lucas e Teófilo. Lucas conheceu as histórias sobre Jesus e sua obraobra, relatando tudo o que ouviu a alguém de posição na sociedade, que provavelmente patrocinou o trabalho de escrita. Por isso, fez uma pesquisa monumental ouvindo as testemunhas oculares que presenciaram todos os fatos narrados, compilando os dados em um livro. Não contente com isso, passou a escrever tudo o que aconteceu depois da ressurreição de Cristo, para mostrar a Teófilo os resultados do sacrifício de Jesus, durante a era apostólica. Este trabalho resultou em um dos quatro Evangelhos e no livro de Atos e abençoam muitas gerações desde então!

Não despreze os pequenos começos, você não sabe a proporção que seu trabalho ganhará nas gerações futuras!

▶ Referências

Eu mesmo investiguei tudo cuidadosamente, desde o começo, e decidi escrever-te um relato ordenado, ó excelentíssimo Teófilo, **Lucas 1:3**

Em meu livro anterior, Teófilo, escrevi a respeito de tudo o que Jesus começou a fazer e a ensinar, **Atos 1:1**

▶ Desafio

Conte sua história com Cristo a alguém nesta semana. O seu testemunho mostra o poder de Jesus ao mundo!

NÃO SEJA UM CRISTÃO PETER PAN!

Peter Pan é um menino que não quer crescer. Por esta razão reuniu outros garotos e os levou à chamada **Terra do Nunca** onde os efeitos do tempo não passam da mesma maneira como em nosso mundo. É neste lugar que Pan e os demais meninos, chamados de "garotos perdidos", podem permanecer eternamente crianças, brincando e buscando aventuras contra seus inimigos, o Capitão Gancho e seus homens, sem nenhuma responsabilidade dos temidos "adultos".

Saindo da ficção e voltando ao mundo real, muitos cristãos apresentam uma espécie de síndrome de Peter Pan em suas jornadas espirituais, pois não querem crescer e alcançar novos níveis em seu relacionamento com Deus. São irresponsáveis consigo mesmo e especialmente com os outros, não respeitando o papel que exercem como filhos e filhas de Deus. Muitos novos convertidos chegam em nossas igrejas olhando para aqueles que lá já estavam como referências de cristianismo e isso é maravilhoso. Infelizmente, alguns não honram esta confiança depositada em suas vidas, demonstrando padrões infantis em seus relacionamentos ou reproduzindo o padrão da sociedade dentro da igreja. Os cristãos "Peter Pan" podem ser facilmente identificados como os que mais reclamam da igreja e que nada fazem para ajudar.

Responsabilidade é requerida daqueles que aceitam a Jesus como Senhor e Salvador, por isso é fundamental crescer em seu relacionamento e conhecimento de Cristo, e isto necessariamente deve refletir na maneira como lidamos com as outras pessoas.

Não esqueça: no Reino de Deus ou você avança ou retrocede, permanecer estagnado não é opção!

▶ Referência
Portanto, deixemos os ensinos elementares a respeito de Cristo e avancemos para a maturidade. **Hebreus 6:1**

▶ Curiosidade
J.M. Barrie cedeu todos os direitos de Peter Pan ao Great Ormond Street Hospital. Ela solicitou que o valor recebido relativo aos direitos da obra nunca fosse revelado e o hospital tem mantido essa promessa.

CONFIAR EM DEUS É O GRANDE SEGREDO

Obi Wan Kenobi foi um dos maiores Mestres Jedi de todos os tempos, treinado pelos mestres *Yoda* e *Qui-Gon Jinn* em sua juventude, e treinou Anakin e Luke Skywalker. Foi um dos Generais Jedi durante as Guerras Clônicas e um dos poucos sobreviventes ao Grande Expurgo, que exterminou quase todos os Jedi da Galáxia com a instauração do Império Galáctico pelo imperador Palpatine.

Como os demais sobreviventes, passa a viver no exílio mudando seu nome para Ben Kenobi no modesto planeta de Tatooine, enquanto cuida à distância do filho de Anakin, escondendo-o das garras do Império.

Como deve ter sido difícil para alguém que havia visto os dias de glória da República, reconhecido como General do exército, transformar-se da noite para o dia em um fugitivo que perdeu todos os seus títulos e prerrogativas! Foi exatamente assim que o rei Davi se sentiu quando seu filho Absalão tomou o poder e ocupou o trono de Israel, já no fim de sua vida.

Após anos lutando para consolidar o poder e unificar o Reino, Davi é novamente um fugitivo que precisa conquistar o que lhe foi tomado. O que manteve a sanidade e a perseverança de Davi foi conhecer muito bem ao Deus a quem ele servia, e saber que, mesmo em momentos de grande tribulação e desespero, ele não estaria sozinho.

Esta é a mesma certeza que eu e você devemos ter em nossa jornada na terra: Deus estará conosco nos dias de celebração e alegria e também nos dias maus e desesperadores.

Nosso papel é apenas crer!

▶ Referência

Absalão enviou secretamente mensageiros a todas as tribos de Israel, dizendo: Assim que vocês ouvirem o som das trombetas, digam: Absalão é rei em Hebrom. **2 Samuel 15:10**

Misericórdia, Senhor, pois vou desfalecendo! Cura-me, Senhor, pois os meus ossos tremem. **Salmos 6:2**

▶ Reflexão

A esperança é o sonho do homem acordado. **Aristóteles**

CARREGUE A ESPERANÇA CONSIGO!

10 ABR

Kal-El foi um dos poucos sobreviventes do planeta Kripton, enviado em uma nave ao planeta Terra por seu pai Jor-El pouco antes da explosão de seu planeta natal. Ao chegar aqui, ainda um bebê, foi encontrado pela família Kent, que o adotou e criou como filho. A mudança de sistema solar concedeu-lhe poderes inimagináveis. Nosso sol amarelo, mais jovem que o de Kripton, carrega suas células como baterias vivas que o transformaram em um ser indestrutível com força para tirar planetas de órbita, entre vários outros poderes, sendo conhecido na Terra e em outros mundos como Superman.

Quando não está com seu uniforme, usa o nome Clark Kent e trabalha como jornalista do Planeta Diário, casado com Louis Lane.

O que podemos aprender com um extraterrestre que tem o poder de destruir toda a nossa existência apenas com a sua vontade?

Gostaria de falar sobre o princípio das escolhas de Kal-El: mesmo podendo destruir a humanidade, ele escolhe protegê-la. Sua nobreza deveria nos motivar a fazer o mesmo por aqueles que necessitam de nós. Podemos não ter a força e os poderes dele, mas temos algo muito melhor e palpável: o Espírito Santo que nos capacita a falar com as pessoas trazendo esperança onde ela não existe, trazer cura para a alma, alimento para o corpo através do trabalho social para os necessitados, enfim, várias formas de exercer a mesma nobreza de Kal-El, através do amor de Cristo em nossas vidas. Recebemos algo dele que nunca poderemos pagar. Ele nunca pediu nada em troca, apenas o nosso amor. Se o amarmos, faremos o que Ele fez por nós a outras pessoas, e assim o Reino de Deus continuará avançando!

▶ Referências
Na verdade, na verdade vos digo que aquele que crê em mim também fará as obras que eu faço, e as fará maiores do que estas, porque eu vou para meu Pai. **João 14:12**

▶ Desafio
Sinta o poder das boas escolhas, procurando sua igreja para ajudar ou contribuir em um projeto de ação social no qual ela esteja envolvida. Carregue a esperança consigo!

CORRIJA HOJE OS ERROS DE SEU PASSADO

Marty McFly é um adolescente típico: frustrado com sua família e suas perspectivas de vida. Um dia conhece o doutor Emmett Brown, que lhe apresenta sua invenção: um carro DeLorean modificado, movido a plutônio para viajar no tempo! Uma confusão com os terroristas que venderam o produto radioativo a Emmet faz com que Marty fuja no Delorean, e volte ao passado em 1955, onde fica preso sem combustível para voltar. Lá, ele precisará consertar diversos erros para que o seu presente ainda exista, quando enfim consegue retornar com a ajuda do doutor Emmet do passado.

Quantos de nós gostaríamos de ter a mesma oportunidade que Marty teve de voltar ao passado para consertar os erros dos quais nos arrependemos? Se pudéssemos voltar até o instante anterior a uma palavra "mal dita", que feriu alguém que amamos e não dizê-la, nós faríamos? Atitudes erradas, caminhos para o sofrimento, a lista seria imensa! A má notícia é que a viagem no tempo é algo muito complexo para nossa realidade, provavelmente não será em nossa geração que isto será possível. A boa notícia é que para cada erro que cometemos, Deus nos oferece o perdão e a cura para nossas almas!

> *Mas e as pessoas que nos magoaram, como ficam? Nosso Mestre nos disse, na Galileia do século I, algo que não poderia ser mais atual para o século XXI: Se o seu irmão pecar contra você sete vezes no dia, e sete vezes voltar a você e disser: 'Estou arrependido', perdoe-lhe.*

▶ Referências

Suportem-se uns aos outros e perdoem as queixas que tiverem uns contra os outros. Perdoem como o Senhor lhes perdoou. **Colossenses 3:13**

Mas se não perdoarem uns aos outros, o Pai celestial não lhes perdoará as ofensas. **Mateus 6:15.**

▶ Curiosidade

Antes de escolherem o DeLorean, os produtores do filme cogitaram até mesmo uma geladeira nas primeiras versões do roteiro. Porém, eles ficaram com medo de que as crianças brincassem de viajar no tempo em casa e acabassem trancadas nos refrigeradores.

UM AMIGO FIEL!

Percy Jackson é um adolescente que foi diagnosticado com TDAH e dislexia, por isso não consegue se concentrar no colégio. Diversos eventos acontecem e abalam o mundo de Percy, que acaba descobrindo que seu mundo é muito mais complexo do que ele poderia imaginar. Ele foi atacado no colégio, descobre que é um semideus filho de Poseidon, sua mãe é raptada e ele é acusado de roubar os raios de Zeus! Uma aventura de proporções épicas começa em busca dos raios que podem devolver a paz ao Olimpo e resgatar sua mãe do submundo de Hades.

Gostaria de falar hoje a respeito de amizades verdadeiras. A jornada de Percy só teve sucesso porque seus amigos, Grover e Annabeth estavam com ele em todos os momentos. Eles foram fundamentais para que Percy pudesse alcançar seu objetivo. Nossa jornada na Terra fica mais leve quando temos amigos verdadeiros com quem podemos contar. Amigos com quem podemos abrir nosso coração em momentos difíceis de nossas vidas sem nos preocuparmos com nada. Aliás, geralmente em meio aos momentos de adversidade, descobrimos pessoas preciosas, que farão parte de nossa existência e deixarão boas marcas em nosso futuro.

Você tem amigos verdadeiros assim? Então cuide desta amizade, pois a Palavra de Deus nos diz que ela é mais preciosa que o ouro ou a prata. Acima disso, não esqueça que Jesus é o verdadeiro amigo fiel, sempre disponível para nos ajudar em toda e qualquer situação de nossas vidas. Ao contrário do que as pessoas podem fazer, Ele nunca vai nos decepcionar ou abandonar, pois a principal prova de amor já foi dada na cruz do calvário!

▶ Referências
O amigo ama em todos os momentos; é um irmão na adversidade. **Provérbios 17:17**
Ninguém tem maior amor do que aquele que dá a sua vida pelos seus amigos. **João 15:13**

▶ Reflexão
Amigo é aquele diante de quem podemos pensar em voz alta. **Ralph Waldo Emerson**

A SINCERIDADE NOS AJUDA
A AMADURECER

Sheldon Lee Cooper possui um mestrado e dois doutorados em física teórica e é amigo de Leonard, com quem divide um apartamento em Passadena.

Com um QI muito elevado, está convencido de maneira enfática de que é o próximo passo na evolução humana. Por ser tão inteligente, possui um comportamento arrogante e bastante peculiar no que diz respeito ao contato social com outras pessoas. Foi definido por seus amigos (não possui muitos) como irritante, chato, insuportável, entre outros adjetivos. Este comportamento é proveniente da Síndrome de Asperger somada a sintomas de Transtorno Obsessivo-Compulsivo e Hipocondria.

Ele é comparado a Spock de "Star Trek", que era meio humano, meio vulcano, e que pensava apenas de maneira lógica, sem sentimentos. Analisar alguém assim neste devocional é algo realmente desafiador. Existiria algo bom para aprendermos com Sheldon? Qualquer outra pessoa se sentiria muito mal ao ouvir a opinião sincera de seus amigos sobre seu comportamento, mas Sheldon não tem este problema. Ele sabe quem é, e absolutamente nada do que lhe disserem irá desviá-lo de seu objetivo.

> Como filhos de Deus, este deveria ser o nosso comportamento, independente das pessoas acreditarem em nós ou não, o que Deus nos diz é o que realmente importa. Muitos precisam desesperadamente de uma opinião positiva por parte das pessoas, mas nunca iremos agradar a todos. Ao mesmo tempo, a opinião sincera de amigos verdadeiros pode nos ajudar a mudar comportamentos errados que, muitas vezes, assim como Sheldon, nem nos damos conta que estamos fazendo, mas que ofendem ou magoam as pessoas.
>
> Humildade para reconhecer que não somos tão bons como imaginamos pode nos ajudar em nossa caminhada na terra. Bazinga!

▶ Referência
Todo o que ama a disciplina ama o conhecimento, mas aquele que odeia a repreensão é tolo. **Provérbios 12:1**

▶ Desafio
Peça para um amigo apontar alguma coisa que você precisa melhorar em seu comportamento. Como você lidou com isso?

O LEÃO
RESSUSCITOU!

Aslam (leão em turco) é o filho do imperador do Além Mar e o criador de Nárnia. Através de sua canção todas as coisas foram criadas: mares, estrelas, montanhas e criaturas. Através de sua música tudo o que não existia passou a existir. É o único personagem que aparece em todos os sete livros da saga, seja como personagem principal, seja como secundário.

Na história, Aslam se sacrifica no lugar do príncipe Edmundo e, Por meio de seu sacrifício, os erros e crimes de Edmundo são perdoados. Segundo uma regra de Nárnia, quando um inocente sem erros morre em favor de outra pessoa que não merece, esta não permanece morta, mas ressuscita. E assim acontece com o leão que volta à vida para salvar os quatro príncipes da feiticeira.

Aslam prepara um lugar para todas as criaturas boas de Nárnia e chama este lugar de o País de Aslam. Após a destruição de Nárnia, ele as leva para lá, onde todos encontrarão paz e descanso.

Podemos associar a figura de Aslam com a de Cristo, mesmo que o autor de "Crônicas de Nárnia" tenha afirmado que esta analogia não tenha sido proposital. Considerando que ela tenha foi escrita na década de 1950, em homenagem a uma afilhada de C.S. Lewis, podemos dizer que este livro é uma grandiosa parábola da história da redenção e da graça divina, a partir do sacrifício de Cristo. Através de sua grande bondade tudo veio a existir - o verbo vivo que se fez carne para a redenção de nossos pecados.

O Leão de Judá está sempre atento para proteger aqueles que confiam Nele, basta exercer sua fé naquele que era, que é, e que há de vir!

▶ Referências

Em quem temos a redenção pelo seu sangue, a saber, a remissão dos pecados; **Colossenses 1:14**

E quando eu for, e vos preparar lugar, virei outra vez, e vos levarei para mim mesmo, para que onde eu estiver estejais vós também. **João 14:3**

▶ Curiosidade

Tolkien, escritor da saga "O Senhor dos Anéis" foi um grande amigo de Lewis, e o responsável pela conversão deste ao cristianismo.

NÃO SEJA UM MERCENÁRIO PARA SEMPRE

Han Solo é um mercenário nativo do planeta Corellia, que mora em Tatooine e é dono da nave Millenium Falcon. Ele conta com a ajuda de seu fiel copiloto wookie Chewbacca. Precisando pagar uma dívida para o contrabandista Jabba, aceita transportar Obi Wan e Luke Skywalker até o planeta Alderaan e acaba ajudando os Jedi a resgatarem a princesa Leia do Império. Após a batalha final contra a Estrela da Morte, ele entra para a Aliança Rebelde.

O que chama a atenção na história de Han Solo é que ele inicia sua jornada como um mercenário que não se importa com o que está acontecendo com os outros, uma pessoa extremamente egoísta. Ao aceitar o trabalho de transportar os Jedi, ele descobre através do sacrifício deles que também precisa fazer sua parte na guerra em curso.

Quantos de nós não conhecemos a Cristo desta forma? No início, não conseguimos enxergar um palmo à nossa frente pela cegueira do egoísmo, preocupados com nossas necessidades apenas. Conforme o tempo passa, vamos conhecendo mais e mais este Deus, que é muito mais do que um Abençoador, mas nosso Pai amoroso que nos chama ao amadurecimento, através do serviço aos outros.

Mercenários egoístas ontem, soldados do Reino de Deus contra o império das trevas hoje! Reconheça outros como você e ajude-os nesta transição!

▶ Referências

Pois ele nos resgatou do domínio das trevas e nos transportou para o Reino do seu Filho amado, **Colossenses 1:13**

Ele os tirou das trevas e da sombra mortal, e quebrou as correntes que os prendiam. **Salmos 107:14**

A noite está quase acabando; o dia logo vem. Portanto, deixemos de lado as obras das trevas e vistamo-nos da armadura da luz. **Romanos 13:12**

▶ Reflexão

Por precisarmos de algo, nos encontramos com Deus, mas este primeiro contato precisa dar espaço rapidamente ao relacionamento sem interesse, baseado no amor de um filho por seu Pai. **Eduardo Medeiros**

A **PAIXÃO** É O COMBUSTÍVEL QUE NOS MOVE

Legolas Greenleaf é o príncipe do reino dos elfos da Floresta das Trevas. Aparentemente, é o único filho do rei Thranduil e um dos elfos mais jovens da Terra-Média. Na estrutura élfica, a idade adulta é atingida entre os 500 e 1000 anos de idade. Legolas recebe a incumbência de seu pai de proteger as fronteiras do reino da Floresta do Norte dos males que começam a crescer vindos da fortaleza supostamente abandonada de Dol Guldur.

Ele viaja com Tauriel até a cidade do Lago, perseguindo orcs que caçavam a comitiva de anões liderada por Thorin II, Escudo-de-Carvalho. O seu objetivo real era o de proteger Tauriel, por quem estava apaixonado.

Gostaria de destacar neste dia, o que a paixão nos leva a fazer. Legolas estava apaixonado, e por isso saiu do lugar onde estaria seguro para correr pelo desconhecido. A paixão foi o combustível que o levou a lugares antes inimagináveis, abrindo mão do controle, do conforto e da segurança.

Em nossa caminhada, é comum dizermos que somos apaixonados por Cristo, afinal somos cristãos! Porém, qualquer convite que nos tire da zona de conforto é visto como incômodo. Qualquer pedido de ajuda parece ser pesado para ser atendido devido à nossa agenda sempre apertada, com milhares de atividades para cumprir. Dentro da ideia de paixão que trouxemos, pensando bem, será que estamos apaixonados por Cristo de fato? Intensidade deve ser a palavra que nos leve na direção do centro da vontade de Deus, em nosso bairro, cidade, estado, país onde você estiver!

▶ Referência

Coloque-me como um selo sobre o seu coração; como um selo sobre o seu braço; pois o amor é tão forte quanto a morte, e o ciúme é tão inflexível quanto a sepultura. Suas brasas são fogo ardente, são labaredas do Senhor. **Cantares 8:6**

▶ Desafio

Você pode demonstrar de maneira prática sua paixão por Cristo além das canções? O que você pode fazer como mostra de sua paixão por Ele esta semana?

NÃO TENHA MEDO DO NOVO

O **Xerife Woody** é o brinquedo preferido por seu dono e o líder de todos os brinquedos de Andy. No universo de "Toy Story", os brinquedos ganham vida quando os humanos não estão presentes! Tudo ia muito bem até que Andy ganha de aniversário o Patrulheiro Espacial Buzz Ligthyear, brinquedo de última geração com diferentes funções sonoras e articulações. Woody não poderia competir com um brinquedo desses, já que era apenas um caubói de pano com algumas frases ditas através de uma corda em suas costas.

O destaque de um brinquedo está diretamente relacionado ao tempo que seu dono passa com ele. Woody vai gradativamente sendo deixado de lado por causa do novo brinquedo que chegou. Tomado pelo ciúme, tenta se desfazer de Buzz, mas acaba expulso pelos demais brinquedos e inicia uma jornada de redenção para salvar Buzz e a si mesmo das mãos do menino Sid, que tem prazer em destruir brinquedos. As muitas dificuldades e o sacrifício de Woody forjarão uma grande amizade entre os dois.

> *Podemos viver tranquilamente dentro das estruturas que já conhecemos, com os amigos que temos, família, igreja, trabalho, enfim, com uma vida estável. Porém, de repente, novas pessoas podem começar a fazer parte de nossas vidas: um novo funcionário que pode ter um currículo muito melhor que o seu e pode transformar-se em uma ameaça ao seu cargo; novos membros da igreja que, aparentemente são muito mais extrovertidos e legais; entre tantas outras situações. O mais importante porém é tentar aprender, como Woody aprendeu, que o novo não é sinônimo de concorrência se temos um Deus que sabe o que é melhor para nossas vidas, então deveríamos viver tranquilos com as novidades que surgirem ao longo de nossa caminhada!*

▶ **Referência**
Tu guardarás em perfeita paz aquele cujo propósito está firme, porque em ti confia. **Isaías 26:3**

▶ **Curiosidade**
O dublador que faz a voz de Woody no Brasil é Marco Ribeiro, que também é pastor no Rio de Janeiro!

PREPARE-SE PARA OS **INVERNOS** DA VIDA

Eddard "Ned" Stark foi o grande Lorde de Winterfell. A família Stark é a principal casa do norte de Westeros possuindo muitos vassalos de outras casas menores. Era o segundo na linha sucessória dos Stark, mas assumiu o poder quando seu irmão mais velho Brandon foi morto. Casou-se com sua pretendente, Catelyn Tully, e mais tarde atendeu a um pedido do Rei Robert Baratheon para ser a Mão do Rei, espécie de primeiro-ministro. O lema da casa Stark é "O inverno está chegando" e este alerta é muito importante em um mundo onde o inverno é uma noite sem fim que pode durar décadas e não meses.

Diferente do universo criado pelo escritor George R.R. Martin, nossos invernos não são noites geladas que duram décadas, mas podemos aprender algo com o lema da casa Stark. Nossa "positividade" indica que nunca passaremos por dificuldades, que tudo sempre será da maneira como planejamos. A própria Bíblia nos ordena a estarmos preparados para os dias maus, pois eles virão!

Nossa fé nos levará a avançar para locais nunca antes imaginados, porém nossa prudência nos dará estrutura quando o controle de nossas vidas escapar por entre nossos dedos como areia. Não gaste tudo o que possui. Faça reservas para emergências. Quando alguém adoecer, você não se desesperará. Ao perder um emprego, terá o suficiente para viver tranquilo até arrumar o próximo. Agindo assim, estaremos preparados para os pequenos "invernos" que enfrentaremos ao longo de nossa jornada de maneira muito mais suave! Observe o lema dos Stark e esteja preparado para os dias de dificuldade!

▶ Referências

Tranquilo, enfrentará os dias maus, enquanto que, para os ímpios, uma cova se abrirá. **Salmos 94:13**

O prudente percebe o perigo e busca refúgio; o inexperiente segue adiante e sofre as consequências. **Provérbios 22:3**

Veja! O inverno passou; as chuvas acabaram e já se foram. **Cânticos 2:11**

▶ Reflexão

Quem quer vencer um obstáculo dever armar-se da força do leão e da prudência da serpente. **Píndaro**

NÃO ESPANTE A VERDADE

Oscar é um pequeno peixe que presencia um acidente com o filho do chefe da máfia de Tubarões. Como não havia nenhuma testemunha no local, Oscar começa a dizer que foi ele quem matou o tubarão. Ele se torna famoso, conhecido em sua comunidade e recebe o título de Espanta Tubarões! Tudo ia muito bem até que sua mentira é descoberta quando ele precisa repetir o feito em frente às câmeras da TV local, onde é desmascarado. Acaba dando a volta por cima quando, através do papo e da diplomacia, consegue estabelecer a paz entre a comunidade dos peixes e os tubarões.

> Quantas vezes oportunidades como a de Oscar aparecem diante de nossas vidas? Todos os dias temos a oportunidade de mentir para nossa autopromoção!

Vivemos no mundo "dos espertos" onde aqueles que conseguem se aproveitar de situações escusas têm mais sucesso. Isto é o que a sociedade de consumo prega; porém devemos viver assim? Nossa sociedade tem abandonado a prática da verdade e da honestidade, valores cruciais colocados em segundo plano, onde os fins justificam os meios, seja através da mentira, de passar as pessoas para trás, usar pessoas como trampolim, etc. O resumo de tudo isso é uma vida sem integridade, um dos princípios mais importantes para os seguidores de Cristo.

O padrão da Palavra de Deus é muito mais excelente. Nela, honestidade absoluta é necessária para aqueles que buscam ter credibilidade naquilo que falam ou fazem. Comece hoje mesmo a estabelecer este padrão bíblico de conduta e você verá que suas palavras terão peso e autoridade para aqueles que as escutarem.

> Precisamos mais do que nunca de exemplos de homens e mulheres íntegros para que a sociedade veja os benefícios de uma vida baseada na verdade.

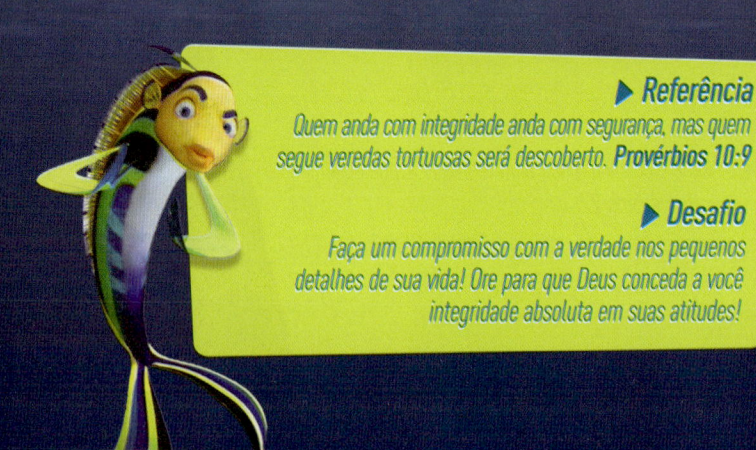

▶ Referência
Quem anda com integridade anda com segurança, mas quem segue veredas tortuosas será descoberto. **Provérbios 10:9**

▶ Desafio
Faça um compromisso com a verdade nos pequenos detalhes de sua vida! Ore para que Deus conceda a você integridade absoluta em suas atitudes!

CUIDADO COM AS DISTRAÇÕES

Bane foi criado em uma prisão para cumprir a pena de seu pai morto. A sua vida foi terrível, pois passou por toda sorte de atrocidades, sendo inclusive cobaia de experimentos militares. Ao fugir da ilha de Santa Prisca, seu primeiro objetivo foi o de tornar-se um líder do crime em Gotham. Para tal, elaborou um plano que derrubaria o maior inimigo dos criminosos da cidade: o Batman. Ele arquitetou libertar todos os presos do Asilo Arkham deixando Bruce Wayne exausto nos seis meses que levou na captura de todos.

Quando retorna para casa, Bane o aguarda para a luta. Como não tinha condições físicas e emocionais para lutar, Bane quebra a coluna de Batman e temporariamente será vitorioso em seu plano.

Quero enfatizar o erro de estratégia de Batman neste confronto, que pode muito bem ser o mesmo erro que cometemos em nossa jornada. Bane era o verdadeiro objetivo, mas soltou distrações menores para cansar Wayne. Nossa vida não é assim, muitas vezes? Sabemos que temos um objetivo, mas perdemos tempo e energia com coisas menores que não nos ajudam a vencer os gigantes em nossa vida. Precisamos concentrar esforços naquilo que Deus tem para nossas vidas ao invés de tentarmos fazer de tudo. Quando a hora da verdade chegar, podemos estar tão cansados que não conseguiremos vencer e alcançar nossos objetivos.

> Como podemos descobrir o que devemos fazer sem nos frustrar? Buscando intimidade com Deus, pois Ele nos ajudará a trilhar o melhor caminho. Quanto mais tempo passarmos em sua presença, menos tempo perderemos errando em nossas escolhas.

• Referências

Respondeu Jesus: Eu sou o caminho, a verdade e a vida. Ninguém vem ao Pai, a não ser por mim. João 14:6

Há caminho que parece certo ao homem, mas no final conduz à morte. Provérbios 14:12

• Curiosidade

Esta história é contada nas HQ's da Saga "A Queda do Morcego" que é a saga do Batman que marcou os anos 1990!

NÃO DESISTA
DE SEUS SONHOS!

Peter, Raymond e Egon eram professores de parapsicologia na Universidade de Columbia, até serem demitidos pelo reitor que os considerava uma farsa. Desacreditados pela comunidade acadêmica, poderiam desistir de suas pesquisas. Ao invés disso, o trio abre uma empresa especializada em caçar e aprisionar fantasmas, com o uso de equipamentos tecnológicos. Nasce assim a equipe dos Caça-Fantasmas.

Muitas vezes, em nossa jornada, somos desacreditados por outras pessoas que não compartilham da mesma visão que Deus nos deu. Não podemos esperar compreensão e apoio de todas as pessoas, pois muitas já desistiram de sonhar e não vão admitir sonhadores, que incomodam aqueles que não conseguem enxergar com os olhos da fé aquilo que nosso Deus pode fazer. Cada porta fechada é uma oportunidade de chegar mais perto do propósito de Deus, se não perdermos o foco na missão dada por Ele.

Por esta razão, se você tem um sonho em Deus, não espere apoio de todas as pessoas. A Bíblia nos conta a história de um jovem chamado José que tinha muitos sonhos. Ao compartilhá-los com seus irmãos, tiveram inveja dele e o venderam como escravo. Deus honrou a José e mostrou a ele que todo o sofrimento que passou tinha relação direta com o cumprimento dos sonhos que José tinha. Desta forma, precisamos buscar a aprovação de Deus para nossos projetos e limitar as pessoas com as quais vamos compartilhar estes sonhos e projetos. Procure pessoas que possam te ajudar nesta jornada sem desacreditarem seus planos. Tenha fé de que se foi Deus quem te deu o sonho, por mais mirabolante que ele seja, vai acontecer! Apenas persista e não desista!

▶ Referências

Lá vem aquele sonhador!, diziam uns aos outros. **Gênesis 37:19**

Ouçam o sonho que tive, disse-lhes. **Gênesis 37:6**

▶ Reflexão

E aqueles que foram vistos dançando foram julgados insanos por aqueles que não podiam escutar a música. **Friedrich Nietzsche**

NÃO ARMAZENE
ECTOPLASMA!

22 ABR

A empresa dos Caça-Fantasmas começa a crescer muito devido ao aumento na atividade paranormal na cidade. O trio utiliza mochilas de prótons que através do processo de aceleração nuclear, criam poderosos feixes de luz que capturam ectoplasma, composto que forma os fantasmas. Eles não conseguem destruir os espectros, apenas aprisioná-los em um receptor que armazena os fantasmas. Com o aumento da atividade paranormal na cidade, muitos espectros são armazenados, mas eles serão soltos por uma ordem da Justiça, que os acusa de serem os responsáveis pelo aumento dos fenômenos sobrenaturais na cidade.

Em nossa segunda reflexão sobre a equipe dos Caça-Fantasmas, gostaria de destacar a estocagem dos espectros em seu receptor de ectoplasma. Muitos de nós não destruímos as experiências ruins que tivemos em nossas vidas. Porém, as armazenamos em lugares escuros de nossas almas ao ponto de, a qualquer momento, todas estas experiências voltarem a nos assombrar, como aconteceu com a cidade quando o receptor foi aberto por ordem judicial.

Quanto sofrimento reprimido por situações não resolvidas. E quantas pessoas magoadas, com medo de enfrentarem seus medos, permanecendo fechadas para amizades, relacionamentos e até mesmo para Deus? A receita para estas situações pelas quais todos passamos é simples, mas difícil de colocar em prática:

1 - Arrependermo-nos diante de Deus pelos nossos erros;
2 - Pedir perdão a quem magoamos;
3 - Perdoar aqueles que nos magoaram.

Só assim estaremos prontos para o novo de Deus em nossas vidas!

▶ **Referência**

E ninguém põe vinho novo em vasilhas de couro velhas, se o fizer, o vinho rebentará as vasilhas, e tanto o vinho quanto as vasilhas se estragarão. Pelo contrário, põe-se vinho novo em vasilhas de couro novas. **Marcos 2:22**

▶ **Desafio**

Pense em alguém que você tenha magoado nos últimos tempos. Você já pediu perdão? Quem sabe o texto de hoje não é o empurrão que você estava esperando?

FUJA
DA COBIÇA!

O planeta Thundera foi atacado pelos mutantes de Plun-Darr e destruído. Uma frota sobrevivente tenta escapar do planeta em ruínas, mas é perseguida pelos mutantes e totalmente destruída. Apenas a nave contendo a nobreza thunderiana consegue escapar e se esconde no que eles chamam de Terceiro Mundo. O objeto que causou a destruição do planeta pela cobiça dos mutantes é o Olho de Thundera, uma joia mística que está cravada na espada justiceira, dada a Lion-O, líder dos thunderianos. Os mutantes não demoram a encontrar o novo lar dos remanescentes de Thudera e a cobiça atrai também o feiticeiro mumificado Mumm-Ra que recruta os mutantes para o ajudarem a conseguir o artefato.

Mesmo estando longe de casa, os agora Thundercats passam a viver muitas aventuras no Terceiro Mundo, enfrentando seus inimigos e conhecendo amigos em seu novo lar. O ponto fundamental para nossa reflexão de hoje é a cobiça em torno de um artefato que resultou na destruição de um planeta inteiro. Em nossas vidas, enfrentamos o mesmo problema que estes personagens.

Podemos estar, sem perceber, dos dois lados deste tabuleiro: ao mesmo tempo em que podemos sofrer com pessoas que invejam aquilo que temos recebido de Deus, podemos também invejar aquilo que outras pessoas estão recebendo. É uma estrada perigosa e que normalmente leva à destruição e ao sofrimento.

> Apenas um coração satisfeito em Deus pode estar protegido da cobiça e da inveja. O apóstolo Paulo aprendeu este segredo e compartilhamos com você nas referências de hoje!

▶ Referências
Não estou dizendo isso porque esteja necessitado, pois aprendi a adaptar-me a toda e qualquer circunstância. Sei o que é passar necessidade e sei o que é ter fartura. Aprendi o segredo de viver contente em toda e qualquer situação, seja bem alimentado, seja com fome, tendo muito, ou passando necessidade. *Filipenses 4:11-12*

▶ Curiosidade
Em 2004 a DC Comics publicou um crossover entre a equipe de Thundera e o Superman!

VOCÊ NÃO NASCEU SÓ
PARA SOBREVIVER!

Rey é uma catadora de lixo no planeta Jakku, sobrevivendo das peças que retira de destroços de naves que caíram durante uma grande batalha. Foi deixada no planeta ainda pequena por alguém que prometeu que voltaria um dia. Essa é a esperança do coração de Rey: sobreviver até que a promessa seja cumprida. A sua vida sofre uma reviravolta quando encontra o droide BB-8, que é procurado pela Primeira Ordem. Junto com Finn, ela passa de catadora de lixo a procurada pela Galáxia e vive uma grande aventura ao lado da Resistência.

Ela descobre ao longo de sua jornada que é sensível à Força, o poder ancestral dominado pelos Jedi e Sith, considerada uma fábula naquela época. Não sabemos muito sobre o passado de Rey, mas podemos tirar algumas lições sobre ela nesta reflexão.

Alguns de nós aceitamos uma vida medíocre, mesmo tendo uma origem mais elevada do que aquela que estamos dispostos a reconhecer. Rey não era catadora de lixo, mas se submeteu a esta vida para sobreviver. Nós fomos chamados por Deus para sermos o sal da terra e a luz do mundo, mas muitas vezes podemos nos sujeitar a sermos iguais a todos os demais, fazendo coisas que não honrem nossa identidade celestial. Não podemos nos esquecer de quem somos em Deus. Em uma geração de jovens moldados aos padrões estabelecidos pela indústria da moda e um caráter forjado pelas redes sociais, autenticidade e identidade são mais que necessários para a Igreja do Senhor.

Você é um embaixador do Reino dos Céus nesta geração!

▶ **Referências**

"Vocês são o sal da terra. Mas se o sal perder o seu sabor, como restaurá-lo? Não servirá para nada, exceto para ser jogado fora e pisado pelos homens. **Mateus 5:13**

Seja o seu sim, sim, e o seu não, não; o que passar disso vem do Maligno". **Mateus 5:37**

▶ **Reflexão**

Tenha uma identidade firmada em Deus e seja a resposta para uma geração que se esqueceu da importância da autenticidade. **Eduardo Medeiros**

OS VÍCIOS
CORROMPEM A ALMA

Sméagol, foi há muito tempo um Hobbit do clã Cascalvas, vivendo perto do Campo de Lis. Acidentalmente encontra o Um Anel que gradativamente vai corrompendo sua alma e destruindo sua aparência, transformando Sméagol na criatura conhecida como Gollum. Ele recebe este nome devido aos terríveis sons que emite em sua garganta e acaba perdendo o Anel para Bilbo Bolseiro na montanha dos Orcs. Posteriormente, será decisivo durante a jornada de Frodo e Sam pela destruição do Um Anel, décadas mais tarde.

A sedução do Anel faz com que ele desenvolva uma dupla personalidade: no fundo ainda existem resquícios do antigo Hobbit, porém a vontade maléfica do Anel se sobrepõe à sua vontade, transformando-o em um escravo de seu poder. A relação entre Gollum e o Anel representa o envolvimento do homem com os vícios, pois eles também geram uma dupla personalidade, na medida em que, diante das pessoas, é preciso esconder a natureza escravizada pelos mais diferentes pecados recorrentes. A beleza de uma alma livre em Deus vai gradativamente transformando-se em algo diferente, deturpado pelos desejos da carne que busca uma satisfação momentânea em doses cada vez maiores. Pode ser o vício da pornografia, do cigarro, do sexo casual, da bebida, das drogas e tantos outros.

> *Sem a ajuda de Deus, a escuridão de nosso inimigo pode afetar a humanidade, mas Ele só intervirá se pedirmos sua divina ajuda! Procure ajuda de alguém em quem confie para juntos orarem a Deus por uma vida livre dos vícios!*

▶ *Referências*

Jesus respondeu: Digo-lhes a verdade: Todo aquele que vive pecando é escravo do pecado. **João 8:34**

Portanto, confessem os seus pecados uns aos outros e orem uns pelos outros para serem curados. A oração de um justo é poderosa e eficaz. **Tiago 5:16**

▶ *Desafio*

Existem vícios contra os quais você tem lutado? Procure o pastor de sua igreja ou seu líder para confessar e pedir ajuda em sua jornada!

TENHA UMA VIDA
RADICAL COM CRISTO

26 ABR

Lara Croft Mandy DeMonay perdeu sua mãe em um acidente aéreo quando tinha 9 anos de idade. Perdeu o pai aos 18 anos, o Conde de Abbingdon, sir Richard Croft. Herdou todos os bens da família e se transformou na Condessa de Abbingdon. Seguiu os passos do pai, formando-se em Arqueologia e desde então, percorre o mundo atrás de relíquias antigas e lendas de culturas ancestrais em busca de tesouros, não importando os riscos que estas aventuras representem para sua integridade física.

A dor da perda da família fez com que Lara canalizasse toda a sua energia na busca insaciável por adrenalina, transformando a personalidade de uma menina receosa e pouco confiante em si mesma, para uma mulher destemida, que não demonstra medo na busca por culturas esquecidas.

Todos nós precisamos de gatilhos que nos movam em direção aos nossos sonhos e propósitos de vida. Não precisamos esperar a dor da perda de alguém ou alguma frustração severa para sairmos da inércia espiritual rumo à novidade de vida prometida na Palavra de Deus para aqueles que vivem intensamente com Cristo. Quando falamos de vida espiritual, tudo o que Deus precisava fazer por nós já foi feito e consumado na Cruz do Calvário através do sacrifício de Jesus!

> Tudo o que precisamos fazer é buscar uma vida radical com Cristo, para que, a cada dia, uma nova aventura venha a ser descortinada diante de nossos olhos! Apenas creia Nele e viva a Palavra em suas atitudes e sua vida nunca mais será a mesma!

▶ Referências

Jacó chamou àquele lugar Peniel, pois disse: Vi a Deus face a face e, todavia, minha vida foi poupada. **Gênesis 32:30**

Como é feliz o povo que aprendeu a aclamar-te, Senhor, e que anda na luz da tua presença! **Salmos 89:15**

▶ Curiosidade

Em 2006, o jogo "Tomb Raider" entrou para o Guinness com Lara Croft como a heroína mais bem-sucedida do mundo dos games, com 35 milhões de cópias de seus jogos vendidas.

VOCÊ TEM UM
PROTETOR PODEROSO

Jubilation Lee possui a habilidade de gerar energia plásmica que, em bom português, são fogos de artifício. Esta energia é controlada mentalmente por ela, que decide a sua direção e o momento da explosão. Os seus fogos de artifício servem para iluminar, cegar e atacar os inimigos. Ela não se fere com seus poderes e é imune a outros poderes de origem energética.

Quando a Mansão X foi destruída e os X-Men foram dados como mortos, Wolverine levou Jubileu para a cidade oriental de Mandripoor e cuidou dela enquanto lutavam contra os grupos da Yakuza e do Tentáculo.

Assim como Jubileu, se dependermos apenas de nossa própria força, seremos destruídos pelo inimigo que anda ao nosso redor. Uma das maiores estratégias malignas contra nós é tentar nos convencer de que estamos sozinhos no mundo e que somos fracos demais para lutar. É reconfortante saber que, como nossa personagem de hoje, temos um Protetor que não nos abandona e cuida de nós! Ele não nos livra das lutas contra o império das trevas, mas temos a certeza de que Ele estará ao nosso lado lutando conosco!

> Além de sua doce presença, Cristo ainda nos deixou uma família chamada igreja onde podemos contar com os dons e talentos uns dos outros, para vencermos nossas batalhas na Terra! Não caminhe como um lobo solitário, esteja em unidade com outros que pensam como você! Ande com pessoas que possam ajudá-lo em sua jornada, até o ponto onde você mesmo possa ajudar os novos que estão chegando! Este ciclo de maturidade e crescimento é maravilhoso e durará toda a nossa vida, com novos desafios e tesouros espirituais resultado de nossos esforços em trazer o Reino de Deus à Terra!

▶ Referências

Eu sou o bom pastor. O bom pastor dá a sua vida pelas ovelhas. **João 10:11**

Mesmo quando eu andar por um vale de trevas e morte, não temerei perigo algum, pois tu estás comigo; a tua vara e o teu cajado me protegem. **Salmos 23:4**

▶ Reflexão

A união do rebanho obriga o leão a deitar-se com fome.
Provérbio africano.

~~NÃO ABSORVA~~
MEMÓRIAS FRUSTRANTES!

Anne Marie é uma mutante com o poder de absorver os poderes e memórias de humanos e mutantes através do contato com sua pele. Este grande poder a impede de manter contato próximo com as pessoas ao seu redor, pois pode matar outras pessoas apenas pelo toque prolongado. Este poder deu a Anne o codinome de Vampira e a faz manter distância de relacionamentos e viver em solidão, mesmo fazendo parte da equipe mutante dos X-Men. Ela mantém em sua mente as memórias de todas as pessoas que tocou depois de seu poder ter se manifestado pela primeira vez.

Quantas pessoas vivem como Vampira em nossos dias? Por causa de experiências negativas do passado, evitam qualquer relacionamento futuro por medo de que estas experiências possam acontecer novamente. Muitas transferem este bloqueio para seu relacionamento com Deus! Colocam a culpa de suas frustrações em Deus e bloqueiam seu relacionamento com Ele. Estas pessoas, como Vampira, mantêm em sua mente as memórias de todas as pessoas que as feriram, carregando um enorme fardo que as impede de enxergar a beleza da vida diária. Elas esquecem que Deus, mesmo sendo onisciente, decide se esquecer de nossas muitas falhas por seu amor por nós, ao simplesmente nos arrependermos delas.

> O mínimo que podemos fazer diante deste amor desconcertante é nos libertarmos das amarras do passado, perdoando quem nos fez mal para caminharmos rumo à jornada maravilhosa que o Senhor tem para o nosso futuro!

▶ **Referências**

Porque eu lhes perdoarei a maldade e não me lembrarei mais dos seus pecados. **Hebreus 8:12**

Sou eu, eu mesmo, aquele que apaga suas transgressões, por amor de mim, e que não se lembra mais de seus pecados. **Isaías 43:25**

▶ **Desafio**

Você já viveu alguma experiência frustrante que gerou muita tristeza e rancor? O que o impede de liberar perdão a esta pessoa e experimentar o novo de Deus? Lembre-se: o novo só pode fazer parte de sua vida quando você abrir mão do que é velho e lhe faz mal!

CUIDADO COM A CHAVE DE **SEU CORAÇÃO**

Davy Jones é o capitão do Navio Fantasma Holandês Voador que tem a missão de transportar deste para o outro mundo os marinheiros mortos no mar. Quem dá a missão a ele é o grande amor de sua vida, a deusa dos mares Calypso. No acordo, a cada dez anos nos mares, Davy poderia passar um dia em terra firme. Quando este dia chega, ela não aparece para encontrá-lo. Tamanha foi sua desilusão que arrancou o próprio coração e o trancou em um baú, para nunca mais ser ferido novamente. Quem controlar seu coração, tem o controle do próprio capitão e também do Holandês Voador, o que realmente acontece quando a Companhia das Índias Ocidentais consegue o famoso baú de Davy Jones, usando seu navio para caçar piratas pelos sete mares.

O coração, entendido como o centro de nossas emoções e da alma do ser humano, é o item mais precioso que devemos proteger. Aquele que alcançar nosso coração terá acesso ao centro de nossas emoções e com isso poderá influenciar nossas escolhas, decisões e atitudes. O grande porém é que existe uma chave para este acesso e somos nós mesmos quem escolhemos a quem vamos entregar a chave de nosso coração. A única escolha segura é entregar nosso coração a Cristo para que qualquer pessoa que queira chegar nele, precise antes encontrar a Cristo e mergulhar profundamente em um relacionamento com Ele!

▶ Referências

Acima de tudo, guarde o seu coração, pois dele depende toda a sua vida. **Provérbios 4:23**

Eis que estou à porta e bato. Se alguém ouvir a minha voz e abrir a porta, entrarei e cearei com ele, e ele comigo. **Apocalipse 3:20**

Pois onde estiver o seu tesouro, ali também estará o seu coração". **Lucas 12:34**

▶ Curiosidade

Existem lendas envolvendo o nome de Davy Jones nos sete mares desde o século XVIII, com diferentes descrições de sua personalidade e poderes. Estas lendas deram origem ao personagem do filme "Piratas do Caribe", que apresenta uma mescla de várias destas histórias dos homens do mar.

SAIA DA MATRIX

30 ABR

As máquinas conquistaram a humanidade e as transformaram em baterias cibernéticas que alimentam sua central de comando. Para manter os seres humanos vivos, criaram um universo falso, um programa de computador que leva as pessoas a acharem que estão vivendo, trabalhando, casando, tendo filhos. Esta é a Matrix e apenas um reduzido número de pessoas conseguiu vencer seu controle, enxergando o mundo como ele realmente é: uma sombra da glória passada da humanidade. Apenas Zion resiste como última cidade dos homens livres e concentra a resistência nesta guerra desigual e injusta, pois a desvantagem para as máquinas é colossal, tanto numérica quanto estrategicamente.

Em nossa vida também temos escolhas a serem feitas, que podem nos levar a ver uma realidade que a grande maioria das pessoas nem sonha que exista. Podemos continuar vivendo como se nada estivesse acontecendo, ou podemos encarar a realidade da existência de um mundo espiritual, onde uma batalha é travada todos os dias contra demônios, principados e potestades. Nesta dimensão espiritual, nossas orações se transformam em poderosas armas de ataque e defesa! A nossa declaração de fé pode mudar a atmosfera na qual vivemos.

> Nossas lutas precisam ser ganhas primeiro nas regiões celestiais, para então se materializarem em nossas vidas. Aumente sua fé para poder perceber os detalhes desta realidade espiritual. Não precisamos temer, pois temos Aquele que venceu a própria morte e ressuscitou para nos salvar! Seu nome é Jesus Cristo!

▶ Referências

[...] pois a nossa luta não é contra pessoas, mas contra os poderes e autoridades, contra os dominadores deste mundo de trevas, contra as forças espirituais do mal nas regiões celestiais. **Efésios 6:12**

As armas com as quais lutamos não são humanas; pelo contrário, são poderosas em Deus para destruir fortalezas. **2 Coríntios 10:4**

▶ Reflexão

Quanto mais tempo passarmos orando em secreto, menos sofreremos com nossas decisões! **Eduardo Medeiros**

MAIO

DEVOCIONAL POP

NÃO NEGUE SUA VERDADEIRA **NATUREZA**

A Era de ouro dos heróis terminou quando a opinião pública iniciou uma série de processos judiciais contra eles. O governo americano iniciou um programa para esconder todos aqueles que possuem poderes meta-humanos dando a eles novas identidades. Em contrapartida, eles deveriam passar despercebidos na sociedade.

Roberto Pêra, conhecido anteriormente como Senhor Incrível, trabalha em uma corretora de seguros, em uma vida enfadonha que simplesmente detesta. Ele permanece no trabalho por causa de sua família e vive em função de suas lembranças do passado heroico, quando podia ajudar as pessoas através de seus poderes. Um belo dia recebe um convite para voltar a atuar como Senhor Incrível em uma emboscada, mas prontamente atende ao chamado, pois não poderia negar quem era de fato. Esta aventura irá reunir Roberto, sua esposa e seus filhos como "Os Incríveis".

O senhor Pêra pode nos ensinar algo poderoso em nossa reflexão de hoje. Como cristãos não fomos chamados para levar uma vida comum simplesmente. Quando apenas nos misturamos na sociedade, viveremos frustrados como nosso personagem. Temos uma identidade nos céus e devemos viver de acordo com ela. Precisamos anunciar as boas notícias que temos a partir da morte e ressurreição de Cristo! A salvação está disponível a todos!

Sua vida anda monótona e sem graça? Experimente viver a plenitude do seu chamado em Cristo e você viverá a maior aventura de sua vida!

▶ Referência
Vocês, porém, são geração eleita, sacerdócio real, nação santa, povo exclusivo de Deus, para anunciar as grandezas daquele que os chamou das trevas para a sua maravilhosa luz. **1 Pedro 2:9**

▶ Desafio
Como a referência bíblica do texto de hoje pode ajudá-lo a entender que você não foi chamado para ser apenas mais um em meio à multidão? Escreva o versículo com suas próprias palavras e tenha a sua tradução do texto!

NÃO FUJA DO DESTINO

02 MAI

Helena Pêra, esposa de Roberto e conhecida anteriormente como a Mulher-Elástica é a única do casal que realmente está tentando viver a nova vida longe dos problemas e do combate ao crime. Com a ausência de Roberto, vivendo em função de seu passado heroico, Helena é quem precisa criar os três filhos, educando e proibindo o uso de seus poderes em público. Este trabalho solitário gera muito estresse e mantém o casamento em constante tensão, pelas divergências de pensamento.

Ela procura se adequar ao programa do governo e fazer com que sua família seja "normal", pois agora tem novas responsabilidades como mãe. Para salvar seu esposo, acaba sendo obrigada a voltar à ativa e assume uma vez mais o manto da Mulher-Elástica. Helena perceberá que pode tentar, mas não conseguirá se esconder de seu destino!

Na perspectiva de nosso devocional, a senhora Helena Pêra representa aquelas pessoas que, embora sabendo quem são em Deus, não querem mais se envolver com a obra do Reino. Estão cansadas e frustradas e não querem participar ativamente, apenas levar suas vidas da maneira mais tranquila possível. Em princípio não existe nenhum problema em querer "ficar na sua" como se diz, mas um olhar mais atento pode mostrar alguns problemas que estas afirmações, cada vez mais comuns em nossos dias, podem conter. Primeiro, pessoas deixarão de ser abençoadas por você quando simplesmente negar exercer seu ministério. Segundo, o egoísmo dentro de nós é que nos faz pensar primeiro em nosso bem-estar e depois nas vidas que podemos resgatar.

> Precisamos entender que se recebemos dons de Deus, devemos usá-los!

▶ Referências

Pois os dons e o chamado de Deus são irrevogáveis. **Romanos 11:29**

Cada um exerça o dom que recebeu para servir aos outros, administrando fielmente a graça de Deus em suas múltiplas formas. **1 Pedro 4:10**

▶ Curiosidade

A família Pêra traz uma clara referência ao Quarteto Fantástico, exceto pela super velocidade de Flecha!

NÃO LUTE CONTRA
SEU IRMÃO

Violeta e Flecha Pêra são os filhos mais velhos de Roberto e Helena e vivem uma típica relação de irmãos na pré-adolescência: discutem muito, não concordam com nada, e quando a dificuldade chega, procuram defender um ao outro diante das ameaças externas. Como possuem poderes especiais, as dificuldades de relacionamento aumentam exponencialmente. Porém, quando unem seus poderes, conseguem destruir os inimigos juntos.

O casal de irmãos pode nos ajudar a entender algumas coisas no relacionamento entre irmãos na Igreja cristã. Vivemos as mesmas situações aqui apresentadas: existem discussões, debates e divergências teológicas que geram conflitos entre membros do mesmo Corpo de Cristo. Estes conflitos acontecem muitas vezes devido à nossa imaturidade como cristãos. Será que é realmente importante provar que estamos certos e o outro errado? Acusar o outro de algo que ele fez, vai ajudar este irmão a se reconciliar com Jesus? É preciso canalizar toda a energia para inimigos comuns, para que possamos multiplicar nossas forças ao invés de nos dividirmos em denominações, igrejas locais e grupos dentro de cada igreja local, aos quais damos o nome gracioso de "panelinhas".

Tudo aquilo que divide nossas forças deve ser abolido! Às vezes nos esquecemos desse detalhe, mas estamos no meio de uma guerra espiritual, que precisa de toda a unidade que conseguirmos produzir. Dessa forma, a Palavra já nos garante que vamos prevalecer diante dos desafios que surgirem!

▶ **Referências**
Se alguém afirmar: Eu amo a Deus, mas odiar seu irmão, é mentiroso, pois quem não ama seu irmão, a quem vê, não pode amar a Deus, a quem não vê. 1 João 4:20

▶ **Reflexão**
Quem espera encontrar pessoas perfeitas na Igreja, na verdade está esquecendo que a noiva de Cristo é um hospital para doentes, não um shopping center para entretenimento.
Eduardo Medeiros

NÃO DEIXE O MEDO
PARALISAR SUA VONTADE

A origem dos Lanternas Verdes é confundida com a própria formação do Multiverso DC Comics. Este grupo surgiu para substituir os androides conhecidos como Caçadores Cósmicos. Foram criados pelos Guardiões do Universo, extremamente sábios e imortais, a partir do planeta Oa. Eles dividiram o Universo em 3600 setores e cada um deles deveria ser protegido por um Lanterna Verde nativo desta região. Com o tempo, esta regra foi modificada para que cada setor tivesse dois Lanternas, visando maior proteção em casos extremos. Todos eles recebem um anel, que é considerado uma das armas mais poderosas do Universo. Este anel fornece ao portador um incrível controle sobre a realidade ao seu redor. Apenas com a força de seu pensamento, ele é capaz de elaborar os chamados construtos, cujo poder está diretamente relacionado com a força de vontade de quem os construiu.

Um detalhe importante sobre os Lanternas Verdes é que, salvo algumas exceções de anéis forjados de maneira específica, os construtos não possuem efeito sobre a cor amarela - segundo as propriedades dos anéis, esta cor representa o medo.

Nossa vida também é pautada pela força de vontade em conquistar aquilo que Deus tem colocado diante de nós. O Antigo Testamento inteiro é um relato de lutas, conquistas e derrotas do povo de Israel e a certeza de estar no centro da vontade de Deus era determinante para as vitórias. Como no exemplo de hoje, a única arma capaz de paralisar sua força de vontade é o medo.

Alinhe sua vontade com a de Deus e afaste o medo de sua mente! Você experimentará o sobrenatural em sua vida!

▶ *Referência*
Vocês precisam perseverar, de modo que, quando tiverem feito a vontade de Deus, recebam o que ele prometeu; Hebreus 10:36.

▶ *Desafio*
Faça uma lista de tudo aquilo que lhe dá medo. Depois ore por cada item e peça a Deus a libertação do medo para avançar no Reino de Deus!

SEJA UM PILAR DA
IGREJA EM SUA GERAÇÃO

Bruce Wayne perdeu os pais ainda criança e, a partir deste evento traumático, tomou decisões que o transformariam no Cavaleiro das Trevas. A figura do Batman não é simplesmente a de um homem fantasiado de morcego, mas o símbolo que ele representa para os criminosos da cidade de Gotham.

Este símbolo é o medo que o Morcego gera naqueles que infringem a Lei. Mesmo sem nenhum poder sobre-humano disponível, é um dos personagens mais respeitados, tanto por aliados como por inimigos de todo o universo DC. Isto ocorre, em minha opinião, por causa da reputação construída por Wayne ao longo dos anos. Esta reputação de paladino incorruptível da justiça, que nós chamamos de testemunho no meio cristão, gera temor em criminosos menores ao mesmo tempo em que cria bandidos mais poderosos para derrubá-lo e mudar esta reputação.

Em nossa caminhada cristã, precisamos estabelecer uma reputação de pessoas verdadeiras e comprometidas com o Evangelho. A sociedade e a própria igreja precisam de exemplos de estabilidade emocional e espiritual. Quantos começam bem sua caminhada e em pouco tempo deixam os caminhos do Senhor? Quantas pessoas são instáveis, e desejam ardentemente a Deus hoje, mas voltam amanhã para o mundo? Precisamos ser como pilares, que possam ajudar a sustentar a igreja de Cristo nesta geração. Para isso, uma vida constante e intensa com Deus é fundamental!

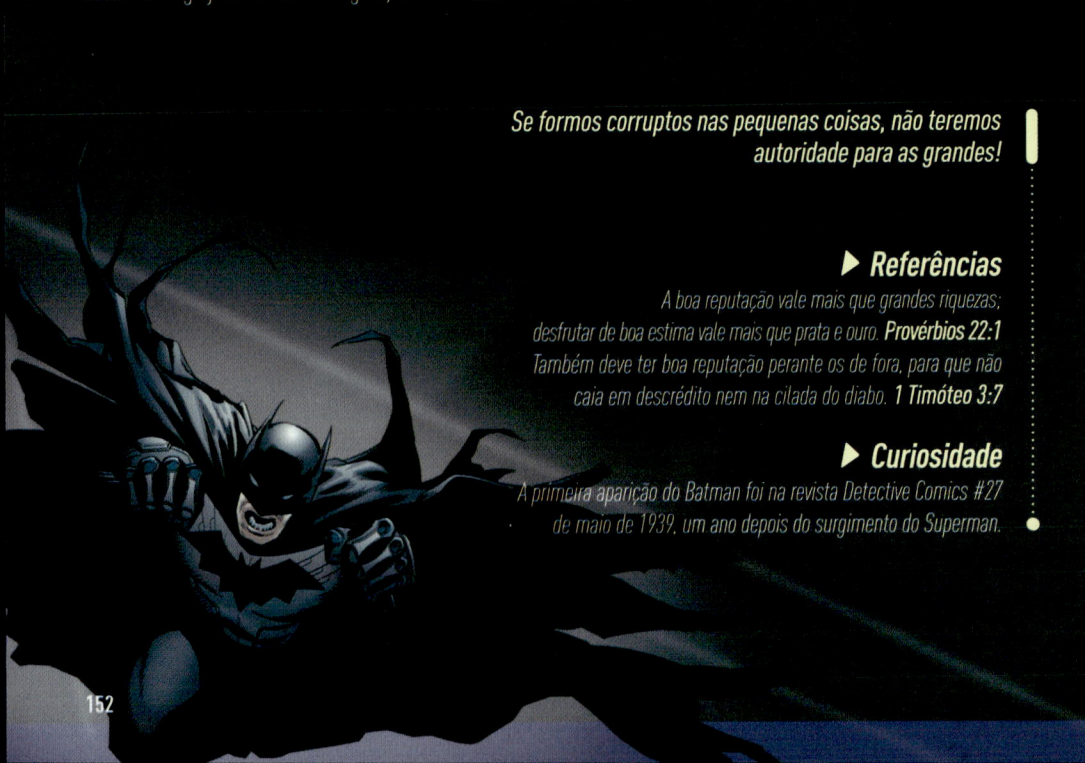

Se formos corruptos nas pequenas coisas, não teremos autoridade para as grandes!

▶ Referências

A boa reputação vale mais que grandes riquezas; desfrutar de boa estima vale mais que prata e ouro. **Provérbios 22:1**
Também deve ter boa reputação perante os de fora, para que não caia em descrédito nem na cilada do diabo. **1 Timóteo 3:7**

▶ Curiosidade

A primeira aparição do Batman foi na revista Detective Comics #27 de maio de 1939, um ano depois do surgimento do Superman.

SEJA UM CAVALEIRO EM
MEIO ÀS TREVAS!

Bruce Wayne perdeu seus pais em um crime covarde nas ruas de Gotham. Órfão e dono de uma fortuna deixada como herança por seu pai, decide transformar sua dor e trauma em uma missão pessoal para que outros não vivessem as experiências pelas quais passou. Anos mais tarde, Bruce se tornou o Batman e recebeu vários nomes dos seus aliados e também dos inimigos. Em nossa reflexão de hoje gostaria de destacar um destes nomes: Cavaleiro das Trevas.

Em um primeiro momento, pode parecer um nome pejorativo, e até mesmo demoníaco, mas se analisarmos mais a fundo, perceberemos a riqueza de sair da superficialidade dos conceitos propostos.

Na caminhada cristã, passamos muito tempo dentro das quatro paredes de nossos templos. O grande problema, contudo, é que muitos permanecem tempo demais dentro da igreja com suas atividades e programações e, enquanto adoram a Deus, vidas e mais vidas são ceifadas sem que conheçam ao Senhor e recebam o dom da Salvação. Meu conceito para Cavaleiro das Trevas é estar em um lugar sombrio, sem se contaminar com ele. O Batman caminha pelos locais esquecidos de Gotham levando justiça e esperança a eles. Será que este não era o ministério de Jesus: estar com os esquecidos e marginalizados da sociedade?

> Quanto mais conheço a Jesus, mais tenho a certeza de que o lugar de encontrar a sua presença é nos lugares escuros da Terra. Com toda a certeza, se Cristo estivesse aqui em carne e osso, seria encontrado nestes lugares!

▶ Referências

O Rei responderá: Digo-lhes a verdade: o que vocês fizeram a algum dos meus menores irmãos, a mim o fizeram. **Mateus 25:40**

Estando Jesus numa das cidades, passou um homem coberto de lepra. Quando viu a Jesus, prostrou-se com o rosto em terra e rogou-lhe: Se quiseres, podes purificar-me. **Lucas 5:12**

▶ Reflexão

Você me encontrará na escuridão, Eu iluminarei sua noite mais escura. Canção "Come find me", ministério Shores of Grace.

SUA ESPERANÇA
DESTRÓI O MEDO

Sinestro foi um grande Lanterna Verde em seu tempo, porém acabou interagindo com a força do Anel Amarelo e fundou uma nova tropa de Lanternas que leva o seu nome. Os Lanternas Amarelos são escolhidos entre os maiores e mais terríveis vilões de todo o Universo. Os eleitos eram aqueles que mais causavam medo em seus adversários, pois a fonte de poder do anel amarelo é o medo. Assim como os verdes, os anéis amarelos também possuem algumas peculiaridades interessantes para nossa análise de hoje.

A primeira fraqueza está no espectro emocional que define os Lanternas Amarelos. Como o sentimento que rege esta tropa é o medo, a esperança pode vencê-la. A segunda fraqueza é a descarga extremamente rápida dos anéis amarelos, que precisam ser recarregados diariamente.

O medo é uma força poderosa que paralisa suas vítimas, por isso é constantemente utilizado por nosso inimigo ao longo de nossa jornada. O medo nos impede de avançar para nossos objetivos e destrói nossos sonhos. Por isso precisamos nos proteger do medo para atingir todo o potencial que Deus colocou sobre nossas vidas. O medo só tem efeito se instigado constantemente em nossas vidas, assim como os anéis amarelos que precisam ser recarregados diariamente, aquilo que lhe causa medo precisa ser continuamente relembrado a você.

> Corte a fonte que alimenta seus medos e seja renovado pelo poder que supera o temor: a esperança em Cristo e no seu poder!

▶ Referências

No amor não há medo; pelo contrário o perfeito amor expulsa o medo, porque o medo supõe castigo. Aquele que tem medo não está aperfeiçoado no amor. *1 João 4:18*

Ele ri do medo, e nada teme; não recua diante da espada. *Jó 39:22*

Não tenha medo deles, pois eu estou com você para protegê-lo, diz o Senhor. *Jeremias 1:8*

▶ Desafio

No desafio de hoje, procure na Palavra de Deus referências sobre esperança e perseverança. Em muitos momentos onde o medo está presente, a esperança está em baixa em nossas vidas. Não esqueça que é a esperança em Cristo que destrói o medo de avançar!

ABANDONE A SOMBRA DO SEU PASSADO

Bard, o Arqueiro, vive com seus filhos na Cidade do Lago. Uma densa sombra paira sobre Bard em relação ao passado de sua família. Ele é descendente de Lorde Girion, fundador da cidade-estado de Dale, que ficava à sombra da Montanha Solitária, quando esta foi completamente destruída em 2770, pelo dragão Smaug. A tradição atribuiu aos homens de Dale, o fracasso em não terem acertado as flechas negras que poderiam derrotar o dragão no passado. Bard é um comerciante pacato até encontrar a Companhia dos Anões de Thorin. Mesmo vivendo com o peso da derrota de seus antepassados, ele guarda a última flecha negra capaz de matar Smaug e sabe que o dia de usá-la chegará. Quando descobre os planos de Thorin, ele tem uma certeza: chegou a hora de honrar o passado dos homens de Dale!

Quantos de nós vivemos sob a sombra de uma derrota no passado? Esta sombra pode ser a morte de um ente querido, erros cometidos com outras pessoas, discussões que afastem membros da família, vícios... Todas as vezes que tentamos olhar para o futuro, esta sombra nos lembra de quem fomos e nos diz que não seremos capazes de avançar para o novo de Deus.

Como Bard, devemos estar preparados, pois se o que tememos é a sombra de quem um dia fomos, devemos nos preparar para o dia em que a oportunidade de provar que fomos curados deste passado chegar!

Temos duas opções neste momento: ou falamos sim para Deus e avançamos, ou cremos na mentira de que, se um dia erramos, nunca mais seremos dignos da confiança divina!

O que você vai escolher? ....

▶ Referências
Lembro-me, Senhor, das tuas ordenanças do passado e nelas acho consolo.
Salmos 119:52
Pois os dons e o chamado de Deus são irrevogáveis. **Romanos 11:29**
Antes de ser castigado, eu andava desviado, mas agora obedeço à tua palavra. **Salmos 119:67**

▶ Curiosidade
Nenhum dos elementos digitais criados para "O Senhor dos Anéis" foi reaproveitado em "O Hobbit". O salto tecnológico em 10 anos foi grande demais.

SEJA UM(A) INCONFORMADO (A) COM O SISTEMA DO MUNDO

Del Sponner é um detetive no ano de 2035 em uma sociedade pautada no uso de robôs para servir a humanidade. O filme "Eu, robô" tem como base um dos contos do mestre da ficção científica Isaac Asimov. Neste conto estão contidas as famosas três leis da robótica, que dizem:

1) Robôs não podem machucar humanos;

2) Robôs devem obedecer a humanos, desde que não infrinja a 1ª Lei;

3) Robôs devem proteger uns aos outros desde que não infrinjam a 1ª e 2ª Leis.

No filme, vemos duas castas bastante distintas em ação: humanos e robôs. Humanos são superiores aos robôs, que devem servi-los. Todo o sistema começa a ruir quando um único robô começa a descumprir as regras que foi criado para seguir. O detetive Spooner descobrirá uma gigantesca conspiração envolvendo os fabricantes de robôs.

Em nossas vidas também existe um sistema que procura nos manter sob controle, contidos e iguais a todos os demais no que diz respeito à proclamação das boas novas do Evangelho. Tudo parece estar perfeito quando nos conformamos com as injustiças, com as pessoas sendo levadas para o inferno diariamente, enfim tantas calamidades. Porém, basta um lampejo de inconformismo com a situação da sociedade, para que os filhos de Deus saiam de suas zonas de conforto e chacoalhem o mundo! Alguém precisa acender a fagulha que incendiará sua geração com o amor de Deus!

Você não foi chamado para ser igual a todo mundo, mas para escrever a História de Deus em sua geração!

▶ **Referências**

Não se amoldem ao padrão deste mundo, mas transformem-se pela renovação da sua mente, para que sejam capazes de experimentar e comprovar a boa, agradável e perfeita vontade de Deus. **Romanos 12:2**

Se vocês pertencessem ao mundo, ele os amaria como se fossem dele. Todavia, vocês não são do mundo, mas eu os escolhi, tirando-os do mundo; por isso o mundo os odeia. **João 15:19**

▶ **Reflexão**

Você não pode ser qualquer coisa que deseje ser, mas pode ser tudo o que Deus quer que você seja! **Max Lucado**

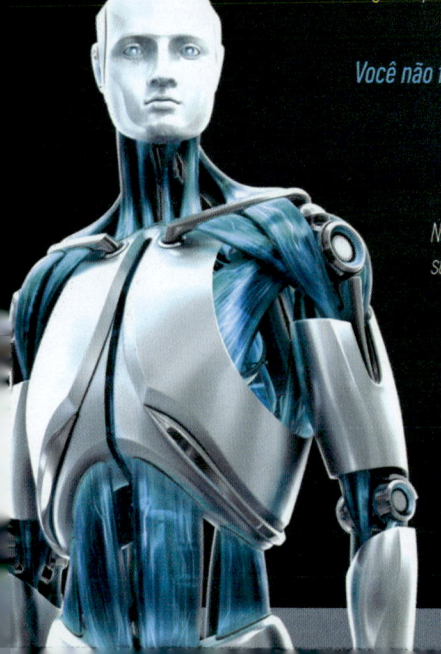

DEUS **NÃO** ESCOLHE OS MELHORES

10 MAI

Scoobert-Doo é um cachorro da raça dogue alemão, que se junta a outros adolescentes metidos a detetives. Eles viajam na van chamada Máquina Mistério, para investigar supostos acontecimentos sobrenaturais, como monstros e fantasmas. Mas, ao final, eles sempre descobrem que, para cada "fenômeno", existe algum fantasiado que o simulou.

Scooby é extremamente covarde, pois tem medo da própria sombra! Alguém com este perfil não poderia se aventurar na busca por mistérios, mas ele possui um motivador que o leva a enfrentar todos os seus medos: comida! Sempre que lhe prometem os famosos biscoitos Scooby ou caramelos, ele é convencido a continuar em frente. Geralmente é ele quem prende e desmascara os criminosos, sem nunca ter a intenção real de fazer isso, em um puro golpe de sorte. Mesmo não sendo o mais capacitado para a tarefa, sem ele a equipe não conseguiria atingir seus objetivos. Sua maior virtude é a inocência. Scooby-Doo confia nas pessoas e em seus amigos acima de qualquer coisa. O que parece uma fraqueza é, na verdade, seu maior poder diante dos inimigos.

Quantos cristãos possuem o mesmo perfil de Scooby-Doo? Quantos acham que não estão preparados para os desafios do cristianismo? Quantos acreditam que sempre existe alguém melhor para realizar a tarefa? Felizmente, o Reino de Deus não é um processo seletivo para multinacionais, onde apenas os melhores são escolhidos. O que importa para Deus é o coração daqueles que realizam Sua obra.

> Por melhores que sejamos, não podemos ajudar o Criador do Universo. Por isso precisamos de um coração voltado totalmente a Cristo, pois este é o único diferencial que pode nos ajudar em nossa jornada!

▶ Referência
Os verdadeiros adoradores adorarão o Pai em espírito e em verdade. São estes os adoradores que o Pai procura. **João 4:23b**

▶ Desafio
No que você acredita que os outros são melhores que você? Se isso pode ser resolvido com um curso para angariar mais conhecimento, faça! Caso contrário, ore para calar a voz do inimigo em sua mente!

ESCONDIDO
VOCÊ NÃO AJUDA!

O agente James ou J é um novato, que é aceito como parceiro do veterano agente Kevin ou K, na corporação ultra-secreta chamada MIB - sigla para "Homens de Preto" em inglês. O objetivo deles é monitorar e ocultar do restante da humanidade a presença alienígena em nosso planeta.

A filosofia da agência é de que a humanidade odeia aquilo que não entende, por isso a maneira mais segura de proteger os extraterrestres é escondendo-os entre nós. Para alcançar seu objetivo, a dupla de agentes utiliza diversas armas tecnológicas em meio à multidão, incluindo uma caneta que emite uma luz vermelha que apaga a memória recente de quem olhar para esta luz.

Em diversas situações, nós cristãos podemos agir como os Homens de Preto, tentando esconder nossa verdadeira natureza, para evitar a intolerância religiosa, o ódio e a falta de compreensão das pessoas. O próprio apóstolo Pedro fez isso quando questionado se era discípulo de Cristo. Mas, diferente do filme de ficção, todas as vezes em que a Igreja fechou-se em si mesma, perdeu muito mais do que ganhou. A luz deve brilhar nos lugares sombrios da terra, não em quartos já iluminados e o sal deve temperar o alimento que não possui tempero, não o banquete pronto para ser servido!

Não se esconda nem se omita diante da ordem dada a você pelo próprio Cristo! Saia das quatro paredes e seja a igreja aonde você estiver!

▶ Referências

Vocês são o sal da terra. Mas se o sal perder o seu sabor, como restaurá-lo? **Mateus 5:13**

Portanto, vão e façam discípulos de todas as nações, batizando-os em nome do Pai e do Filho e do Espírito Santo. **Mateus 28:19**

▶ Curiosidade

Embora o filme "MIB" de 1997 tenha sido baseado em HQ's, existe uma lenda urbana bastante recorrente no universo da ufologia de que os Homens de Preto realmente existem. Eles intimidam testemunhas de eventos de supostos contatos imediatos de terceiro grau e em algumas versões desta lenda são, eles mesmos, alienígenas trabalhando para alguma agência interplanetária.

GRAVE A BÍBLIA EM
SEU CORAÇÃO

Neste mundo pós-apocalíptico, um homem chamado Eli caminha em direção ao oeste, nas devastadas ruínas que um dia formaram os Estados Unidos. Em determinado vilarejo, um prefeito chamado Carnegie procura um livro perdido com o qual, segundo ele, teria o domínio sobre todas as outras cidades, pois o seu conteúdo teria o poder de dominar as pessoas. Aparentemente, este livro é a razão para Eli caminhar para o oeste, onde esta última cópia seria reproduzida e voltaria a ser lida pelas próximas gerações. O livro é a Bíblia e Eli decorou todo o conteúdo de uma versão em braile, pois é cego. Ele acaba ferido no trajeto, mas antes de consegue reproduzir tudo para um copista, que transforma seus dizeres em uma versão impressa das Escrituras. Eli havia cumprido sua missão.

A Bíblia é o livro mais vendido em todos os tempos e, como o prefeito Carnegie disse, ela realmente tem o poder de dominar pessoas, se for usada de maneira equivocada. Ao longo da história da humanidade, a Bíblia foi usada como justificativa para verdadeiras atrocidades como as Cruzadas e a Inquisição Espanhola. Mas a interpretação equivocada da Bíblia no passado não invalida seu poder no presente! Ela apenas mostra a importância da teologia para o ensino das Escrituras! O fato de Eli ser cego ilustra muito bem a ideia de que a Bíblia deve estar gravada em nosso coração, muito além de estar só gravada em nossa mente.

▶ Referências

Guardei no coração a tua palavra para não pecar contra ti. **Salmos 119:11**

Tu és o meu abrigo e o meu escudo; e na tua palavra coloquei a minha esperança. **Salmos 119:114**

Como pode o jovem manter pura a sua conduta? Vivendo de acordo com a tua palavra. **Salmos 119:9**

▶ Reflexão

A Bíblia não é um livro qualquer, mas sim uma criatura viva, com um poder que conquista tudo que se opõe a ela. **Napoleão Bonaparte.**

NA DÚVIDA,
PERMANEÇA CALADO

Raio Negro é o rei dos Inumanos, que são Homo Sapiens geneticamente alterados pela raça alienígena Kree. Ele foi exposto, ainda no ventre de sua mãe, ao composto químico conhecido como Névoa Terrígena. Este composto modifica a estrutura do DNA e concede os poderes de todos os Inumanos. Raio Negro possui um poder devastador contido em suas cordas vocais, a potência de seus gritos é capaz de destruir cidades inteiras! Por causa de seu poder, passou os primeiros anos de vida aprisionado. Anos mais tarde, já como rei dos Inumanos, não pode se comunicar com sua família ou com seus súditos, para evitar a destruição e morte de quem estiver próximo dele.

Como ele, podemos gerar vida ou morte através de nossas palavras. Fofoca, mentiras, calúnias, comentários maldosos, tudo isso pode ser mortal para a vida de alguém!

Mas, graças a Deus que podemos gerar vida através de nossas palavras, falando aquilo que edifica! Na era das redes sociais, aquilo que escrevemos e postamos tem o mesmo potencial do que falamos! Pense nisso antes de enviar as famosas "indiretas" a alguém! Trate as pessoas como você gostaria de ser tratado, isso evitará vários problemas em seus relacionamentos interpessoais.

Para terminar, uma bela dica a você: quando não tiver nada para dizer, faça como o Raio Negro e permaneça calado! Não compactue com aqueles que falam mal dos outros, seja sábio, porque a sabedoria está mais relacionada em ouvir do que no falar.

Este é o começo de uma bela jornada de vida!

▶ Referências

A boca do justo é fonte de vida, mas a boca dos ímpios abriga a violência. **Provérbios 10:11**

O falar amável é árvore de vida, mas o falar enganoso esmaga o espírito. **Provérbios 15:4**

Há palavras que ferem como espada, mas a língua dos sábios traz a cura. **Provérbios 12:18**

▶ Desafio

O que você pode fazer hoje para começar a ouvir mais do que falar? O que tem te impedido de ser bem-sucedido nesta área da comunicação?

NUNCA ABRA MÃO DE SEUS
PRINCÍPIOS

Kratos e seu irmão Deimos eram órfãos que foram acolhidos por Esparta, e treinados para integrarem o exército espartano. Em determinado momento, os deuses Athena e Ares invadem Esparta com seus exércitos e raptam Deimos, pois uma profecia dizia que de Esparta surgiria o destruidor do Olimpo, que ambos achavam ser Deimos. Kratos não consegue salvar seu irmão do sequestro e inicia uma busca alucinante por vingança.

Conforme avança em seu propósito, Kratos vai perdendo gradativamente sua humanidade. Não importa se ele precisa matar inocentes para ir até o Hades enfrentar seus inimigos ou até mesmo tomar o lugar do deus da guerra Ares, os fins justificam os meios para ele. Um detalhe é que, apesar de ter nascido como semideus, filho de Zeus com uma humana, Kratos é abandonado a pedido de seu pai, e torna-se o próprio deus da guerra.

Você nunca vai conhecer um Kratos, mas com certeza conhece pessoas competitivas e ambiciosas que procuram subir na vida a qualquer custo. A Bíblia não condena o desejo de crescer e prosperar, pois ele é legítimo. O problema começa quando precisamos derrubar outras pessoas ou passar por cima delas para conseguir nossos objetivos. Nada mais comum em nossa sociedade, nada mais perverso pela perspectiva do Reino de Deus.

> Você não precisa tomar o lugar de ninguém para ser bem-sucedido! Apenas permaneça conectado a Cristo, para que possa caminhar e trilhar a jornada dada por Ele a você. Mesmo que a vida de outras pessoas pareça melhor que a sua, olhe para a sua jornada, ela é única e especial!
>
> Cresça, trabalhe, estude, lute! Mas nunca abra mão dos seus princípios, sob o risco certo de perder sua identidade no processo, como nosso personagem de hoje. Pense nisso, e seja feliz!

▶ Referência
Pois onde há inveja e ambição egoísta, aí há confusão e toda espécie de males. **Tiago 3:16**

▶ Curiosidade
O nome Kratos pode ser uma referência a Cratos, filho de Palas e Estige, e personificação do poder de Zeus.

O RESULTADO DO EGOÍSMO: MISÉRIA!

Charles Montgomery Plantagenet Schicklgruber Burns nasceu em 1906, tendo mais de um século de idade. É o homem mais rico de Springfield, dono da usina nuclear e do cassino da cidade. Anda com um trilhão de dólares na carteira (uma única nota fabricada pelo governo americano exclusivamente para ele). Nascido em uma família tradicional do campo e o mais novo entre vários irmãos, providenciou que os demais herdeiros fossem eliminados para que ele ficasse com as terras de seu avô rico. Seu plano deu certo e ele herda os campos radioativos que viriam a se tornar a usina nuclear da cidade onde Homer trabalha.

Extremamente idoso, fraco, doente, solitário e dependente de seu funcionário Smithers, Burns é uma ótima síntese de alguém para quem os fins justificaram os meios. Passar por cima das pessoas, tirar vantagem de seus funcionários, da própria cidade ao permitir a poluição radioativa do rio, apenas para economizar com os cuidados ambientais, fez de Burns um homem rico, porém miserável. Ele tem ódio de toda a cidade, ninguém gosta de estar com ele, é um ser desprezível e extremamente egoísta. O único que o suporta é seu funcionário Smithers que recebe para fingir que se importa com ele.

Como Burns ilustra o oposto da prosperidade bíblica! Não há nada melhor do que ter a consciência limpa diante de Deus e dos homens, e ser alguém realmente digno da confiança de outras pessoas pela honra, transparência e justiça!

Entre dois padrões existentes, precisamos escolher um para viver! E, nesse sentido, não importa muito como começamos nossa jornada, mas sim como a terminaremos...

...como você quer terminar a sua?

▶ **Referências**

pois o amor ao dinheiro é raiz de todos os males. Algumas pessoas, por cobiçarem o dinheiro, desviaram-se da fé e se atormentaram a si mesmas com muitos sofrimentos. 1 Timóteo 6:10

Melhor é o pouco do justo do que a riqueza de muitos ímpios. Salmos 37:16

▶ **Reflexão**

O amor constrói relacionamentos; o egoísmo corrói relacionamentos! Max Lucado

O CONTEÚDO
VALE MAIS QUE A CASCA

Waylon Jones nasceu com uma espécie de atavismo genético. Isso significa que ele possui uma involução em seu DNA. No caso de Jones, o atavismo se manifestou em traços reptilianos.

Seus pais o viram crescer com uma aparência externa horrível, brutal e grosseira. Eles não o aceitaram, e esta rejeição somada comportamento dos pais, somado à sua aparência, não permitiu que Waylon crescesse junto a outras crianças de sua idade.

O personagem é muito interessante e rico em elementos para o nosso devocional. Por isso, gostaria de abordar dois aspectos sobre ele. No texto de hoje, falaremos da cultura da aparência que permeia a nossa sociedade. Ela nos influencia a avaliar as pessoas pelo que demonstram externamente. A figura do Crocodilo é muito caricata, mas nos leva à reflexão de como os nossos olhos estão treinados para aceitar aquilo que é mostrado como padrão de sucesso ou beleza.

Existem muitas pessoas que são escravizadas pela busca por aceitação, e as redes sociais são as provas do que eu chamo de idolatria da aparência. Estamos nos esquecendo de que, mais importante do que a casca que vemos, é o conteúdo que faz a real diferença. O mundo vê o exterior, mas nós como filhos de Deus deveríamos nos preocupar com o interior.

Não olhe para as pessoas como o mundo vê! Procure enxergar como Jesus, para que elas sintam o amor dEle através de você!

▶ Referências

O Senhor não vê como o homem: o homem vê a aparência, mas o Senhor vê o coração. **1 Samuel 16:7**

Todo caminho do homem é reto aos seus olhos, mas o Senhor sonda os corações. **Provérbios 21:2**

▶ Desafio

1) Você consegue se livrar facilmente da "ditadura da beleza" ao enxergar as outras pessoas?
2) O que você pode fazer hoje para continuar livre desta influência?
3) Se você sofre com estes padrões culturais, ore a Deus para ser liberto dos estereótipos sociais!

NÃO SOFRA DE
ATAVISMO ESPIRITUAL!

O **Crocodilo** é um intrigante personagem, com diversos princípios que podemos extrair para nosso devocional de hoje. Por isso estamos aqui para o segundo texto sobre ele! No primeiro, abordamos sua aparência, hoje falaremos sobre sua doença genética. O atavismo é uma espécie de regressão genética que leva o portador a nascer e desenvolver progressivamente traços de uma sequência genética ancestral, gerando uma espécie de involução genética. Como já mencionamos, no caso de Waylon Jones, ela manifestou-se deixando seu corpo com traços de répteis.

Com esta aparência horrível e um comportamento violento, foi abandonado pelo próprio pai no deserto, quando era só um adolescente. Jones sobrevive e se isola nos esgotos de Gotham. Mas o isolamento, o preconceito e a rejeição fizeram-no abraçar gradativamente seu lado mais obscuro e selvagem.

Muitas pessoas andam isoladas e reclusas em seus mundos interiores por medo de decepções que tiveram no passado e isso se aplica à vida na igreja. Muitos estão decepcionados e acabam desistindo de fazer parte da Igreja do Senhor. Com medo que as decepções aconteçam novamente, elas se isolam e vão assumindo uma espécie de "atavismo espiritual", quando retornam a uma condição anterior à Cristo. A quantidade de experiências positivas são muito maiores que as ocasiões isoladas nas quais nos decepcionamos. É melhor permanecer e resolver os problemas do que se isolar e perder sua comunhão com Cristo.

> *Pessoas nos decepcionam, mas Cristo sempre fará o melhor para nossas vidas!*

▶ Referências
Se um inimigo me insultasse, eu poderia suportar; se um adversário se levantasse contra mim, eu poderia defender-me; mas logo você, meu colega, meu companheiro, meu amigo chegado, você, com quem eu partilhava agradável comunhão enquanto íamos com a multidão festiva para a casa de Deus! **Salmos 55:12-14**

▶ Curiosidade
O Crocodilo foi criado pelo escritor Gerry Conway e pelo desenhista Gene Colan, na revista Detective Comics #523, em fevereiro de 1983.

ESCOLHA SER UM
BOM EXEMPLO

Ben Solo foi um dos alunos de seu tio Luke Skywalker, em sua tentativa de criar uma nova Ordem Jedi. Porém, aquele que era uma promessa acaba se transformando em um pesadelo. Ben aniquila todos os outros alunos sendo atraído ao lado sombrio da Força, através da influência do líder Supremo Snoke. Muda seu nome para Kylo Ren e se transforma no líder dos cavaleiros de Ren. Sua admiração por seu avô Anakin / Darth Vader, cujo exemplo busca imitar, nos mostra alguns pontos interessantes para a análise de hoje.

Kylo é extremamente poderoso, mas completamente instável emocionalmente, o que nos mostra que poder sem controle é muito perigoso. Estar à frente de algo sem controle emocional pode ser desastroso não apenas para nós mesmos, mas para aqueles que estão caminhando conosco. Algumas palavras bíblicas são fundamentais na vida daqueles que servem ao Senhor: temperança, equilíbrio e prudência são todos sinônimos de sabedoria e devem ser um alvo em nossas vidas.

Outro ponto que chama muito a atenção é sua veneração à figura de Darth Vader. Isso evidencia o fato de sermos exemplos para a próxima geração, independente de nossa vontade. Mesmo que você não queira, alguém está olhando para suas atitudes e poderá seguir seus passos. As nossas vidas impactam não apenas nossa casa, mas também incontáveis pessoas ao nosso redor!

Por esta razão, precisamos analisar nossas jornadas individuais. Nossas atitudes são dignas de serem seguidas ou podem levar outros a trilharem um caminho ruim? Reflita a este respeito hoje e busque ser um bom exemplo para que outros encontrem a Cristo através de sua vida!

▶ Referências
O sábio de coração é considerado prudente; quem fala com equilíbrio promove a instrução. **Provérbios 16:21**
Tornem-se meus imitadores, como eu o sou de Cristo. **1 Coríntios 11:1**
Portanto, sejam imitadores de Deus, como filhos amados, **Efésios 5:1**

▶ Reflexão
"O mais poderoso é aquele que controla seu próprio poder". **Citação de "Guerras Clônicas".**

VOCÊ NÃO NASCEU
PARA O EXÍLIO

Thorin, Escudo-de-Carvalho, é o herdeiro legítimo de Érebor, uma das sete cidades dos anões. Os anões são conhecidos por suas habilidades em extrair do solo metais e pedras preciosas através de técnicas de mineração. O avô de Thorin, consumido pela ganância, multiplicou esforços para extrair riqueza da Montanha Solitária, atraindo a atenção do último dragão da Terra Média, Smaug. Ele destrói as defesas dos anões e os expulsa da cidade de Érebor, conduzindo o povo de Thorin ao exílio nas Montanhas Azuis. Anos mais tarde, após encontrar "casualmente" o mago Gandalf, uma jornada vai começar para recuperar a herança, a honra e o lar de Thorin.

Assim como Thorin, temos sangue real correndo em nossas veias espirituais. Não fomos criados para a miséria espiritual, para a mendicância emocional ou para a necessidade material. Assim como ele, viveremos no exílio do Reino por Cristo conquistado. Entre nós e o Reino prometido por Cristo para quem permanecer fiel até o final está o Dragão chamado por muitos nomes em nosso mundo. Ele é nosso inimigo e fará tudo o que puder para que não alcancemos esta promessa.

Thorin não se contentou em ser um ferreiro no exílio, mas decidiu retornar a seu verdadeiro lar, mesmo que o preço a ser pago fosse sua própria vida. Nosso destino definitivo também não é este em que estamos agora.

> Você está preparado para passar a eternidade ao lado de Cristo?

▶ Referências

Na casa de meu Pai há muitos aposentos; se não fosse assim, eu lhes teria dito. Vou preparar-lhes lugar. João 14:2

Se somos filhos, então somos herdeiros; herdeiros de Deus e coerdeiros com Cristo, se de fato participamos dos seus sofrimentos, para que também participemos da sua glória. Romanos 8:17

Ele prendeu o dragão, a antiga serpente, que é o diabo, Satanás, e o acorrentou por mil anos; Apocalipse 20:2

▶ Desafio

Como o conceito da eternidade pode afetar a maneira como você vive seus dias aqui na Terra? Pense um pouco a respeito.

ACASO OU PROPÓSITO?

Todo o universo Pokemon está baseado nos seres de mesmo nome, que são encontrados na natureza e armazenados nas chamadas Pokébolas por seus treinadores. Existem diversas teorias sobre como os Pokemons ficam nos dispositivos, desde as mirabolantes possibilidades de serem convertidos em luz ou dados de computador e até as teorias de que as Pokébolas são casas com todo o conforto que eles precisam para viver. Independente da teoria que você resolva adotar, é preciso uma dose de fé, pois nunca serão explicadas de maneira definitiva: quem não for um Pokemon - ou o criador da série - jamais entrará para saber como é lá dentro.

Em nossa sociedade acontece algo semelhante. A teoria do Big Bang diz que o Universo surgiu a partir da explosão de uma massa extremamente densa que deu origem a tudo o que existe e está em evolução constante. Por sua vez, o criacionismo atribui a Deus a criação de todas as coisas, incluindo o ser humano. Nesta teoria, você não é fruto da evolução de macacos, mas sim fruto da vontade soberana de Deus, a partir de sua Palavra.

Você não pode viajar no tempo e voltar ao momento da criação do universo, mas pode usar sua inteligência e averiguar que é necessário ter fé para crer em ambas as teorias. Assim, tem a opção de acreditar que é um fruto do acaso e, portanto, não possui nenhum outro propósito além de nascer, multiplicar e morrer. Ou você pode crer que Deus criou todas as coisas por amor, para que seus filhos possam cumprir seus propósitos e formar uma grande família de filhos semelhantes a Jesus.

Obra do acaso ou destinados a um propósito eterno? A escolha é nossa!

▶ Referências

Criou Deus o homem à sua imagem, à imagem de Deus o criou; homem e mulher os criou. **Gênesis 1:27**

Fui eu que fiz a terra e nela criei a humanidade. Minhas próprias mãos estenderam os céus; eu dispus o seu exército de estrelas. **Isaías 45:12**

▶ Curiosidade

Existem mais de trinta tipos diferentes de Pokébolas no universo da série, cada uma com qualidades e tipos de Pokemon que melhor se adaptam a elas.

A VERDADEIRA LUTA DO SÉCULO

Cassius Clay Júnior tem o apelido de "The Greatest" e é um dos melhores lutadores de boxe de todos os tempos, senão o melhor. Venceu, perdeu e reconquistou diversas vezes o cinturão de campeão de pesos pesados. Após sua conversão ao islamismo, assumiu o nome de Muhammad Ali e foi o único lutador que resistiu a uma luta de doze assaltos com o maxilar quebrado e se aposentou dos ringues enquanto ainda era campeão. Disputou a chamada "luta do século" contra George Foreman, no Zaire.

Geralmente não usamos esportes de combate como o boxe para analogias sobre o cristianismo, pois a ideia de uma competição deste tipo poderia denotar que precisamos vencer enquanto outros, necessariamente, precisam perder. Em última análise, porém, é exatamente isso que uma vida vitoriosa com Deus requer! A grande diferença é que você não compete com outras pessoas, mas contra você mesmo! Somos seres compostos por três partes: corpo, alma e espírito. Quando aceitamos a Cristo como Senhor e Salvador, nosso espírito ressuscita com Ele, porém a nossa carne, que são as vontades que nos levam a pecar e satisfazer nossos desejos egoístas não se regenera. Ela luta incansavelmente pelo controle da alma, que são suas emoções e sentimentos.

A verdadeira luta do século é a do seu espírito contra sua carne e ela não é travada no Zaire, mas na sua mente. O vitorioso deste embate leva o controle de sua vida. Vence aquele que for mais alimentado: o espírito alimentamos com as coisas de Deus e a carne com o pecado.

> "Desta forma, somos nós quem escolhemos o vitorioso. As consequências desta luta serão eternas para nós, por isso cuidado com o que você vai escolher!"

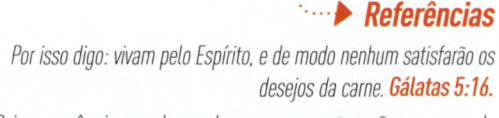

▶ Referências

Por isso digo: vivam pelo Espírito, e de modo nenhum satisfarão os desejos da carne. **Gálatas 5:16.**

Pois se vocês viverem de acordo com a carne, morrerão; mas, se pelo Espírito fizerem morrer os atos do corpo, viverão. **Romanos 8:13.**

▶ Reflexão

A besta mais perigosa se encontra em nosso interior.
Citação de "Guerras Clônicas".

CUIDADO COM O ESTADO DE
ESTAGNAÇÃO ESPIRITUAL!

Lion-O é o líder dos Thundercats no Terceiro Mundo e luta para criar uma Nova Thundera em seu novo lar, após a destruição de seu planeta natal pelos mutantes em busca da joia chamada de Olho de Thundera.

O fato mais interessante sobre Lion-O, está em sua fuga de Thundera. Sua nave foi a única que conseguiu escapar durante o ataque que destruiu seu planeta. Ele era o príncipe mais jovem da dinastia e agora é o único membro da realeza thunderiana vivo e, portanto, precisa liderar os demais sobreviventes, todos já adultos. Como a viagem seria muito longa, todos entraram em câmaras de animação suspensa para que o tempo da viagem não afetasse suas idades cronológicas. A câmara de Lion-O estava quebrada e o tempo passou normalmente para o príncipe. Ele entrou em sua nave uma criança e saiu de lá um homem, pronto para cumprir a missão dada a ele.

Gosto desta história dos Thundercats, pois ela ilustra a realidade de muitas pessoas quando chegam na igreja. Muitos aceitam a Cristo com aquela empolgação que é peculiar dos novos convertidos, enquanto muitos ao seu redor parecem dormindo em animação suspensa. Esta criança na fé começa a mergulhar em Deus e vai crescendo espiritualmente a uma velocidade espantosa, enquanto o tempo parece que não passou para aqueles que não continuaram a busca pelo amadurecimento no seu relacionamento com Deus.

Esteja aberto para crescer em Cristo, busque intimidade com Ele a cada dia e esteja preparado para dizer 'sim' quando chegar a sua oportunidade de trazer o Reino de Deus para a Terra!

▶ Referências

Cresçam, porém, na graça e no conhecimento de nosso Senhor e Salvador Jesus Cristo. A ele seja a glória, agora e para sempre! Amém. **2 Pedro 3:18**

Jesus ia crescendo em sabedoria, estatura e graça diante de Deus e dos homens. **Lucas 2:52**

▶ Desafio

Você está satisfeito com o seu crescimento espiritual? O que você pode começar a fazer a partir de hoje, para continuar em crescimento espiritual constante?

NÃO SE TRANSFORME
NO QUE TE MORDEU!

Karl Lycos é filho de um explorador e em determinada ocasião vai com seu pai a uma expedição. No meio da jornada, são atacados por Pterodátilos Mutantes e um deles morde o Jovem Karl. Após sua recuperação, descobre que consegue drenar energia vital de outros seres vivos, e por isso procura Charles Xavier para ajudá-lo no mapeamento do Genoma Mutante.

Na verdade, o que ele queria era verificar os efeitos de seu poder em mutantes. Quando Alex Summers, o Destrutor, chega na Mansão X ferido, o doutor Karl passa a "cuidar" dele. Ele estava drenando a grande energia de Destrutor, que o vicia ao ponto de transformá-lo em um pterodátilo semelhante ao que o mordeu, mas mantém o intelecto e o poder mutante. Lycos parte para a Terra Selvagem e se autodenomina Sauron, e será um problema para os X-Men todas as vezes em que forem até a Terra Selvagem.

A pequena história de Karl Lycos pode nos ensinar algo poderoso neste dia. Ele se transformou em Sauron por causa da mordida que levou, e por continuar alimentando o poder que surgiu em decorrência desta mordida. Da mesma forma, o pecado entra em nossa vida de uma maneira sorrateira. Devemos nos arrepender e abandonar o pecado, para que não nos tornemos idênticos ao fator que introduziu o pecado em nossas vidas. Veja abaixo alguns exemplos:

Mordida	Transformação
Experimentou Drogas	Viciado em Drogas
Sexo Casual	Escravo da Luxúria
Roubo por Adrenalina	Ladrão e Assaltante
Beber socialmente	Alcoólatra
Dar um Tempo da Igreja	Desviado

Por isso, arrependa-se enquanto é tempo!

Referências

Então a cobiça, tendo engravidado, dá à luz o pecado; e o pecado, após ter-se consumado, gera a morte. **Tiago 1:15**

Jesus respondeu: Digo-lhes a verdade: Todo aquele que vive pecando é escravo do pecado. **João 8:34**

Curiosidade

No enredo do personagem, Lycos escolhe Sauron por causa de sua paixão por "O Senhor dos Anéis". Antes de ser vilão, Karl era nerd!

CORRA ATRÁS DE SEUS SONHOS

24 MAI

Christopher Gardner vivia tranquilamente com sua família até que perde seu emprego e, com a situação, sua esposa o abandona. Com a missão de cuidar de seu filho, passa pelas maiores provações que com certeza nos levariam a desistir de lutar. Mas Christopher faz parte de um seleto grupo de seres humanos: ele é um sonhador.

O sonho de Gardner era conseguir um emprego em uma corretora. Em todos os momentos difíceis, ele olhava para seu alvo e não para o presente tenebroso que estava vivendo na prática. O resultado de seus esforços foi a conquista do tão sonhado emprego. O melhor desta história é que ela é real e, até hoje, Gardner trabalha como um bem-sucedido executivo.

Todos nós temos sonhos que queremos realizar. É possível acharmos que nossos sonhos são grandes demais para pessoas pequenas como nós. Este é exatamente o ponto onde os problemas começam. Quando colocamos a responsabilidade sobre nossos ombros, nos frustramos pois realmente somos pequenos. A grande notícia para hoje é que se somos incapazes, temos um Deus tremendo e poderoso que pode fazer infinitamente mais do que sonhamos! Transfira seus sonhos para Deus e ouse sonhar com Ele! Em todas as ocasiões, os sonhos de Deus serão maiores e melhores que os seus!

> Com certeza, os sonhos que você tem em seu coração, são sementes plantadas pelo próprio Deus para que você cresça, corra atrás, lute e, com a ajuda Dele, vença e alcance o impossível!

▶ Referências

Porque sou eu que conheço os planos que tenho para vocês, diz o Senhor, planos de fazê-los prosperar e não de lhes causar dano, planos de dar-lhes esperança e um futuro. **Jeremias 29:11**

Se vocês, apesar de serem maus, sabem dar boas coisas aos seus filhos, quanto mais o Pai de vocês, que está nos céus, dará coisas boas aos que lhe pedirem! **Mateus 7:11**

▶ Reflexão

Existem dois tipos de pessoas, os realistas e os sonhadores. Os realistas sabem para onde estão indo. Os sonhadores já estiveram lá. **Robert Orben**

SEJA O CRISTO
QUE ESTA GERAÇÃO VERÁ!

Primo Itch é um membro influente do governo, e é essencialmente uma montanha de cabelos. Usa um dialeto estranho para se comunicar e apenas a sua família compreende o que diz. Não vemos seu rosto e não entendemos o que ele fala, um exemplo perfeito para nossa conversa de hoje!

Quantas pessoas são "*primos Itch*" em nossas vidas? Mesmo estando próximas a nós, não as ouvimos ou entendemos o que falam por estarmos ocupados demais com nossas atividades. Em uma sociedade imediatista como a nossa, tudo é urgente, mas as necessidades das pessoas continuam as mesmas: atenção, cuidado e preocupação.

Quantas pessoas "*sem face*" encontramos em nosso dia a dia nos semáforos fazendo malabarismos com pequenos limões para, com qualquer moeda, comprarem mais uma pedra de crack? Quantos vizinhos de condomínio sofrem com problemas conjugais e permanecem calados ao nosso lado? Quantos amigos perderam entes queridos ou estão sofrendo com doenças e nem ao menos temos tempo de perguntar se estão bem?

Nenhuma atividade pode justificar a falta de cuidado com a vida humana. Pessoas sem face e sem voz estão sucumbindo neste exato momento ao nosso redor com sofrimento e desesperança. O que podemos fazer diante de tudo isso?

Como cristãos, a nossa função primária é fazer o que Cristo faria: abraçar quem precisa ser abraçado, consolar quem precisa ser consolado e abandonar o egoísmo de nossa sociedade. Fazer e ser a diferença de fato.

Não é a cor do seu cabelo, tatuagens ou piercings que destacam você na multidão. É a atitude de seu coração!

▶ Referências

Consolem, consolem o meu povo, diz o Deus de vocês. **Isaías 40:1**

Da mesma forma, o Pai de vocês, que está nos céus, não quer que nenhum destes pequeninos se perca". **Mateus 18:14**

▶ Desafio

O que você pode fazer em seu dia a dia para demonstrar mais cuidado e atenção com as pessoas ao seu redor? Existem pessoas que precisam de você neste exato momento! Preste mais atenção e seja um instrumento de Deus!

NÃO TENHA PECADOS
DE ESTIMAÇÃO

Uni é um unicórnio fêmea, mascote do grupo que está perdido no Reino da série Caverna do Dragão, com um vínculo especial com Bobby. Em diversas ocasiões, seu vínculo com o jovem bárbaro foi o responsável por manter o grupo longe de casa. O sentimento de deixar Uni para trás, sabendo que ela é um ser do Reino e que não poderia ser levada junto para casa, é o nosso gancho na análise de hoje.

Uni pode representar o pecado em nossas vidas. Mesmo sabendo que devemos deixá-lo para trás, para avançarmos em nossa caminhada, acabamos nos acostumando com ele.

Sua aparência pode ser agradável, sua presença pode trazer alegria para nossa carne, porém se nos impede de avançar em nossos objetivos espirituais, deve ser abandonado. A mulher de Ló aprendeu isso da pior maneira possível, quando olhou para sua cidade durante sua destruição. Nossa antiga vida deve permanecer em nosso passado, para que possamos estar abertos para o novo de Deus em nossas vidas.

> Muitas pessoas passam décadas estagnadas espiritualmente por estarem presas a seus "Unis" e não conseguirem abrir mão de um estilo de vida que as mantém longe do Reino de Deus. A nossa jornada só acaba quando o último fôlego de vida sair de nossos pulmões. Até lá, tudo o que devemos fazer com nossa força e energia é adorar a Deus, deixando as coisas que ficaram em nosso passado, incluindo nosso velho homem, no passado.

▶ Referências

Mas a mulher de Ló olhou para trás e se transformou numa coluna de sal.
Gênesis 19:26

Lembrem-se da mulher de Ló! *Lucas 17:32*

Irmãos, não penso que eu mesmo já o tenha alcançado, mas uma coisa faço: esquecendo-me das coisas que ficaram para trás e avançando para as que estão adiante, prossigo para o alvo, a fim de ganhar o prêmio do chamado celestial de Deus em Cristo Jesus. *Filipenses 3:12-14*

▶ Curiosidade

Em 2008, um "unicórnio" nasceu na Itália, mas na verdade era uma corça que nasceu com apenas um chifre. Pesquisadores atribuem o ocorrido a um "defeito genético".

ENCONTRE UM GRUPO DE
SOBREVIVENTES

Michonne era advogada e mãe de dois filhos antes do Apocalipse Zumbi acontecer. Perde toda sua família na peste e passa por um grande trauma emocional, criando versões de si mesma com as quais conversava. Tenta reconstruir sua vida em um novo grupo, incluindo um namorado, mas todos são capturados e executados pelo Governador.

Então, ela toma a espada que matou seu namorado e planeja sua vingança contra o Governador, quando encontra o grupo de sobreviventes liderados por Rick Grimes e tem uma oportunidade de redenção.

Quantas vezes é preciso recomeçar? Como nos libertamos dos traumas do passado? Segundo o "padrão Michonne", ou você se aliena e tenta viver em um mundo paralelo criando ilusões para se proteger do sofrimento, ou começa a planejar vingança contra aqueles que o feriram. Viver assim traz muita insatisfação e frustração, pois não fomos criados para nutrir este tipo de sentimento, mas sim para vivermos em paz em um mundo em guerra.

Aqueles que aprendem a colocar suas vidas aos pés de Jesus conseguem viver todos os dias como se fosse o último, e por isso não têm tempo a perder com traumas, mágoas ou vingança. Estas pessoas guardam apenas o que for bom para sua jornada, pois precisam caminhar leves, com pouca bagagem emocional.

Não seja um lago de águas paradas, mas sim um rio de onde fluem águas vivas para um mundo carente de exemplos que caminhe na contramão do mundo, mesmo estando nele. Difícil? Com certeza!

A boa notícia é que sempre podemos encontrar grupos de sobreviventes em todas as igrejas genuinamente cristãs por onde passarmos. Além de maravilhoso, é necessário que você não caminhe sozinho!

▶ Referências

Quem crer em mim, como diz a Escritura, do seu interior fluirão rios de água viva". **João 7:38**

Então o anjo me mostrou o rio da água da vida que, claro como cristal, fluía do trono de Deus e do Cordeiro, **Apocalipse 22:1**

▶ Reflexão

É preciso confiar em outros ou o sucesso é impossível. **Citação de "Guerras Clônicas".**

VOCÊ É
HERDEIRO DO REI

Jon Snow é o filho bastardo de Ned Stark. Foi levado ainda pequeno para Winterfell por seu pai, para que fosse criado entre os demais filhos do Lorde do Norte. A sua madrasta Catelyn sempre o lembrava de que era um estranho em meio a seus filhos. A decisão mais lógica para ele foi se alistar na Patrulha da Noite, uma espécie de exército que tem a função de proteger a Muralha dos inimigos externos. Muitas coisas acontecem a Jon Snow ao longo da saga, inclusive a descoberta de que ele não é um bastardo, mas filho da irmã de Ned com o príncipe Targaryen.

Jon Snow pode ser uma inspiração para muitos de nós hoje. Assim como ele, muitas pessoas, mesmo sabendo que são filhos e filhas de Deus, agem como bastardos. Apesar de ter o direito de usufruir de tudo aquilo que os outros irmãos também possuem, não se consideram dignos por causa das acusações de Satanás sobre suas vidas, e partem para uma solitária existência nas "muralhas" da vida.

A Bíblia nos conta a história de um jovem chamado Mefibosete, que era o último remanescente da dinastia de Saul. O rei Davi o trouxe para que vivesse no palácio e comesse com seus filhos e fosse criado como um deles. O detalhe nesta história é que ele era aleijado. Deficiente físico, órfão e pertencente à família do rei que tentou matar Davi, foi acolhido e amado. Ele saiu de uma pequena casa no subúrbio de Jerusalém para morar nos palácios reais.

> Esta é a mesma perspectiva que devemos ter com relação ao nosso Pai Celestial! Somos filhos, não bastardos e temos uma herança no Reino de Deus!

▶ Referências

Então Mefibosete foi morar em Jerusalém, pois passou a comer sempre à mesa do rei. E era aleijado dos pés. **2 Samuel 9:13**

A natureza criada aguarda, com grande expectativa, que os filhos de Deus sejam revelados. **Romanos 8:19**

Todos vocês são filhos de Deus mediante a fé em Cristo Jesus. **Gálatas 3:26**

▶ Desafio

Nesta semana, fale sobre Jesus para algum amigo e fale dos benefícios de fazer parte da família de Deus.

VOCÊ É UM EMBAIXADOR DO REINO

O droide de protocolo C-3PO foi encontrado no lixo e reconstruído por Anakin Skywalker para auxiliar sua mãe Shmi nos trabalhos domésticos. No início, ele era bem simples e tinha a fiação exposta, mas recebeu revestimento de placas de circuitos, para protegê-lo das tempestades de areia de Tatooine. Mais tarde, ele reencontra seu criador e participa dos importantes eventos que antecedem a transformação de Anakin em Darth Vader. E muitas décadas depois, encontrará o filho de Anakin, Luke Skywalker, participando de muitas aventuras ao lado dos rebeldes contra o Império Galáctico.

Nossa vida é muito parecida com a de C-3PO. A maioria de nós tem um encontro com Jesus quando estamos no conhecido "fundo do poço". É de lá que Ele nos retira e começa nossa reconstrução, pois o coração, as emoções e a vida como um todo estão em pedaços. Após este momento glorioso, ainda não entendemos nosso propósito. Com nossas fraquezas ainda expostas como os circuitos de C-3PO, as tempestades de areia da vida nos ferem e nos paralisam. Precisamos da ajuda de alguém como a mãe de Anakin que ajude a nos proteger das dificuldades da vida.

Este é o início do discipulado na vida do cristão. Como um robô de protocolo, somos embaixadores do Reino de Deus. A função de um embaixador é defender os interesses do reino que o contratou, e divulgar este reino para as demais nações. Como filhos e filhas reconstruídos de Deus, precisamos propagar as boas novas a todas as criaturas. No processo, você passa de uma existência sem propósito para uma grande aventura que pode determinar a vida ou a morte espiritual de milhares e milhares de pessoas!

Empolgante não é mesmo?

▶ **Referências**

O fim das coisas é melhor do que o seu início, e o paciente é melhor que o orgulhoso. **Eclesiastes 7:8**

Mas aquele que perseverar até ao fim, esse será salvo. **Mateus 24:13**

▶ **Curiosidade**

O ator que interpreta C-3PO é Anthony Daniels, o único ator que atuou nos seis primeiros filmes da franquia de Star Wars.

NÃO ACREDITE EM AMULETOS

Henry Walton Jones Júnior, ou simplesmente Indiana Jones, é um homem com uma vida dupla: além de um pacato professor de Arqueologia, é também um aventureiro pouco usual. Em uma de suas aventuras, Jones procura proteger a Arca da Aliança dos nazistas, pois Hitler acreditava que o artefato daria ao seu exército poder ilimitado.

Na realidade, existe um mito histórico a respeito do fim da Arca, que foi construída há mais de 3500 anos por Moisés no tabernáculo, e depois foi colocada no Templo construído por Salomão em 940 a.C. Com a destruição do templo pelos babilônios em 586 a.C. a Arca foi perdida ou destruída para sempre.

Embora teorias da conspiração relacionadas aos templários digam que ela estaria escondida no Marrocos, ou em qualquer outro lugar, o fato é que a Arca representava a presença de Deus. A Arca em si não tinha poder algum, mas era um símbolo da manifestação da glória de Deus. Israel porém, começou a utilizar a Arca como uma espécie de amuleto para vencer os inimigos, exatamente como os nazistas do filme gostariam de fazer. Acredito que, por esta razão, Deus permitiu o seu sumiço, para que ninguém se apegasse a artefatos fabricados pelos homens como intermediários entre Deus e a humanidade.

Nós somos especialistas em criar amuletos para nos ajudar em nossa jornada. Apegamo-nos a tantas coisas, como se elas pudessem algo coisa por nossas vidas, e esquecemos que Deus é suficientemente poderoso para suprir todas as nossas necessidades.

Você não precisa consultar horóscopo, andar com trevo de quatro folhas, realizar simpatias ou até mesmo comprar itens sagrados para ter sorte. Você precisa é dobrar seu joelho a cada manhã e colocar o controle de seu dia nas mãos do Todo-Poderoso! Isso é mais do que suficiente!

▶ **Referências**
E ainda acrescentou: A glória se foi de Israel, pois a arca de Deus foi tomada.
1 Samuel 4:22

▶ **Reflexão**
A crença popular nem sempre está correta. **Citação de "Guerras Clônicas".**

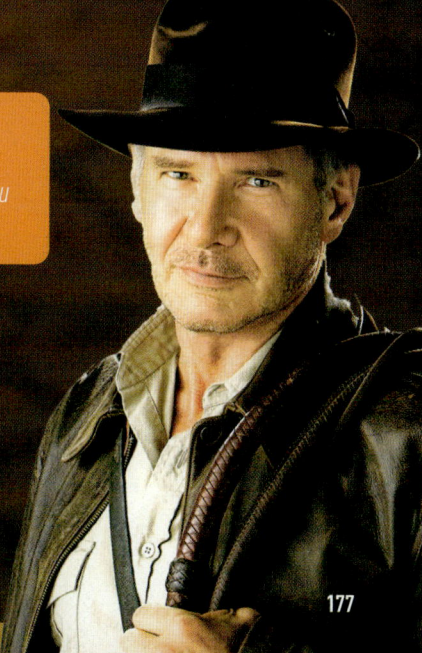

CONTE A HISTÓRIA DE CRISTO
PARA TODA A HUMANIDADE

Frodo Bolseiro é sobrinho e herdeiro das riquezas conquistadas por seu tio Bilbo. Tinha uma vida maravilhosa para um hobbit, com tranquilidade e estabilidade.

Tudo isso muda drasticamente quando seu tio usa o *Um Anel* que roubou da criatura Gollum 60 anos antes. Este Anel poderia causar a destruição da humanidade, pois a alma do senhor das trevas, Sauron, estava contida no Anel. A única esperança seria destruí-lo no local onde foi forjado.

A jornada começa com uma Sociedade que decide proteger Frodo em sua caminhada, mas ele logo percebe que não poderia compartilhar da segurança de um grupo, partindo sozinho com seu amigo e escudeiro Sam. O peso de toda a maldade do mundo estava sobre ele, Frodo carregou este fardo mesmo sabendo que não retornaria vivo.

Após uma viagem onde seria improvável qualquer chance de vitória, ele alcança seu objetivo e toda a Terra Média é salva mediante seu sacrifício. O interessante é que todo o Condado salvo por Frodo nunca soube o tamanho de seu sacrifício para que pudessem viver em paz. Apenas com a história contida no livro escrito por ele, pessoas poderiam saber o que ele fez.

Jesus Cristo deixou a glória dos céus para entrar em nosso mundo e carregar o fardo de toda a maldade sobre Si. Ele pagou o preço por todo o pecado da humanidade através de sua própria vida. A morte não pôde detê-Lo e, ao terceiro dia, Ele ressuscitou!

Sua obra trouxe a possibilidade da salvação para todos aqueles que souberem de sua história contida em um livro, ou melhor, o livro, que é a Bíblia Sagrada.

▶ Referência
E assim se cumpriu o que fora dito pelo profeta Isaías: Ele tomou sobre si as nossas enfermidades e sobre si levou as nossas doenças. **Mateus 8:17**

▶ Desafio
Você conhece as Escrituras Sagradas? Qual é a sua relação com o estudo da Bíblia? Comece hoje mesmo um plano de leitura da Bíblia e convide outros amigos ou a sua "sociedade do anel", para juntos trilharem a jornada do conhecimento bíblico!

JUNHO

DEVOCIONAL POP

PELA FÉ SEMPRE
EXISTE UMA SAÍDA

Os pais de **Mickey, Brand, Bocão, Dado e Gordo** estão com problemas para pagar a hipoteca de suas casas. Todos serão despejados em menos de uma semana. Nesta situação, o grupo encontra um mapa do tesouro do pirata Willy Caolho. Eles enfrentam várias armadilhas que o pirata deixou em cavernas subterrâneas, além da perseguição da família de mafiosos, os Fratelli. Gordo encontra o terceiro filho da senhora Fratelli, Sloth, um homem com deficiência mental e deformidades cranianas oriundas de uma queda de seu berço quando era ainda um bebê. As crianças a princípio, julgam Sloth pela aparência e o rejeitam, mas aos poucos descobrem seu coração justo e pureza nas atitudes. Ele se tornará um grande amigo dos Goonies. As crianças encontram o tesouro e saldam a hipoteca de seus pais, podendo permanecer em seus lares. E é claro, os Fratelli são presos e todos terminam felizes para sempre.

Este filme é um clássico dos anos 1980 e com certeza seus pais já assistiram. Por esta razão, dedicaremos dois textos a ele. Em nossa reflexão de hoje, gostaria de destacar o primeiro ponto que o filme pode nos ensinar. Nenhuma situação é difícil demais para ser resolvida por Deus. A hipoteca seria executada, todos perderiam suas casas, mas um novo caminho se abriu e uma esperança tomou o coração das crianças. Esta esperança as levou a enfrentar as piores situações para salvar suas casas e famílias. Elas só partiram em sua jornada, porque tinham fé no mapa de Willy Caolho.

Devemos caminhar em fé e crer que tudo o que estamos vivendo está sob o controle de Deus. Descanse Nele e veja milagres e maravilhas através da manifestação do sobrenatural de Deus!

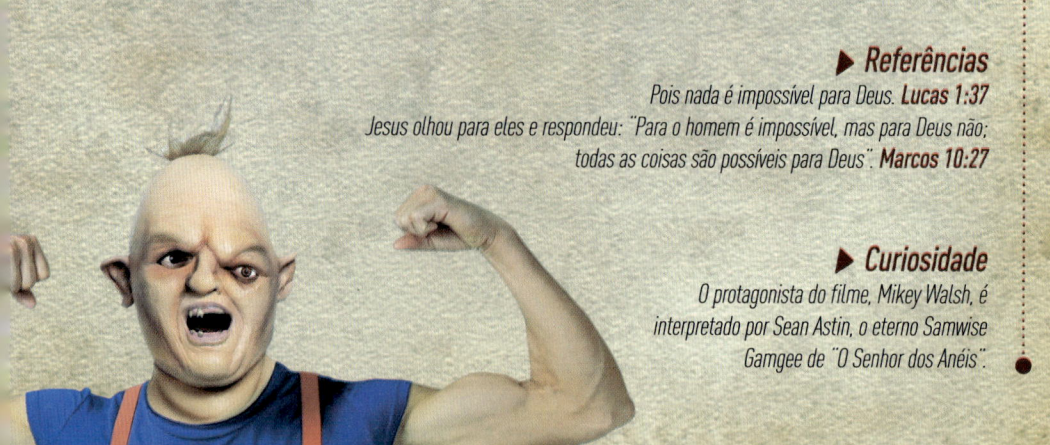

▶ Referências
Pois nada é impossível para Deus. **Lucas 1:37**
Jesus olhou para eles e respondeu: "Para o homem é impossível, mas para Deus não; todas as coisas são possíveis para Deus". **Marcos 10:27**

▶ Curiosidade
O protagonista do filme, Mikey Walsh, é interpretado por Sean Astin, o eterno Samwise Gamgee de "O Senhor dos Anéis".

ABRA MÃO DO
PRECONCEITO

Nas muitas aventuras dos Goonies, em busca pelo tesouro de Willy Caolho, eles precisam fugir da família de mafiosos trapalhões Fratelli, que os perseguem o tempo todo. Os malvados conseguem prender Gordo e o colocam no mesmo local que Sloth. Até que possamos descobrir sua triste história, achamos que se trata de um monstro, mas na verdade ele é o terceiro filho de mama Fratelli que foi derrubado do berço quando bebê, causando uma deformidade em seu crânio fazendo com que seja preso por sua família. Muito inocente e corajoso, será um grande aliado dos Gonnies no desfecho da história. Com a prisão dos Fratelli, Sloth receberá uma nova família em meio a seus novos amigos.

O relacionamento entre os Gonnies e Sloth é o ponto central de nossa conversa de hoje. Como eles, somos sempre levados a julgar pela aparência exterior ou por comportamentos externos. Desta forma, geramos preconceito contra tudo aquilo que é diferente do que estamos acostumados a viver. É preciso desarmar-nos de nossos pré-conceitos para poder aceitar aqueles que são diferentes de nós mesmos, ou do nosso padrão de civilidade ou cristianismo. Você não precisa concordar com o comportamento de alguém para amá-lo e respeitá-lo como pessoa e ser humano.

Aceitar uma pessoa não é sinônimo de compactuar com o que ela faz, mas o amor deve ser universal e irrestrito assim como Cristo nos amou primeiro, antes de mudarmos nosso comportamento.

Quando fluirmos no amor de Deus nesta Terra, viveremos uma verdadeira revolução em nossa sociedade, a revolução do amor!

▶ Referências

Amados, amemo-nos uns aos outros, pois o amor procede de Deus. Aquele que ama é nascido de Deus e conhece a Deus. **1 Jo 4:7**

Não devam nada a ninguém, a não ser o amor de uns pelos outros, pois aquele que ama seu próximo tem cumprido a lei.
Romanos 13:8

O meu mandamento é este: amem-se uns aos outros como eu os amei. **João 15:12**

▶ Reflexão

Triste época! É mais fácil desintegrar um átomo do que um preconceito. **Albert Einstein**

DEUS NÃO AFUNDARIA ESTE NAVIO

Titanic foi um filme dirigido por James Cameron que estreou em 1997. Uma obra de ficção que aborda o romance entre o jovem (e pobre) aventureiro *Jack Dawson* e a rica (e comprometida) *Rose DeWitt Bukater* tendo a tragédia real com o navio como pano de fundo da narrativa. Gostaria de sugerir duas análises a respeito desta história, parte ficção, parte realidade. Vamos iniciar pela realidade. Uma majestosa obra da engenharia que não resistiu à sua viagem inaugural, gerando um desastre de proporções épicas. O senso comum atribui a este episódio a famosa frase: *"Nem mesmo Deus afunda este navio"*, embora não existam relatos históricos que comprovem sua autoria. O que existe é um documento da White Star *Line*, construtora do Titanic que diz que o navio é "inafundável". Esta era uma afirmação corriqueira no mercado naval do início do século XX e pode ser vista em outros projetos.

Independentemente de ser ou não real a frase, o que fica na mente das pessoas é que Deus, irado com uma afirmação tão ousada e prepotente, tenha agido com vingança afundando o navio e matando mais de 1500 pessoas neste trágico evento. Nada mais distante da realidade bíblica a respeito de Deus. A Bíblia nos mostra que Deus é bom e que Nele não existe maldade alguma. Neste sentido, não seria possível uma vingança contra uma afirmação infeliz de alguém bastante confiante no trabalho de engenharia da construtora naval. O que houve foi uma falha humana que não calculou todas as probabilidades meteorológicas para esta viagem.

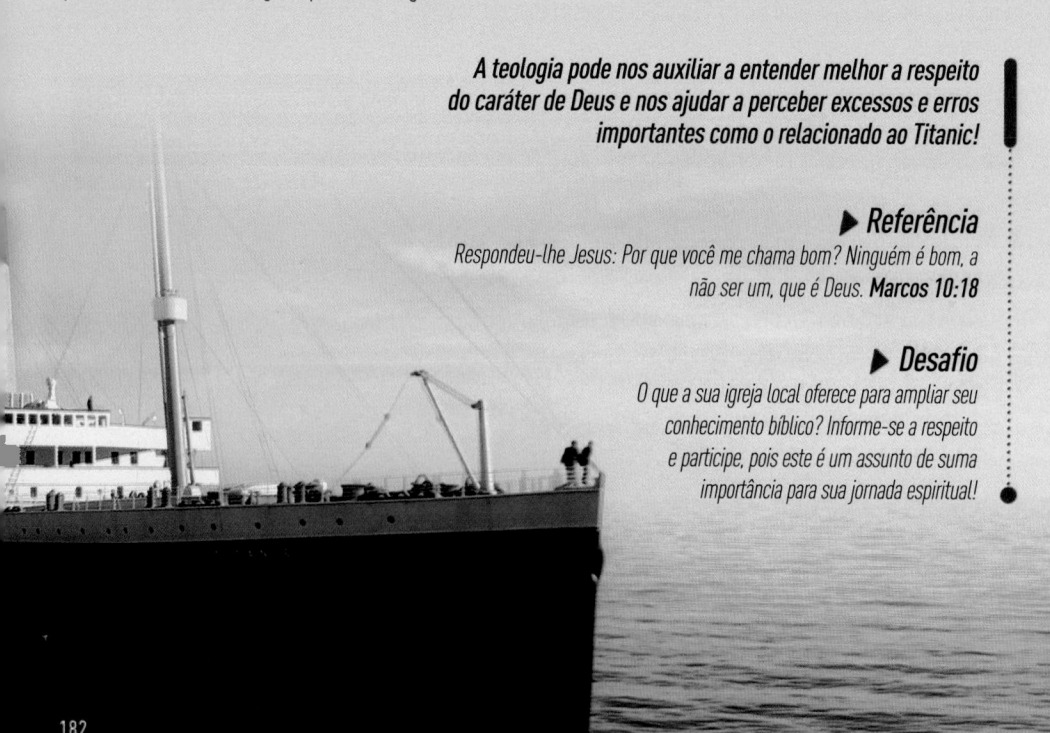

A teologia pode nos auxiliar a entender melhor a respeito do caráter de Deus e nos ajudar a perceber excessos e erros importantes como o relacionado ao Titanic!

▶ Referência
Respondeu-lhe Jesus: Por que você me chama bom? Ninguém é bom, a não ser um, que é Deus. **Marcos 10:18**

▶ Desafio
O que a sua igreja local oferece para ampliar seu conhecimento bíblico? Informe-se a respeito e participe, pois este é um assunto de suma importância para sua jornada espiritual!

VOCÊ PRECISA DE BONS CONSELHEIROS

Em nossa segunda análise sobre o filme "Titanic", gostaria de abordar um aspecto do famoso romance entre Jack e Rose. Ele é um aventureiro pobre e ela, a noiva de um rico empresário. De classes sociais diferentes, vivem uma aventura amorosa que terminará em tragédia após o naufrágio do navio. Algo muito interessante nesta experiência é que você sabe o que vai acontecer antes mesmo de o filme começar: o Titanic vai afundar!

A experiência como expectador de uma tragédia anunciada pode nos ajudar a refletir no dia de hoje. Você já presenciou algum amigo ou parente passando por alguma situação que não tinha como dar certo? Muitas vezes aqueles que estão observando do lado de fora têm uma visão mais neutra do que aqueles que estão no meio do turbilhão das diferentes situações. Este é o princípio do conselho e a Bíblia nos orienta a procurar por conselheiros nos momentos de dúvida, problemas ou desafios em nossas vidas.

É importante ter critério na escolha de conselheiros, pois você não vai querer pedir ajuda para alguém que não tenha nada a oferecer. Em primeiro lugar, esta pessoa precisa ter a mesma mentalidade que você, por isso procure por cristãos mais maduros e experientes. Em segundo lugar, na medida do possível, converse com especialistas na área em que você está precisando de ajuda. Em terceiro e último lugar, quando puder ouça mais de uma opinião para tomar suas decisões.

> Não se esqueça de que seus pais, se vivos, são os principais conselheiros que você pode ter, pois ninguém conhece você melhor do que eles!

▶ Referências

Os planos fracassam por falta de conselho, mas são bem sucedidos quando há muitos conselheiros. **Provérbios 15:22**

Quem sai à guerra precisa de orientação, e com muitos conselheiros se obtém a vitória. **Provérbios 24:6**

▶ Curiosidade

"Titanic" foi o primeiro filme na história do cinema a ultrapassar a barreira de um bilhão de dólares de receitas, apenas nas bilheterias.

VOCÊ FOI ESCOLHIDO!

Emmet é um Lego do tipo mais comum que existe, aquele que segue todas as regras do manual de instruções e faz tudo o que todo mundo faz. Por não ter nada que o distinga dos demais, acaba não sendo percebido nem pela vizinhança, nem pelos colegas de trabalho. Ele acaba encontrando a chamada Peça de Resistência que poderia neutralizar uma arma mortal do presidente, Sr. Negócios, que deseja colar todas as peças para manter a ordem do mundo Lego. A partir deste momento, passa a ser chamado de "O Escolhido". É encontrado pelos Mestres Construtores, que são habilidosos criadores de artefatos com as peças e uma grande aventura vai seguir Emmet nos diferentes cenários clássicos deste brinquedo.

Nosso personagem acaba descobrindo que a profecia sobre o Escolhido não existe e, com ou sem a peça de resistência, a verdadeira força estava em seu interior o tempo todo!

Em nossas vidas, acreditamos que somos especiais porque possuímos alguma coisa que possa agradar aos demais, como a peça de resistência Espírito, que agradava aos Mestres Construtores. Porém, em nosso interior temos tudo o que realmente precisamos para vivermos bem conosco e com os que estão à nossa volta! Como cristãos, temos o Espírito Santo ao nosso lado e o fruto do Espírito que pode e deve ser desenvolvido para que possamos alcançar, aos poucos, um caráter mais parecido com o de Cristo. Esta é a verdadeira peça de resistência que o mundo precisa: pessoas cheias de Deus com um caráter transformado pelo poder do Espírito Santo!

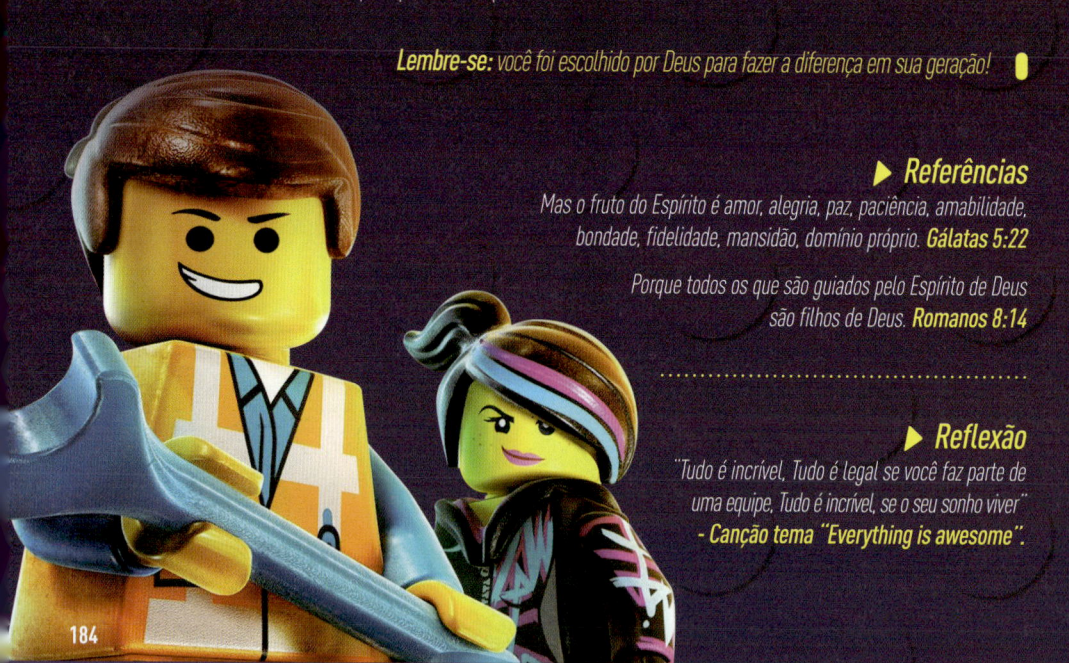

Lembre-se: você foi escolhido por Deus para fazer a diferença em sua geração!

▶ *Referências*

Mas o fruto do Espírito é amor, alegria, paz, paciência, amabilidade, bondade, fidelidade, mansidão, domínio próprio. **Gálatas 5:22**

Porque todos os que são guiados pelo Espírito de Deus são filhos de Deus. **Romanos 8:14**

▶ *Reflexão*

"Tudo é incrível, Tudo é legal se você faz parte de uma equipe, Tudo é incrível, se o seu sonho viver"
- Canção tema *"Everything is awesome"*.

VELOZ CONTRA A TENTAÇÃO E
FURIOSO CONTRA O PECADO

Brian O'Conner é um policial que se infiltra no universo das corridas ilegais nas ruas da cidade de Los Angeles. O seu objetivo é prender o líder de um grupo que rouba caminhões que transportam produtos eletrônicos nas estradas próximas à cidade. O policial O'Conner, ao invés de atingir o seu alvo, acaba se envolvendo com o grupo, inclusive se apaixonando pela irmã do mais respeitado corredor de rua de Los Angeles, Dominic Toretto. Este é o enredo resumido do primeiro filme da franquia "Velozes e Furiosos", que se estendeu por diversos filmes, sem previsão de "estacionar".

A história do policial Brian pode muito bem ser a história de várias pessoas que acompanham este devocional, neste exato momento. Podemos tentar ajudar pessoas que estão fora do universo cristão, com a melhor das intenções de trazê-las para os caminhos de Cristo. Porém, se nos distrairmos e nos esquecermos de nossa real missão e propósito, podemos facilmente nos tornarmos parte do mundo do qual deveríamos resgatar essas pessoas.

A missão de resgatar a outros exige uma certeza interior quanto à nossa condição de filhos de Deus. Precisamos entender que a única chance de exercer nosso chamado é aqui na Terra. No céu não teremos a oportunidade de impactar a vida das pessoas pois todos seremos impactados pela glória de Deus!

Seja veloz em fugir das tentações das quais você não resistirá e fique furioso contra Satanás, que aprisiona as pessoas numa vida de pecado!

Referências

Vigiem e orem para que não caiam em tentação. O espírito está pronto, mas a carne é fraca. **Mateus 26:41**

Portanto, vão e façam discípulos de todas as nações, batizando-os em nome do Pai e do Filho e do Espírito Santo. **Mateus 28:19**

Desafio

Ore a Deus por alguém de seu convívio que não conhece a Cristo e peça a Ele uma estratégia para conversar com ela e apresentar Jesus! Marque a conversa para esta semana e veja o sobrenatural acontecer!

QUEM QUER VIVER
PRA SEMPRE?

Connor MacLeod é um guerreiro escocês do século XVI que descobre que não pode ser morto de maneira comum, pois é ferido mortalmente em batalha e ressuscita. Ele é um dos Highlander, guerreiros imortais que se enfrentam através dos séculos em busca de um prêmio derradeiro para o último que permanecer. A única maneira de matar um deles é cortando sua cabeça, por esta razão todos são mestres no uso de espadas. Connor receberá a ajuda de outro imortal, Juan Sanchez Villa-Lobos Ramirez, que tem mais de dois mil anos de idade. Ele vai instruir MacLeod no jogo entre os imortais e treiná-lo em combate. Após vencer o último imortal, Connor recebe o prêmio final que é a capacidade de ler pensamentos mesmo à distância e com isso pode influenciar líderes mundiais e levar o mundo a uma nova era de paz e tranquilidade, e o fim de sua imortalidade com a capacidade de gerar filhos.

Desde o início, gostei muito deste filme, pois a ideia da imortalidade sempre me fascinou. Poder acompanhar *in loco* o desenvolvimento da história da humanidade sem a limitação dos poucos anos de vida que temos deve ser mesmo incrível. Quando aceitei a Cristo, descobri que possuía sim o dom da imortalidade, como filho de Deus, fui feito à imagem e semelhança Dele, por isso eu e toda a humanidade estamos destinados à vida eterna.

> O que podemos escolher é em que local desejamos passar a eternidade. Não "perca sua cabeça" escolhendo uma vida desregrada que possa afastá-lo de uma vida sem fim na presença de Deus!

Referências
Ele dará vida eterna aos que, persistindo em fazer o bem, buscam glória, honra e imortalidade. **Romanos 2:7**

E estes irão para o castigo eterno, mas os justos para a vida eterna. **Mateus 25:46**

E esta é a promessa que ele nos fez: a vida eterna. **1 João 2:25**

Curiosidade
Na preparação para "Highlander", o ator Christopher Lambert, que deu vida a Connor MacLeod, fez treinamento intensivo com o mestre espadachim e campeão olímpico canadense, Bobby Anderson.

APENAS A INTEGRIDADE PODE
DESTRUIR A CORRUPÇÃO

Alex Murphy é um policial na sombria Detroit de um futuro próximo. Com a corrupção, as desigualdades sociais e a criminalidade descontrolada, a cidade entra em colapso. Sem condições de controlar a criminalidade, a Prefeitura entrega a polícia para uma corporação chamada OCP. Esta corporação dá início a um projeto para inserir a inteligência artificial na polícia, mas fracassa completamente logo no primeiro experimento, ED-209. Na segunda oportunidade, usam um policial mortalmente ferido para o transformarem em um ciborgue perfeito. Alex Murphy foi este policial, transformado em Robocop, o policial do futuro.

> A partir deste momento ele possui três diretrizes principais:
> 1° Servir ao interesse público | 2° Proteger os inocentes | 3° Cumprir a lei

Qualquer semelhança entre a corrupção na Detroit fictícia do filme de 1987 a nossa realidade na esmagadora maioria das nações do mundo, infelizmente, não é mera coincidência. Todos os dias os jornais e noticiários escancaram a corrupção em nossa sociedade. Acredito que hoje, mais do que qualquer outro período histórico, existe uma grande necessidade de homens e mulheres íntegros segundo a Palavra de Deus, pois os exemplos que temos visto infelizmente não contribuem para um bom testemunho por parte de muitos cristãos em evidência na mídia e na sociedade.

> Ainda hoje, as diretrizes que Alex Murphy recebeu ecoam através da história como a necessidade de relevância da igreja na sociedade onde ela estiver enraizada: servir ao interesse público, proteger os inocentes e cumprir a lei.

▶ Referências

Em tudo seja você mesmo um exemplo para eles, fazendo boas obras. Em seu ensino, mostre integridade e seriedade. **Tito 2:7**

A integridade dos justos os guia, mas a falsidade dos infiéis os destrói. **Provérbios 11:3**

▶ Reflexão

Prefiro os que me criticam, porque me corrigem, aos que me elogiam, porque me corrompem.
Agostinho de Hipona

OS ELOGIOS QUE VOCÊ RECEBE NÃO SÃO PARA VOCÊ

James Bond também atende pelo nome de agente 007 na agência de espionagem secreta britânica MI-6. Um agente com modos requintados que, com muita classe, enfrenta ameaças com potencial para destruir o mundo, sem que a sociedade tenha a menor consciência tanto destes perigos, quanto também de quem a salvou.

Quando penso em James Bond, não consigo deixar de imaginar a questão da ausência do nome na instituição MI-6. Ele é reconhecido por um número. Nada mais impessoal e sem identidade para um ser humano. Mas, se pensarmos bem, foi exatamente para isso que fomos chamados por Deus! Não importa o trabalho que fizermos para o Reino, os nossos nomes não devem aparecer. Como seres humanos, possuímos egos gigantescos, e por isso temos a tendência natural de receber a glória por aquilo que não merecemos. Quando falamos sobre o Reino de Deus, toda a glória, todo o mérito, todo o elogio é para Ele, não para nós! Devemos ser referenciais para esta geração sim, mas para que elas vejam Jesus através de nossas vidas! Todos nós temos um potencial de liderança e, por consequência, as pessoas caminharão conosco trazendo alguma carga de admiração e elogios. Eles são naturais e pode ter certeza de que chegarão!

Você deve redirecionar tudo aquilo que for dirigido a você para Aquele que realmente merece nossa admiração e elogios! Não estou dizendo que não devemos honrar nossos líderes, longe disso, apenas fazer com que as pessoas entendam que os frutos de seu trabalho estão relacionados com o Senhor que nos usa pela sua graça, e não por sermos melhores que os outros!

Somos uma geração formada de pilares, que não devem ter "face", para sustentar o próximo avivamento da Igreja de Cristo!

▶ Referências
Tornem-se meus imitadores, como eu o sou de Cristo. **1 Coríntios 11:1**
[...] a ele sejam glória e poder para todo o sempre! Amém. **Apocalipse 1:6b**

▶ Desafio
Como você lida com os elogios? Você consegue redirecioná-los para Deus? Como você pode se proteger do orgulho e do ego inflamado por estas práticas?

NÃO SOMOS TÃO BONS
QUANTO GOSTARÍAMOS

Garfield é um gato laranja e listrado, preguiçoso, guloso, sarcástico e com muitos problemas com as segundas-feiras e dietas. Ele foi criado por Jim Daves em 1978. Parece difícil abordar um personagem com este perfil em um devocional cristão, não é mesmo? Mas se formos sinceros de fato, perceberemos que temos mais semelhanças com Garfield do que gostaríamos de admitir.

É bastante raro termos uma disposição titânica em plena segunda-feira para desenvolver nossas atividades depois de um final de semana cheio. A maior parte de nós tem aqueles dias cuja vontade é de não fazer absolutamente nada, ou ainda de tecer comentários ácidos quando alguém nos encontra em dias difíceis de nossa vida. Garfield, em minha opinião, fala de quem realmente somos quando ninguém está nos observando, quando a câmera de nosso celular não está focada em mostrar aquilo que queremos que os outros vejam nas redes sociais.

A Bíblia é muito clara com relação a estes comportamentos: devemos lutar contra nossa natureza para podermos crescer espiritualmente. O primeiro passo para sermos coerentes com as duas naturezas que lutam dentro de nós pelo controle de nossa alma (a carne e o espírito) é reconhecer que não somos perfeitos. Entender que às vezes somos preguiçosos, que nosso temperamento não é o mais cristão de todos e que nossos comentários sarcásticos podem magoar pessoas, é fundamental para reconhecer que precisamos mudar.

Saber que ainda somos humanos e que estamos em processo de construção diária de nosso caráter é um refrigério maravilhoso para entendermos melhor a graça de Deus!

▶ **Referências**
Cuida dos negócios de sua casa e não dá lugar à preguiça.
Provérbios 31:27
A resposta calma desvia a fúria, mas a palavra ríspida desperta a ira.
Provérbios 15:1

▶ **Curiosidade**
As tirinhas do Garfield são publicadas em 2500 jornais em 111 países e lidas diariamente por mais de 260 milhões de pessoas.

O PECADO É UM VÍRUS

Smith inicia a saga como um Agente, que é um tipo de programa de computador, procurando por falhas ou anomalias na Matrix, para corrigi-las e destruí-las. Após um confronto com Neo, que Morpheus acredita cegamente que é o Escolhido que traria paz, algo sai errado e Smith transforma-se numa espécie de vírus no programa, transformando todas as pessoas da Matrix em versões de si mesmo. Esta anomalia extrema gera uma aliança temporária entre Neo e as máquinas, para que Smith seja destruído e a Matrix reiniciada.

Smith é um vírus no sistema. Usando esta analogia, Deus criou o sistema do Universo. Satanás introduziu o vírus chamado pecado, que desestabilizou o sistema, e Cristo providenciou o Antivírus através de seu sacrifício, que devolveu a ordem e o funcionamento adequado para o mundo e para a humanidade! Eu e você fomos libertos da prisão mental que o mundo oferece, para a realidade espiritual de uma guerra entre os filhos de Deus e o império das trevas.

Nossa função é mostrar esta realidade para o maior número de pessoas que conseguirmos enquanto aqui estivermos, até que toda a humanidade conheça seu propósito e possa adorar ao único que merece adoração: Deus!

▶ **Referência**
Deus tornou pecado por nós aquele que não tinha pecado, para que nele nos tornássemos justiça de Deus.
2 Coríntios 5:21

▶ **Reflexão**
Eu só posso lhe mostrar a porta. Você tem que atravessá-la.
Morpheus

ENTENDA A LINGUAGEM DO
ESPÍRITO SANTO

12 JUN

Chewbacca faz parte da realeza dos Wookies, seu nome é uma homenagem ao grande líder wookie Bacca. Com muito conhecimento, será o copiloto de Han Solo e juntos serão fundamentais para ajudar a Aliança Rebelde contra o Império. Um fato interessante sobre ele é sua linguagem, composta por grunhidos e sons de difícil compreensão. Han Solo é capaz de compreender e conversar com ele, cada um em sua língua materna.

O que podemos falar sobre um dos personagens mais queridos do universo de Star Wars? Chewbacca retrata a figura de um amigo leal. É o companheiro inseparável de Han Solo, que sempre pode contar com ele. Além disso, o tempo de convívio juntos fez com que entendam a linguagem um do outro.

Em nossa caminhada cristã, precisamos aplicar o mesmo princípio de convivência que nosso personagem de hoje possui. Quanto tempo você passa com o Espírito Santo em sua vida? Você só entenderá Sua doce voz se passar tempo com Ele. Muitos querem intimidade com o Deus sem buscarem um tempo devocional, de oração e adoração. É impossível ter um bom amigo estando com ele apenas duas horas por semana durante o culto de domingo! Cristo procura por aqueles que querem mergulhar mais fundo Nele! Será que Ele pode encontrar um adorador extravagante em você?

> Você precisa escolher caminhar com Cristo todos os dias de sua vida! Um estilo de vida 24 horas por dia, 7 dias por semana!
>
> Ser discípulo de Cristo não custa muito, apenas tudo o que você possui!

▶ Referência

Aquele que os chama é fiel, e fará isso. **1 Tessalonicenses 5:24**

Vocês serão meus amigos, se fizerem o que eu lhes ordeno. **João 15:14**

Fiel é Deus, o qual os chamou à comunhão com seu Filho Jesus Cristo, nosso Senhor. **1 Coríntios 1:9**

▶ Desafio

Nesta semana, abra mão de outras coisas para focar seus dias em buscar por mais intimidade com Cristo. Ore mais, leia mais sua Bíblia, adore ao Senhor com mais intensidade.

NENHUM LÍDER
É COMO JESUS

Optimus Prime é o líder dos Autobots. Eles são alienígenas que vieram à Terra depois de seu planeta natal Cybertron ser consumido por uma guerra de mais de cinco milhões de anos entre os Autobots, cientistas, pesquisadores e os militares Decepticons. Com uma guerra tão longa e devastadora, os recursos do planeta são praticamente esgotados. Um grupo de Autobots parte numa nave chamada Arca, para procurar mais fontes de energia em outros planetas, mas são atacados pelos Decepticons e a nave cai na Terra, no início da humanidade e permanecem escondidos entre nós.

Optimus Prime é um líder nato que coloca sua missão acima de sua própria vida. Mesmo que tenha que sacrificar-se para que outros possam viver, ele não desiste de sua missão: proteger a matriz da liderança dos Decepticons.

Saindo da ficção dos filmes e desenhos dos Transformers, temos acesso ao maior líder que este mundo já viu. Jesus Cristo saiu dos céus, para viver nossa vida e morrer nossa morte. Assim, Ele conquistou para nós a certeza de uma vida eterna ao seu lado. Cristo não se importou com as consequências que sofreria, ao realizar o sacrifício supremo em favor da nossa vida. Por este senso incomparável de justiça, Ele superou todo tipo de afronta e sofrimento, incluindo a traição por um de seus discípulos, dores insuportáveis e uma morte de cruz, mesmo sendo inocente.

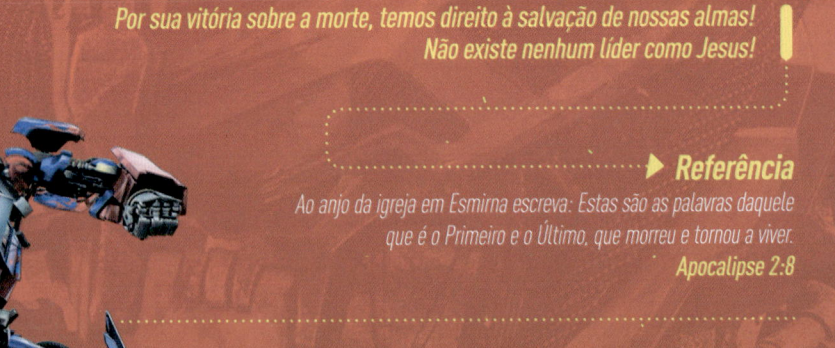

> Por sua vitória sobre a morte, temos direito à salvação de nossas almas!
> Não existe nenhum líder como Jesus!

▶ Referência
Ao anjo da igreja em Esmirna escreva: Estas são as palavras daquele que é o Primeiro e o Último, que morreu e tornou a viver.
Apocalipse 2:8

▶ Curiosidade
Os robôs do filme foram criados em computador, peça por peça. Optimus Prime por exemplo, tinha mais de 10 mil peças diferentes. Isso fez com que cada personagem fosse construído como se existisse de verdade.

AUMENTE A PRECISÃO DE SUA MIRA

Floyd Lawton é um mercenário e assassino de aluguel. Quem o contrata são os vilões de Gotham para que elimine a concorrência do submundo do crime. O seu "talento" com armas de todos os tipos fez sua fama neste meio. É um exímio atirador com todas as armas de fogo. Seu senso de mira é extraordinário. Por isso foi atingido no olho com uma das flechas do Arqueiro Verde. Submeteu-se a um procedimento cibernético que lhe deu um olho biônico que aumentou ainda mais a perfeição de seus tiros.

Assim como o Pistoleiro, também precisamos aprender a usar uma perspectiva de mira em nossas vidas. Em nossa sociedade, a maioria de nós passa todo o tempo correndo de um lado a outro executando tarefas e mais tarefas. Chegamos ao fim do dia extremamente cansados e exaustos com muito ainda a se fazer. Será que isso está certo? Este é o padrão de vida que devemos ter? Este é um questionamento interessante se pensarmos que o tempo é o bem mais precioso que temos em nossas vidas.

Para resolver esta questão, precisamos direcionar e focar nossa vida e nossas prioridades. O que é mais importante? Nossa vida com Deus a partir da qual todas as demais respostas virão. Escolher uma faculdade, uma carreira, uma família, tudo isso é muito delicado e são decisões muito importantes para tomarmos sozinhos. Precisamos colocar tudo isso diante de nosso Pai celestial, que com certeza nos dará a paz que precisamos para sermos mais objetivos em nossos propósitos.

● *Você não perde tempo quando busca a ajuda do Senhor do tempo!*

▶ **Referências**

Entendi que o sábio tem olhos que enxergam melhor e além, mas o tolo tateia pelas trevas; entretanto, notei que ambos têm a mesma sorte. **Eclesiastes 2:14**

No entanto, quem odeia seu irmão está nas trevas e vaga pela escuridão, não sabe para onde caminha, pois as trevas lhe turvam a visão. **1 Jo 2:11**

▶ **Reflexão**

Quando sua perspectiva está em Deus, seu foco está naquele que vence qualquer tempestade que a vida pode trazer. **Max Lucado**.

IDENTIFIQUE SUAS FRAQUEZAS

Karnak é primo de Raio Negro e, por esta razão, membro da família real dos Inumanos. Ele não foi exposto à Névoa Terrígena e por isso não possui poderes sobre-humanos. O seu treinamento em artes marciais gerou um sentido especial que descobre a fraqueza de qualquer objeto, pessoa, ideologia ou sistema de governo. Por esta razão, Karnak é o conselheiro estratégico dos Inumanos.

Enxergar o ponto fraco de uma pessoa e explorar esta fraqueza, é uma habilidade que Satanás sabe usar como ninguém. Dificilmente seremos tentados nas áreas de nossas vidas onde somos fortes. É exatamente na rachadura da armadura que seremos atacados.

Em um período crítico do povo de Israel, Neemias pensou estrategicamente colocando sentinelas nas áreas mais vulneráveis da muralha da cidade, para que nada que viesse de fora pudesse atrapalhar o trabalho de edificação dos muros que estavam construindo.

Prudência só é possível quando reconhecemos que não somos perfeitos e que pecamos como todos. Este é o primeiro passo para identificar fraquezas. O segundo é procurar ajuda de cristãos maduros que possam nos ajudar na jornada em busca de fortalecimento espiritual.

> Precisamos entender que não estamos na Terra para descansar, mas vivemos em constante conflito com nossa carne e com as forças espirituais que estão ao nosso entorno. Esta luta será vencida com oração, meditação na Palavra, jejum e no trabalho para que o Reino de Deus cubra toda a Terra! **Você está preparado para a batalha?**

▶ Referências

O prudente percebe o perigo e busca refúgio; o inexperiente segue adiante e sofre as consequências. **Provérbios 22:3**

Eu os estou enviando como ovelhas entre lobos. Portanto, sejam prudentes como as serpentes e simples como as pombas. **Mateus 10:16**

▶ Desafio

Quais são as áreas em que você identifica fraquezas em sua vida? Como você pode fortalecer estas áreas e se proteger de ataques do inimigo?

CUIDADO COM O MUNDO
INVERTIDO DA VIDA REAL

Will Byers desaparece misteriosamente e seus amigos Mike, Lucas e Dustin iniciam uma busca por ele na cidade de Hawkins, Indiana. A sua mãe Joyce procura desesperadamente por ele com a ajuda do delegado da cidade, Jim Hopper. Muitas "coisas estranhas" acontecem nos episódios desta série de 2016 com todo o elenco, incluindo encontrar uma menina com fala limitada e poderes telecinéticos. O denominador comum da primeira temporada de "Stranger Things" está no fato do elenco, gradativamente, acreditar no que os garotos chamam de "mundo invertido", espécie de outra dimensão que possui seres chamados de *Demogorgons*, e seria o local onde o garoto desaparecido estava aprisionado.

Semelhantemente ao "mundo invertido" da série, a Bíblia fala de um reino espiritual, onde habitam seres mais poderosos que os *Demogorgons* e que atuam em nossa realidade. Neste mundo, existem demônios que atuam a serviço de seu líder cuja função primária é destruir os filhos de Deus e manipular o sistema das sociedades humanas. O nosso papel é impedir seu avanço através do poder do Espírito Santo, e pelo Nome de Jesus destruirmos suas obras malignas!

Quanto antes você aceitar a existência deste mundo, mais tempo terá na sua preparação para a batalha espiritual!

▶ Referência

Mas se é pelo Espírito de Deus que eu expulso demônios, então chegou a vocês o Reino de Deus. **Mateus 12:28**

[...] nos quais costumavam viver, quando seguiam a presente ordem deste mundo e o príncipe do poder do ar, o espírito que agora está atuando nos que vivem na desobediência. **Efésios 2:2**

pois a nossa luta não é contra pessoas, mas contra os poderes e autoridades, contra os dominadores deste mundo de trevas, contra as forças espirituais do mal nas regiões celestiais. **Efésios 6:12**

▶ Curiosidade

A primeira temporada de "Stranger Things" é repleta de referências aos clássicos dos anos 1980, entre eles "ET", "Goonies" e o RPG "Dungeons & Dragons".

O CRISTIANISMO NÃO É UMA IDEIA

Os EUA não é mais uma superpotência devido a uma Guerra Civil e a Europa foi varrida por um vírus mortal chamado "Santa Maria". Apenas o Reino Unido permanecia estável sob o regime fascista do governo do partido Norse Fire através do Alto Chanceller Adam Sutler. Neste governo, todos os oposicionistas ou minorias são presos e enviados a campos de concentração. É neste contexto que surge V, um carismático e culto personagem que inicia o processo de mobilizar uma revolução popular contra o governo. Este é o pano de fundo de *"V de Vingança"*, *filme* de 2005 baseado na HQ de mesmo nome, escrita por Alan Moore e David Lloyd. Esta seria uma revolução sem rosto, em que todos usariam a mesma máscara, sem líderes, mas apenas pela ideia que estava por trás da máscara de V.

> O cristianismo possui alguma similaridade com o princípio deste filme. Cristo foi nosso líder revolucionário, e assim como os cidadãos de Londres, não possuímos rostos individuais, apenas procuramos imitar Aquele que nos inspirou a sair de nossa zona de conforto e comodismo para transformar o mundo em que vivemos. Cristo sacrificou-se pela causa, mas diferente de V, Ele não permaneceu como uma ideia, mas vive e hoje lidera a revolução do amor que culminará com seu glorioso retorno para buscar a sua Igreja! Quanto mais perseguirem os cristãos, mais seu sangue derramado será inspiração a outros!

▶ *Referências*

De todos os lados somos pressionados, mas não desanimados; ficamos perplexos, mas não desesperados; somos perseguidos, mas não abandonados; abatidos, mas não destruídos. Trazemos sempre em nosso corpo o morrer de Jesus, para que a vida de Jesus também seja revelada em nosso corpo. *2 Coríntios 4:8-10*

▶ *Reflexão*

Por baixo dessa carne existe um ideal, e as ideias nunca morrem. **V de Vingança**.

SUA HISTÓRIA
É A SUA ARMA

Ted Mosby conta para seus filhos como conheceu a mãe deles, narrando os fatos 25 anos depois. Este é o pano de fundo para a série "*How I Met Your Mother*", que ao longo de nove temporadas contou esta história. Algo muito interessante é que por se tratar de uma história narrada por Ted para seus filhos, 25 anos depois, o que vemos é sua versão dos fatos, por isso podem acontecer coisas improváveis como saltos do terceiro andar de um prédio, ou acrobacias com bicicletas de criança sobre carros. Na realidade, nunca saberemos se o que Ted contou é verdade, a verdade com "adicionais" ou uma mentira completa.

A proposta desta série é interessante, pois nos faz pensar em algo bastante útil para a reflexão de hoje. A nossa vida é baseada em nossas histórias. Contamos fatos de nossas vidas para outras pessoas e elas nos conhecem, em certa medida, através das histórias de nosso passado. Nem sempre nos orgulhamos dele, e por isso podemos sofrer a tentação de "mudarmos" um pouco este passado, para que fique mais agradável para nossos interlocutores.

Não faça isso! Uma das armas mais poderosas que Deus colocou em nossas mãos chama-se testemunho. É através deste passado, do qual você não sente orgulho, que outras pessoas na mesma situação enxergarão esperança de que elas também podem mudar e viver algo novo com Deus!

Não negue seu passado! Ele é a chave para a libertação de muitos em sua geração!

▶ **Referência**

Mudaste o meu pranto em dança, a minha veste de lamento em veste de alegria, **Salmos 30:11**

▶ **Desafio**

Nesta semana, conte a história de sua vida para um amigo! Como era sua vida antes de Cristo e o que Ele fez desde então? Essa pode ser a oportunidade que ele ou ela estava esperando para tomar a mesma decisão que você! Você não precisa demorar 9 temporadas para contar essa história, e seu amigo pode ganhar a vida eterna com ela!

Preparado para o desafio?

FAÇA DISCÍPULOS!

Robin é a identidade de, até o momento, cinco personagens que assumiram o papel do assistente do Batman. Surgiu pela primeira vez em 1940 com o objetivo de aproximar o público infantil e trazer um pouco de alegria e cores ao universo sombrio e solitário do Morcego de Gotham. Depois do Robin, diversos personagens mirins surgiram ao lado dos personagens principais, como Bucky Rogers para o Capitão América, Padawan para os Jedis, entre muitos outros. Agora, com a presença de Robin, Batman tinha alguém com quem conversar. Até então, ele passava suas aventuras pensando ou conversando consigo mesmo.

Robin representa o papel do discípulo que aprende vendo o mestre fazer. Como cristãos, fomos chamados a ser e a fazer discípulos. Aqueles que escolherem caminhar conosco, precisam ser levados a fazer o que fazemos para Deus. Por esta razão é tão importante cuidarmos de nossa conduta e buscarmos sempre excelência no trabalho do Reino de Deus.

Interessante notar um detalhe: os cinco personagens que assumiram o codinome de Robin são diferentes entre si. Alguns cresceram e tornaram-se heróis de renome, como Dick Grayson, o Asa Noturna, ou ainda o Tim Drake, o Robin Vermelho. Já outros foram desobedientes e não avançaram na função como, por exemplo, Stephanie Brown.

Em nosso caso, devemos ensinar a todos, mas nem sempre teremos bons resultados nessa tarefa. Nosso papel é ensinar e buscar ser o melhor que pudermos. Precisamos ganhar o coração das pessoas para ganhar seus ouvidos.

Faça discípulos!

▶ Referências

Portanto, vão e façam discípulos de todas as nações, batizando-os em nome do Pai e do Filho e do Espírito Santo. **Mateus 28:19.**

Guarde o mandamento com cuidado e sele a lei entre os meus discípulos. **Isaías 8:16**

▶ Curiosidade

O nome Robin tem origem em um pássaro muito comum na Europa, que no Brasil recebe o nome de Pintarroxo. Ainda bem que o nome não foi traduzido para o português, não é mesmo?

TUDO É UMA QUESTÃO
DE PERSPECTIVA

Doutor Henry Pym foi o inventor das partículas Pym, que permitem a manipulação da massa corporal e altura de quem as utiliza. Assumiu os nomes de Gigante, Golias e Jaqueta Amarela. Foi sucedido por Stephen Lang como o segundo Homem-Formiga e, atualmente Eric O'Grady também utiliza as partículas Pym. O poder do Homem-Formiga está relacionado a mudar seu tamanho, mas mantendo a mesma força. Sendo pequeno como um inseto ou com mais de três metros de altura, a força é estável!

Podemos associar o conceito das partículas Pym com a perspectiva que atribuímos aos nossos problemas. Da mesma forma como o Homem-Formiga muda seu tamanho e mantém sua força, a maneira como enxergamos nossos problemas impacta diretamente em como lidamos com eles. Quando olhamos nossos problemas a partir da ótica puramente humana, eles podem parecer gigantescos e impossíveis de resolver. O Espírito Santo que habita em cada filho de Deus pode nos fazer olhar para os problemas a partir da perspectiva divina. Em uma altura mais elevada, os grandes problemas não parecem assim tão grandes! Ao inserirmos Deus nas equações complexas da vida, podemos ter a certeza de que o impossível não existe! Todos os problemas têm solução e podemos confiar que Ele cuidará de nós!

- Mude a perspectiva e aumente sua fé no Criador do Universo!

▶ Referências
Jesus olhou para eles e respondeu: Para o homem é impossível, mas para Deus não; todas as coisas são possíveis para Deus. **Marcos 10:27**

Ó Senhor, Deus dos Exércitos, quem é semelhante a ti? És poderoso, Senhor, envolto em tua fidelidade. **Salmos 89:8**

▶ Reflexão
Não se trata de pensamento positivo ou de tentar fazer coisas boas acontecerem mediante o poder de sua mente. Trata-se de ver as coisas da perspectiva de Deus. Significa encontrar luz no que parece ser uma situação tenebrosa. É estar disposto a abrir mão da tendência humana de ver as coisas através de uma visão embaçada. **Stormie Omartian**

DEUS FEZ UMA ARMADURA
SOB MEDIDA PRA VOCÊ

James Rhodes é um jovem com o sonho de entrar para as forças armadas do exército americano. Encontra Tony Stark quando este está retornando da experiência no cárcere, que deu origem ao Homem de Ferro. Mais tarde, a convite de Tony, vai trabalhar nas indústrias Stark como motorista, mas torna-se o tesoureiro e confidente do dono das empresas do grupo. Conhece a verdadeira identidade de Tony Stark, inclusive quando este perde sua empresa e cai no alcoolismo. Rhodes torna-se o Homem de Ferro e ajuda o amigo a superar este capítulo difícil de sua história. O seu comportamento altruísta e justo foi mudando para algo mais agressivo e violento, até ele descobrir que a rede neural da armadura original foi projetada para a mente de Tony, portanto qualquer outra pessoa que usasse a armadura, aos poucos, ficaria confusa e desorientada. Por esta razão, Stark constrói uma armadura para Rhodes, que passa a ser o Máquina de Combate.

O detalhe da mudança de comportamento de Rhodes quando usou a armadura do Homem de Ferro é um ponto interessante para nossa conversa de hoje. Assim como ele, precisamos aprender que Deus nos fez únicos com uma missão e um propósito específicos na Terra. Quando não encontro meu chamado e passo a tentar viver a jornada de outra pessoa, em pouco tempo estarei desorientado e frustrado. Por isso, precisamos viver nossa vida e nosso chamado em Deus em sua plenitude!

Deus fez uma armadura sob medida para você! Você não precisa usar a de outra pessoa!

▶ Referência
Eu te louvo porque me fizeste de modo especial e admirável. Tuas obras são maravilhosas! Disso tenho plena certeza. **Salmos 139:14**

▶ Desafio
Responda as questões abaixo:
*Você tem convicção da razão pela qual nasceu?
O que você faria pelo resto de sua vida de graça?
O que as pessoas dizem que você faz muito bem?*
Estas respostas podem ser indícios de seu chamado!

SERIA CÔMICO, SE NÃO FOSSE TRÁGICO

Os Simpsons é uma das séries de maior sucesso de todos os tempos, chegando em 2018 à sua trigésima temporada. Contando com mais de 600 episódios já produzidos, é considerada por alguns a melhor série do século XX. A pergunta que sempre fiz é como um desenho animado, que trata de uma família desestruturada fazendo comédia com a classe média americana, pode fazer tanto sucesso assim?

Ao analisarmos mais profundamente, podemos entender alguns princípios úteis para nosso devocional de hoje. O gênero literário da comédia sempre foi muito importante para o teatro e para a literatura. Desde a Grécia clássica com o teatro, viajando ao lado dos trovadores medievais, passando por Shakespeare e chegando aos nossos queridos personagens amarelos de Springfield, a dura realidade torna-se palatável quando a observamos a partir do viés cômico. Os Simpsons são um espelho distorcido da classe média americana e por isso faz tanto sucesso, a imagem que se vê de si mesmo é engraçada e por isso é possível conviver com ela.

Na vida cristã, muitos lidam com suas vidas da mesma maneira. Passados trágicos, presentes complicados, tantas situações que as pessoas utilizam para justificar uma rotina irresponsável e "leve". Pode até fazer sucesso no meio de outras pessoas estressadas e preocupadas, mas este tipo de comportamento esconde uma realidade muito mais cruel e triste do que essas pessoas desejam mostrar. É necessário encarar nossa realidade, para que possamos buscar em Deus uma solução para ela.

Transparência e sinceridade diante de Deus são antídotos para vidas superficiais. O primeiro passo para a mudança é admitir que precisamos de ajuda!

▶ *Referência*
Eles tratam da ferida do meu povo como se ela não fosse grave. Paz, paz, dizem, quando não há paz alguma.
Jeremias 8:11

▶ *Curiosidade*
Em média, cada episódio dos "Simpsons" leva de seis a oito meses para ficar pronto.

APRENDA COM AS EXPERIÊNCIAS DOS OUTROS

Homer Jay é o pai da família Simpson, nascido e criado em Springfield. Apresenta todos os estereótipos cômicos do trabalhador norte-americano: rude, incompetente, grosseiro, preguiçoso, ignorante e adora comer rosquinhas. Para não deixar de atribuir nenhuma qualidade a Homer, ele é muito dedicado à sua família.

A sua ignorância e comportamento desatento sempre o colocam em confusões diárias das quais sempre consegue se safar. Embora sempre tenha desafios, causados por eles mesmos, a família Simpson permanece unida há mais de 30 anos.

Para nossa reflexão de hoje, gostaria de usar o exemplo de Homer para falar das confusões em que nos metemos quando estamos desatentos e não buscamos sabedoria. Vivi muitas situações como pastor de jovens em que grandes problemas aconteceram por pura falta de atenção e de oração. As famosas "pisadas de bola" geram arrependimento imediato, mas causam grandes consequências para a vida da pessoa e de outras que caminham com ela. A Palavra é clara quanto ao nosso papel na Terra: sermos prudentes e sábios. Por esta razão existem inúmeros erros de homens e mulheres de Deus na Bíblia, uma das razões para estes erros estarem lá é para que possamos aprender com eles, ao invés de cometermos os mesmos erros!

Que seus erros sejam degraus de aprendizado tanto para sua vida, como também para aqueles que caminham com você!
Busque a sabedoria que vem de Deus e você evitará muito sofrimento no presente e no futuro!

▶ Referências

O prudente percebe o perigo e busca refúgio; o inexperiente segue adiante e sofre as consequências. **Provérbios 22:3**

Eu os estou enviando como ovelhas entre lobos. Portanto, sejam prudentes como as serpentes e simples como as pombas. **Mateus 10:16**

▶ Reflexão

O tolo nunca aprende, o inteligente aprende com sua própria experiência e o sábio aprende com a experiência dos outros. **Provérbio chinês**

SUAS ATITUDES FALAM MAIS ALTO QUE SUAS PALAVRAS

MARJORIE BOUVIER SIMPSON é a mãe dedicada de Bart, Lisa e Maggie e a esposa de Homer. Apesar de todas as confusões que ele realiza, mantém seu casamento e sua família unidos. Isso só é possível pela paciência extrema de Marge e de sua dedicação pela família. Foi criada como um estereótipo da mulher americana da década de 1960, a dona de casa exemplar. Seu amor pelo marido, mesmo com as opiniões extremamente contrárias de suas irmãs, as gêmeas Selma e Patty, mostra que suas atitudes estão baseadas em sua experiência, não na aprovação dos outros.

Quantos princípios poderíamos extrair desta personagem tão conhecida? Quero fixar nossa análise de hoje, em sua visão inabalável de seu casamento, mesmo quando suas irmãs tentam convencê-la de que Homer não vale a pena, e que ela deveria se separar dele. Quantas vezes somos criticados por nossas escolhas como cristãos, por pessoas que não vivem a mesma experiência que nós? Qual é a nossa reação nestes momentos? Devemos ter a paciência de Marge e sua convicção. Você precisa entender que aceitar a Cristo como Senhor e Salvador foi (e se você ainda não tomou esta decisão, hoje pode ser o seu dia!) a melhor decisão que você poderia ter tomado em toda a sua existência! Qualquer pessoa que fale o contrário a você, não O conhece. Por isso, não deve ser levado em conta. Não fique zangado nem discuta com aqueles que não querem ouvir, apenas falar. Deixe que suas atitudes e sua alegria falem mais alto que suas palavras!

> Não podemos esquecer que as irmãs de Marge criticavam justamente aquilo que não tinham: um casamento e uma família.

▶ **Referências**

Os arrogantes zombam de mim o tempo todo, mas eu não me desvio da tua lei. **Salmos 119:51**

Alguns, todavia, zombavam deles e diziam: Eles beberam vinho demais. **Atos 2:13**

▶ **Desafio**

Pense por um momento: se todas as pessoas que não são cristãs passassem 24 horas com você, ao final deste dia, elas escolheriam ser cristãs a partir do seu exemplo?

QUE TIPO DE INFLUÊNCIA VOCÊ EXERCE?

Bartolomeu Jay Simpson é o primogênito da família. Rebelde, mal educado, tira notas muito baixas. Seu comportamento o coloca em muitos problemas que consegue resolver por sua sagacidade e bom papo. Por outro lado, Bart apresenta uma inteligência para aprender outras línguas e um senso social e político que impressionam. Possui uma habilidade formidável para dirigir, pelo menos para sua idade.

Alguém que apronta muito como ele precisa ter um talento nato para a liderança, pois tem um grande poder de convencimento para enrolar as pessoas. O grande problema é que ele, e muitas pessoas reais, usam esta habilidade em benefício próprio ou pelos motivos errados. Liderar deve ser encarado como uma grande responsabilidade que não pode ser exercida de maneira irresponsável. O maior líder que já existiu nos ensinou que devemos buscar servir aos outros, nunca em benefício próprio, mas levando essas pessoas a chegarem mais perto de Deus e crescerem em seus chamados e jornadas na Terra.

Jesus Cristo, o Messias prometido no Antigo Testamento, lavou os pés de seus discípulos, quando poderia dominar toda a terra. Durante seu sofrimento, sujeitou-se e obedeceu à vontade de Deus, entregando Sua própria vida voluntariamente em favor da humanidade.

> Liderança no Reino de Deus não fala a respeito de cargos e títulos, mas de serviço e sacrifício em prol dos outros! E aí, ainda quer ser líder?

▶ Referências

Ninguém tem maior amor do que aquele que dá a sua vida pelos seus amigos. **João 15:13**

Ninguém a tira de mim, mas eu a dou por minha espontânea vontade. Tenho autoridade para dá-la e para retomá-la. Esta ordem recebi de meu Pai. **João 10:18**

O discípulo não está acima do seu mestre, mas todo aquele que for bem preparado será como o seu mestre. **Lucas 6:40**

▶ Curiosidade

Bart Simpson já foi capa da revista "Time", que o elegeu uma das mais influentes personalidades do século XX, em 1998.

HONRE SEUS PAIS NATURAIS E ESPIRITUAIS

26 JUN

Lisa Marie Simpson é a filha do meio da família e o que poderíamos chamar de um peixe fora d'água. Extremamente inteligente, possui um dos maiores QI's de todos os personagens da série. Conhece muito sobre assuntos complexos, o que a deixa, em muitas ocasiões, triste e solitária. Temos a impressão de que Lisa tem um potencial muito grande para permanecer em Springfield. É muito diferente de seus pais e de seu irmão Bart, mas mesmo assim não é rebelde ou desobediente a eles.

Enxergamos um desenvolvimento cada vez mais rápido da tecnologia e da ciência, que gera verdadeiros abismos entre uma geração e outra, resultando no gradativo afastamento entre pais e filhos em uma sociedade cada vez mais conectada e apressada, onde se trabalha muito e todos correm contra o relógio para vencer seus compromissos. Como fica a família nesta situação?

Tanto o Antigo quanto o Novo Testamentos falam sobre a necessidade do respeito entre pais e filhos. O choque natural entre gerações não deve ser motivo para que existam rupturas ou falta de respeito. Não é por acaso que o Antigo Testamento termina e o Novo Testamento começa com a mesma expressão de que o Messias viria para converter o coração dos pais aos filhos e dos filhos aos pais. O Evangelho unifica, conecta os mais velhos aos mais novos em um ambiente onde os novos podem aprender com os mais experientes.

> Como Igreja somos parte de uma grande família onde o orgulho não pode existir. Independente de quanto conhecimento adquirimos ao longo da vida, devemos sempre olhar para nossos "pais na fé", pois através deles abriu-se o caminho para que pudéssemos conhecer a Cristo!

▶ Referências

Ele fará com que os corações dos pais se voltem para seus filhos, e os corações dos filhos para seus pais. **Malaquias 4:6**

E irá adiante do Senhor, no espírito e no poder de Elias, para fazer voltar o coração dos pais a seus filhos. **Lucas 1:17a**

▶ Reflexão

Sábio é o pai que conhece o seu próprio filho. **William Shakespeare.**

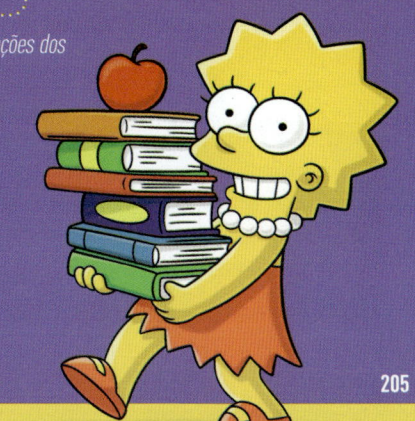

VOCÊ FOI ADOTADO NA TERRA POR OUTRA FAMÍLIA

John Clayton III fugia de um motim em um avião na selva africana. Membro da aristocracia britânica, tinha o título de Lorde Greystroke. O avião caiu na floresta, seus pais morrem no acidente e apenas Jonh sobreviveu. O grande problema é que ele era um bebê com alguns meses de vida. Foi salvo por macacos, que o criaram entre eles. Recebeu o nome de Tarzan, que na linguagem dos símios significa "pele branca". Possui força e habilidades muito superiores aos atletas olímpicos e consegue conversar com os animais.

Como filhos e filhas de Deus, estamos de passagem por esta terra até que possamos retornar para nossa verdadeira casa: a eternidade ao lado de Deus! Enquanto isso não acontece, seremos cuidados por outra família, aquela na qual nascemos. Você pode gostar ou não, mas ela será a responsável por mostrar-lhe o amor de Deus.

Mesmo nos casos onde a família for desestruturada, você aprenderá a depender de Deus e a enxergar a realidade de seus pais pela ótica deles. Eles são instrumentos para ensinar-lhe, portanto, seu papel como filho é aprender com eles, seja com os bons e desejáveis exemplos, ou até mesmo com os maus, pois eles nos ensinam muito sobre como não devemos caminhar nas nossas jornadas!

Agradeça a Deus pela família que você tem! Deus preparou um lugar para que você pudesse desenvolver seus dons e talentos, para um dia, voltar para sua verdadeira casa: o céu junto ao nosso Pai Celestial!

▶ Referências

E esta é a promessa que ele nos fez: a vida eterna. **1 João 2:25**

Asseguro-lhes que aquele que crê tem a vida eterna. **João 6:47**

Na casa de meu Pai há muitos aposentos; se não fosse assim, eu lhes teria dito. Vou preparar-lhes lugar. **João 14:2**

Desafio

Você diz com frequência que ama seus pais? Como você pode, de maneira prática, demonstrar esse amor a eles? Crie uma cultura da honra em sua casa! Você será muito abençoado!

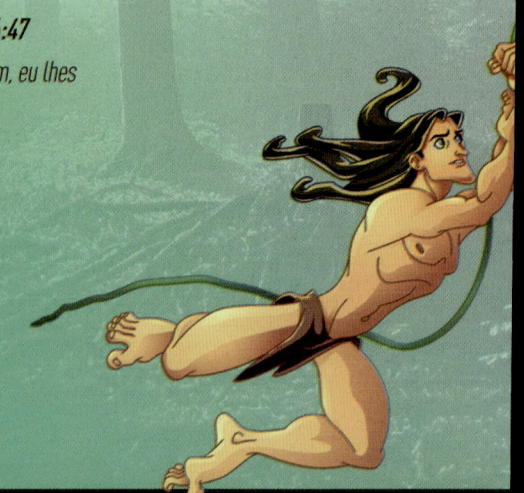

A AMBIÇÃO PODE CEGAR VOCÊ. CUIDADO!

Moby Dick é um romance escrito pelo autor americano Herman Melville e foi publicado pela primeira vez em 1851. O livro conta a história de Ismael, um pescador veterano que resolve partir para a pesca de baleias e embarca no navio The Pequod com seu amigo Queequeg, comandado pelo capitão Ahab. A viagem prevista para três anos tinha o objetivo de lucrar com a pesca de baleias para extração de sua gordura, mas o capitão Ahab tinha outros objetivos: caçar e matar a baleia Moby Dick, responsável por arrancar sua perna no último confronto. Apesar das advertências, e dos perigos de um confronto como esse, a obsessão do capitão por sua vingança o levou a perder tudo o que tinha: seu barco, sua tripulação e sua própria vida. Apenas Ismael sobrevive ao confronto, salvo por um caixote com o qual flutuou até a costa.

Não é necessário partir para uma missão suicida nos mares da costa americana para enfrentar os mesmos desafios de Ahab neste clássico da literatura estrangeira. Vivemos em uma sociedade extremamente ambiciosa onde os fins justificam os meios. Muitos acham natural usar outras pessoas para atingir seus objetivos egoístas, como o capitão usou de toda a tripulação para derrotar seu inimigo marinho.

Devemos cuidar com a ambição, pois ela é útil para nos tirar da zona de conforto e do comodismo de nossas vidas para buscarmos algo melhor. Mas, quando o sentimento foge do controle, pode nos cegar e impedir de enxergar o mal que podemos realizar através deste sentimento.

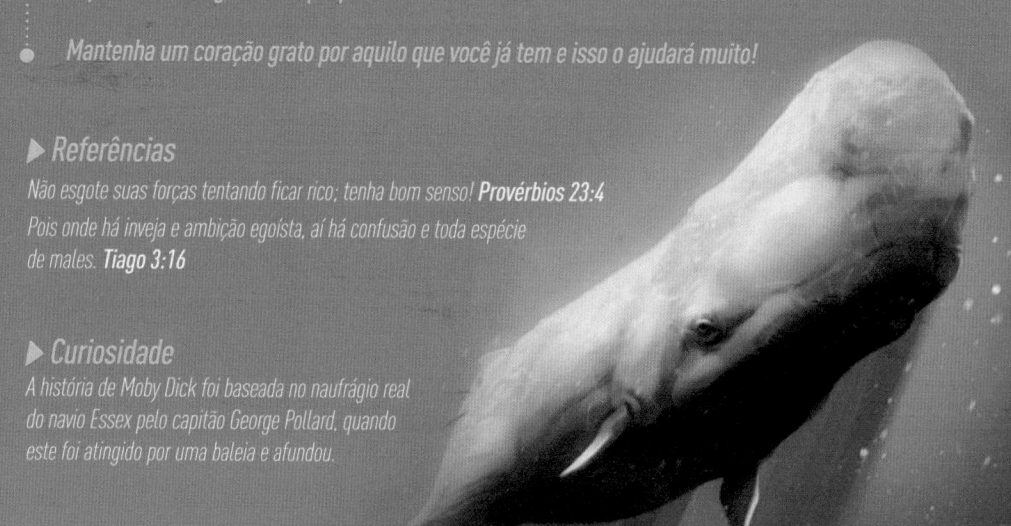

- *Mantenha um coração grato por aquilo que você já tem e isso o ajudará muito!*

▶ Referências

Não esgote suas forças tentando ficar rico; tenha bom senso! **Provérbios 23:4**

Pois onde há inveja e ambição egoísta, aí há confusão e toda espécie de males. **Tiago 3:16**

▶ Curiosidade

A história de Moby Dick foi baseada no naufrágio real do navio Essex pelo capitão George Pollard, quando este foi atingido por uma baleia e afundou.

APRENDA COM
PARÁBOLAS

A cidade de Storybrooke, no estado do Maine, é palco de uma poderosa maldição que trouxe para o mundo real: todos os personagens dos contos de fadas têm suas memórias anteriores apagadas de suas mentes. Com novas identidades e trabalhos adaptados ao mundo moderno, os personagens vão descobrindo gradativamente suas origens e seus poderes nos contos de fadas. Este é o enredo muito reduzido da série *"Once Upon a Time"*, que estreou em 2011, nos EUA.

Estes contos de fadas narram histórias para ensinar princípios universais como o amor, a vitória do bem contra o mal, o mal da inveja entre tantos outros que poderíamos descrever. Os princípios mais filosóficos são muitas vezes difíceis de entender quando analisados em estado bruto, por isso as histórias ajudam a simplificar algo difícil de ser entendido por qualquer pessoa.

Este é o propósito das parábolas, recurso didático muito utilizado por filósofos e também pelos sábios judeus para ensinar as Escrituras. Não por acaso, Jesus usou este recurso muitas vezes em seu ministério terreno para ensinar ao povo princípios complexos do Reino de Deus, através de elementos do cotidiano agropastoril daqueles que O ouviam, como sementes de mostarda, ovelhas ou moedas correntes em circulação.

O projeto deste devocional tem este objetivo, ao utilizarmos elementos de nossa cultura para falar de princípios do cristianismo. Estamos, na verdade, atualizando este gênero literário utilizado pelo mestre Jesus, sem modificar o sentido das Escrituras.

E você, já leu parábolas hoje?

▶ Referência
Jesus falou todas estas coisas à multidão por parábolas. Nada lhes dizia sem usar alguma parábola, **Mateus 13:34**

▶ Reflexão
Parábola é um gênero literário e seu conhecimento nos apresenta o uso de uma técnica utilizada pelos grandes filósofos para fazer conhecer ou transmitir ideias novas, fazendo analogias ou colocando de um lado um fato conhecido para comunicar algo novo ou incompreensível. **Koichi Sanoki**

RASGUE SEU CORAÇÃO
DIANTE DE DEUS!

A Austrália do futuro pós-apocalíptico é um ambiente de deterioração da humanidade. Sem os recursos elementares, em especial a água, a população local regrediu para um estado de selvageria animalesca. Este é o contexto no qual vive Max Rockatansky, um policial rodoviário em um país repleto de gangues de motociclistas. "Mad Max" foi um sucesso de crítica e bilheteria na década de 1980, com algumas continuações, inclusive uma realizada com maestria em 2015.

A jornada de Max é para alcançar justiça em um mundo onde os elementos de civilidade e ordem foram destruídos, imperando somente a lei do mais forte. Atualmente, recebemos pessoas em nossas vidas e igrejas com toda a sorte de problemas e traumas. Sucessivas frustrações, decepções, traições e mentiras podem nos levar a sofrer muito e nos afastar do caminho do Senhor, mudando o nosso comportamento. O relacionamento com Deus pode ser deteriorado, como as instituições na Austrália de Mad Max. Tudo o que podemos fazer é levar todo o nosso sofrimento aos pés da Cruz e sermos sinceros com Ele, rasgar nosso coração no sentido de falarmos exatamente como estamos nos sentindo, pois independente de nossa sinceridade, Ele sabe como estamos.

Lembre-se que este tipo de oração deve ser feito apenas diante de Deus em seu tempo secreto com Ele. Esta não é uma oração para ser feita em público, pois quem precisa conhecer o que se passa em seu coração é Deus, não os outros!

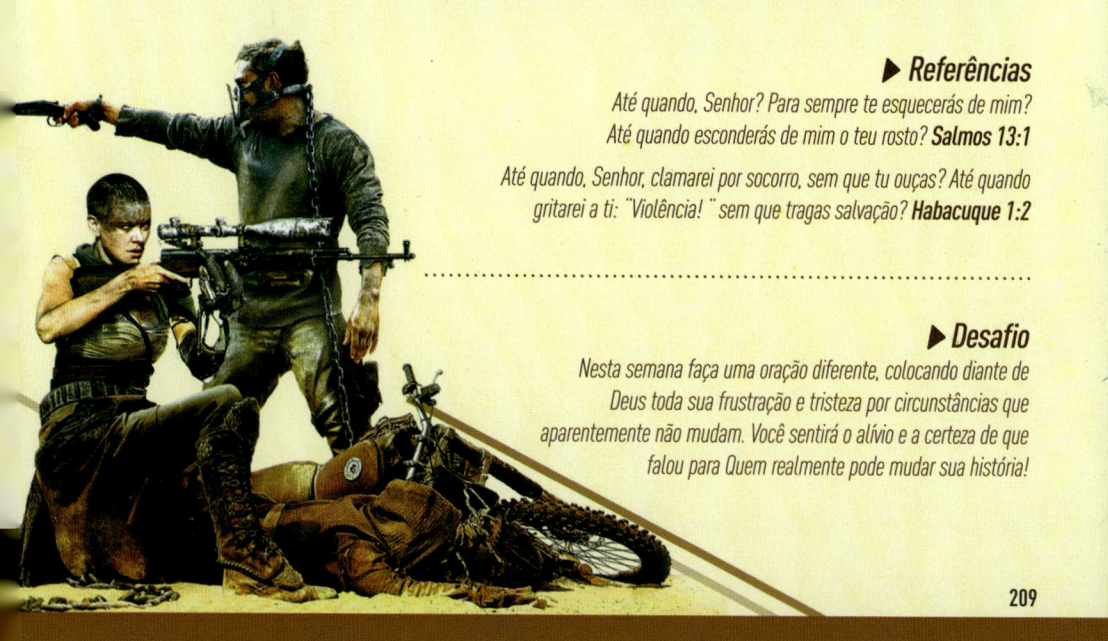

▶ Referências

Até quando, Senhor? Para sempre te esquecerás de mim? Até quando esconderás de mim o teu rosto? **Salmos 13:1**

Até quando, Senhor, clamarei por socorro, sem que tu ouças? Até quando gritarei a ti: "Violência!" sem que tragas salvação? **Habacuque 1:2**

▶ Desafio

Nesta semana faça uma oração diferente, colocando diante de Deus toda sua frustração e tristeza por circunstâncias que aparentemente não mudam. Você sentirá o alívio e a certeza de que falou para Quem realmente pode mudar sua história!

JULHO

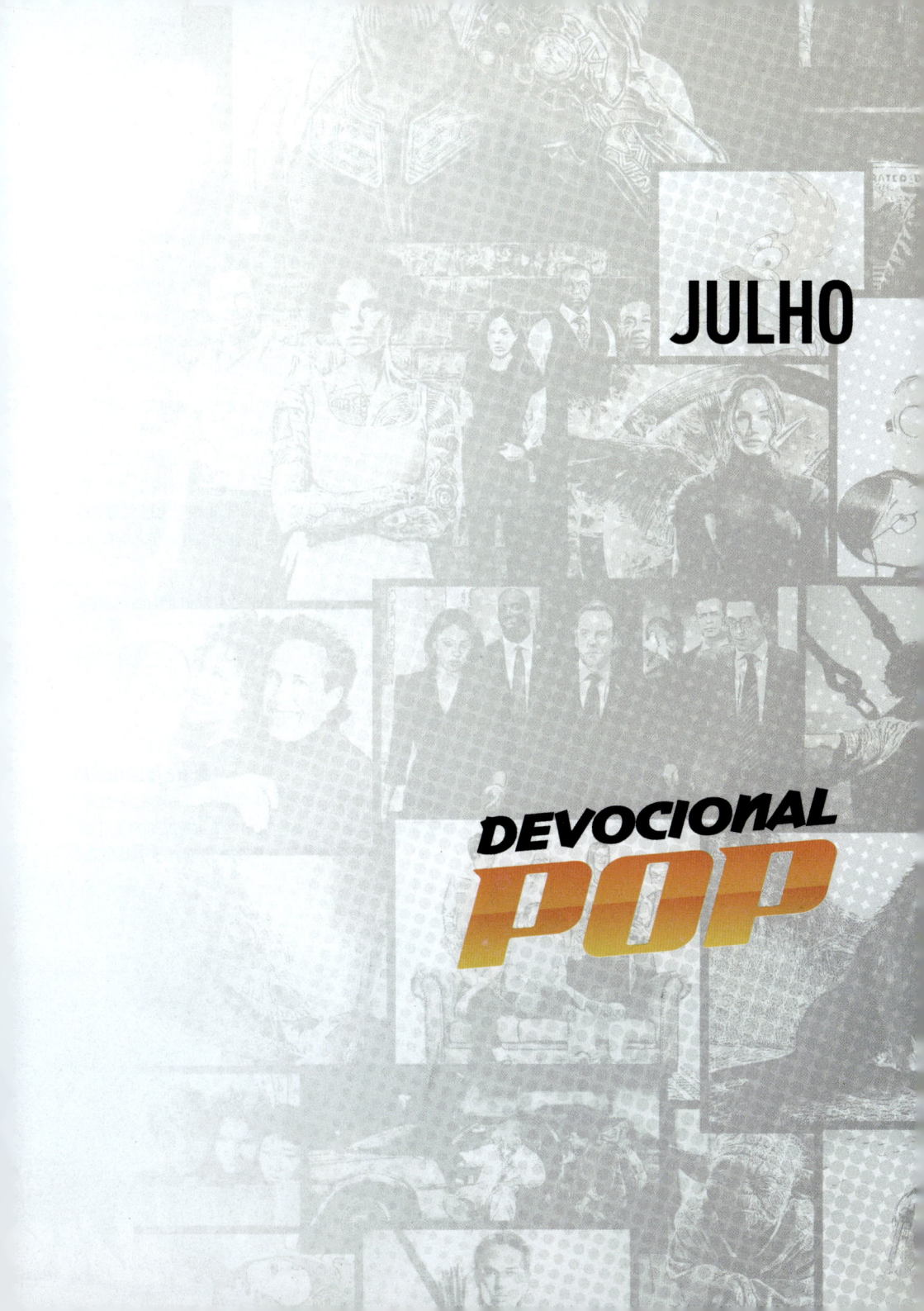

DEVOCIONAL POP

PERMANEÇA ACORDADO
E VENÇA O INIMIGO!

A Monstros S.A. é uma empresa que fornece energia para toda a cidade dos monstros a partir de um combustível muito peculiar: o susto e os gritos das crianças. A equipe de trabalhadores tem acesso às portas dos armários dos quartos de crianças ao redor do mundo inteiro e, através de um relatório sobre o perfil de cada criança, traçam a melhor estratégia para assustá-las enquanto dormem. Quanto maior o susto, mais energia é acumulada nas baterias que alimentam a usina e fornecem eletricidade para a cidade. Interessante que os monstros têm um verdadeiro terror: morrem de medo dos humanos, até mesmo das criancinhas. Sua missão é apenas assustar e passar pela porta por onde entraram.

Espiritualmente, também existe uma "Empresa" especializada em nos paralisar através do medo. Quanto mais nos assustarem com as circunstâncias, mais conseguem nos neutralizar. Este império espiritual existe e não pode ser relativizado. Satanás é líder deste império e possui seguidores que passam todo o tempo buscando amedrontar os filhos e filhas de Deus, através de sonhos, usando pessoas para nos magoarem, e tantas outras coisas. Mas, da mesma maneira como os personagens deste desenho tinham pavor dos humanos e agiam apenas nas sombras, nossos inimigos espirituais possuem verdadeiro terror de qualquer filho ou filha de Deus que use sua autoridade, que está no nome de Jesus, para anular qualquer poder das trevas!

Somos atacados quando estamos dormindo espiritualmente, pois o inimigo sabe que, quando estamos "acordados" no Espírito Santo, eles não são páreos para nós.

Portanto, não durma!
Permaneça acordado em Deus e não seja vencido pelo império das trevas!

▶ Curiosidade
Existem mais de 2,3 milhões de fios individuais de cabelos no personagem Sullivan. Seu número exato de cabelos é 2.320.413 fios.

▶ Referências
Sejam sóbrios e vigiem. O diabo, o inimigo de vocês, anda ao redor como leão, rugindo e procurando a quem possa devorar. **1 Pedro 5.8**

APROVEITE OS DESAFIOS

02 JUL

James P. Sullivan e Mike Wazowski são parceiros de trabalho na Monstros S.A. e melhores amigos, mas nem sempre as coisas foram assim. Enquanto estiveram na Universidade de Monstros passaram por diversas discussões e desentendimentos. Quando conseguem finalmente deixar as diferenças de lado, são expulsos da Universidade, pois Sully mudou o nível de dificuldade de um simulador de cama de criança. Ele fez isso para que Mike pudesse ganhar a competição entre irmandades e assim seu grupo venceria a disputa, através de uma trapaça. Após alguns anos trabalhando em diversos setores da Monstros S.A., tais como correspondência, cozinha e limpeza, eles finalmente atingem seu objetivo e vão trabalhar na área nobre da empresa: sustos, na qual Sullivan é o que assusta e Wazowski, seu assistente.

Verdadeiras amizades são construídas e precisam passar pela prova do tempo. Muitas pessoas conversam comigo pedindo para sair da igreja por causa de problemas com outras pessoas. Gosto de chamar estes momentos de "desafios interpessoais" e todos nós passaremos por isso em nossa caminhada. Por vezes, nos esquecemos de que cada problema ou desafio com outras pessoas é uma oportunidade dada por Deus para que venhamos a amadurecer como cristãos e Filhos. Quando eu abro mão do tratamento de Deus, perco uma oportunidade maravilhosa e continuo estagnado no mesmo nível de maturidade espiritual.

Não esqueça: a igreja é um hospital para pessoas doentes serem curadas, não um shopping center para nossa diversão! Por isso, aproveite as oportunidades para crescer até mesmo com os problemas de relacionamento!

Não perca o lado bom dos problemas e cresça com eles!

▶ *Referências*
Assim como o ferro afia o ferro, o homem afia o seu companheiro. **Provérbios 27:10**

Então Pedro aproximou-se de Jesus e perguntou: "Senhor, quantas vezes deverei perdoar a meu irmão quando ele pecar contra mim? Até sete vezes? **Mateus 18:21**

▶ *Reflexão*
Oportunidades têm prazo de validade.
Pastor Edson Mariano

NÃO SEJA UM MORTO MUITO LOUCO

Larry Wilson e Richard Parker são dois amigos que trabalham em uma companhia de seguros e descobrem uma grande fraude no pagamento de apólices. Os funcionários contam ao seu chefe, Bernie Lomax, o que descobriram e ele os convida para passarem o final de semana em sua casa de praia. Um dia antes, porém, o chefe é morto em sua casa. Quando Larry e Richard encontram o corpo de Bernie, têm a "brilhante" ideia de fingir que ele ainda está vivo para que o assassino não venha atrás deles. Levam o morto para festas na praia, jantares e muitas confusões acontecem nesta comédia de 1989.

O filme "Um Morto Muito Louco" pode ser cômico e engraçado, mas muitas pessoas estão mortas espiritualmente e continuam "caminhando" nos lugares aonde os vivos transitam. A frieza espiritual que atinge muitas pessoas dentro de nossas igrejas precisa ser vencida. Embora não tenhamos desculpas para "esfriar", nós conseguimos citar várias: muito trabalho, sofrimento com pessoas, incompreensão, sobrecarga de atividades, desilusões amorosas etc. Tantas coisas podemos dizer, apenas uma coisa não podemos mudar: sem busca a Deus diariamente não existe vida espiritual! Dependemos desta busca para não morrermos!

Graças a Deus, ninguém precisa permanecer um morto-vivo espiritual! Através do sacrifício de Jesus Cristo, podemos ressuscitar espiritualmente para uma nova e maravilhosa jornada!

Todos os dias são dias perfeitos uma reconciliação sincera com o Pai!

▶ Referências

Assim, porque você é morno, nem frio nem quente, estou a ponto de vomitá-lo da minha boca.
Apocalipse 3:16

Mas quando você orar, vá para seu quarto, feche a porta e ore a seu Pai, que está no secreto. Então seu Pai, que vê no secreto, o recompensará.
Mateus 6:6

▶ Desafio

Como está sua vida devocional? Quanto tempo você passa na presença de Deus quando não está na igreja? Quais as atitudes que você pode tomar hoje para deixar algumas coisas que não te edificam de lado, e aumentar seu tempo com Ele?

A HUMANIDADE NÃO DEVE BRINCAR DE DEUS

O investidor John Hammond criou o Jurassic Park, um parque temático com dinossauros que foram clonados a partir do DNA extraído de insetos preservados ainda no período pré-histórico. O parque foi concebido em uma ilha caribenha e especialistas são convidados a visitar o parque antes que ele seja aberto ao grande público. As coisas saem do controle e os dinossauros fogem de suas jaulas e locais determinados. Os protagonistas sofrerão para escapar do T-Rex, Velociraptor e toda a sorte de espécimes pré-históricas. O parque será abandonado pela falta de controle humano e domínio dos animais que estavam extintos.

Um grande sucesso do cinema vencendo inclusive o Oscar, em categorias técnicas pela revolução nos efeitos especiais, "Jurassic Park" pode nos levar a refletir a respeito do avanço da ciência em nosso tempo. Quais são os limites para os avanços e usos da tecnologia? Por muito tempo cristianismo e ciência caminharam juntas. O advento do Iluminismo criou uma "Idade das Trevas", para denegrir tudo aquilo que antecedeu a "Era das luzes". Iniciamos o século XX usando o cavalo como meio de transporte e terminamos fazendo turismo espacial. Houve avanços em muitas áreas, mas em outras deveríamos refletir um pouco mais, como é o caso da hipotética recriação de animais. Experimentos relacionados a clonagem humana ultrapassam as fronteiras do que nos compete como espécie. Como os protagonistas do parque Jurássico perceberam tarde demais, algumas coisas não deveriam ser manipuladas, pois sairiam de nosso controle.

Que o homem não use seu enorme ego e seu espírito orgulhoso para brincar de Deus. O futuro agradece!

▶ Referências

Criou Deus o homem à sua imagem, à imagem de Deus o criou; homem e mulher os criou. **Gênesis 1:27**

O Espírito de Deus me fez; o sopro do Todo-poderoso me dá vida. **Jó 33:4**

▶ Curiosidade

No filme de 127 minutos, apenas 15 deles contém cenas de ação com dinossauros, por causa dos custos de efeitos especiais em 1993.

CAMINHE PELA FÉ NÃO PELA VISÃO

Morpheus foi liberto da Matrix ainda criança e ajuda a proteger a última cidade dos humanos, chamada Zion, como capitão da nave Nabucodonozor. Após um encontro com o Oráculo (um programa que tem a capacidade de prever o futuro), sua vida é transformada, pois é dito que ele seria a pessoa que encontraria o Escolhido, um humano com poderes sobrenaturais que encerraria a guerra entre humanos e máquinas. Ele passa toda sua vida vasculhando a Matrix até encontrar Neo, e passa e acredita fielmente que ele seria o cumprimento da profecia sobre o Escolhido, indo até as últimas consequências para ajudá-lo em sua missão. Morpheus é o único que continua acreditando em Neo, mesmo quando todos os outros capitães enxergam o fim de Zion, no ataque final das máquinas.

Nosso personagem de hoje pode representar pessoas que caminham pela fé e não pelas circunstâncias de suas vidas. Não importa o que estas pessoas estão vivendo no presente, seus olhos estão voltados para a promessa da vida eterna! Em uma sociedade imediatista, em que os resultados precisam aparecer instantaneamente como a comida de um fast food, a fé é a segurança na existência de que a realidade atual não é a final.

A Bíblia relata a história de Abraão, a quem Deus havia prometido um filho. Esta promessa bastou para ele, pois anos mais tarde, quando Deus pediu que ele sacrificasse a Isaque, Abraão não duvidou de quem havia dado a promessa. Por isso ele está na galeria dos Heróis da Fé no livro de Hebreus, capítulo 11.

Tenha fé nas promessas de Deus para sua vida e caminhe nelas!

▶ Referências

Ora, a fé é a certeza daquilo que esperamos e a prova das coisas que não vemos.
Hebreus 11:1

Pela fé Abraão, quando Deus o pôs à prova, ofereceu Isaque como sacrifício. Aquele que havia recebido as promessas estava a ponto de sacrificar o seu único filho.
Hebreus 11:17

▶ Reflexão

Cedo ou tarde, você vai aprender, assim como eu aprendi, que existe uma diferença entre conhecer o caminho e trilhar o caminho.
Morpheus.

CUIDE DO MEIO AMBIENTE

No ano de 2100 os humanos tiveram que partir da terra, por causa do consumismo exagerado e do acúmulo de lixo, com o esgotamento dos recursos naturais do planeta. Eles permanecem em órbita na Nave Axiom e a empresa BNL envia um grupo de robôs chamados WALL-E para limparem o planeta em um projeto de cinco anos de duração. O ar do planeta mostra-se tóxico, mantendo a humanidade longe de seu planeta por mais de 700 anos! Com o fim de todos os robôs, resta apenas um WALL-E na terra executando seu trabalho. Ele conhecerá uma unidade EVA, que tem a missão de procurar por vegetais que provem que a vida pode ser restabelecida no planeta. Esta animação muito educativa, com muitos pontos para reflexão, foi lançada em 2008 e dirigida pelo conhecido diretor de animações Andrew Stanton.

Entre tantos pontos possíveis para nossa análise, gostaria de abordar o cuidado com o meio ambiente. Como cristãos recebemos uma ordenança da parte de Deus, desde o jardim do Éden, para sujeitar a criação e exercer domínio sobre ela. Muitos entendem este domínio como sinônimo de destruição, o que não tem absolutamente nada a ver com o que Bíblia nos ensina a este respeito. Diferentes textos mostram que devemos cuidar do planeta pois esta é a nossa casa. O domínio sobre a natureza deve ter como base o domínio divino. Deus não nos governa como um tirano ou de maneira irresponsável, mas através do amor e da ordem, fazendo aquilo que é o melhor para seus filhos.

Neste sentido, nosso papel como cristãos é cuidar do meio ambiente e fazer nossa parte para que ele não seja destruído e as gerações futuras ainda tenham como utilizar da natureza criada por Deus para nós!

▶ Referência

O Senhor Deus colocou o homem no jardim do Éden para cuidar dele e cultivá-lo. **Gênesis 2:15**

▶ Desafio

O que você pode fazer para ajudar o meio ambiente? Converse com seus líderes sobre alguma iniciativa que os jovens podem realizar em sua igreja para ajudar a preservar o meio ambiente em seu bairro!

POR QUE DEUS NÃO RESOLVE MEU PROBLEMA?

Uatu é conhecido como o Vigia e faz parte de uma raça extraterrestre. Mesmo sendo muito poderoso, tem a função exclusiva de observar os acontecimentos e escrevê-los para que a história do universo permaneça registrada.

Quando adolescente, confesso que ficava irado com a aparente letargia dos Vigias, que não se envolviam nos conflitos cósmicos que ameaçavam a existência de todo o universo, enquanto os heróis se sacrificavam para resolver as disputas. Conforme o tempo foi passando, comecei a perceber que a função do Vigia era muito maior do que simplesmente observar, mas sim acompanhar o desenvolvimento das espécies através das eras.

Esta mesma sensação de injustiça pode nos cercar quando vivemos momentos de dificuldade em nossas vidas, mesmo sendo filhos de um Deus Todo-poderoso que pode, conforme Sua vontade, nos tirar das dificuldades e transformar nossa realidade quando bem entender. Parece que, em muitas ocasiões, aparentemente, Ele não faz nada para nos ajudar e permite que soframos em nossos problemas e lutas. Todos os conflitos e dificuldades em nossas vidas são extremamente importantes para nosso futuro. É possível que não consigamos enxergar, mas com o tempo vamos perceber que hoje somos muito mais fortes do que ontem, graças a tudo o que passamos. Sem o sofrimento e as lutas, não seremos treinados para o aperfeiçoamento de nosso caráter.

Assim como a missão de Uatu é muito maior do que resolver conflitos pontuais, nossos olhos devem projetar nossa existência para o futuro, pois temos uma eternidade inteira para passar ao lado Daquele que está ao nosso lado em todo o tempo!

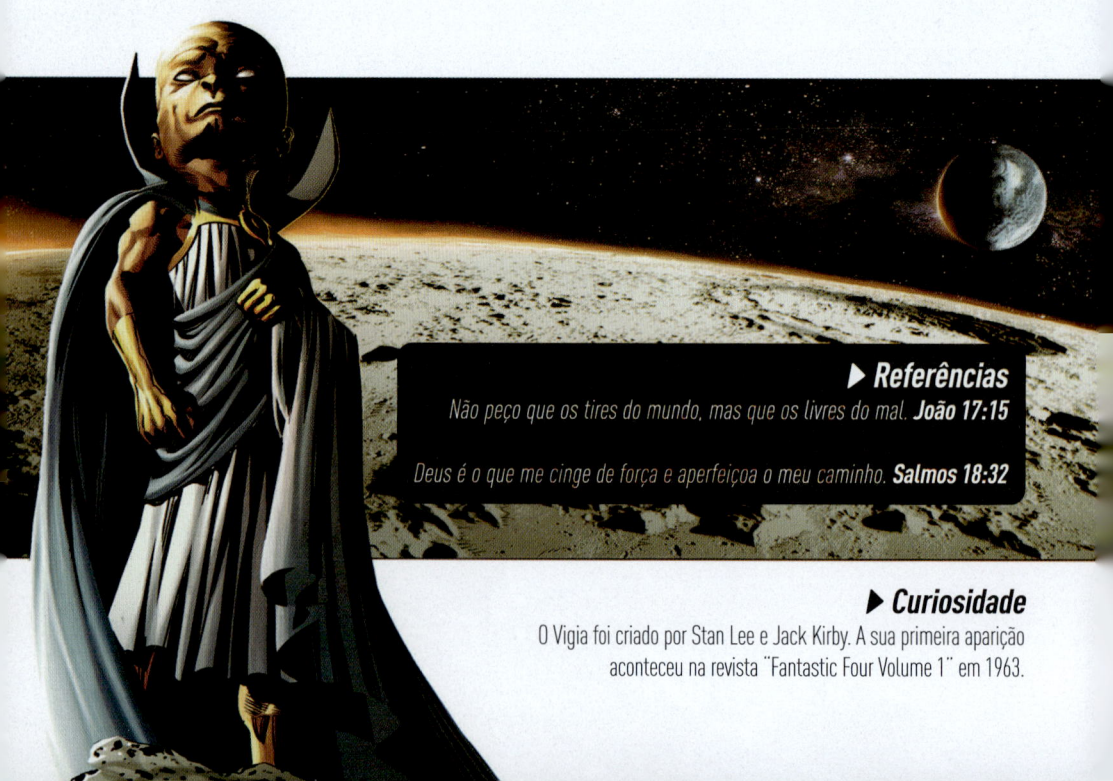

▶ Referências
Não peço que os tires do mundo, mas que os livres do mal. **João 17:15**

Deus é o que me cinge de força e aperfeiçoa o meu caminho. **Salmos 18:32**

▶ Curiosidade
O Vigia foi criado por Stan Lee e Jack Kirby. A sua primeira aparição aconteceu na revista "Fantastic Four Volume 1" em 1963.

BULLYNG **NÃO É BRINCADEIRA**

Oswald Chesterfield Cobblepot é um inimigo clássico do Batman. Por não possuir habilidades físicas para derrotá-lo, utiliza sua inteligência e estratégia para subir na estrutura criminosa de Gotham. Com uma infância bastante difícil, sofreu bullying pelas demais crianças que o chamavam de Pinguim por causa de sua aparência física. Oswald encontrou as únicas amigas nas aves da loja de sua mãe. Ele gradativamente afastou-se da sociedade que, de certa forma gerou aquilo que Cobblepot viria a se tornar.

A questão do bullying está muito presente em nossos dias e ela não é uma brincadeira de mau gosto, mas algo muito mais grave. Todos nós estamos dos dois lados desta tênue linha que separa aqueles que ofendem dos que são ofendidos. Nossas palavras têm o poder de trazer cura e restauração para almas aflitas ou podem ferir, destruir e arruinar vidas. Cristo pagou o preço por todas as nossas enfermidades, sejam elas físicas ou emocionais, porém nem todos estão dispostos a entregar o rancor e a mágoa e distribuir uma das forças mais poderosas de todo o universo: o perdão!

Minha oração é para que sejamos sábios em nosso falar, rápidos em perdoar nossos ofensores e que nossas palavras edifiquem e construam pontes entre as pessoas e nosso Deus. Na era das redes sociais, pense bem se sua opinião é necessária e não esqueça de que seu ponto de vista pode afetar aqueles que discordam de você.

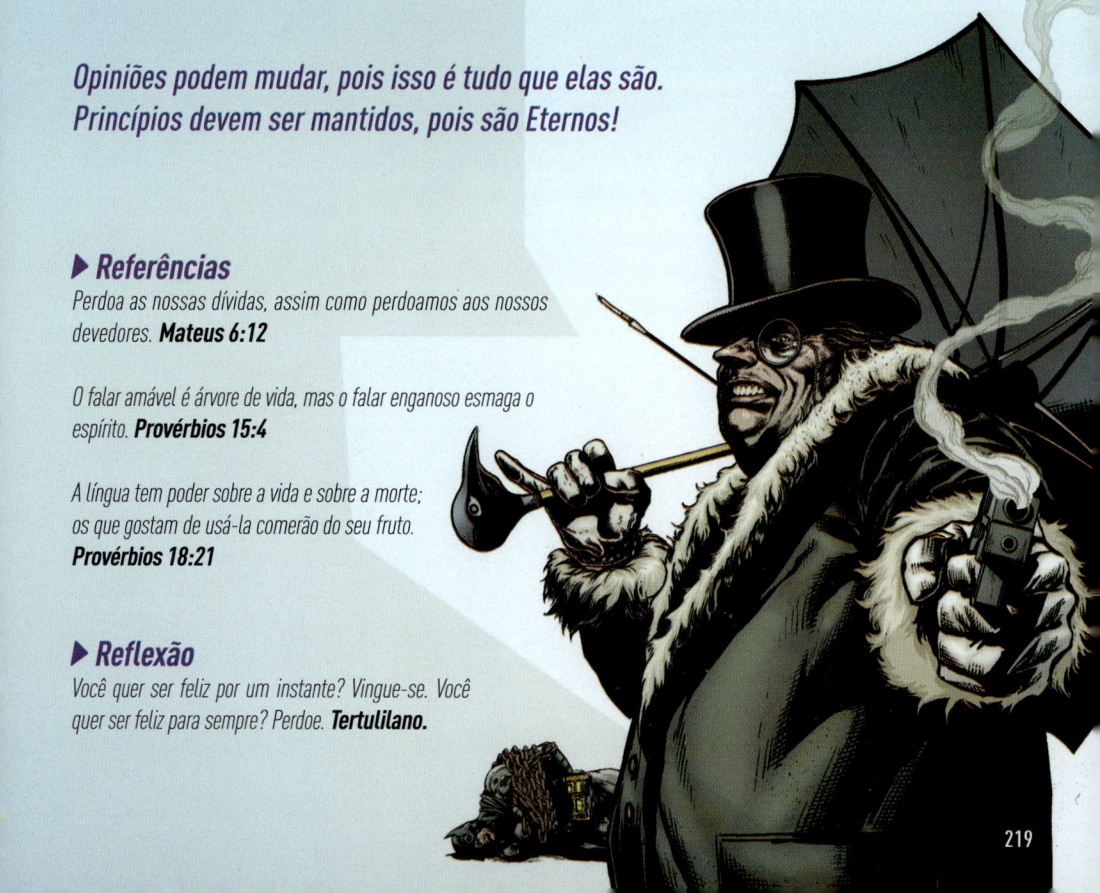

Opiniões podem mudar, pois isso é tudo que elas são.
Princípios devem ser mantidos, pois são Eternos!

▶ Referências

Perdoa as nossas dívidas, assim como perdoamos aos nossos devedores. **Mateus 6:12**

O falar amável é árvore de vida, mas o falar enganoso esmaga o espírito. **Provérbios 15:4**

A língua tem poder sobre a vida e sobre a morte; os que gostam de usá-la comerão do seu fruto. **Provérbios 18:21**

▶ Reflexão

Você quer ser feliz por um instante? Vingue-se. Você quer ser feliz para sempre? Perdoe. **Tertulilano.**

COM DEUS, SOMOS MAIORIA!

O Supercomputador Skynet foi criado pelos humanos para proteger toda a rede da defesa americana. Ele adquire consciência própria e dispara mísseis nucleares contra a Rússia, iniciando uma guerra nuclear que devasta o planeta. Os poucos sobreviventes são caçados por ciborgues conhecidos como Exterminadores e enviados a campos de extermínio. Um humano chamado John Connor é o líder da resistência e começa a virar o jogo. Temendo perder a guerra, Skynet envia o Exterminador T800 ao ano de 1984, para que ele mate a mãe de John, Sarah, com o objetivo de evitar seu nascimento e anular a ameaça a seus planos de dominação global.

Sempre que assisto a filmes de ficção científica com este perfil não consigo deixar de pensar no povo de Israel. Quando existe uma guerra entre humanos e máquinas, a desvantagem dos homens é gigantesca, e acontecia o mesmo com o povo de Israel, que sempre lutava em desvantagem numérica e tecnológica. Este povo era um dos menores aos olhos das potências da antiguidade, como os cananeus, filisteus, assírios, babilônios e persas. Mas eles persistiram e venceram inúmeras batalhas improváveis e impossíveis para estrategistas militares.

Quando Israel obedecia a Deus, os detalhes de suas incapacidades não eram levados em conta e a vitória era garantida por Deus. Quando desobedeciam e praticavam as mesmas coisas que os demais povos, perdiam e eram derrotados.

Obedeça a Deus e busque a sua face!
Com Ele você é maioria em qualquer batalha!

▶ Referências

Josué conquistou todas essas cidades e matou à espada os reis que as governavam. Destruiu-as totalmente, como Moisés, servo do Senhor, tinha ordenado. **Josué 11:12**

▶ Desafio

Você conhece pessoas que não se sentem capazes de vencer os desafios que a vida está trazendo a elas? Converse com uma delas mostrando que, com Deus, somos maioria em qualquer batalha! Se esta pessoa for você, então procure alguém maduro e de confiança para pedir uma oração a este respeito!

NOVAS ATITUDES PARA
UMA NOVA VIDA

No filme "Exterminador do Futuro 2", um Exterminador T800 é capturado e reprogramado pela resistência humana, enviado ao passado para proteger o jovem John Connor da unidade T1000, que anos mais tarde enfrentará o Exterminador TX, ambos muito superiores a ele, um dos primeiros e mais primitivos ciborgues construídos pela Skynet.

Um ponto interessante neste segundo filme, está no fato de que, quando Sarah Connor vê o Exterminador, ela lembra de quem ele era no passado. Ela não consegue ver o que ele se tornou, mas pensará em quem ele foi. A mudança não é sentida pelas palavras, mas pelas atitudes, que mudam completamente. Alguém que deseja matar no primeiro filme, para um anjo da guarda que a defenderá a qualquer custo nessa sequência.

Da mesma forma, quando aceitamos a Jesus como Senhor e Salvador, as pessoas não enxergarão mudanças no curto prazo pois, pelo menos na aparência, ainda somos os mesmos. É com o tempo e, principalmente com as atitudes, que a desconfiança inicial vai sendo dissipada para dar lugar a uma nova história. Isso acontece muito nas famílias em que uma pessoa se converte. Os demais membros estão aguardando para verificar se essa vida nova realmente vai trazer algum resultado prático. Por isso devemos buscar em Deus por um caráter segundo o caráter Dele. Ao morrermos para o pecado, devemos viver desta forma.

Não espere que as pessoas creiam nas suas palavras sobre o Evangelho, pois você é o livro que elas lerão! O que elas leem através da sua vida?

▶ Referências

A natureza criada aguarda, com grande expectativa, que os filhos de Deus sejam revelados. **Romanos 8:19**

Todos estes receberam bom testemunho por meio da fé; no entanto, nenhum deles recebeu o que havia sido prometido. **Hebreus 11:39**

▶ Curiosidade

O orçamento do primeiro filme foi de US$ 6.5 milhões, arrecadando mais de US$ 100 milhões, uma fabulosa rentabilidade. Já o segundo filme obteve esse valor só de orçamento, e bateu a marca de US$ 519 milhões em bilheteria.

NÃO OUÇA A PROPAGANDA DO MEDO

O Xerife Brody investiga a morte de uma garota na beira da praia, com indicações de que ela foi morta por um ataque de tubarão. Ele tenta, em vão, fechar a praia para os banhistas, pois o principal feriado do ano está próximo e causaria pânico entre os turistas. Ocorre um segundo ataque com a morte de uma criança e ainda um terceiro, justamente no feriado de 4 de julho, aterrorizando não apenas os turistas, mas também todos os moradores. O xerife reúne uma equipe para caçar o tubarão responsável pelos ataques.

O filme "Tubarão", dirigido pelo jovem Steven Spielberg em 1975, pode nos ajudar a entender um pouco mais a respeito da propaganda que gera o medo em nossas vidas. O animal aparece muito pouco, mas a simples possibilidade dos ataques apavora as pessoas que fogem da praia. Muitos cristãos não se envolvem com o Reino de Deus pelo medo de que Satanás e seus demônios possam atacar e causar danos em sua vida. A propaganda do medo por si só é capaz de paralisar cristãos. A Bíblia nos diz que ele ruge ao nosso redor, tentando devorar aqueles que prestem atenção ao seu barulho.

Embora não devamos desprezar a batalha espiritual que é travada 24 horas contra o império das trevas, devemos confiar no suficiente poder de Jesus Cristo que venceu a morte, derrotou a Satanás, e nos protege de todo o mal. Para que isso transforme-se em realidade, você precisa conhecer mais sobre o poder de Cristo através das Escrituras e das suas experiências pessoais com Ele!

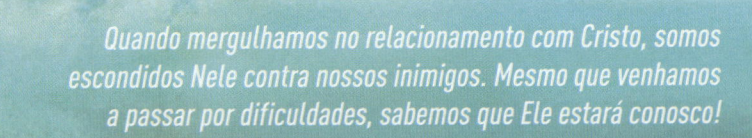

Quando mergulhamos no relacionamento com Cristo, somos escondidos Nele contra nossos inimigos. Mesmo que venhamos a passar por dificuldades, sabemos que Ele estará conosco!

▶ **Referências**

Sejam sóbrios e vigiem. O diabo, o inimigo de vocês, anda ao redor como leão, rugindo e procurando a quem possa devorar. **1 Pedro 5:8**

Protege-me como à menina dos teus olhos; esconde-me à sombra das tuas asas. **Salmos 17:8**

▶ **Reflexão**

A vida é maravilhosa se não se tem medo dela.
Charles Chaplin

SOMOS MENSAGEIROS DE DEUS

12 JUL

Steve Trevor é major da Força Aérea e, durante uma missão, cai na ilha de Themyscira, lar das amazonas. A ilha é governada pela rainha Hipólita e por sua filha, Diana. Através do relato de Steve, as amazonas descobrem um pouco do que acontece fora de seu isolamento. Crendo que o deus da guerra Ares é o responsável pelo desenrolar da Primeira Guerra Mundial, a Princesa Diana ajuda Steve, saindo, que sai de sua terra natal para combater nas trincheiras deste sangrento episódio.

Somos mensageiros de Deus! Um acidente de percurso levou Steve a uma ilha aparentemente deserta, onde compartilhou a realidade de seu mundo para as amazonas. A partir do conhecimento desta realidade, a princesa Diana decidiu ir com ele de encontro aos perigos da guerra e, de alguma forma, mudar aquela situação.

Esta história me faz lembrar dos judeus que vieram até Neemias e contaram a ele o que havia acontecido a Jerusalém, após o exílio de grande parte do povo. As notícias eram desoladoras, mas levaram Neemias à ação, saindo do conforto do castelo onde habitava, para iniciar uma campanha de reconstrução dos muros de Jerusalém.

Devemos nos posicionar quando a situação ao nosso redor estiver desmoronando! Neemias foi perturbado de tal maneira pela notícia da situação miserável de seu povo que precisou agir.

Devemos ser os Neemias de nossa geração!

▶ Referências

Hanani, um dos meus irmãos, veio de Judá com alguns outros homens, e eu lhes perguntei acerca dos judeus que restaram, os sobreviventes do cativeiro, e também sobre Jerusalém. E eles me responderam: "Aqueles que sobreviveram ao cativeiro e estão lá na província, passam por grande sofrimento e humilhação. O muro de Jerusalém foi derrubado, e suas portas foram destruídas pelo fogo".
Neemias 1:2-3

▶ Desafio

Como você reage aos problemas que estão à sua volta? Você consegue ser uma parte da solução de Deus para este mundo, orando, jejuando e indo aos lugares sem esperança?

AS VERDADEIRAS MULHERES MARAVILHAS

Diana, filha de Hipólita, é a princesa das amazonas na paradisíaca ilha de Themyscira. Foi enviada para o ¨mundo dos homens¨ para propagar a paz. Diana é aquela que deve defender a humanidade nos embates entre os homens e os deuses. Será conhecida na terra como a Mulher Maravilha. A queda do piloto Steve Trevor, no filme de 2017, nas proximidades da ilha, levará Diana a ter conhecimento do que está acontecendo no mundo dos homens, especialmente a terrível Primeira Guerra Mundial. Este contato a levará para o centro do conflito, que ela tentará encerrar de uma vez por todas.

Em nossa realidade, existem muitas Mulheres Maravilhas que, mesmo sem poderes especiais, viram situações de desespero que as levaram a abandonar a segurança e conforto de seus lares para viverem uma vida de sacrifício por pessoas desconhecidas em locais distantes. A Bíblia elenca várias mulheres que foram fundamentais para a continuidade do plano de redenção de Deus para a humanidade, como Raabe, Ana, a Rainha Ester, a Juíza Débora, Rute, Miriã, Maria, a mãe de Jesus, entre outras mulheres maravilhosas.

Mas não precisamos buscar por elas apenas na Bíblia, pois nossa época histórica contou e ainda conta com mulheres excepcionais que trouxeram a Glória de Deus à terra, como Khatarina Lutero, Susannah Wesley, Sarah Poulton Kalley, Catherine Booth, Aimée Semple McPherson e Kathryn Kuhlman.

E a lista não acaba por aí! Você que está lendo este devocional pode fazer parte da lista dos heróis e heroínas da fé! Acredite no potencial dado por Deus a cada um de seus filhos e faça a diferença nesta geração!

▶ **Referências**
Pela fé a prostituta Raabe, por ter acolhido os espiões, não foi morta com os que haviam sido desobedientes.
Hebreus 11:31

▶ **Curiosidade**
A diretora de ¨Mulher Maravilha¨, Patty Jenkins, é a primeira mulher a dirigir um filme de super-heroína.

AGRADEÇA SEMPRE!

Eric é filho de pais ricos e, na maior parte do tempo em que está com o grupo de adolescentes no Reino de Caverna do Dragão, é arrogante e egoísta, pois pensa apenas em seu bem estar e numa forma de voltar para a nossa dimensão. Este egoísmo o leva a ser covarde e medroso, além de reclamar de tudo o que acontece. Ele nunca está satisfeito, o que exige do grupo uma dose extra de paciência. Eric recebeu um escudo que gera um campo de força em uma área próxima, protegendo o grupo dos ataques dos inimigos.

Nosso personagem de hoje ilustra uma série de comportamentos que causam problemas para si e para aqueles que caminham com ele. Poderíamos falar muito sobre egoísmo e covardia, duas falhas de caráter muito combatidas pelas Escrituras. Mas quero falar de algo que ainda não abordamos aqui: a ingratidão.

Uma pessoa ingrata é uma pessoa infeliz. Quando aprendemos a agradecer por aquilo que temos, damos valor a isso e vivemos felizes e contentes. Por outro lado, se enxergarmos sempre que o outro tem algo melhor do que nós, viveremos insatisfeitos em busca de algo que não temos. Isso coloca nossas expectativas apenas no futuro e seremos infelizes no presente. Percebe como a ingratidão é perigosa? Ela nos impede de viver os momentos de felicidade agora, pois estará sempre no futuro. Seremos gratos quando tivermos isso ou formos aquilo quando, na verdade, a alegria da vida está nos pequenos detalhes que apenas aqueles que possuem um coração grato conseguem perceber em meio à correria da vida moderna.

▶ Referências

Sei o que é passar necessidade e sei o que é ter fartura. Aprendi o segredo de viver contente em toda e qualquer situação, seja bem alimentado, seja com fome, tendo muito, ou passando necessidade. **Filipenses 4:12**

E sejam agradecidos a Deus em todas as ocasiões. Isso é o que Deus quer de vocês por estarem unidos com Cristo Jesus.
1 Tessalonicenses 5:18

▶ Reflexão

A gratidão é um fruto de grande cultura; não se encontra entre gente vulgar.
Samuel Johnson

ENFRENTE SUA REALIDADE

Dorothy Gale é uma garotinha que vive em uma fazenda no Kansas com seus tios Henry e Em e seu cão Totó. Ela foge de sua casa quando corre o risco de ter que entregar seu cachorro e acaba sendo pega por um tornado que os leva para o Reino Mágico de Oz. Neste lugar desconhecido ela encontrará seus amigos de jornada: Espantalho, Homem de Lata e o Leão Covarde, que irão com ela até a presença do Mágico de Oz, onde ela e seus amigos farão pedidos.

Nos livros do americano Frank Baum, no início do século XX, Dorothy retorna a Oz muitas vezes inclusive mudando-se para lá com seus tios e tornando-se uma princesa do reino.

Gostaria de falar um pouco a respeito da fuga da realidade que pode nos levar a ter problemas reais. Todos precisamos de um tempo para descansar nossa mente da rotina cansativa de nosso dia. Alguns passam um tempo zapeando canais de TV, outros praticam algum tipo de esporte, outros jogam video game ou navegam nas redes sociais. Como elemento para distração temporária, e descansar a nossa mente, essas coisas são válidas!

O problema começa quando fazemos o mesmo que a garotinha Dorothy: transformamos a fuga em algo mais real que a realidade. Muitas pessoas passam o dia todo nas redes sociais, jogando on line, na academia ou em outros lugares pois suas vidas "reais" não são agradáveis. Os problemas precisam ser resolvidos, por isso é mais fácil fugir para uma realidade virtual. O interessante é que os problemas não se resolvem sozinhos e, mais cedo ou mais tarde, teremos elementos.

Não permita que o seu lazer tome mais tempo que o necessário e o impeça de realizar as obras realmente importantes em sua vida!

▶ **Referências**
Como eu amo a tua lei! Medito nela o dia inteiro. **Salmos 119:97**

▶ **Desafio**
Você consegue identificar algumas distrações em sua vida? Como você pode diminuir o tempo que gasta com elas, para realmente investir seu tempo no Reino de Deus?

ÀS VEZES, A JORNADA É
A SUA RESPOSTA!

O Espantalho é o primeiro companheiro de jornada que Dorothy vai encontrar na terra mágica de Oz. Ele conta a ela que não possui um cérebro, pois tem apenas dois dias de vida e é ignorante. Este será seu pedido ao Mágico, quando o encontrar. Ao longo da história, ele demonstra que já possui o cérebro que busca, e depois do encontro com o Mágico, será reconhecido como o homem mais sábio de Oz. Ele já possuía aquilo que passou tanto tempo procurando. A própria jornada concedeu ao Espantalho a sabedoria que ele queria.

Muitas pessoas procuram por coisas que elas acham que não têm, e por isso as pedem a Deus. Sabedoria, ser um cristão, um líder, um pai, uma mãe, um filho melhor. Quando pedimos essas coisas louváveis a Deus, muitas vezes não entendemos porque não as recebemos. Na verdade, já temos dentro de nós todos os elementos necessários para desenvolver estas qualidades, porém precisamos ser forjados e capacitados por Deus para alcançarmos maturidade. Por isso gosto do Espantalho de Oz: foi a jornada que deu a ele o que era necessário.

O aço é forjado no fogo e depois deste teste, ele torna-se mais forte. Da mesma forma, somos forjados pelo fogo das dificuldades e dos desafios, para sermos fortalecidos. Vivemos um tempo de imaturidade em muitos lugares, pois nos momentos de prova, muitos têm escolhido migrar para outros lugares para recomeçarem, permanecendo em um nível raso de intimidade e relacionamento, tanto com Deus quanto com os outros cristãos.

Isso não quer dizer que você não precisa de Deus para alcançar seus objetivos, apenas que as provas são partes fundamentais de seu treinamento rumo ao amadurecimento de um caráter alinhado a Cristo!

▶ Referências
Sonda-me, Senhor, e prova-me, examina o meu coração e a minha mente.
Salmos 26:2

▶ Curiosidade
Mais de 350 anões foram contratados para fazerem os papéis dos habitantes de Munchkinland! Cada um deles recebeu US$ 50 dólares por semana, enquanto o dono do cachorro Totó recebeu US$ 125 por semana.

NÃO PERCA **SEU CORAÇÃO**

O **Homem de Lata** é o segundo companheiro de jornada de Dorothy no mundo de Oz. Ele era um trabalhador que foi enfeitiçado por uma bruxa e, a partir deste ponto, foi perdendo os membros de seu corpo em graves acidentes de trabalho. Para cada membro perdido, um amigo o substituía por uma prótese metálica. No último acidente, ele acaba perdendo seu coração, e este evento tirou do Homem de Lata qualquer emoção.

Sem falar da clara crítica ao sistema de trabalho europeu durante a Revolução Industrial, os sucessivos traumas pelos quais nosso personagem passou retiraram gradativamente sua humanidade e emoções. Podemos transformar os acidentes físicos dele em traumas emocionais para pessoas reais e descobriremos que existem muitos "homens e mulheres de lata" em nossos dias. Eles vivem sem emoções porque já sofreram demais.

Todas as coisas são importantes, mas o bem mais precioso que temos é o nosso coração, que representa o centro de nossas emoções - aquilo que a Bíblia chama de alma. Existe uma batalha em nossas mentes entre a nossa carne (o velho homem) e o nosso espírito (a nova criatura). Estas duas naturezas lutam pelo controle do coração (alma). Por esta razão você deve guardá-lo e protegê-lo de todos os ataques do inimigo, para que você não o perca.

Não permita que seu coração seja cheio de palavras e atitudes que o deixe indiferente para a realidade à sua volta. Suas emoções te fazem vivo e ninguém pode te tirar isso, se você não quiser.

Não esqueça, se você perder seu coração, você perde a batalha.

▶ **Referências**

Darei a vocês um coração novo e porei um espírito novo em vocês; tirarei de vocês o coração de pedra e lhes darei um coração de carne. **Ezequiel 36:26**

Acima de tudo, guarde o seu coração, pois dele depende toda a sua vida. **Provérbios 4:23**

▶ **Reflexão**

Todas as nossas palavras serão inúteis se não brotarem do fundo do coração. As palavras que não dão luz aumentam a escuridão. **Madre Teresa de Calcutá.**

NÃO ROTULE AS PESSOAS

Leão Covarde é o último dos companheiros de jornada de Dorothy até a Cidade das Esmeraldas, e pede ao Mágico de Oz por Coragem. Ganha este "adjetivo" quando tenta morder o cão de Dorothy. Quando ela o chama de covarde, ele admite e diz que é mesmo. Apesar deste nome, em diversos momentos da jornada acaba demonstrando coragem, e por isso receberá uma medalha de bravura do Mágico de Oz.

O Leão Covarde traz à minha memória a questão dos estereótipos. Esta palavra estranha diz respeito aos rótulos que colocamos nas pessoas sem as conhecer a fundo. João, o sem noção, Maria, a chata, Carlos aquele desviado, e assim por diante. Muitas pessoas são rotuladas por erros do passado e, mesmo depois de os terem superado, ainda são perseguidas pela memória de pessoas com um espírito vingador. Elas aceitam estes adjetivos negativos que as impedem de caminhar em direção aos seus destinos e a um futuro melhor.

Porém, o único que pode nos julgar é o nosso Deus - e sua Palavra nos garante que teremos uma nova vida, ao nos arrependermos genuinamente de nossos pecados. O nosso passado é perdoado e temos uma nova história para escrever ao lado Dele. Que sejamos agentes de benção em nossa geração, para que das nossas bocas saiam apenas adjetivos que levem os outros a crescerem em Deus através do exercício do dom da fé.

Quando abandonamos o julgamento e os rótulos, cumprimos o pré-requisito que nos permite sermos usados pelo Espírito Santo como instrumentos para abençoar nossa geração!

▶ Referências

Irmãos, não falem mal uns dos outros. Quem fala contra o seu irmão ou julga o seu irmão, fala contra a Lei e a julga. Quando você julga a Lei, não a está cumprindo, mas está se colocando como juiz. **Tiago 4:11**

▶ Desafio

Faça um propósito nesta semana de declarar benção à vida das pessoas ao seu redor. Use adjetivos que abençoem a identidade delas. Seja um agente de vida do Reino de Deus nesta geração!

ORE POR **SEUS IRMÃOS**

Mario e Luigi são irmãos encanadores de origem italiana que moram no Reino dos Cogumelos. Ao longo dos anos, sua missão tem sido sempre a mesma: salvar a princesa Peach do malvado Bowser e assim restaurar a paz no Reino. Os personagens são os mascotes da empresa de jogos japonesa Nintendo e já participaram de mais de 200 jogos.

O relacionamento entre Mario e Luigi pode nos ajudar a falar a respeito da convivência entre irmãos. A Bíblia nos relata diversos irmãos, porém na maioria dos casos vemos problemas de relacionamento, como na inveja de Caim para com Abel, a disputa pelo amor do pai na parábola do filho pródigo, entre outros. Mas, graças a Deus, existiram outros irmãos que somaram forças para cumprir uma missão! Os irmãos Tiago e João eram discípulos de Cristo, também conhecidos como Filhos do Trovão, e foram testemunhas do ministério de Jesus, dando continuidade ao seu ministério, como líderes da chamada igreja primitiva. Tiago foi martirizado por decapitação e João morreu na ilha-prisão de Patmos. Ambos cumpriram seus chamados até o fim: os seus nomes são lembrados até hoje e continuarão sendo até a volta de Jesus.

Como é maravilhoso quando a família serve unida a Cristo! Vivemos uma realidade de famílias cada vez menores e muitos filhos não saberão o que é ter um irmão ou irmã na família. Mas, ao mesmo tempo, temos milhões de irmãos de sangue, o sangue de Cristo que une a todos aqueles que confessam seu nome como Senhor e Salvador!

Caminhe com eles e permaneça fiel até o fim! O futuro de sua família espiritual depende disso! Por isso, ore e ame seus irmãos pelo mundo!

▶ Referências
Tiago, filho de Zebedeu, e João, seu irmão, aos quais deu o nome de Boanerges, que significa filhos do trovão. **Marcos 3:17**

▶ Curiosidade
A Nintendo detinha os direitos da franquia Popeye e lançaria um jogo baseado nele, mas a empresa perdeu a licença e trocou somente os personagens, tendo Mario como protagonista.

NEM TODOS ENTENDERÃO VOCÊ

20 JUL

Calvin é um garoto de seis anos de idade, muito inteligente e com uma opinião bastante forte sobre tudo. Possui um tigre de pelúcia, para ele mais vivo do que os próprios humanos, e passa todo seu tempo livre com Haroldo, seu melhor amigo imaginário. Criado por Bill Watterson em formato de tirinhas para jornais, Calvin e Haroldo (Hobbes) teve uma década de duração, entre 1985 e 1995, estando presente em mais de 2000 jornais no mundo inteiro.

Acho interessante a possibilidade de associarmos a experiência de Calvin com a imagem que muitos fazem do cristianismo, olhando de fora. Em algumas situações, aqueles que não compartilham da mesma fé que você não entendem seu comportamento ou a linguagem que você utiliza, assim como os pais de Calvin não entendiam o relacionamento dele com o tigre de pelúcia.

Pensar assim pode nos ajudar de duas maneiras: em primeiro lugar, precisamos entender aqueles que não enxergam as coisas da mesma maneira como nós. Em segundo lugar, precisamos considerar esta questão em nossos relacionamentos. Apenas assim teremos uma linguagem acessível para com nossos conhecidos e amigos que ainda não conhecem a Cristo. Cristãos conversando entre si falam o que chamamos comumente de "crentês", que os outros simplesmente não entendem. Por isso precisamos adaptar nossa linguagem, não nossas atitudes!

Sua amizade com o Espírito Santo deve ser intensa como a de Calvin com Haroldo, mesmo que os outros não te entendam ou não vejam o mesmo que você, continue!

Poucos foram chamados de amigos de Deus na Bíblia, mas este é um posto que precisa ser alcançado em nossos dias!

▶ Referências

Sejam sábios no procedimento para com os de fora; aproveitem ao máximo todas as oportunidades.
Colossenses 4:5

"Abraão creu em Deus, e isso lhe foi creditado como justiça", e ele foi chamado amigo de Deus. **Tiago 2:23**

▶ Reflexão

E aqueles que foram vistos dançando foram julgados insanos por aqueles que não podiam escutar a música. **Friedrich Nietzsche**

VOCÊ CONHECE A HISTÓRIA DE SUA IGREJA?

Jason Bourne é um agente secreto do governo americano em um programa clandestino chamado Treadstone. Após uma operação que não deu certo, acaba ferido e sem recordações sobre o seu passado. Jason inicia uma jornada para relembrar sua história, ao mesmo tempo em que precisa lutar contra outros agentes do programa, enviados para destruí-lo. Este é o enredo resumido do primeiro filme de uma franquia de sucesso que conta com mais de cinco longas dirigidos por Paul Greengrass.

Este filme me fez pensar a respeito do legado daqueles que nos precederam. Quando iniciamos uma caminhada com Cristo, fazemos isso em uma denominação cristã. Muitos passam a vida toda dentro destas igrejas sem conhecer nada a respeito de sua história, quem são os fundadores, suas biografias e o que fizeram para Deus.

Você será lembrado pelas gerações futuras pelo seu trabalho no presente. Por isso, não esqueça daqueles que iniciaram a trilha por onde você caminha hoje! Saber sua identidade cristã é extremamente útil para edificar sua fé, pois você vai perceber que a igreja em que congrega provavelmente não começou com a estrutura que ela possui hoje. Mas o começo humilde, somado ao preço que foi pago por aqueles que estiveram no início, providenciaram o favor de Deus sobre sua Igreja!

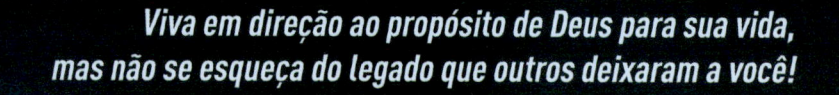

> Viva em direção ao propósito de Deus para sua vida, mas não se esqueça do legado que outros deixaram a você!

▶ Referências

Eu me recordo dos tempos antigos; medito em todas as tuas obras e considero o que as tuas mãos têm feito. **Salmos 143:5**

Lembrem-se dos dias do passado; considerem as gerações há muito passadas. Perguntem aos seus pais, e estes lhes contarão, aos seus líderes, e eles lhes explicarão. **Deuteronômio 32:7**

▶ Desafio

Fale com seus líderes sobre a origem de sua igreja. Procure saber mais sobre a denominação como um todo e também sobre sua igreja local. Converse com os membros mais antigos sobre como eram as coisas no passado, será uma grande experiência!

VOCÊ GUARDA SEGREDOS
COMO UM AGENTE DA SHIELD?

Nicholas Joseph Fury, conhecido como Nick Fury, foi um herói americano na Segunda Guerra Mundial, que tornou-se espião da CIA durante a Guerra Fria e chegou ao posto de Diretor Geral da SHIELD, agência de espionagem ultra secreta, subordinado direto ao presidente dos Estados Unidos. Nick teve seu envelhecimento retardado através do chamado soro do infinito, derivado do soro que concedeu os poderes do Capitão América. O personagem foi criado pela lendária dupla Stan Lee e Jack Kirby em 1963.

Não somos diretores de agências ultra secretas de espionagem, mas também precisamos lidar com alguns dilemas que nosso personagem lida todos os dias, como os segredos que ele tem que administrar e os níveis de classificação destes segredos. Como cristãos, muitos segredos chegam até nós, pois somos confiáveis, sérios e qualquer pessoa pode nos procurar quando precisa desabafar seus problemas para um conselho centrado na Palavra de Deus, correto? Em outras ocasiões, nós temos problemas e queremos conversar com alguém para abrir o coração e aí fica a dúvida, para quem conto meus segredos?

No primeiro caso, quando você ouve algo de alguém, você deve ser confiável e honrar a confiança depositada em você. Se existem mais pessoas envolvidas nos problemas, apenas estas pessoas devem ser envolvidas. Classifique os níveis de quem precisa saber dos assuntos tratados, como em uma agência de espionagem.

Quando é você quem precisa pedir conselhos, não saia contando seus problemas aos quatro cantos, procure alguém que realmente tenha maturidade para dar a você uma palavra que possa te ajudar a resolver seu problema ou tomar uma decisão centrada em Deus.

Não esqueça: faça discípulos até os confins da terra, não fofocas!

▶ **Referências**
Quem muito fala trai a confidência, mas quem merece confiança guarda o segredo. **Provérbios 11:13**

▶ **Curiosidade**
O personagem Nick Fury Jr. foi redesenhado em "The Ultimate Marvel" baseado nos traços de Samuel L Jackson.

VOCÊ PRECISA **COMEÇAR A SERVIR**

Presto é mais um adolescente do grupo que ficou preso no Reino de Caverna do Dragão. A ele foi concedida uma roupa de mago e usa o chapéu para realizar mágicas que ajudem o grupo nos momentos de dificuldade. Elas nunca saem como ele imagina, mas acabam ajudando no final. Muito tímido e inseguro, suas fracas habilidades com seu chapéu mágico apontam para um iniciante em uma jornada para aperfeiçoamento e descoberta de seu próprio potencial.

O seu nome verdadeiro é Alberto - Presto é um apelido maldoso dado pelos colegas da escola - e ele pode nos ensinar a respeito de nossa própria jornada por aperfeiçoamento. Como pastor, a resposta que mais ouço quando converso com alguém a respeito de servir no Reino de Deus com seus dons e talentos, é que a pessoa ainda não está preparada para o tamanho da responsabilidade.

Existe uma falsa ideia de que um dia seremos perfeitos para trabalhar na igreja de Cristo. Deixa eu te avisar algo muito sério: nunca estaremos realmente prontos para esta tarefa! Sem a Graça de Deus, nunca alcançaremos nada realmente relevante. Precisamos buscar excelência em nosso trabalho sim, mas pense e responda para você mesmo: será que Deus busca um trabalhador perfeito? O que nosso Deus busca é um coração disponível e disposto a caminhar e aprender com Ele.

Neste sentido, quando a oportunidade chegar para ajudar em algo na Igreja, não pense naquilo que você acha que ainda não tem, mas confie que a pessoa que o chamou está vendo algo que talvez você ainda não veja em si mesmo!

Lembre-se: o importante é começar a caminhar, a maturidade e a experiência virão ao longo da jornada! Mantenha seu coração puro e voltado a Deus para ser bem-sucedido!

▶ **Referências**
Os sacrifícios que agradam a Deus são um espírito quebrantado; um coração quebrantado e contrito, ó Deus, não desprezarás **Salmos 51:17**

▶ **Reflexão**
O conformismo é carcereiro da liberdade e o inimigo do crescimento. **John Kennedy**

FAÇA DISCÍPULOS!

Phillip Coulson é um funcionário do alto escalão da SHIELD que, após estar envolvido nos eventos da unificação dos Vingadores, passa a atuar como líder de um novo grupo de recrutas da agência. Através de seu exemplo, ele ensina os novos agentes a desenvolverem seus talentos e habilidades. É interpretado pelo ator Clark Gregg. O personagem foi criado para o Universo Cinematográfico da Marvel, mas depois de sua aparente morte em "Os Vingadores", voltou para a série "Marvel Agents of SHIELD", e tornou-se recorrentes nas HQ's da Marvel. Este é um fato curioso, pois todos os outros personagens fazem o caminho inverso: surgem nas HQ's e são utilizados nas adaptações para o cinema.

O Agente Coulson pode representar o papel dos mentores na vida daqueles que iniciam sua caminhada cristã. Todo discípulo precisa de um discipulador que o ajude, ensinando através de suas experiências o caminho da sabedoria e da maturidade. Muitos não possuem ou não querem ter uma figura mais experiente por perto, pois o discipulado é uma relação de ensino e exposição, onde nosso coração é revelado e mostramos que não somos tão bons ou fortes como queremos parecer externamente. Este é um caminho de duas vias sempre, pois à medida que ensina, o discipulador também aprende revivendo estes princípios.

Procure viver esta experiência: sempre existirão pessoas que precisam de sua ajuda, não importa há quanto tempo você está na igreja ou o quanto você acredita que não possa ajudar outras pessoas.

A vida cristã é dinâmica e deve ser vivida de maneira dinâmica, aprendendo e ensinando para que assim todo o Corpo de Cristo cresça e se desenvolva de maneira uniforme e saudável!

▶ Referências
Quanto a você, porém, permaneça nas coisas que aprendeu e das quais tem convicção, pois você sabe de quem o aprendeu. **2 Timóteo 3:14**

▶ Desafio
Ore a Deus para que Ele mostre alguém que você possa ajudar em sua caminhada. Converse com seu líder de célula ou departamento, e até seu pastor, para que possam te indicar alguém!

NÃO FUJA DE **SEU DESTINO**

Aragorn II, filho de Arathorn, é o último herdeiro vivo de Isildur, o rei que unificou os Reinos dos homens de Gondor e Arnor. Desde então os homens sofrem com a falta de um verdadeiro líder. Será levado ainda pequeno para a cidade dos elfos, Valfenda, onde será criado em segredo, pois sua linhagem poderia atrair a atenção do senhor das trevas, Sauron. Quando Elrond conta a respeito de sua origem e destino como rei dos homens, Aragorn foge da responsabilidade e passa a ser um Guardião do Norte, permanecendo próximo à Vila dos Hobbits, a pedido de Gandalf. Com o início da Guerra do Anel, Aragorn terá que assumir o destino do qual quis fugir e será coroado Rei Elessar Telcontar e unificará os homens pela primeira vez desde Isildur.

Como Aragorn, que foi conhecido por muitos anos como Passolargo (Strider no original), podemos tentar fugir de nosso destino como embaixadores do Reino de Deus. Precisamos entender que nosso chamado nos traz também uma herança e uma responsabilidade, exatamente como o personagem de hoje. Nossa herança está na vida eterna com Cristo e nossa responsabilidade está em mostrar para outras pessoas que elas também possuem um destino em Deus. Este destino mudará não apenas suas vidas no presente, mas também no futuro através desta herança maravilhosa em Cristo!

Não fuja de seu destino sendo apenas mais um na multidão!

▶ Referências
Portanto, somos embaixadores de Cristo, como se Deus estivesse fazendo o seu apelo por nosso intermédio. Por amor a Cristo lhes suplicamos: Reconciliem-se com Deus. **2 Coríntios 5:20**

▶ Curiosidade
As espadas usadas pelo ator Vigor Mortensen, intérprete de Aragorn, eram as únicas do filme feitas de aço, e pesavam 4kg. Durante as filmagens, ele quebrou um dente e um dedo do pé, quase se afogou e teve uma adaga atirada sobre ele!

SEJA **GRATO!**

Um aviador cai no deserto do Saara em um acidente aéreo e, quando acorda, encontra um garoto de seis anos de idade com cabelos dourados e um cachecol vermelho. Seria conhecido e eternizado como o "Pequeno Príncipe" escrito pelo aviador, escritor e ilustrador francês Antoine de Saint-Exupéry. O príncipe conta ao aviador que mora em um asteroide, o B-612, que possui apenas uma rosa que fala com ele e três vulcões que dão muito trabalho para serem mantidos limpos, mesmo que um deles esteja extinto. Quando ele está feliz ou triste, pode assistir ao pôr do sol 43 vezes por dia em seu pequeno asteroide.

Este clássico da literatura universal fala muito sobre o autor do livro, como seu livro de memórias descreve. A característica mais importante de o "Pequeno Príncipe", na perspectiva de alguém que o leu em diferentes fases da vida como eu, é que se trata de um conto à gratidão e à vida simples. Estes elementos eram muito desejados no contexto da Segunda Guerra Mundial, no qual o autor escreveu a obra.

Temos a característica de nos mostrarmos ingratos por aquilo que temos, pois o mundo à nossa volta sempre nos mostra mais e mais coisas das quais não precisamos, mas queremos. O rei Salomão, o homem mais sábio que já pisou na terra, também concorda com este ponto. É preciso ter sabedoria para desfrutar dos momentos de felicidade que a vida nos proporciona. Eles não estão nos carros importados ou nos rios de dinheiro que a sociedade diz que precisamos buscar, mas sim no sorriso de uma criança, no abraço de um amigo ou familiar, e ter alguém para dizer "eu te amo"!

Seja grato a Deus pelas pequenas coisas e viva a felicidade diária, mesmo em meio aos desafios e dificuldades!

▶ Referências

Por mais que um homem viva, deve desfrutar sua vida toda. Lembre-se, porém, dos dias de trevas, pois serão muitos
Eclesiastes 11:8

O Espírito de Deus me fez; o sopro do Todo-poderoso me dá vida.
Jó 33:4

▶ Reflexão

Foi o tempo que dedicastes à tua rosa que fez tua rosa tão importante. **Antoine de Saint-Exupéry**

TENHA EMPATIA **PELOS OUTROS**

Gregory House é um médico infectologista e nefrologista que possui habilidades de diagnósticos difíceis, usando técnicas controversas para testar e comprovar estes diagnósticos. Seu comportamento mal humorado, cético, distanciado dos pacientes, antissocial e com sinceridade ácida, gera conflitos constantes com sua equipe médica e com sua chefe.

Esta aclamada série médica, estrelada pelo ator inglês Hugh Laurie, pode nos apresentar um importante princípio para nossa reflexão de hoje. House era extremamente egoísta, não se importava com aquilo que as pessoas sentiriam com suas palavras, em especial os pacientes nos momentos mais delicados de suas vidas. Como cristãos, precisamos buscar por uma qualidade que nosso personagem de hoje simplesmente não possuía: a empatia. Ela nos coloca no lugar do outro e nos faz pensar antes de falar o que não devemos.

Muitas vezes o problema não é **o que se fala, mas sim como se fala**. Somos embaixadores do Reino de Deus e precisamos de um comportamento similar ao de Cristo. Assim demonstramos nossa maturidade espiritual, conforme vamos crescendo e deixando de ser como éramos e nos tornamos mais parecidos com Jesus, que nos deixou seu exemplo de conduta nos Evangelhos.

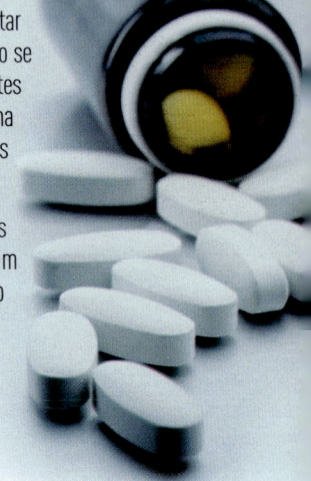

Lembre-se: Deus teve empatia da humanidade, providenciando o sacrifício de seu próprio Filho para que tivéssemos a possibilidade redentora da Salvação!

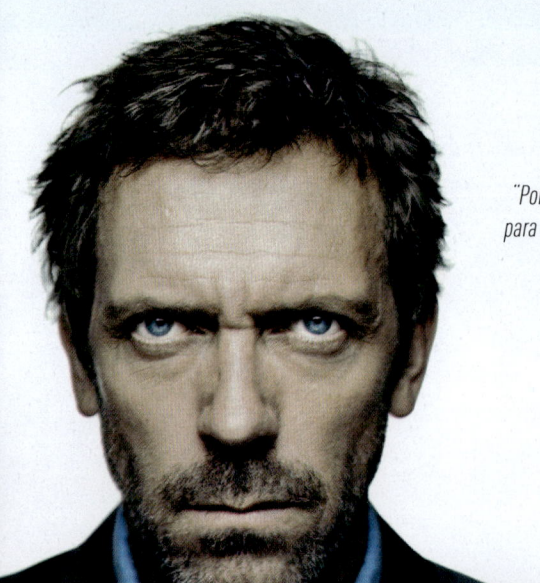

▶ Referências

A resposta calma desvia a fúria, mas a palavra ríspida desperta a ira. **Provérbios 15:1**

"Porque Deus tanto amou o mundo que deu o seu Filho Unigênito, para que todo o que nele crer não pereça, mas tenha a vida eterna. **João 3:16**

▶ Desafio

Nesta semana, procure ajudar alguém de seu convívio que esteja passando por dificuldades em alguma área. Ore por esta pessoa e coloque-se à disposição para ajudar no que for possível. Com certeza você será muito abençoado com esta experiência!

FÉ E RAZÃO,
DUAS FACES DA MESMA MOEDA!

Spock faz parte da tripulação da nave estelar USS Enterprise, como oficial de ciências e primeiro oficial, e mais tarde será o oficial comandante da nave. É um dos primeiros vulcanos a servir na Frota Estelar. Junto com James T. Kirk e Leonard McCoy, será um dos três personagens principais da série de ficção científica de sucesso "Star Trek". É um excelente conselheiro para o capitão Kirk, pois sua raça é plenamente racional, por isso consegue tomar decisões baseado apenas na lógica, sem envolver emoções em sua análise. Entre tantas características que poderíamos adotar na conversa de hoje, quero falar sobre a racionalidade de Spock.

Como cristãos, precisamos prezar muito pela racionalidade de nossas atitudes e, em muitas ocasiões, pensar como Spock pode nos ajudar a fugir de confusões ou problemas. Por outro lado, existe um componente fundamental do cristianismo que devemos levar em conta para que nossa experiência seja completa: o exercício constante da fé. Caminhar pela fé, muitas vezes vai contrariar a lógica ou as estatísticas, mas é apenas com ela que poderemos romper com o natural e entrar na esfera sobrenatural de Deus, onde o impossível torna-se possível e até algumas leis da física são colocadas em xeque, conforme a Bíblia nos relata diversas vezes.

Estes dois elementos, racionalidade e fé, proporcionam um cristianismo maduro e bíblico, nos livrando do fanatismo irracional e da frieza de uma religiosidade vazia e sem vida!

▶ Referências

Portanto, irmãos, rogo-lhes pelas misericórdias de Deus que se ofereçam em sacrifício vivo, santo e agradável a Deus; este é o culto racional de vocês. **Romanos 12:1**

Sem fé é impossível agradar a Deus, pois quem dele se aproxima precisa crer que ele existe e que recompensa aqueles que o buscam. **Hebreus 11:6**

▶ Curiosidade

O famoso cumprimento vulcano utilizado por Spock, "vida longa e próspera", tem origem no judaísmo, a religião de seu icônico intérprete, Leonard Nimoy.

TERMINE AQUILO QUE VOCÊ COMEÇA

Slade Wilson passou por um procedimento para aprimorar soldados do exército americano. Através deste experimento, ele conseguiu reflexos, força e agilidade muito mais apurados que os de uma pessoa comum. Isso ocorreu devido ao desenvolvimento da capacidade em usar 90% do cérebro (pessoas comuns utilizam cerca de 20%). Ele usa suas habilidades como mercenário, principalmente atuando em Gotham.

O trabalho consiste em cumprir os contratos firmados com aqueles que desejam eliminar seus inimigos. É um oponente formidável que fracassou apenas quando enfrentou o Batman e o Lobo. O Exterminador é conhecido por sua determinação ao executar suas missões como uma questão de honra, mesmo sendo um criminoso.

Determinação é terminar aquilo que se começa, e este é um grande desafio em nossa geração. Parece que existe uma cultura da mediocridade instaurada em nossa sociedade, uma espécie de lei do menor esforço. Caso alguma dificuldade apareça no caminho, a solução mais fácil sempre é a de desistir e tentar algo mais simples. Mas será que isso é o certo a se fazer? Uma reputação ou uma história de vida se consolida quando temos a direção de persistir em algo que estamos fazendo e terminar os ciclos em nossa jornada.

Seja persistente! Busque a Deus em todo o tempo para ter a voz de comando e saber quando avançar ou quando recuar. Somos humanos e podemos errar. Por isso precisamos buscar a direção do nosso Grande Conselheiro, o Espírito Santo, para não caminharmos em lugares onde não deveríamos estar!

Podemos perder algumas batalhas, mas o nosso General já venceu a Guerra! Consequentemente venceremos com Ele!

▶ **Referências**
E a maioria dos irmãos, motivados no Senhor pela minha prisão, estão anunciando a palavra com maior determinação e destemor. **Filipenses 1:14**

Os que servirem bem alcançarão uma excelente posição e grande determinação na fé em Cristo Jesus. **1 Timóteo 3:13**

▶ **Reflexão**
A persistência é o caminho do êxito.
Charles Chaplin

VOCÊ FOI CHAMADO PARA FORA

Thanduil é o grande rei dos elfos da floresta. Governa seu reino desde o início da Segunda Era da Terra-Média, após a morte de seu pai Oropher. É o pai de Légolas, que será fundamental para o desfecho da Guerra do Anel. Thranduil buscará proteger seu povo dentro das muralhas da cidadela no meio da floresta verde, sem se importar com o que acontece com o restante da Terra-Média. No entanto, seu erro foi deixar de perceber que o mundo está conectado e as consequências de sua negligência custarão muito caro para ele e para seu povo. Será obrigado a tomar partido na famosa Batalha dos Cinco Exércitos.

Como nosso personagem de hoje, muitos cristãos estão fechando seus olhos para a realidade que está ao entorno das quatro paredes de suas igrejas. Enquanto permanecemos confortáveis e protegidos, pessoas estão sofrendo dos mais diversos males sem que venhamos a nos envolver, ocupados demais com nossos eventos. Dois sinais de que o verdadeiro avivamento bíblico está visitando nossa geração são: o arrependimento genuíno e um interesse crescente para que a Igreja de Cristo seja relevante na sociedade onde estiver inserida. O trabalho social traz consigo o respeito daqueles que estão fora, para que ouçam o que temos a dizer a respeito da salvação em Cristo.

Colheremos apenas aquilo que plantarmos. Se não nos preocuparmos com os que perecem do lado de fora, não mudaremos a realidade de nosso bairro, cidade, país e planeta. Talvez esteja na hora de lembrarmos o significado da palavra igreja: chamados para fora.

▶ Referências

E um de vocês lhe disser: "Vá em paz, aqueça-se e alimente-se até satisfazer-se", sem porém lhe dar nada, de que adianta isso? **Tiago 2:16**

Cada um cuide, não somente dos seus interesses, mas também dos interesses dos outros. **Filipenses 2:4**

▶ Desafio

Procure saber o que sua igreja tem feito no trabalho social envolva-se com este importante ministério da igreja de Cristo!

VOCÊ TEM
HABILIDADES EXCLUSIVAS

Arya Stark foi com seu pai Eddard e sua irmã mais velha, Sansa, para a capital de Westeros, Porto Real, enquanto seu pai exercia a função de Mão do Rei. Ned Stark, como Eddard era mais conhecido, só queria que sua filha aprendesse os bons modos que se esperam de uma nobre do Norte.

Arya, porém é uma jovem pouco ortodoxa, pois o seu interesse, ao invés de vestidos e bons modos para uma dama, está em aprender a lutar. Com a morte de seu pai, assassinado como traidor pelo filho do falecido rei Robert Baratheon, Arya precisa fugir para não ser presa. As habilidades que ela adquiriu ao longo de seus poucos anos de vida, mostraram-se muito necessárias para o tempo de dificuldade que surgiu após a morte de seu pai.

Em nossa jornada, somos capacitados por Deus com algumas habilidades que muitas vezes são exclusivas. Alguns gostos e vontades que temos e que não são compreendidas por outras pessoas, muitas vezes tem relação direta com nossa missão na terra. Interesse por outras línguas, estudar em profundidade assuntos que não interessam a mais ninguém, incomodar-se com situações que passam despercebidas para a grande maioria, por exemplo, pode indicar algumas pistas de seu propósito e chamado particular.

Não despreze seus sentimentos ou paixões! Deus o criou com uma espécie de "mala emocional", que contém tudo aquilo que será necessário para sua jornada de vida!

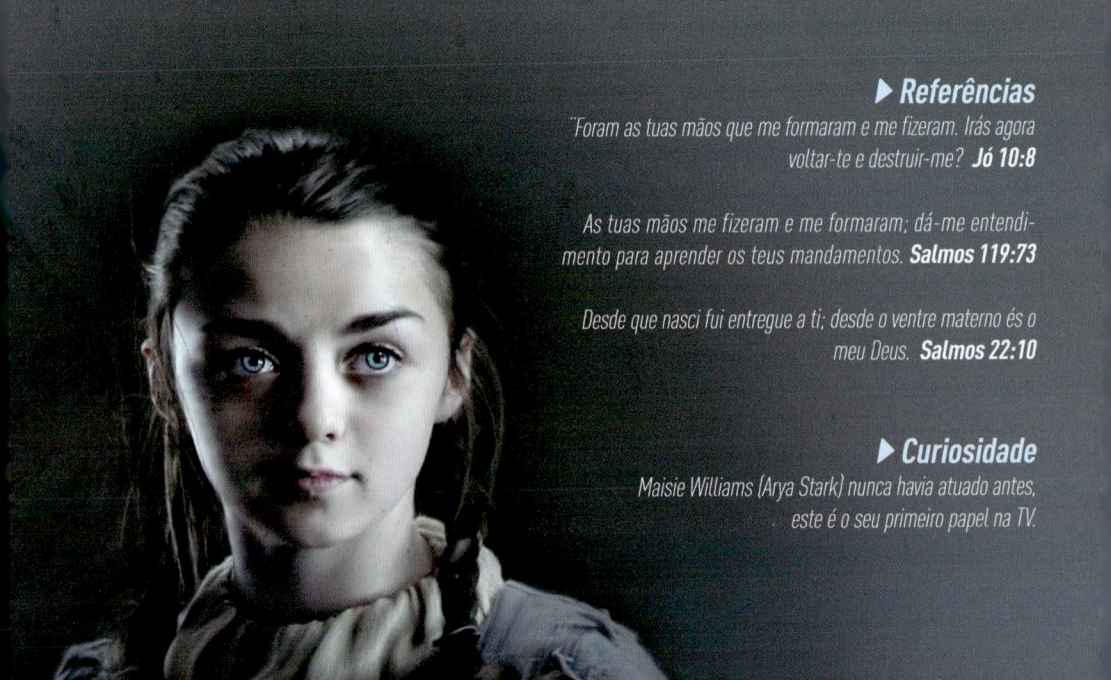

▶ Referências

"Foram as tuas mãos que me formaram e me fizeram. Irás agora voltar-te e destruir-me? **Jó 10:8**

As tuas mãos me fizeram e me formaram; dá-me entendimento para aprender os teus mandamentos. **Salmos 119:73**

Desde que nasci fui entregue a ti; desde o ventre materno és o meu Deus. **Salmos 22:10**

▶ Curiosidade

Maisie Williams (Arya Stark) nunca havia atuado antes, este é o seu primeiro papel na TV.

AGOSTO

DEVOCIONAL POP

ESTENDA SUA MÃO

Samuel Thomas Wilson, conhecido como Sam Wilson, cresceu no bairro do Harlem, em Nova York. Seu pai era um pastor que foi morto de maneira banal, quando tentava impedir uma briga próximo à sua casa. Tentou se esquivar do crime à sua volta, mas a falta de perspectivas, tristeza e raiva contra o mundo que tirou seu pai, fez com que entrasse para a máfia do Harlem. Será dominado pelo Caveira Vermelha, e anos mais tarde vai se rebelar contra o vilão, ajudando o Capitão América a derrotá-lo. Vendo potencial em Wilson, o Capitão vai acolhê-lo como aprendiz e parceiro. Wilson adotará a identidade do Falcão, pois consegue voar através da roupa feita para ele pelo Pantera Negra. Ele já substituiu Steve Rogers como o novo Capitão América.

Sam Wilson teve um período complicado após a morte de seu pai, mas recebeu auxílio do Capitão América e teve seu destino transformado. Como ele, existem muitos jovens que precisam de apoio e oportunidades para que uma nova história seja escrita em suas vidas. Que Deus nos conceda a capacidade de enxergar as pessoas como Ele as enxerga, com misericórdia e amor. Deus não nos vê pelo que somos agora, mas também pelo que podemos nos tornar. Adotar esta perspectiva nos leva a estender a graça e a salvação de Cristo para todas as pessoas!

É maravilhosa a sensação de ver pessoas por quem ninguém apostaria suas fichas voando novas alturas, como o Falcão!

▶ Referências

Pois ele liberta os pobres que pedem socorro, os oprimidos que não têm quem os ajude.
Salmos 72:12

A religião que Deus, o nosso Pai aceita como pura e imaculada é esta: cuidar dos órfãos e das viúvas em suas dificuldades e não se deixar corromper pelo mundo. **Tiago 1:27**

▶ Reflexão

Cada um de nós deve decidir se quer caminhar na luz do altruísmo construtivo ou nas trevas do egoísmo. **Martin Luther King**

VIVA UMA VIDA SIMPLES

Relâmpago McQueen é um novato carro de corrida, finalista do maior campeonato da América: a Copa Pistão. Após um empate entre os três finalistas, uma nova corrida é marcada para acontecer no prazo de uma semana. McQueen acaba perdendo seu caminhão de apoio na viagem até a Califórnia e encontra a pequena cidade de Radiator Springs, que fica na histórica Rota 66. Nesta cidade, onde ele não é reconhecido por sua fama, fica impressionado com a simplicidade e laços de amizade que unem os habitantes. Relâmpago descobrirá que a felicidade não está relacionada a apenas vencer troféus e ganhar dinheiro, mas no poder do amor e da amizade. Este novo sentimento em sua vida fará com que deixe de vencer a Copa Pistão para ajudar o carro veterano Rei, que sofre um grave acidente provocado pelo trapaceiro Chick Hicks. Chick vence a corrida, mas McQueen conquista a admiração dos fãs.

Vivemos em uma sociedade tão competitiva quanto um campeonato de velocidade como no filme "Carros". Nosso tempo, energias e vida são sugados para alcançar aquilo que nos dizem ser um sinal de sucesso: bens e dinheiro. Porém, a vida é muito mais que isso, pois ainda somos seres humanos que possuem necessidade de carinho e afeto. Viver em família, ter amigos e desfrutar de tempo de qualidade com aqueles a quem amamos é fundamental para uma vida equilibrada, emocional e fisicamente.

Quando aprendemos, como nosso personagem de hoje aprendeu, que às vezes é perdendo que se ganha, viveremos muito mais felizes e sem a pressão que tem gerado tantas doenças modernas como a depressão, ansiedade, distúrbios do sono, estresse, estafa e por aí vai.

Viva simples, e seja feliz!

▶ Referências
Pois que adianta ao homem ganhar o mundo inteiro, e perder-se ou destruir a si mesmo.
Lucas 9:25

▶ Desafio
Como você pode aplicar o princípio de uma vida simples em sua rotina de vida?

COMO ESTÁ SUA AUTOESTIMA?

Chapolin Colorado é um herói mexicano cômico criado por Roberto Gómez Bolaños, que fez muito sucesso em toda a América Latina. O segredo de seu sucesso está na atemporalidade de seu personagem, pois as piadas não eram datadas por eventos do cotidiano mexicano. Por esta razão, faziam sentido para milhões de pessoas. Ele pode aparecer em qualquer lugar no espaço e no tempo, basta que alguém pronuncie a famosa frase: **e agora, quem poderá me defender?** Muito atrapalhado e medroso, sempre começa bem suas aparições dizendo que defenderá os fracos e indefesos.

O sucesso do personagem pode nos ajudar a verificar um elemento muito importante em nossos dias: a questão da autoestima. Ele possui defeitos, mas não deixa que isso o faça esquecer quem é de fato: um herói com uma missão e com responsabilidades de ajudar aqueles que dele necessitam.

Muitos de nós olhamos para os desafios do cristianismo e achamos que somos falhos demais para fazermos algo para o Reino de Deus, tais como ser um exemplo para os novos, tornar-se um líder ou buscar os frutos do Espírito. Apesar de não sermos perfeitos, nosso Deus está preocupado com as intenções de nosso coração. A sinceridade com que buscamos a Ele e nos arrependemos do pecado, demonstra a seriedade de nossas atitudes.

Sonde seu coração e identifique suas intenções, pois elas não estão ocultas para Deus! Não deixe os problemas esconderem quem você realmente é: um Filho de Deus!

Não conte com sua astúcia... prefira a segurança de seu Pai Celestial!

▶ Referências

Dou graças a Cristo Jesus, nosso Senhor, que me deu forças e me considerou fiel, designando-me para o ministério. **1 Timóteo 1:12**

Deus justo, que sondas as mentes e os corações, dá fim à maldade dos ímpios e ao justo dá segurança. **Salmos 7:9**

▶ Curiosidade

O nome Chapolin está relacionado a uma espécie de gafanhoto vermelho chamado chapúlin que é servido frito no México. A palavra chapúlin vem do náuatle, língua dos astecas, e significa grilo ou gafanhoto.

SEJA UM **AGENTE DE CONEXÃO**

Gimli é um anão da cidade de Durin, que aceita participar do grupo que acompanhará Frodo Bolseiro para destruir o Um Anel. Ele é filho de Glóin, um dos anões que acompanhou o tio de Frodo, Bilbo, na aventura para retomar a Montanha Solitária do dragão Smaug.

Ele será fundamental nas batalhas da guerra do Anel e vai ajudar na restauração da amizade entre anões e elfos, que historicamente não se davam bem. Gimli lutará ao lado de Legolas, e serão grandes amigos. Esta amizade se estenderá aos seus povos e gerará um longo período de paz entre ambos.

Interessante notar que nosso personagem de hoje baseava seu preconceito na história. Seus antepassados haviam se desentendido com os elfos e por isso ele sentia a obrigação de não aceitar Legolas como companheiro de jornada, mesmo eles não tendo nenhuma relação com este conflito do passado. A Bíblia nos conta a história entre judeus e samaritanos, que aplicavam o mesmo princípio de nosso texto. Estes grupos não se suportavam nos tempos de Jesus, devido às divergências e sincretismos religiosos que os samaritanos adotaram após a invasão do império assírio sobre o Reino de Israel, no século VIII a.C. Centenas de anos se passaram e a animosidade entre ambos os povos permaneceu. Um dia, Jesus Cristo conversou com uma mulher samaritana e não apenas ela, mas toda a sua cidade foi salva. Devemos romper com preconceitos estabelecidos amando as pessoas como Jesus, para conectá-las a Deus!

Seja um agente de unidade e ajude as pessoas a vencerem seus preconceitos!

▶ *Referências*
A mulher samaritana lhe perguntou:
"Como o senhor, sendo judeu, pede a mim, uma samaritana, água para beber? " (Pois os judeus não se dão bem com os samaritanos).
João 4:9

▶ *Reflexão*
Gimli: - Nunca pensei que morreria lutando lado a lado de um elfo.
Legolas: - E morrer lutando lado a lado de um amigo?
Gimli: Ah sim, Isso eu posso fazer!

ONDE ESTÃO OS IRMÃOS?

Onde está Wally? (Where's Wally) é uma série de sucesso infanto-juvenil, criada por Martin Handford, ilustrador inglês. Composto por ilustrações de duas páginas com muitos detalhes, o leitor precisa localizar Wally, que está sempre vestido da mesma forma.

A ideia de Martin Handford com esta série de livros pode nos fazer pensar em um fenômeno muito recorrente em nosso tempo: as igrejas estão repletas de "Wallys", pessoas que estão inseridas em nossos templos, mas que não são conhecidas e não fazem parte dos diferentes grupos que a compõe. Entre estes desconhecidos, destaco dois grupos: o primeiro é composto por novos convertidos que, se não forem rapidamente incluídos nas atividades e grupos para que convivam com a igreja, sairão e procurarão outra denominação que o faça, pois igreja é relacionamento. O segundo grupo é composto por pessoas que já saíram de outros lugares devido a problemas e desejam apenas permanecer sentadas nos bancos das igrejas. Resumindo, elas não querem ser encontradas.

Dois grupos diferentes, uma maneira de tratar: com amor. Devemos acolher os novos com o amor de Cristo e introduzi-los à Casa do Pai, fazendo o que for possível para que sejam aceitos e possam crescer no desenvolvimento de seus talentos e dons. Ao mesmo tempo, devemos mostrar, através do amor do Pai, que aqueles que saíram por problemas em outros lugares podem voltar a sonhar com o ministério que Deus os deu. É necessário estabelecer um conserto que pode levar muitas vezes, ao lugar de onde saíram, mas haverá cura e restauração para suas vidas.

**Lembre-se: a Igreja de Cristo é inclusiva, não exclusiva!
Todos são bem-vindos!**

▶ Referências
Assim as igrejas eram fortalecidas na fé e cresciam em número cada dia. **Atos 16:5**

▶ Desafio
Neste final de semana, procure conversar com um irmão que você ainda não conhece. Experimente cumprimentar os visitantes ao final do culto e manter contato com eles durante a semana! Ajude-os a retornarem na próxima semana!

VOCÊ FOI ESCOLHIDO
PARA SAIR DA PRISÃO

Amanda Waller passou por uma tragédia familiar em Chicago. Ela perdeu o esposo e dois de seus cinco filhos. Este momento trágico transformou totalmente o rumo de sua vida e endureceu sua alma. Ela se muda para Washington D.C., cursa doutorado em Ciência Política e começa a atuar no Congresso Nacional.

Agora, Amanda já é uma pessoa de muita influência no governo americano. Seu poder de liderança faz com que volte seus olhos para um grupo de renegados e condenados a uma existência inútil na prisão perpétua. Ela cria o Esquadrão Suicida, um grupo que recebe uma nova visão e um novo propósito para uma vida da qual só esperavam a morte. Isso soa familiar para você?

Todo aquele que não conhece a Cristo como Senhor e Salvador de sua vida, tem uma existência parecida com a dos membros do Esquadrão Suicida. Não tínhamos uma perspectiva de futuro ou uma missão. Nossa vida poderia ser resumida em nascer, crescer, multiplicar e morrer. Estávamos na terra esperando a vida passar. Uma vez que tenhamos respondido afirmativamente ao convite de Cristo, uma nova perspectiva de futuro surge e podemos ter a revogação da condenação que tínhamos até então. A grande verdade é que todos nós precisamos desta salvação.

Uma oportunidade para fazer aquilo que é certo e dar um rumo para nossa vida, gerando um legado positivo para o futuro. Não precisamos ser vistos por uma Amanda Waller qualquer, pois fomos escolhidos pelo Criador do universo desde a fundação do mundo, para fazer a diferença em nossa geração!

▶ Referência

Não me escolhestes vós a mim, mas eu vos escolhi a vós, e vos nomeei, para que vades e deis fruto, e o vosso fruto permaneça; a fim de que tudo quanto em meu nome pedirdes ao Pai ele vo-lo conceda. *João 15:16*

▶ Curiosidade

No filme "Esquadrão Suicida", de 2016, Amanda Waller foi interpretada pela grande atriz Viola Davis, que teve a mais aclamada atuação do filme.

O QUE VOCÊ FAZ COM SEUS TALENTOS?

Tygra é um dos membros da nobreza thunderiana, que acompanha Lion-O ao Terceiro Mundo. Com certeza é o membro com maior número de habilidades do grupo. Muito inteligente, projetou a Toca dos Gatos, a morada dos Thundercats, conhece muito sobre estratégias militares e domina diversas técnicas de luta, em especial, seu chicote.

Ele possui muitos talentos e habilidades que utiliza para ajudar seus amigos em sua jornada contra os mutantes que os perseguem. Como Tygra, também possuímos dons e talentos que devemos desenvolver e utilizar em nossa caminhada.

Em uma de suas parábolas, Jesus conta que trabalhadores receberam dinheiro de seu patrão que partiu em viagem. Um recebeu uma moeda, outro duas e outro cinco. Os dois últimos multiplicaram aquilo que receberam de seu patrão, enquanto o que recebeu uma moeda a enterrou e não fez nada com ela. No retorno do chefe, ele agradeceu aqueles que multiplicaram os recursos e aprisionou o que enterrou sua moeda. Esta história de Jesus ilustra um poderoso princípio a respeito de nossa responsabilidade para utilizar os dons que recebemos de Deus. É inadmissível não fazer absolutamente nada com a sua habilidade para a matemática, com o dom de falar bem diante das pessoas, a capacidade de escrever, cantar ou tocar!

Não esconda seus talentos, eles foram dados a você por Deus com um propósito maravilhoso de abençoar sua geração! Muitas pessoas precisam do que você tem. Quando optamos por não nos importar ou nos envolver, outras pessoas deixarão de receber o que você tem para compartilhar.

Nossa negligência afeta outras pessoas! Por isso, seja um instrumento de Deus com sua vida, pois ela é tudo o que você possui!

▶ **Referências**
"O senhor respondeu: 'Muito bem, servo bom e fiel! Você foi fiel no pouco; eu o porei sobre o muito. Venha e participe da alegria do seu senhor!' **Mateus 25:21**

▶ **Reflexão**
Não esconda os seus talentos. Para o uso eles foram feitos. O que é um relógio de sol na sombra? **Benjamin Franklin.**

VOCÊ NÃO É AUTOSSUFICIENTE!

Brandon Stark é o quarto filho de Eddard e Catelyn. Um escalador nato, acaba sendo derrubado de uma das torres do castelo de Winterfell quando vê algo que não deveria. Ele não morre com a queda, mas fica paraplégico. A partir de então, a família designa o serviçal chamado Hodor para carregar Bran. Ele possui uma deficiência cerebral que limita sua fala a apenas uma palavra: Hodor. Interessante o relacionamento que se estabelece quando Bran precisa fugir de sua casa daqueles que queriam tomar o castelo: Bran será a voz de Hodor, e ele suas pernas.

Este exemplo da ficção dos livros de George R.R. Martin pode ser aplicado à igreja cristã. Somos um corpo composto por vários membros, cuja cabeça é Cristo! Todos temos qualidades, habilidades e dons, mas precisamos uns dos outros, pois nossas qualidades ajudarão outros, enquanto somos ajudados por aqueles que possuem os dons que não temos. Ninguém é autossuficiente e glória a Deus por isso! Somos ferro afiando ferro e a nossa interação nos ajuda a crescer espiritualmente. Esta maneira de enxergar a igreja, como um hospital, em que pessoas imperfeitas chegam para serem curadas e, uma vez tratadas, vão em busca de outros doentes, seria reformadora para a igreja brasileira.

Muitos passam a visão de que a igreja é parecida a um shopping center, que proporciona entretenimento para os cristãos. Isso nos torna egoístas, egocêntricos e desconectados do verdadeiro sentido do termo Eclésia. Como no exemplo de hoje, nós precisamos uns dos outros... sozinhos seremos derrotados, mas unidos, as portas do inferno não prevalecerão contra nós!

Escolha conectar os seus dons com os dons de outras pessoas!

▶ Referências
(...) como também Cristo é o cabeça da igreja, que é o seu corpo, do qual ele é o Salvador.
Efésios 5:23b

▶ Desafio
Quais são os pontos que dificultam o seu trabalho com outros irmãos? Identifique estes pontos e converse com seu líder em como você pode vencê-los e trabalhar com maior excelência em sua jornada como cristão!

SOMOS MORDOMOS **DE DEUS**

Alfred Thaddeus Crane Pennyworth é o mordomo e tutor do bilionário Bruce Wayne. Ele mantém a mansão da família e ajuda o jovem Bruce na criação do Homem Morcego. Pouco se sabe sobre seu passado antes de trabalhar para a família Wayne, e poucas pistas a este respeito aparecem nas HQ's desde a sua criação, em 1943.

A figura de Alfred pode nos ajudar muito a entender um princípio muito importante sobre as finanças e o Reino de Deus. Embora more e usufrua de tudo o que a mansão Wayne possui, Alfred sabe que não é o dono dela. A função do mordomo é cuidar daquilo que pertence ao seu patrão. Da mesma maneira, somos mordomos dos recursos que recebemos do Senhor. Tudo pertence a Ele: o carro, a casa, os filhos, a esposa, o esposo, nós mesmos! Mas podemos usufruir de tudo o que Ele nos concede, como bons mordomos.

Como esta perspectiva mudaria a maneira como lidamos e cuidamos do que temos! Sabendo que temos que prestar contas a Alguém sobre nossas posses, com certeza cuidaríamos muito mais do carro, da casa, das roupas, de tudo! Será que gastaríamos o dinheiro que temos se soubéssemos que teríamos que prestar contas a Deus? Viveríamos endividados ou emprestando dinheiro dos outros?

Nossa relação com o dinheiro fala muito sobre nossa vida espiritual. Avareza num extremo ou descontrole financeiro no outro indicam problemas em outras áreas da vida, que precisam ser analisados com cuidado.

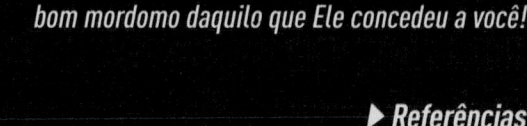

A cruz nos deu liberdade em todas as áreas! Seja um bom mordomo daquilo que Ele concedeu a você!

▶ **Referências**

O que se requer destes encarregados é que sejam fiéis.
1 Coríntios 4:2

Ao Senhor, ao seu Deus, pertencem os céus e até os mais altos céus, a terra e tudo o que nela existe.
Deuteronômio 10:14

Portanto, se o Filho os libertar, vocês de fato serão livres.
João 8:36

▶ **Curiosidade**

Em uma das histórias sobre a origem de Alfred, ele foi um médico da marinha britânica, e tinha um amigo muito especial: Dr. John Hamish Watson, parceiro de aventuras de Sherlock Holmes!

PERSEVERANÇA
É FUNDAMENTAL

Sonic the Hedgehog é uma franquia de videogames da empresa SEGA, cujo protagonista é um porco espinho azul, que tem a capacidade de correr em alta velocidade. Ele está sempre tentando impedir os planos do cientista Dr. Ivo "Eggman" Robotnik de dominar o mundo e transformar todos os seres vivos em robôs controlados por ele. O primeiro jogo da série foi lançado em 1991, sendo um sucesso de crítica pela jogabilidade, trilha sonora e gráficos primorosos para a tecnologia até então disponível para os jogos eletrônicos.

Todos os jogos de Sonic tem a mesma lógica: coletar anéis e esmeraldas, para depois enfrentar o Dr. Robotnik no final das fases, até que o jogo termine e recomece no próximo. Ele conhece alguns amigos ao longo do caminho como a raposa Tails, mas esta estrutura permanece. Da mesma forma, nosso inimigo não desiste de nos atacar, dia após dia, pois ele está na terra para roubar, matar e destruir. Assim, é necessário que tenhamos perseverança e constância em nossas vidas, assim como o personagem de hoje, que continua lutando contra o mesmo inimigo, jogo após jogo.

Podemos sentir que não avançamos, que as lutas nunca cessam e que nunca desfrutaremos da paz. Mas cada pequena vitória nos torna mais fortes e, a cada derrota, aprendemos valiosas lições que devemos usar em nosso futuro.

Por esta razão, a qualidade de perseverar na fé, apesar das circunstâncias de nosso presente, é muito necessária em nossos dias. Persevere nas adversidades e durante os ataques do inimigo!

Permaneça fiel até o fim, pois nossa geração fast food precisa de exemplos daqueles que continuam caminhando, mesmo quando as circunstâncias mostram o contrário!

▶ Referências

Vocês precisam perseverar, de modo que, quando tiverem feito a vontade de Deus, recebam o que ele prometeu. **Hebreus 10:36**

É perseverando que vocês obterão a vida. **Lucas 21:19**

▶ Reflexão

Perseverança não é uma corrida longa, são muitas corridas curtas, uma após a outra.
Walter Elliot.

GRANDES AMEAÇAS? UNIDADE!

Jason, Zack, Kimberly, Trini e Billy são cinco adolescentes que recebem braceletes de poder que os transformam nos poderosos Power Rangers, que lutarão contra uma invasão alienígena liderada por Rita Repulsa e seus monstros. Cada um deles controla um Zord (grande robô com características específicas) e, quando unidos, formam o MEGA Zord, um robô de proporções gigantescas que é montado todas as vezes que seu inimigo cresce nas mesmas proporções. Cada ranger possui uma cor que o identifica: vermelho, azul, preto, amarelo e rosa.

Além da referência à unidade que eles precisam manter para vencer seus desafios, os Power Rangers podem nos levar a refletir a respeito das grandes ameaças que nos cercam e que não temos capacidade para vencermos sozinhos. Pode ser uma enfermidade grave, a perda de um emprego, ataques espirituais, emocionais ou verbais de outras pessoas...infelizmente essa lista seria muito longa!

Em primeiro lugar, devemos sempre buscar o auxílio do Espírito Santo, pois Ele é o nosso consolador que nos ajudará em nossa jornada. Em segundo lugar, esteja em uma igreja local, congregando e unido a outros irmãos que também sofrem com ameaças todos os dias. Sozinhos não somos capazes de resolver todos os problemas, mas podemos nos reunir, e juntos orarmos uns pelos outros.

Muitas circunstâncias serão vencidas quando estivermos em unidade, como um só Corpo, o Corpo de Cristo!

▶ Referências

Há um só corpo e um só Espírito, assim como a esperança para a qual vocês foram chamados é uma só; **Efésios 4:4**

Portanto, confessem os seus pecados uns aos outros e orem uns pelos outros para serem curados. A oração de um justo é poderosa e eficaz. **Tiago 5:16**

▶ Desafio

Participe dos momentos de oração que sua igreja proporciona, como turnos de oração, vigílias e intercessão. Caso estes momentos ainda não existam, converse com seu pastor e verifique como podem iniciar um movimento de oração em sua igreja local!

EXISTE UM LUGAR DE
REFÚGIO PARA VOCÊ

Mansão X é a abreviatura para a Mansão Xavier e foi herdada por Charles Xavier, estando em sua família por dez gerações. É a base de operações e treinamento dos mutantes X-Men além de uma escola para novos mutantes. Ao mesmo tempo, é um refúgio contra aqueles que odeiam os mutantes e um local de treinamento e desenvolvimento das habilidades e poderes de cada interno. Um fato interessante sobre a Mansão é que foi destruída pelos inimigos dos X-Men e reconstruída várias vezes, sendo reconhecida por muitos que os desejam destruir.

Podemos associar a Mansão X com a igreja de Cristo em nossa análise de hoje. Como igreja local, é um refúgio para todos aqueles que nela buscam abrigo e consolo do mundo exterior, ao mesmo tempo em que é o ambiente ideal para o aprendizado e desenvolvimento de nossas habilidades espirituais. Como igreja, ao longo de mais de dois milênios de existência, ela tem sofrido muitos ataques: alguns de inimigos externos, como o império romano em seus primeiros séculos, outros internos como as heresias que assolam e confundem a verdade em muitas pessoas.

Todos estes ataques resultam em pequenas e grandes reformas que buscam devolver o formato original à Igreja, realizando as adaptações necessárias para que possam refutar estes ataques. E assim ela permanecerá até a volta de Cristo, onde sua missão de proclamar o Evangelho de Cristo e cuidado com os santos terá se cumprido!

Você está aguardando a volta de Cristo? Na primeira vez, Ele veio como um Cordeiro, na segunda, virá como o Leão de Judá! Prepare-se para a sua volta!

▶ Referências
Irmãos, quanto à vinda de nosso Senhor Jesus Cristo e ao nosso reencontro com ele, rogamos a vocês.
2 Tessalonicenses 2:1

▶ Curiosidade
Nos filmes, para a representação da Mansão Xavier, é usado como cenário um castelo que tem o aspecto de um castelo da Europa Medieval, mas fica localizado na cidade de Toronto, no Canadá.

NÃO É SOBRE BATER
MAS SOBRE SABER APANHAR!

Rocky Balboa era um boxeador amador que vivia de lutas discretas, treinado por Mickey, que via nele potencial para mais do que pequenas lutas de subúrbio. Recebe ajuda do agiota italiano chamado Tony Gazzo que financia seu treinamento com quinhentos dólares. Rocky só começa a levar a sério sua carreira quando é convidado a participar da disputa do cinturão de pesos pesados contra o campeão Apollo Creed, o qual consegue vencer em uma luta épica, tornando-se seu amigo e treinador nos desafios futuros que vai enfrentar.

Este filme de sucesso de 1976 lançou o então jovem Sylvester Stallone como ator e, até o ano de 2016, gerou uma franquia com sete longas, mostrando a longevidade de uma premissa simples, porém marcante.

Rocky apanha muito em todos os filmes em que luta. São batalhas épicas que deixaram sequelas em seu cérebro, fazendo-o se aposentar. O princípio que podemos extrair na reflexão de hoje diz respeito à persistência e luta pelos nossos sonhos. Vivemos dias onde muitos desistem ao primeiro sinal de dificuldade ou desafio. A maioria não está disposta a enfrentar os problemas que a vida coloca no caminho entre a realização dos sonhos.

Podemos elencar diversos inimigos que querem nos nocautear todos os dias: o pecado, a carne, pensamentos, enfermidades, dificuldades financeiras, inveja, competição, demônios e tantas outras que poderíamos elencar aqui. Nosso consolo é que possuímos um Treinador, que nos prepara para cada inimigo que enfrentarmos: o Espírito Santo!

Aprenda com seu Treinador a, mesmo quando estiver caindo, levantar-se e vencer seus adversários!

▶ Referências

Em ti confio, ó meu Deus. Não deixes que eu seja humilhado, nem que os meus inimigos triunfem sobre mim! **Salmos 25:2**

Livra-me dos meus inimigos, Senhor, pois em ti eu me abrigo. **Salmos 143:9**

▶ Reflexão

A vida não é sobre quão duro você é capaz de bater, mas sobre quão duro você é capaz de apanhar e continuar indo em frente. **Rocky Balboa.**

FUJA DOS OVOS DA TENTAÇÃO

Daenerys Targaryen ganhou como presente de casamento três ovos de dragão petrificados. Os dragões haviam se transformado em lendas, pois restaram apenas histórias de suas aparições no passado. Após a morte de seu esposo, Daenerys entra com os ovos na pira funerária que o cremava, os ovos chocam e três pequenos dragões surgem junto à sua "mãe". Os verdadeiros Targaryen são imunes ao fogo. Após este episódio, Rhaegal, Drogon e Viserion crescem a cada livro e temporada de "Game of Thrones", tornando-se cada vez mais difíceis de se derrotar e armas poderosas na missão de Daenerys de reconquistar o Trono de Ferro usurpado de sua família, pela aliança entre as casas Baratheon e Lannister.

Os ovos de dragão de nossa personagem de hoje podem nos ajudar a perceber dois elementos com os quais devemos lidar, e desenvolvermos diferentes atitudes diante deles: a tentação e o pecado. Os ovos de dragão podem ser vistos como a tentação em nossas vidas: devemos fugir deles. Os ovos, se abandonados, nunca gerarão pequenos dragões para nos preocuparmos. Agora, quando carregamos a tentação conosco e a alimentamos com nossos pensamentos e desejos, fatalmente resultará no pecado em nossas vidas, como os dragões de nossa personagem. O pecado deve ser atacado o quanto antes pois, quanto mais o deixarmos crescer, mais difícil será vencê-lo e maiores as consequências destruidoras que ele pode causar em nossas vidas e na de outras pessoas ao nosso redor.

Lembre-se: da tentação você foge, mas se ela crescer e virar o pecado, você deve enfrentá-lo com todas as suas forças!

▶ Referências

"Vigiem e orem para que não caiam em tentação. O espírito está pronto, mas a carne é fraca". **Mateus 26:41**

Então a cobiça, tendo engravidado, dá à luz o pecado; e o pecado, após ter-se consumado, gera a morte. **Tiago 1:15**

▶ Desafio

Quais medidas práticas você pode tomar hoje para não cair nas tentações que aparecem em sua vida? Pense em pelo menos três medidas e aplique todas elas!

NÃO PENSA EM CASAMENTO?
NÃO NAMORE!

Mickey Mouse é um rato antropomórfico, criado em 1928 por Walt Disney, sendo o primeiro desenho animado com som nos cinemas americanos. Foi este personagem que tirou Walt do anonimato e da miséria. É um dos personagens mais conhecidos em todo o mundo. Um fato interessante sobre Mickey é que ele namora Minnie desde 1930, há mais de 80 anos! Claro que as histórias são atemporais, logo não seguem a cronologia que nós utilizamos, mas gostaria de usar este elemento para falar a respeito de relacionamentos e namoros em nossos dias.

A Bíblia não fala nada a respeito de namoro, por duas razões: em primeiro lugar, namoro não existia no Oriente, pois é uma criação genuinamente ocidental, voltada principalmente para a criação de uma data especial para que o comércio possa vender produtos aos casais enamorados. Em segundo lugar, todo relacionamento tinha como propósito o casamento, e por isso o noivado é o ponto de partida bíblico para o assunto. Papo retrógrado? Antigo? Pode até ser, mas a banalização dos relacionamentos que temos vivido não ajuda a criar mais felicidade, apenas frustração e muitos "casais Mickey e Minnie", que passam anos e até décadas namorando sem levar isso ao próximo nível, pois não querem assumir as responsabilidades que a vida de adulto nos traz.

Anos de namoro, nos quais o sexo será recorrente, levará ao marasmo, à rotina e ao sofrimento oculto, caso sejam cristãos, pois sabem que estão errados e não terão forças de romper com o ciclo de anos mantendo as mesmas práticas.

Assim, não procure por namoro se você não tem condições financeiras ou emocionais para assumir o compromisso do casamento. Lembre-se: quem faz test-drive é concessionária, namorados esperam pelo casamento.

▶ Referências
"Por essa razão, o homem deixará pai e mãe e se unirá à sua mulher, e os dois se tornarão uma só carne". **Efésios 5:31**

▶ Curiosidade
Os dubladores de Mickey e Minnie casaram-se na vida real em 1991!

VOCÊ SÓ PRECISA **SUPERAR A SI MESMO**

Kara Zor-El é enviada à Terra pouco antes da destruição de seu planeta natal Kripton, para cuidar de seu primo Kal-El ainda bebê. Sua nave é atingida por uma onda de choque e passa anos aprisionada na Zona Fantasma, uma prisão intergaláctica atemporal. Chega em seu destino anos mais tarde e encontra seu primo, a quem deveria proteger, já adulto e poderoso como Superman. Ele a entrega para um casal de cientistas e adotará o nome de Kara Danvers. Quando vê um avião caindo, ela resolve revelar seus poderes ao mundo como a Supergirl.

Sempre pensei em como deveria ser difícil para ela ter os mesmos poderes de seu primo, mas ainda estar aprendendo a usá-los e a expandir seu poder. A Supergirl dos quadrinhos tem uma história mais complexa que a da série de TV, mas este detalhe permanece: como encontrar seu lugar no mundo, quando existe alguém notoriamente muito melhor que você? A resposta para esta pergunta, e que pode nos ajudar muito em nossa conversa de hoje é que você não precisa superar ninguém além de si mesmo!

No mundo corporativo, nas faculdades, até mesmo nas igrejas, infelizmente, existe um senso de competição que está no DNA de nossa sociedade. Este DNA diz que precisamos superar os outros para provarmos que somos melhores que eles, numa eterna competição contra tudo e contra todos. Nós fomos criados e chamados por Deus não para competir, mas sim para vencermos nossas próprias limitações.

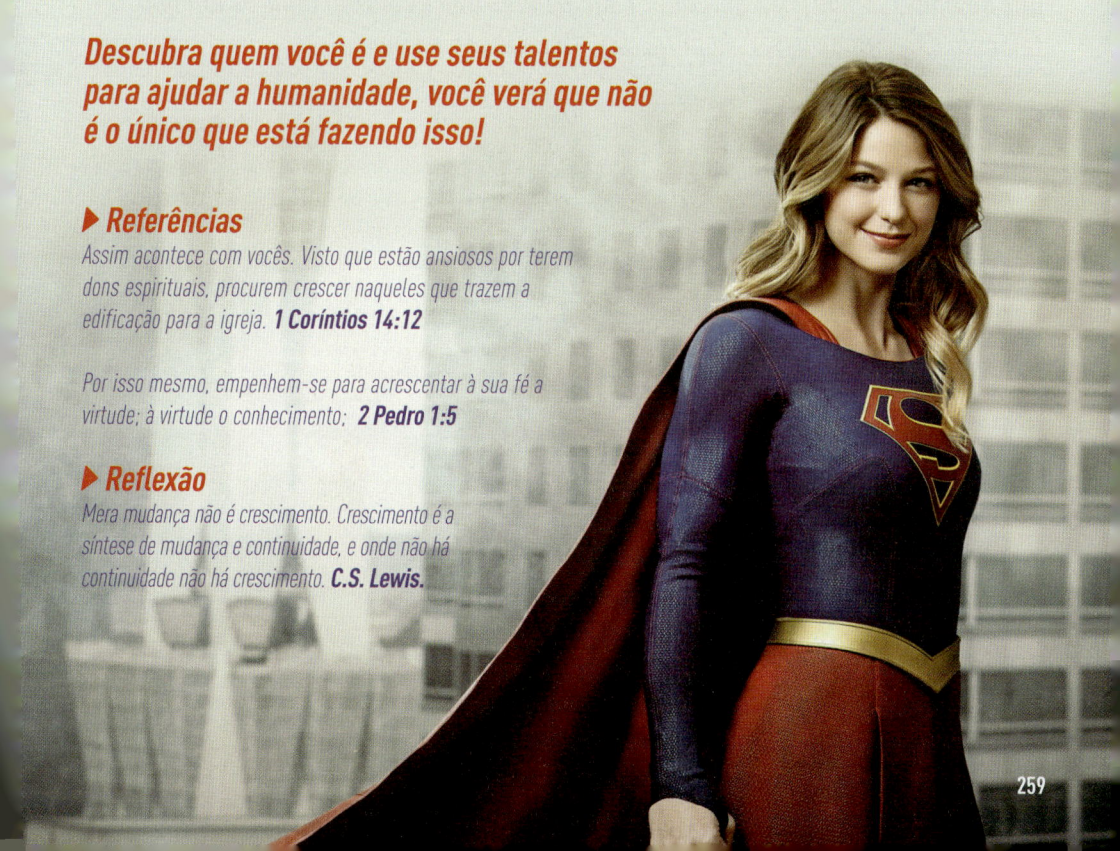

Descubra quem você é e use seus talentos para ajudar a humanidade, você verá que não é o único que está fazendo isso!

▶ Referências

Assim acontece com vocês. Visto que estão ansiosos por terem dons espirituais, procurem crescer naqueles que trazem a edificação para a igreja. **1 Coríntios 14:12**

Por isso mesmo, empenhem-se para acrescentar à sua fé a virtude; à virtude o conhecimento; **2 Pedro 1:5**

▶ Reflexão

Mera mudança não é crescimento. Crescimento é a síntese de mudança e continuidade, e onde não há continuidade não há crescimento. **C.S. Lewis.**

A INVEJA PODE NOS CEGAR

Simba é o jovem leão filho do Rei Mufasa que se sente culpado pela morte do pai. Ele foge do Reino sem saber que a morte foi arquitetada pelo seu tio e irmão de Mufasa, Scar que queria tomar o poder de seu irmão pela inveja que dele sentia. Rei Leão está baseado na peça teatral Hamlet, de Shakespeare, e foi dirigido por Roger Allers e Rob Minkoff.

Este é o segundo texto sobre irmãos, no primeiro falamos da boa relação entre Mario e Luigi / Tiago e João. Hoje vamos falar sobre os maus exemplos que a Bíblia apresenta para que possamos nos prevenir deles. Caim e Abel foram filhos de Adão e Eva, ambos ofereceram sacrifícios a Deus, um foi aceito e o outro não. Caim mata o irmão Abel, algo absurdo porque teve seus olhos cegados pela inveja. Este perigoso sentimento é bastante combatido nas Escrituras e não pode fazer parte da vida daqueles que caminham segundo o código de conduta de Cristo. Não precisamos invejar ninguém, pois fomos feitos de maneira exclusiva para honra e glória de Deus. Cada ser humano tem uma jornada única para ser trilhada!

A inveja pode nos levar a odiar aquilo que o outro é. De certa maneira, ela é um sentimento antagônico à admiração. Quando admiramos alguém, podemos seguir seus passos para alcançar resultados semelhantes. Caim poderia ter aprendido com seu irmão como oferecer um sacrifício agradável a Deus, mas preferiu acabar com ele.

Que sejamos sábios para aprender com aqueles que estão em lugares em que também desejamos estar. Admire, mas fique longe da inveja!

▶ Referências

Pela fé Abel ofereceu a Deus um sacrifício superior ao de Caim. Pela fé ele foi reconhecido como justo, quando Deus aprovou as suas ofertas. Embora esteja morto, por meio da fé ainda fala. **Hebreus 11:4**

O rancor é cruel e a fúria é destrutiva, mas quem consegue suportar a inveja? **Provérbios 27:4**

▶ Desafio

Como você diferencia admiração de inveja? De que maneira podemos nos proteger dos perigos da inveja?

O FIM DA HISTÓRIA
ESTÁ PRÓXIMO!

Na decadente Los Angeles de 2019, a humanidade chegou ao ápice de sua decadência, com o planeta devastado pelos níveis de poluição descontrolados e pelo esgotamento dos recursos naturais devido ao consumismo. Aqueles que possuem recursos estão participando de experiências de colonização fora da Terra. Multinacionais como a Tyrell Corporation criam androides humanoides para realizar trabalhos e funções que os humanos não querem mais realizar. Eles são chamados de replicantes e, após um motim, são banidos do planeta. Aqueles que se negam a partir ou retornam ao planeta, são caçados pelos Blade Runners, ou Caçadores de Androides que os "aposentam", um nome bonito para sua morte.

Este clássico cult de 1982, dirigido por Ridley Scott, apresenta um futuro sombrio. Scott antecipou diversos movimentos de nosso tempo, sejam eles econômicos, políticos e sociais. Entre tantos, destacamos a banalização da vida, inserida na relação entre humanos e replicantes, que parece se sobressair dos demais temas que poderíamos abordar.

A Bíblia aponta para um futuro desafiador que antecederá a volta de Cristo, descrito na chamada literatura apocalíptica, um futuro onde guerras, doenças e fome seriam problemas que apontariam para a proximidade do fim da história.

Os filhos e filhas de Deus devem buscar viver com excelência suas vidas, nunca esquecendo que sua verdadeira morada será na eternidade ao lado de Deus com todos os salvos de todas as gerações!

Os sofrimentos do presente não podem ser comparados com a glória de uma eternidade na presença de Deus! Tenha paciência! Keep Calm!

▶ Referências
Vocês ouvirão falar de guerras e rumores de guerras, mas não tenham medo. É necessário que tais coisas aconteçam, mas ainda não é o fim. **Mateus 24:6**

▶ Curiosidade
Inicialmente um fracasso nas bilheterias, "Blade Runner" conquistou a crítica com o passar dos anos e foi um dos primeiros filmes a ganhar uma "versão do diretor", diferente daquela vista nos cinemas.

VOCÊ NÃO PRECISA SEGUIR
O QUE A MODA DIZ

Harvey Rupert Elder possuía uma aparência fora dos padrões impostos pela sociedade, considerado um monstro por ela. Toda a rejeição que sentiu o levou a procurar refúgio em uma caverna abandonada que ele acreditava conter uma passagem secreta para o centro da Terra. Harvey chega ao núcleo terrestre e encontra um submundo que ele chama de Subterrânea, habitado pelos moloides, pequenas criaturas que o servem e Giganto, um monstro enorme que ele usa na maioria de seus planos para eliminar o povo da superfície e construir um novo mundo subterrâneo. O Toupeira é um dos inimigos tradicionais do Quarteto Fantástico, criado em 1961 por Stan Lee e Jack Kirby.

Esta breve biografia do Toupeira pode nos ajudar a refletir neste dia sobre o que eu costumo chamar de "Ditadura da Moda", em que as tendências ditam o que as pessoas devem vestir, quanto devem pesar e que aparência devem ter para serem considerados "bonitas". Qualquer um que esteja fora deste sistema é considerado feio, fora da moda, fracassado.

Este sistema faz uma distinção entre as pessoas baseado exclusivamente no aspecto externo, e não considera outro critério além do estético, e tem levado muitos jovens a sofrerem por não se encaixarem nestes padrões, seja pelo nível social que os impede de adquirem a moda do momento, seja por não terem o porte físico esperado das pessoas "bonitas".

Estes padrões de beleza são culturais, pois diferentes estilos de beleza foram valorizados em momentos distintos da história. Por esta razão, é racional e saudável abandonar este sistema.

Lembre-se: a moda fala sobre o estilo pessoal, e não sobre o caráter.

▶ **Referências**
Não se amoldem ao padrão deste mundo, mas transformem-se pela renovação da sua mente, para que sejam capazes de experimentar e comprovar a boa, agradável e perfeita vontade de Deus.
Romanos 12:2

▶ **Reflexão**
A moda, afinal, não passa de uma epidemia induzida.
George Bernard Shaw.

NÃO INCRIMINE NINGUÉM PELO SEU PRESENTE!

Dimitry Smerdyakov é um dos inimigos tradicionais do Homem-Aranha, aliás um dos mais antigos entre eles, pois apareceu na primeira edição de "Amazing Spiderman", em 1963. Meio irmão de Kraven, o caçador, morou na Rússia antes de sua chegada na América. O Camaleão tem esse codinome por causa da sua habilidade de disfarce e usar múltiplas identidades com uma habilidade teatral impressionante. Mais tarde contará com a ajuda de equipamentos tecnológicos que o ajudarão nos disfarces que usa para roubar planos secretos e cometer diversos crimes, além de incriminar outras pessoas, principalmente o Homem-Aranha.

A habilidade do Camaleão pode nos ajudar no dia de hoje a refletir sobre um tipo de pessoa bastante recorrente em nossos dias. Aquelas que culpam a outros pelo seu presente. Muitos resolvem culpar os pais por não terem dado tudo o que eles acham que necessitavam no passado, pela ausência, falta de carinho, condições etc. Eles incriminam outros pela sua situação. É mais cômodo encontrar culpados do que buscar em Deus uma solução e lutar para mudar a situação que nos incomoda. Uma desilusão amorosa, o fim de um emprego, o fracasso em algum teste seletivo, devem ser elementos de aprendizado para nossas vidas, não motivos para permanecermos imobilizados pela frustração.

Que Deus nos leve a continuar caminhando e que todo o trauma e evento negativo nos sirva de degraus para os superarmos e alcançarmos novas alturas!

▶ Referências
Os fariseus e os mestres da lei estavam procurando um motivo para acusar Jesus; por isso o observavam atentamente, para ver se ele iria curá-lo no sábado. **Lucas 6:7**

▶ Desafio
Você conhece alguém que vive reclamando sobre como ela seria feliz se tivesse tido isso ou aquilo em seu passado? Ou é você mesmo essa pessoa? Comece a pensar em tudo o que você tem e que as faltas podem ter forjado você para que seja mais maduro e mais forte do que se tivesse recebido tudo aquilo que você considera importante!

VOCÊ É CORRUPTO? **PENSE DE NOVO!**

Francis Underwood é um político democrata da Carolina do Sul com sede pelo poder. Ajuda a eleger o presidente dos Estados Unidos em troca de um ministério no novo governo, mas o acordo não será honrado e ele iniciará um projeto pessoal para angariar apoio e poder para si mesmo. Para executá-lo, Francis não terá escrúpulos ou moralidade. Como seria bom se esta fosse apenas uma série de ficção que nada tivesse a ver com a realidade política em boa parte do mundo em nossos dias!

Infelizmente, são os interesses pessoais que movem a grande maioria da classe política em nossa geração. Os interesses da população são relegados a instâncias inferiores na escala de importância para muitos deles. A corrupção é duramente condenada pela Bíblia e os cristãos devem viver uma vida ética e excelente. Políticos cristãos devem posicionar-se de modo a mostrar uma maneira distinta de exercer o governo através da verdade, ética e transparência. Afinal, se usarem dos mesmos artifícios que os demais, qual será a utilidade e a sua relevância, a não ser trazer vergonha para todos aqueles que denominam-se cristãos?

Devemos cuidar com nossa conduta diária. Pois, no dia a dia, temos oportunidades para nos aproveitar de pequenas situações que são atos de corrupção, como não devolver troco a mais quando recebemos, colar em provas, oferecer cola, furar fila, usar produtos piratas, burlar TV a cabo etc. Todas essas práticas são corruptivas, pois te oferecem uma vantagem em detrimento do prejuízo de alguém.

Cuidado antes de acusar os corruptos para que você também não seja acusado!

▶ Referências

Em seu meio há homens que aceitam suborno para derramar sangue; você empresta visando lucro e a juros e obtém ganhos injustos, extorquindo o próximo. E você se esqueceu de mim; palavra do Soberano Senhor. **Ezequiel 22:12**

▶ Curiosidade

O ator Kevin Spacey passou algum tempo acompanhando o líder republicano no Congresso americano como preparação para viver **Francis Underwood.**

A VERDADE É SEMPRE O MELHOR CAMINHO

A pequena cidade de Rosewood, na Pensilvânia, é a típica cidade do interior: tranquila e pacata. Aparentemente. A garota popular do colégio Alison Di Laurentis desapareceu há um ano, e todos acreditam que tenha sido vítima de um assassinato. Suas quatro amigas inseparáveis ficaram muito abaladas e sua amizade nunca mais foi a mesma. Elas voltam a se unir quando começam a receber mensagens de texto de uma pessoa que se denomina "A" e ameaça contar todos os segredos que apenas sua amiga desaparecida Alison poderia saber.

A trama de "Pretty Little Liars" gira em torno do poder que a mentira tem de escravizar e mudar a vida das pessoas para pior. Os muitos segredos das cinco "PLL's", como são chamadas pelos fãs da série no mundo inteiro, as mantém reféns da misteriosa "A". Neste sentido, a Palavra de Deus nos aconselha a caminhar sempre na luz da verdade em nossas vidas. Por mais dolorosa que seja, a verdade sempre traz consigo libertação e alívio. Por isso, não minta ou tenha nada a esconder. O acusador de nossas almas só terá poder para nos intimidar se tivermos segredos ocultos nos quartos escuros de nossas almas.

Devemos ser valentes pela verdade, pois a mentira tem apenas um pai: o diabo! Quando mentimos, usamos o idioma do inferno.

Lance luz em suas trevas e acabe com a acusação de nosso "A", também conhecido como Satanás!

▶ Referências

Pois nada podemos contra a verdade, mas somente em favor da verdade. **2 Coríntios 13:8**

Eis o que devem fazer: Falem somente a verdade uns com os outros, e julguem retamente em seus tribunais; **Zacarias 8:16**

"Vocês pertencem ao pai de vocês, o diabo, e querem realizar o desejo dele. Ele foi homicida desde o princípio e não se apegou à verdade, pois não há verdade nele. Quando mente, fala a sua própria língua, pois é mentiroso e pai da mentira. **João 8:44**

▶ Reflexão

Assim como uma gota de veneno compromete um balde inteiro, também a mentira por menor que seja, estraga toda a nossa vida.
Mahatma Gandhi.

MERITOCRACIA
NO REINO DE DEUS

Jyn Erso é filha do cientista Galen Erso, que foi raptado pelo Império Galáctico para construir uma arma de destruição em massa, cuja a finalidade era impor sua supremacia por toda a Galáxia. Por ser sua filha, será recrutada pela Aliança Rebelde para roubar os projetos da Estrela da Morte para que os rebeldes tenham uma chance de destruir esta estação espacial. Surgirá assim a operação Rogue One, em que um grupo inteiro vai sacrificar-se para providenciar estes planos que serão fundamentais para o futuro da Aliança.

Este é o ponto mais interessante sobre a história de Jyn Erso em "Rogue One, uma História Star Wars". Sua missão extremamente difícil foi um estupendo sucesso, porém os resultados práticos desta conquista parecem injustos. Seus nomes permanecerão no anonimato. Os louros não são para eles. Mais tarde, por causa do seu trabalho, a Estrela da Morte será destruída e outros serão condecorados. Isso pode nos mostrar que, como igreja, não devemos esperar sempre por elogios pelo nosso trabalho. Uma vida ganha para Cristo pode não ser muito comemorada, mas talvez anos mais tarde, esta mesma pessoa pode ser um instrumento poderoso para ganhar milhares e milhares de vidas! Seu prêmio é o mesmo, então entenda que não é o quanto você faz para Deus, mas sim como você faz e qual é a intenção sincera de seu coração.

Se o que você espera por seu trabalho são elogios e seu ego massageado, isso é tudo o que você receberá. Mas se quiser realmente fazer parte do Reino de Deus, você fará parte de uma grande equipe, onde a vitória de seu irmão será a sua vitória também e o seu grande prêmio está na eternidade com Cristo!

É isso o que precisamos buscar!

▶ Referências

Eu plantei, Apolo regou, mas Deus é quem fazia crescer; **1 Coríntios 3:6**

"Tenham o cuidado de não praticar suas 'obras de justiça' diante dos outros para serem vistos por eles. **Mateus 6:1a**

▶ Desafio

Seja voluntário para ajudar em alguma área na qual você nunca tenha trabalhado antes nesta semana!

JESUS NOS RESGATOU
DA PRISÃO

Lincoln Burrows foi sentenciado à morte pelo suposto assassinato do irmão da Vice-Presidente dos EUA. Seu irmão Michael Scofield cria um plano para resgatá-lo da prisão antes que a sentença seja cumprida. Para isso, tatua o mapa da prisão em seu corpo, camuflado por outras imagens e assalta um banco para ser preso e estar no mesmo presídio que seu irmão e colocar seu plano de resgate em ação. Aos poucos, eles descobrem uma gigantesca conspiração na qual foram envolvidos por um grupo de multinacionais denominado como a Companhia. "Prision Break" é uma série de sucesso que estreou em 2005, tendo diversas temporadas e até um telefilme.

Assim como Lincoln, também fomos sentenciados à morte, porém a morte composta de uma eternidade longe de Deus. Inconformado com esta realidade, Ele envia Seu Filho Jesus Cristo para estar no mesmo lugar onde estávamos condenados e pagar a mesma pena que nós. Então, Ele nos liberta desta prisão, sendo executado em nosso lugar. Através do sacrifício de Cristo temos uma nova possibilidade de vida pela Salvação que nos foi proposta por Ele.

O sacrifício de Jesus possibilitou nossa fuga da morte e hoje podemos ajudar outros a escaparem de suas prisões emocionais e espirituais!

▶ Referências

Deus o ofereceu como sacrifício para propiciação mediante a fé, pelo seu sangue, demonstrando a sua justiça. Em sua tolerância, havia deixado impunes os pecados anteriormente cometidos.
Romanos 3:25

Pelo cumprimento dessa vontade fomos santificados, por meio do sacrifício do corpo de Jesus Cristo, oferecido uma vez por todas.
Hebreus 10:10

▶ Curiosidade

Os atores Wentworth Miller (Michael Scofield) e Dominic Purcell (Lincoln Burrows) entraram para o elenco de "Flash" como a dupla de vilões conhecidos como Capitão Frio e Onda Térmica. Depois participaram do elenco de "DC Legends of Tomorrow".

CICATRIZES DO PASSADO

Victor Zsasz era um típico playboy. Jovem, filho de milionários, não tinha nenhuma preocupação em sua mente. Porém, aos 25 anos perde seus pais em um acidente e precisa cuidar dos negócios da família. Como um escape para toda a pressão para a qual não estava preparado, ele começa a jogar em cassinos ao redor do mundo. Depois de três anos gastando tudo o que foi acumulado pela família, acaba em Gotham na miséria. Tem um surto psicótico e diz ter uma nova missão: matar todos aqueles que tiverem vidas sem propósito como a dele. Para cada vítima, Victor faz uma marca em seu corpo, um verdadeiro sociopata psicótico.

A relação entre um passado difícil e as marcas que ele traz é uma analogia interessante para nossa reflexão de hoje. Muitas pessoas passaram por experiências dolorosas no passado que geraram dor e sofrimento, resultando em marcas que serão levadas por toda a vida. A grande questão está em decidir se estas marcas continuarão trazendo dor, sofrimento, mágoas, inveja ou se as superaremos e as transformaremos em etapas importantes para o nosso crescimento espiritual e de vida aqui na Terra.

Nós decidimos, mas ao escolher a segunda possibilidade, podemos ter a certeza de que Deus estará ao nosso lado para entrar nos quartos escuros de nossa alma, onde ninguém mais pode, e trazer restauração e a paz que excede todo o nosso fraco entendimento!

Feridas abertas ou cicatrizes tratadas? Escolha como deseja lidar com os traumas do passado em sua vida!

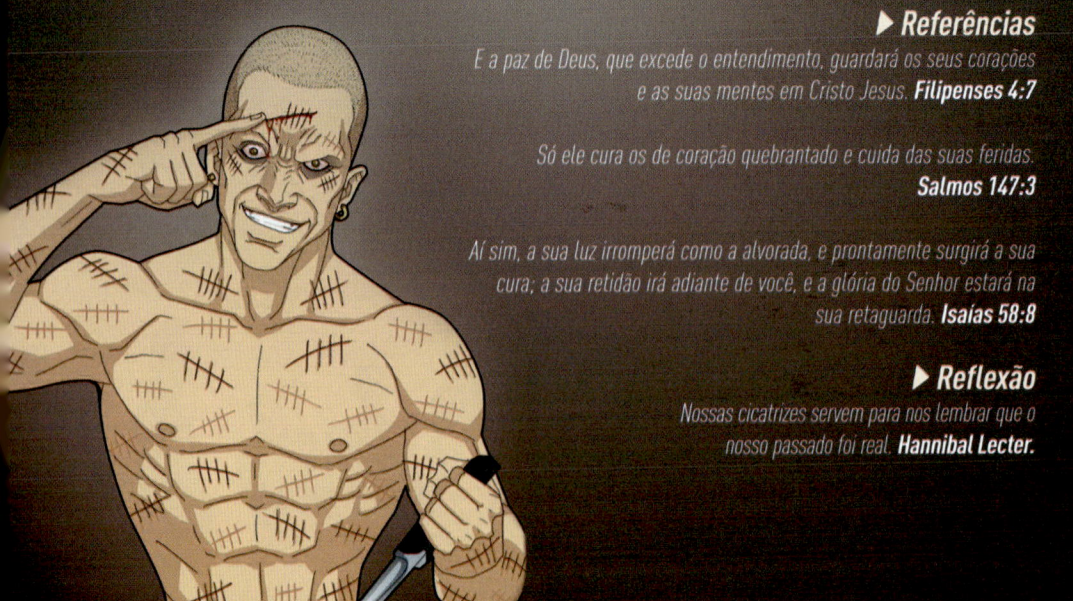

▶ Referências

E a paz de Deus, que excede o entendimento, guardará os seus corações e as suas mentes em Cristo Jesus. **Filipenses 4:7**

Só ele cura os de coração quebrantado e cuida das suas feridas. **Salmos 147:3**

Aí sim, a sua luz irromperá como a alvorada, e prontamente surgirá a sua cura; a sua retidão irá adiante de você, e a glória do Senhor estará na sua retaguarda. **Isaías 58:8**

▶ Reflexão

Nossas cicatrizes servem para nos lembrar que o nosso passado foi real. **Hannibal Lecter.**

DEUS NÃO TEM NETOS

Theresa Rourke Cassidy é filha do mutante irlandês Sean Cassidy, o Banshee. Algo muito raro no universo mutante é a transmissão do mesmo poder dos pais aos filhos, pois geralmente o que ocorre é a fusão do DNA dos pais, gerando um novo poder no filho. Theresa herdou o mesmo poder de manipulação de ondas sonoras de seu pai e adota o codinome Siryn, participando de diversas equipes dos X-Men.

Em nossa caminhada cristã, a palavra herança deve estar presente em nosso vocabulário. Em primeiro lugar com nossos familiares. Pais devem levar os filhos a terem encontros com o sobrenatural de Deus a partir de suas próprias experiências de busca pela Presença manifesta de nosso Amado. Filhos devem buscar em seus pais os maiores exemplos de cristianismo e aprender com eles para continuar a jornada de sua dinastia. Como nossa personagem de hoje continuou o legado do poder de seu pai, nós também devemos continuar as boas obras de nossos antecessores.

Nem sempre teremos a oportunidade de nascer em um lar que nos forneça tudo aquilo de que necessitamos em termos de Reino de Deus e é exatamente por esta razão que Deus revela-se a nós como Aba Pai. Seja qual for a sua situação, seu Pai Celestial tem cuidado de você com amor extravagante. Quando não temos um bom exemplo dentro de nossas casas, podemos com coragem nos espelhar no maior exemplo disponível: Jesus Cristo!

Mais do que nunca é necessário que exemplos levantem-se para que a próxima geração possa experimentar a plenitude do avivamento de Deus para nosso tempo!

Lembre-se: Deus não tem netos, apenas filhos!

▶ Referências

Tornem-se meus imitadores, como eu o sou de Cristo.
1 Coríntios 11:1

Irmãos, sigam unidos o meu exemplo e observem os que vivem de acordo com o padrão que lhes apresentamos.
Filipenses 3:17

▶ Desafio

Você tem um bom exemplo de cristianismo em casa? Como você pode ser este exemplo para outras pessoas em sua igreja que não tiveram esta bênção em suas vidas?

JESUS TEM UMA JORNADA INESPERADA
PARA TODOS NÓS!

Bilbo Bolseiro é um Hobbit solteirão na casa dos cinquenta anos de idade que vive confortavelmente em sua casa no Condado. Sua vida muda drasticamente quando o mago Gandalf e uma comitiva de treze anões batem à sua porta e o contratam como ladrão para auxiliá-los na campanha de retomada da Montanha Solitária e dos tesouros dos anões do Dragão Smaug. Mesmo sentindo-se incapaz e nunca tendo saído do Condado, ele aceita a empreitada e viaja por quase toda a Terra-Média e realmente salva o grupo várias vezes dos perigos da jornada. Eles são vitoriosos em sua missão, e recuperam o tesouro dos anões, que é dividido, e Bilbo retorna rico para o Condado.

Este convite é feito diariamente por Jesus e tudo o que precisamos fazer é aceitá-Lo como Senhor e Salvador de nossas vidas para começarmos a viver a maior aventura de todas! Uma vida monótona simplesmente não existe quando vivemos um cristianismo radical e bíblico todos os dias! Nunca saberemos qual aventura teremos e qual será a oportunidade de sermos instrumentos nas mãos de Deus para transformar o destino de alguém através do sobrenatural!

A vida de muitas pessoas cruzará o nosso caminho e uma jornada inesperada diária está diante de nós!

E você, vai abrir a porta e viver uma aventura com Jesus?
Ou continuar apenas sobrevivendo por mais um dia?

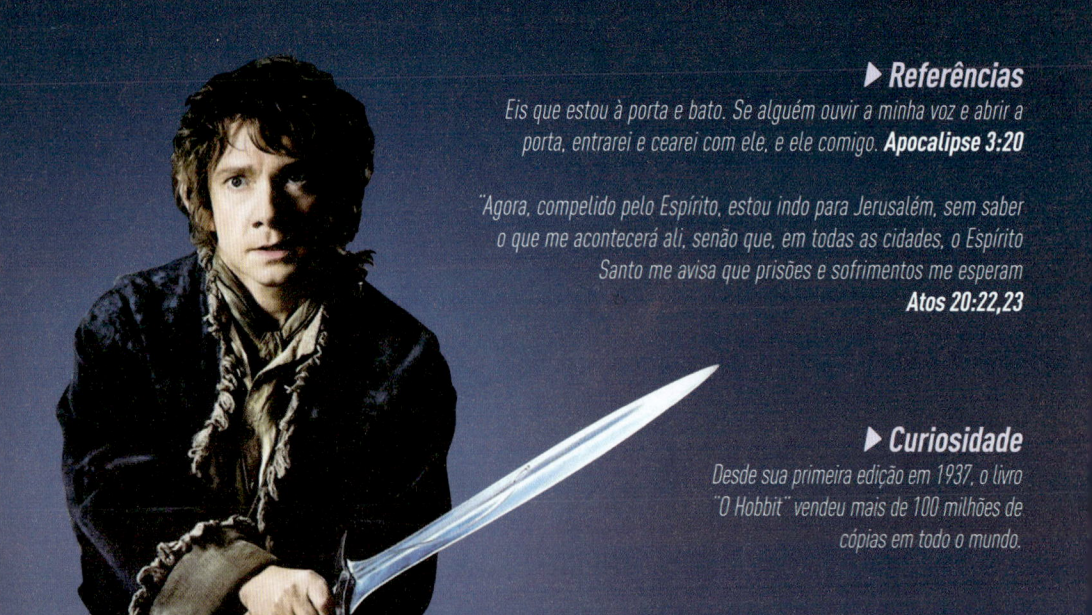

▶ Referências

Eis que estou à porta e bato. Se alguém ouvir a minha voz e abrir a porta, entrarei e cearei com ele, e ele comigo. **Apocalipse 3:20**

"Agora, compelido pelo Espírito, estou indo para Jerusalém, sem saber o que me acontecerá ali, senão que, em todas as cidades, o Espírito Santo me avisa que prisões e sofrimentos me esperam **Atos 20:22,23**

▶ Curiosidade

Desde sua primeira edição em 1937, o livro "O Hobbit" vendeu mais de 100 milhões de cópias em todo o mundo.

PROCURE AS RESPOSTAS
NO LUGAR CERTO

Ezio Auditore viveu na Itália Renascentista como um nobre da cidade de Florença. Ele nada sabia a respeito da Ordem dos Assassinos até que seu pai e seus dois irmãos são mortos pelo Grão Mestre da Ordem dos Templários: Rodrigo Borgia. Para não morrer como seus familiares, foge para a cidade de Monteriggioni na região da Toscana, onde é treinado por seu tio Mario Auditore. Com 17 anos de idade, Ezio parte em uma jornada por respostas. Ele precisa entender a verdadeira identidade de seu falecido pai, quem o matou e por qual razão. Porém, a principal questão era: como poderia derrotar sozinho a Ordem dos Templários, se o inimigo estava oculto nas sombras das estruturas de poder de seu tempo?

Exatamente como nosso personagem de hoje, nossa juventude é uma fase de perguntas das mais variadas. A curiosidade e a ousadia presentes nesta fase da vida nos impelem a procurar pelas respostas de questões existenciais. Ao final desta etapa, Ezio saberia responder todas as suas questões que seriam muito úteis para sua fase adulta. Em nosso caso, o segredo é saber onde procurar por estas respostas.

As respostas que precisamos estão todas em nosso manual do fabricante, a Bíblia! Não devemos perder tempo procurando nos lugares errados, pois apenas as Escrituras podem nos ensinar em profundidade quem somos de fato e qual é o nosso propósito na terra!

Aproveite sua juventude! Suas descobertas neste período vão determinar os caminhos que você trilhará quando for adulto! Entregue o seu caminho nas mãos de Deus, Ele sabe o que é melhor para você!

▶ Referências
Senhor, tu me sondas e me conheces. **Salmos 139:1**

Antes mesmo que a palavra me chegue à língua, tu já a conheces inteiramente, Senhor. **Salmos 139:4**

Quando o meu espírito se desanima, és tu quem conhece o caminho que devo seguir. Na vereda por onde ando esconderam uma armadilha contra mim. **Salmos 142:3**

▶ Reflexão
Na juventude, aprendemos; na maturidade, compreendemos.
Marie Eschenbach.

SAIA DA SUPERFICIALIDADE VIGENTE!

Sherlock Holmes é um detetive na Inglaterra do final do século XIX e início do XX, que usa o método analítico-interpretativo de dedução para resolver casos praticamente insolúveis, sendo constantemente chamado pela própria Scotland Yard para ajudar quando não conseguem progredir na resolução de crimes. Um método bastante simples, pautado na observação. Ele analisa o que está evidente e deixa que os detalhes falem por si mesmos. Porém, esta é uma tarefa muito difícil para pessoas comuns, pois perceber detalhes tão específicos é mais difícil que ter apenas uma visão geral de todas as coisas.

Este personagem icônico da literatura mundial (um dos meus favoritos por sinal) aponta para algo que tenho percebido em nosso tempo: a necessidade que temos em aprofundar nosso conhecimento na Era da Informação. Esta geração Google tem acesso instantâneo a um volume colossal de informações mas, via de regra, não sabem analisar o que leem. Vivemos um tempo de superficialidade no conhecimento, pois não se deseja aprofundar ou depurar as informações. Afinal, é mais fácil apenas compartilhar, sem analisar o que se está lendo.

Parece contraditório que, na era das bibliotecas virtuais que universalizam o saber da humanidade, tenhamos discussões tão simplistas nas redes sociais, e ícones desta geração no YouTube, falando besteiras e escrevendo "best sellers", cujo material se baseia no número de seguidores, mas que não acrescentam nada na vida do leitor.

Seja um Sherlock Holmes em sua geração e observe aquilo que os demais não conseguem ver! Aprofunde seu conhecimento, o futuro da humanidade agradece!

▶ Referências
O conselho da sabedoria é: procure obter sabedoria; use tudo que você possui para adquirir entendimento.
Provérbios 4:7

▶ Desafio
Escolha um assunto que você não domina muito bem e aprofunde-se nele! Leia pelo menos 3 textos diferentes sobre o assunto e escreva seu entendimento sobre ele.

SOMOS CRONISTAS DE CRISTO

Dr. John Hamish Watson passou boa parte da vida na Austrália após a morte de sua mãe, estudou medicina e foi cirurgião do exército inglês, até ser ferido durante a segunda guerra afegã, em Candahar. Será salvo por seu superior e afastado do exército para sua recuperação na Inglaterra. Neste período será apresentado a um certo Sherlock Holmes, com quem dividirá os custos dos aposentos na rua Baker Street 221B. Quando descobre as habilidades dedutivas de seu companheiro de quarto, resolve ser o cronista que descreve todos os casos que seu amigo desvenda. Estará com Holmes na maioria dos casos desde então.

A necessidade de registrar a história de Holmes pelo doutor Watson ilustra muito a mesma necessidade que homens tiveram em escrever aquilo que Jesus fez durante Seu ministério terreno. Quatro evangelistas descreveram seus feitos pensando em públicos específicos, pois as maravilhas contidas nas boas notícias do Reino de Deus não deveriam ser conhecidas apenas por aqueles que viram a Cristo. Outros povos em diferentes épocas também deveriam ter a mesma oportunidade. Por esta razão, Marcos, Mateus, Lucas e João descreveram a vida, os milagres e os discursos de Jesus, para que a salvação chegasse até os nossos dias!

É maravilhoso perceber que, após este primeiro contato com Cristo através dos registros dos evangelistas, podemos continuar vivendo experiências com Ele em nossas vidas diárias!

Diferente de Holmes, Jesus não é uma obra de ficção. Está vivo e continua escrevendo a história de seu povo através dos séculos!

▶ Referências

Em meu livro anterior, Teófilo, escrevi a respeito de tudo o que Jesus começou a fazer e a ensinar. **Atos 1:1**

Jesus fez também muitas outras coisas. Se cada uma delas fosse escrita, penso que nem mesmo no mundo inteiro haveria espaço suficiente para os livros que seriam escritos. **João 21:25**

▶ Curiosidade

O famoso endereço na Rua Baker Street número 221B em Londres, é hoje um museu em homenagem a Sherlock Holmes.

DECIDA USAR OS DONS
QUE VOCÊ RECEBEU

Mycroft **Holmes** é o irmão mais velho de Sherlock e aparece em alguns casos em que o próprio detetive procura-o quando necessita de ajuda. Segundo Holmes, Mycroft é muito mais inteligente e possui o dom de observação e dedução muitas vezes superior ao seu. O grande problema é seu conformismo e comodidade. Ele não tem um senso de propósito e missão que o leve a buscar enfrentar os desafios que seu talento impõe. Segundo seu irmão, ele não possui energia ou convicção para trabalhar na solução dos casos.

Uma declaração de Sherlock ilustra bem o comportamento de seu irmão: "... ele não tem nem energia, nem ambição. Ele não se incomodará a ponto de sair de sua rotina para verificar suas próprias soluções e preferirá se considerar errado a ter que provar que está certo. Diversas vezes submeti-lhe um problema e recebi uma explicação que, mais tarde, se comprovou correta. E, mesmo assim, ele se mostrou incapaz de analisar os pontos práticos do problema".

O exemplo de hoje nos ensina que não basta ter o dom, precisamos decidir colocá-lo em prática! Deus concedeu talentos únicos e habilidades exclusivas para uso no serviço do Reino. Porém, a decisão em servir deve partir de cada um de nós. Os dons são irrevogáveis, porém seu uso depende de nossa disponibilidade e determinação. Sair de nossa zona de conforto, tratar com pessoas, muitas vezes entrar em conflitos e ser incompreendido por muitos, são agravantes que, em tempos de egoísmo institucionalizado, podem dificultar o envolvimento de muitos com a Igreja de Cristo.

Mas você será uma bênção em sua geração!

▶ Referências

Temos diferentes dons, de acordo com a graça que nos foi dada. Se o seu dom é servir, sirva; se é ensinar, ensine; se é dar ânimo, que assim faça; se é contribuir, que contribua generosamente; se é exercer liderança, que a exerça com zelo; se é mostrar misericórdia, que o faça com alegria. **Romanos 12:6,8**

▶ Reflexão

As pessoas não carecem de força, carecem de determinação. **Victor Hugo.**

SETEMBRO

DEVOCIONAL POP

BUSQUE A CHUVA DA
PRESENÇA DE DEUS

Flint Lockwood mora em Boca da Maré, uma pequena ilha quase desconhecida, que por anos foi uma grande fornecedora de sardinhas para outras localidades. Mas a indústria de sardinhas fechou suas portas e a população precisa comer toda a sardinha estocada, sendo o único alimento disponível na cidade marítima. Flint é um inventor nato, um típico nerd que cria todo tipo de traquitana maluca até que inventa a FLDSMDFR (Flint Lockwood Diatônico Super Mutante Dinâmico Fazedor de Rango), um aparelho que transforma moléculas de água em qualquer tipo de alimento. Tudo ia muito bem até que o equipamento entra em sobrecarga pela quantidade de pedidos da população e da ganância do prefeito de Boca da Maré, que quer tirar proveito da invenção para transformar a cidade em um polo turístico. As invenções de Flint tinham o objetivo de torná-lo alguém legal, que as pessoas gostassem. Na verdade, tudo o que ele fazia tinha o objetivo de suprir a carência e a falta que ele sentia de sua mãe, falecida há dez anos.

A história desta animação de 2009 pode nos levar a refletir sobre a carência que muitos sentem em nosso tempo. Jovens oriundos de casamentos destruídos, ou pessoas que já foram feridas por relacionamentos fracassados, muitas vezes, buscam atenção e carinho como forma de amenizar os sentimentos de rejeição e baixa autoestima. Em uma época onde pessoas disputam ¨Likes¨ nas redes sociais, percebe-se que o excesso de vida virtual está afetando a real.

O antídoto para as carências emocionais está em buscar a presença de Deus que é nosso centro de estabilidade. Apenas Ele nos concede a possibilidade de sermos felizes e plenos!

Antes de procurar alguém que te complete, seja completo (a) em Deus!

▶ **Referências**

Criou Deus o homem à sua imagem, à imagem de Deus o criou; homem e mulher os criou.
Gênesis 1:27

▶ **Desafio**

Ore a Deus esta semana para que sua presença preencha as carências emocionais em sua vida! Você foi criado inteiro segunda sua imagem!

PROCURE ENTENDER
SEUS PAIS

Tim Lockwood é o pai de Flint e os dois não conseguem conversar. O elo de diálogo entre os dois era a mãe, que transitava entre o universo do pai e do filho, auxiliando os dois no entendimento mútuo. Com a morte prematura dela, pai e filho foram se afastando. Tim não consegue entender o tempo e a energia que o filho gasta com suas invenções malucas e constantemente pede para que pare com isso e vá ajuda-lo em sua loja de pesca. Duas gerações que não conseguem conversar, até que na iminência da morte, Flint abre seu coração a seu pai e eles começam, a partir deste ponto, a tentar uma reaproximação.

As dificuldades de comunicação entre pais e filhos existem e são muito comuns. É preciso abrir mão de nossa posição e buscar disposição e energia para entrar no universo do outro. Em outras palavras, procurar enxergar pela ótica dos nossos pais ou dos nossos filhos, valorizando o que importa para eles. Apenas assim conseguiremos entender as razões do outro, e reconhecê-las.

Procure mudar seu ponto de vista para com o outro. Normalmente, quando tentamos colocar estas lentes especiais em nossos olhos, começamos a enxergar muito melhor! Por isso a empatia é algo tão necessário para nossas vidas! Tente passar tempo de qualidade com seus pais ou filhos, pois relacionamentos são construídos com o tempo, e gastamos tempo apenas com aquilo que é importante para nós.

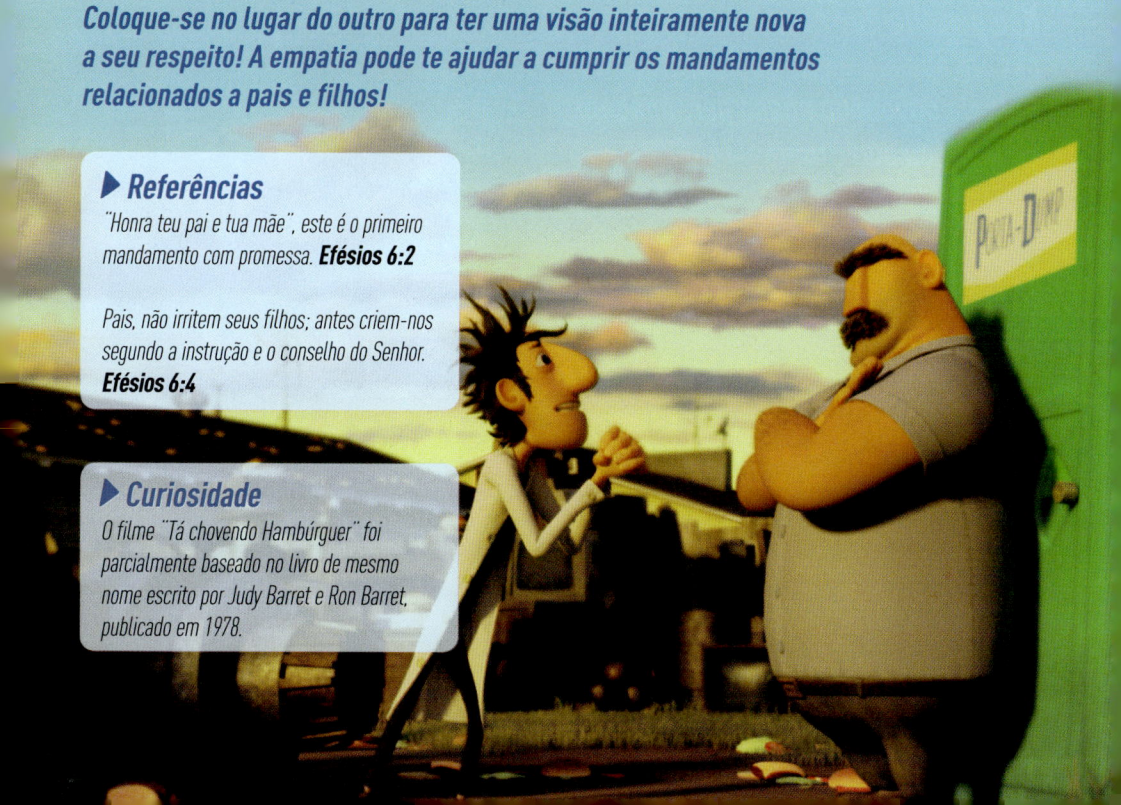

Coloque-se no lugar do outro para ter uma visão inteiramente nova a seu respeito! A empatia pode te ajudar a cumprir os mandamentos relacionados a pais e filhos!

▶ Referências

"Honra teu pai e tua mãe", este é o primeiro mandamento com promessa. **Efésios 6:2**

Pais, não irritem seus filhos; antes criem-nos segundo a instrução e o conselho do Senhor. **Efésios 6:4**

▶ Curiosidade

O filme "Tá chovendo Hambúrguer" foi parcialmente baseado no livro de mesmo nome escrito por Judy Barret e Ron Barret, publicado em 1978.

VOCÊ NÃO É **GROOT!**

Groot é natural do Planeta X, a capital dos mundos das plantas. Considerado um Colossus Floral, acabou sendo banido de seu planeta por ajudar os chamados mamíferos de manutenção que os serviam. Os Mestres Arbóreos o exilam e Groot começa a explorar outros planetas. É preso quando chega a Hala, capital do império Kree, e na prisão conhece aquele que seria seu grande companheiro: Rocket Raccoon. Eles escapam para participar de uma missão com um humano chamado Senhor das Estrelas para atacar o planeta com os Guardiões da Galáxia. Embora seja extremamente inteligente, seus mecanismos de comunicação são muito limitados. A única frase que consegue pronunciar é "Eu sou Groot" e com ela conversa sobre todos os assuntos, sendo entendido apenas por seu amigo Rocket.

Uma boa comunicação é a chave para um bom relacionamento, seja entre amigos, empregados e seus chefes, líderes e liderados ou casais. Dizer a verdade é muito importante para o desenvolvimento de relacionamentos saudáveis. Muitas vezes, quando converso sobre problemas ou pecados com jovens em nossa igreja, acabo pensando no Groot. Explico: o problema é a mentira que foi dita, mas a pessoa acaba falando de outras coisas que não o assunto que devemos tratar, entende? É como se ela falasse: Eu sou Groot, Eu sou Groot!

Não podemos nos dar ao luxo de temer a verdade, pois o contrário disso é a mentira e ela, nós já vimos, vem do inferno! Existe algo incomodando sua amizade? Fale! Algo precisa ser ajustado no casamento? Converse! As condições de trabalho não estão boas? Alerte!

Não permita que seus interlocutores ouçam apenas o que os Guardiões da Galáxia ouvem de nosso personagem de hoje: eu sou Groot!

▶ **Referências**
O rei se agrada dos lábios honestos; e dá valor ao homem que fala a verdade. **Provérbios 16:13**

▶ **Reflexão**
Se você falar com um homem numa linguagem que ele compreende, isso entrará na cabeça dele. Se você falar com ele em sua própria linguagem, você atingirá seu coração. **Nelson Mandela.**

KEEP CALM E DEIXE
DEUS NO CONTROLE

Ted Striker, ex-piloto de militar, ficou traumatizado depois de pilotar durante uma guerra. Tentando reconquistar seu grande amor, que trabalha como comissária de bordo, compra uma passagem para encontrar com Elaine em um voo entre Chicago e Los Angeles. Após o jantar, os passageiros começam a passar mal e a desmaiar, incluindo o piloto e o copiloto da aeronave. A tripulação percebe que não existe mais ninguém no controle do avião. Striker é o único a bordo que não passou mal com o jantar e que conseguirá realizar o pouso e salvar os passageiros. Este é um breve enredo de "Apertem os Cintos... o Piloto Sumiu!", comédia de 1980 que entrou para a lista dos 10 filmes mais engraçados de todos os tempos. É esta comédia que nos ajudará a refletir em nosso devocional de hoje.

Um avião sem piloto geraria pânico em qualquer lugar do mundo, pois os passageiros não teriam esperança de chegar ao destino sem alguém no comando da aeronave. Da mesma forma, quando vivemos sem a direção divina em nossa vida, permanecemos à deriva. Interessante que quando vivemos desta forma, entregamos o controle para aventureiros como o Ted Striker do filme, que até ajuda de alguma forma, mas causa estragos consideráveis que precisarão de conserto no futuro. Isso é uma grande verdade em relacionamentos fora do propósito de Deus, onde as intenções podem até ser boas, mas as consequências deixarão sequelas.

Nós devemos entregar o comando de nossas vidas para nosso Piloto que nunca nos decepcionará, Cristo é o nosso porto seguro que nos levará em segurança até a eternidade com Ele!

▶ Referência
Ele o cobrirá com as suas penas, e sob as suas asas você encontrará refúgio; a fidelidade dele será o seu escudo protetor. **Salmos 91:4**

▶ Desafio
Quais as áreas de sua vida que você precisa entregar o controle para Deus? Como você pode, de maneira prática, confiar em Deus nessas áreas?
Exemplo: na área financeira posso ser mais consistente nas ofertas.

EXPULSE A CRIANÇA MIMADA
DE DENTRO DE VOCÊ

A "Família Dinossauros" é uma série de televisão americana que foi produzida entre os anos de 1991 e 1994, e apresenta uma crítica ao *american way of life* da classe média americana, uma espécie de Simpsons pré-histórico, por assim dizer. Os personagens principais são os membros da família Silva (Sinclair no original) composta pelo casal Dino e Fran e seus filhos Bob, Charlene e o pequeno Baby da Silva Sauro e é nele que eu gostaria de basear nossa análise de hoje.

Baby Sauro é um bebê mimado e muito falante, que possui alguns jargões que fizeram muito sucesso durante sua exibição, como por exemplo: "Não é a mamãe!; Eu sou o Baby, precisa me amar!; e de novo!". Este pequeno personagem rosado e fofinho era extremamente mimado e desobediente, em especial com seu pai que vivia apanhando com uma frigideira do pequeno déspota. Em nossos dias, existem muitos "Babies Sauros" escondidos no corpo de jovens, que embora tenham idade física, emocionalmente ainda são crianças que se irritam ao menor sinal de não serem atendidos em suas vontades e desejos.

Em nossa caminhada cristã somos convocados ao crescimento. Uma vez tendo aceitado a Cristo como Senhor e Salvador, nosso dever é buscar conhecimento para amadurecer e crescer. Nosso relacionamento como igreja deve nos levar ao crescimento emocional e espiritual. Permanecer na ignorância da imaturidade é uma escolha que não devemos fazer, pois outros estarão nos observando para reproduzir nossos exemplos. Seu termômetro para medir seu nível de amadurecimento é a sua reação quando for contrariado em suas vontades e seu autocontrole sobre suas emoções e atitudes.

Ajuste sua idade emocional com sua idade física e cresça para a Glória do Reino de Deus!

▶ Referências
Dei-lhes leite, e não alimento sólido, pois vocês não estavam em condições de recebê-lo. De fato, vocês ainda não estão em condições.
1 Coríntios 3:2

▶ Curiosidade
O personagem Baby foi inspirado no filho mais novo do produtor Bob Young.

NÃO APRISIONE SUAS FRUSTRAÇÕES!

Massacre (Oslaught, no original) é uma das criaturas mais poderosas de todo o universo Marvel. Foi criado a partir da fusão das mentes de Charles Xavier e Magneto. Apenas a soma de todas as equipes de heróis foi capaz de derrotá-lo. Surgiu da frustração de Charles, acumulada após anos de derrotas contra humanos e outros mutantes. O início de Massacre foi sorrateiro. Quando Magneto arrancou o Adamantium de Wolverine, Xavier apagou a mente de Eric que permaneceu em coma por muito tempo. Toda a frustração reprimida por anos de perdas e sacrifício em prol de uma humanidade que os odeia, somada à mente de Magneto, gerou a entidade psiônica chamada Massacre. Ele derrotou o Fanático, o próprio Hulk, os Vingadores e os X-Men.

Em nossa caminhada, frustrações e decepções não devem ser guardadas como Xavier fez. Trancar nossas emoções em quartos escuros de nossa alma gera monstros interiores que se alimentam de nossas emoções deturpadas. Quanto mais nos centramos em nós mesmos, mais estas emoções negativas crescerão em nosso coração e com isso destruirão relacionamentos, nos afastarão de pessoas que nos amam, enfim... Não existe vantagem em guardar sentimentos negativos. Que você tenha pessoas em quem confie e com quem possa se abrir sem reservas para que através da confissão e oração, a cura interior possa surgir.

Como é importante termos alguém com quem possamos ser sinceros de fato e que possa nos ajudar em nossos momentos de angústia!

▶ **Referências**

Abismo chama abismo ao rugir das tuas cachoeiras; todas as tuas ondas e vagalhões se abateram sobre mim.
Salmos 42:7

"Não procurem vingança, nem guardem rancor contra alguém do seu povo, mas ame cada um o seu próximo como a si mesmo. Eu sou o Senhor.
Levítico 19:18

▶ **Reflexão**

Só porque alguém tropeça e se perde no caminho não significa que está perdido para sempre. **Professor Xavier.**

APRENDA A **RECONHECER O MAL**

Gru é um vilão que conta com a ajuda de um grupo de seres amarelos, chamados por ele de Minions. Ele quer subir na escala de popularidade dos vilões e por isso planeja algo ousado: roubar a Lua com um raio encolhedor. Para isso, ele vai adotar três garotas: Margo, Edith e Agnes, com a intenção de usá-las em seu plano. Ele, no entanto, acaba gostando delas e sua vida será transformada no processo, pois acabará sendo realmente o pai adotivo das três.

O filme é um sucesso entre as crianças (meu filho gosta muito dos minions!). Mas eu gostaria de utilizar a tradução do título do filme para o português para discutir um elemento importante com você no dia de hoje, que embora não tenha relação direta com o filme, é pertinente. O mal nunca aparecerá a você em uma forma que você o rejeitaria. Aliás, a imagem comumente atribuída a satanás, com chifres, cauda e partes de bode é uma criação da cultura medieval. A Bíblia nos diz que Lúcifer era um anjo de luz que se rebelou contra Deus e foi derrotado em uma batalha épica de proporções cósmicas. A partir de então, busca corromper a humanidade criada por Deus, fazendo com que muitos desavisados acabem indo para o lugar destinado a ele e a seus demônios: o Inferno.

Cuide com a aparência do mal, pois à primeira vista será agradável, e apenas com o tempo perceberemos suas verdadeiras e eternas intenções: roubar, matar e nos destruir! É fundamental estarmos sempre conectados com o Espírito Santo para reconhecer o "Malvado Favorito" e nos prevenir dos ataques camuflados do diabo, que é muito bom em disfarces!

▶ **Referências**

Isto não é de admirar, pois o próprio Satanás se disfarça de anjo de luz.
2 Coríntios 11:14

Então ele dirá aos que estiverem à sua esquerda: 'Malditos, apartem-se de mim para o fogo eterno, preparado para o diabo e os seus anjos.
Mateus 25:41

▶ **Desafio**

Você é capaz de identificar o mal, revestido pela aparência de algo bom? Poderia citar exemplos que aconteceram com você?

EM QUAL LISTA SEU NOME ESTÁ ESCRITO?

Raymond Reddington é o criminoso mais procurado pelo FBI e entrega-se às autoridades. Em seu depoimento declara que vai delatar diversos criminosos procurados, apenas por intermédio da agente novata Elizabeth Keen. Para provar que fala a verdade, Reddington entrega um criminoso internacional e depois aponta para a existência de muitos outros nomes no que ele chama de Lista Negra, (Blacklist no original) que dá o nome à série que estreou em 2013.

Gostaria de conversar com vocês a respeito de uma lista diferente que a de nosso personagem de hoje. O Livro do Apocalipse nos fala a respeito do Livro da Vida, onde estarão escritos os nomes de todos aqueles que forem salvos e aptos a passarem a Eternidade com Cristo. Claro está que Deus não necessita de um livro físico com nomes escritos nele. A alegoria de um livro ou uma lista com aqueles que serão salvos comunica a respeito da importância de seguir a Cristo. Deus é a fonte da vida e Ele mantém os nomes das pessoas que passarão a eternidade com Ele. A ideia da existência de uma lista pode nos ajudar em dois aspectos:

Em primeiro lugar, Deus julga a todos com justiça e seremos julgados de maneira criteriosa de acordo com as atitudes que tivermos tomado enquanto estivemos na Terra.

Em segundo lugar, o caminho para a vida eterna e para o Livro da Vida passa por Jesus Cristo. Ele proclamou a palavra de Deus, que nos julgará a seu tempo.

É Cristo que nos oferece o caminho à vida eterna e, apenas por seu intermédio, nós temos o privilégio de constar nesta magnífica lista!

▶ **Referência**
Nela jamais entrará algo impuro, nem ninguém que pratique o que é vergonhoso ou enganoso, mas unicamente aqueles cujos nomes estão escritos no livro da vida do Cordeiro. **Apocalipse 21:27**

▶ **Curiosidade**
O ator James Spader que interpreta Raymond Reddington na série "The Blacklist" interpreta também a voz do vilão Ultron, no segundo filme dos Vingadores, da Marvel.

REDIRECIONE A GLÓRIA
E PERMANEÇA ANÔNIMO

The Legend of Zelda é uma aclamada série de jogos da Nintendo criada em 1986 por Shigeru Miyamoto e Takashi Tezuka. A história dos jogos acontece no Reino de Hyrulle e o protagonista, pasmem, não é Zelda, mas um jovem chamado Link que precisa proteger o reino de Hyrulle e as relíquias Triforce que representam a Coragem, a Sabedoria e o Poder. Elas podem manter o Reino em paz e harmonia, ou destruí-lo se caírem em mãos erradas. Por esta razão, Link tem muito trabalho, pois a fama destas relíquias atrai vilões de outros reinos para roubá-las e usarem em seus planos de conquista.

Quando tive a oportunidade de jogar Zelda pela primeira vez, achei muito estranho que o nome do protagonista fosse Link. Por que o jogo não se chama, The Legend of Link? Este é o ponto que gostaria de abordar com você, neste dia. Nossa geração é movida pelo reconhecimento. Ao realizarmos algo, é natural querermos que os nossos nomes sejam citados. Mas, como cristãos, em muitas coisas, devemos passar despercebidos e anônimos como Link nos jogos de Zelda. Até jogar e conhecer mais a fundo o enredo, você nunca descobriria seu nome. Da mesma forma, todo o reconhecimento do que fazemos para o Reino de Deus deve ser direcionado para Cristo que é o único digno de receber a honra e a glória! Aqueles que caminharem contigo saberão das suas obras, mas o grande público deve continuar lendo o nome Jesus Cristo quando olhar para você, como as pessoas de fora enxergam Zelda quando olham para Link.

Os elogios e o reconhecimento por aquilo que Deus faz não são pra você, então o melhor a fazer é permanecer anônimo para que Ele cresça e você diminua!

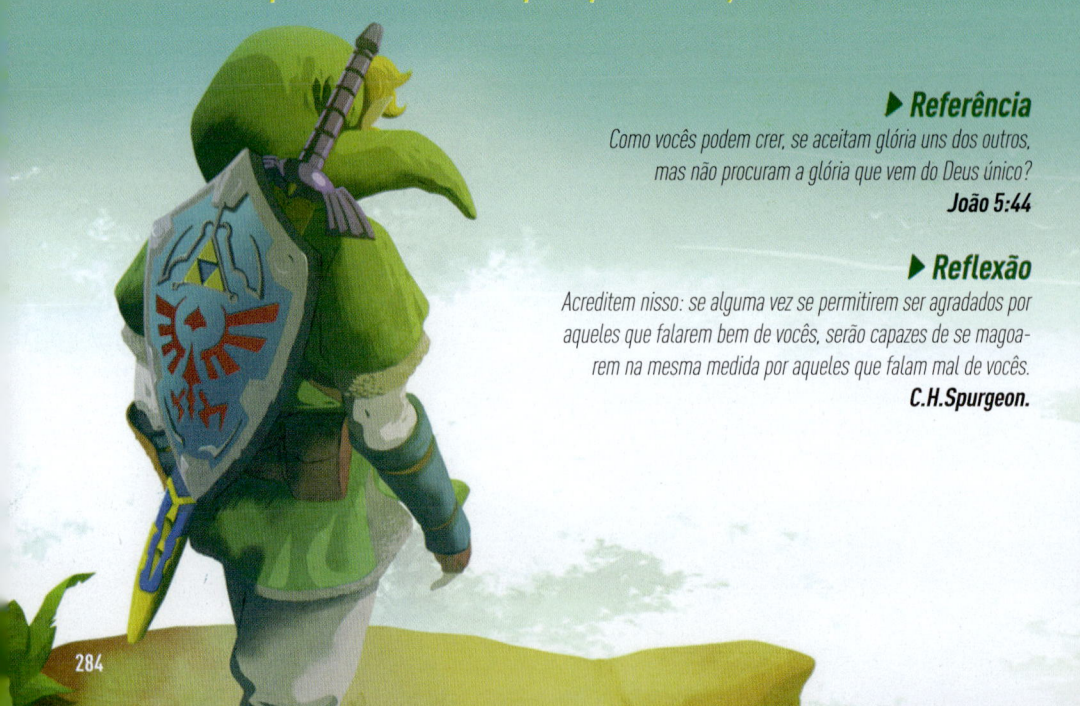

▶ **Referência**
Como vocês podem crer, se aceitam glória uns dos outros, mas não procuram a glória que vem do Deus único?
João 5:44

▶ **Reflexão**
Acreditem nisso: se alguma vez se permitirem ser agradados por aqueles que falarem bem de vocês, serão capazes de se magoarem na mesma medida por aqueles que falam mal de vocês.
C.H.Spurgeon.

NÃO EXISTEM NÍVEIS DE MENTIRA!

Dr. Carl Lightman é um cientista que dedicou toda a sua vida estudando o comportamento humano. Formou uma equipe com dra. Gillian Foster, Eli Locker, Ria Torres e o agente do FBI Ben Reynolds. Esta equipe é especialista em detectar mentiras em investigações policiais, empresas ou relacionamentos entre pessoas, através da expressão corporal dos suspeitos durante seus depoimentos. São considerados verdadeiros polígrafos humanos. A série "Lie to me" transmitida entre 2009 e 2011, em três temporadas.

A mentira é uma constante na humanidade. Nossas mentes criativas criam "níveis" de mentiras onde toleramos alguns tipos como as "mentirinhas", "omissões" ou até mesmo mentiras para preservar as pessoas que amamos de sofrerem com decepções. Nossa capacidade de oferecer caminhos para pecarmos parece não ter fim. Acredito que aqueles que se dizem cristãos precisam separar-se das práticas comumente utilizadas por aqueles que não possuem o conhecimento espiritual a respeito de Jesus. Note que não devemos nos separar da sociedade, pois caso contrário, voltaríamos ao estilo de vida dos monastérios que se justificavam em uma sociedade dividida em classes ou categorias onde havia os que lutavam, os que trabalhavam e os que oravam. Por isso, homens iam para lugares desertos e ermos, fundavam casas monásticas e oravam pela salvação da humanidade.

Esteja inserido no mundo em que vive, mas não faça parte dele!
O padrão que você segue é aquele estabelecido por Cristo, por isso é muito mais excelente!
Neste estilo de vida, a mentira não possui lugar!

▶ Referências

Portanto, cada um de vocês deve abandonar a mentira e falar a verdade ao seu próximo, pois todos somos membros de um mesmo corpo.
Efésios 4:25

Os justos odeiam o que é falso, mas os ímpios trazem vergonha e desgraça.
Provérbios 13:5

▶ Desafio

Adote um estilo de vida firmado na verdade. Desde as pequenas coisas do dia a dia até os eventos mais importantes!

PARA DEUS TODAS AS MISSÕES
SÃO POSSÍVEIS

Ethan Hunt possui uma vida dupla. Além de possuir uma vida "normal" como fachada, é também um agente secreto que trabalha para a agência IMF (Impossible Mission Force), realizando missões com chances mínimas de sucesso, através do uso de muita tecnologia, estratégias mirabolantes e uma dose considerável de sorte para que os agentes, especialmente Ethan, sobrevivam da morte certa. Os filmes da franquia Missão Impossível são protagonizados pelo ator Tom Cruise e estão baseados no seriado de mesmo nome que foi sucesso na década de 60 do século passado. A questão central do filme é a realização de missões difíceis demais para qualquer outra agência. As probabilidades ínfimas de sucesso demandam os melhores e mais bem treinados agentes de todo o mundo.

Em nossa jornada, também vivemos momentos em que a palavra impossível aparece em letras garrafais em nossas almas. Uma enfermidade, uma dificuldade, um problema com a justiça, uma separação. Tantas coisas podem parecer impossíveis para nossa pequena visão que podemos nos esquecer que servimos ao Criador do universo. Aquilo que, para simples seres humanos está além do alcance, através do poder da fé na obra de Cristo, podemos receber!

Através do poder da fé, o sobrenatural é transformado em natural e vemos o impossível acontecer! Nossa fé cresce através dos momentos de desafio e dificuldade que enfrentamos, então agradeça a Deus por suas "Missões Impossíveis"!

▶ Referências
Jesus olhou para eles e respondeu: "Para o homem é impossível, mas para Deus não; todas as coisas são possíveis para Deus".
Marcos 10:27

Ele respondeu: Porque a fé que vocês têm é pequena. Eu lhes asseguro que se vocês tiverem fé do tamanho de um grão de mostarda, poderão dizer a este monte: 'Vá daqui para lá', e ele irá. Nada lhes será impossível. **Mateus 17:20**

▶ Curiosidade
No quinto filme da franquia, de 2015, todos os mocinhos conduzem carros da BMW. Já os vilões dirigem Audi, Mercedes ou Range Rover.

FOFOQUE APENAS SOBRE VOCÊ, COM VOCÊ!

Serena van der Woodsen é uma jovem estudante da elite de Upper East Side em Manhattan, Nova York. Ela passa seis meses em um internato, longe de seus amigos e de todos os acontecimentos sociais da elite da cidade. Uma blogueira desconhecida, autointitulada "Gossip Girl" (Garota Fofoqueira em inglês) começa a divulgar todos os escândalos de Serena e seus amigos desde a oitava série. Essas revelações abalarão ainda mais os relacionamentos entre os amigos de Serena. A série "Gossip Girl" durou seis temporadas, entre 2007 e 2012.

O assunto do texto de hoje não poderia ser outro: a Gossip Girl de nosso exemplo. A fofoca é um utensílio infernal para causar desgaste e estragar relacionamentos. Qual é a função da fofoca? Contar segredos ou descobertas de uma pessoa a outra que não pode ajudar a resolver o problema. Esta é uma prática comum, mas não deveria. Procure amadurecer na questão de se colocar no lugar do outro. Este exercício ajuda muito a não especularmos sobre a vida de outras pessoas, pois não temos nada a ver com isso. O século XXI começou com uma onda de "Realities Shows" que fizeram tanto sucesso em parte, devido à nossa cultura curiosa de investigar e saber mais sobre a vida do próximo.

Devemos orar para que Deus nos conceda a graça de nos preocuparmos com aquilo que é de fato relevante sobre a vida do outro e apenas se pudermos ajudar. Quando começamos a olhar para a vida dos outros, talvez seja hora de nos ocuparmos um pouco mais com coisas edificantes, pois quem está ocupado realizando algo relevante para o Reino de Deus simplesmente não tem tempo para conversar sobre a vida dos outros!

▶ Referência
Além disso, aprendem a ficar ociosas, andando de casa em casa; e não se tornam apenas ociosas, mas também fofoqueiras e indiscretas, falando coisas que não devem.
1 Timóteo 5:13

▶ Reflexão
Fofocar sobre os outros é certamente um defeito, mas é uma virtude quando aplicado a si mesmo.
Nelson Mandela.

O ÚNICO QUE VOCÊ PRECISA
DOMINAR É VOCÊ MESMO

Pato Donald foi criado pelos estúdios de Walt Disney em 1934 como uma espécie de antagonista ao camundongo Mickey. Sua popularidade crescente porém, amenizou um pouco o clima entre os dois, que passam a conviver até que ele ganhe suas próprias histórias junto a outros personagens criados para seu universo em Patópolis, como sua namorada Margarida, seu Tio Patinhas e seus sobrinhos Huguinho, Zezinho e Luizinho. O problema de Donald é seu temperamento explosivo, pois constantemente perde o controle sobre as situações, em especial quando entra em alguma disputa com Mickey, que sempre leva a melhor. Donald fica irritado, perde a paciência e constantemente declara seus verdadeiros sentimentos pelo amigo nos momentos de raiva com o famoso: "Eu odeio você!".

Com Donald aprendemos que a falta de domínio próprio está relacionada com a falta de maturidade emocional e espiritual. Explosões de raiva em público, falta de controle sobre seus sentimentos, são provenientes de pessoas que ainda precisam buscar com mais intensidade um relacionamento com Cristo, pois o seu caráter precisa começar a fazer parte do nosso caráter. Quanto mais buscamos, mais nos pareceremos com Ele. Falar como Ele fala, ouvir como Ele ouve, ver como Ele vê e pensar como Ele pensa deveria ser um de nossos objetivos de vida!

Lembre-se: a única pessoa que você está autorizado a dominar é você! Então não perca tempo e comece hoje mesmo!

▶ **Referências**

Melhor é o homem paciente do que o guerreiro, mais vale controlar o seu espírito do que conquistar uma cidade. **Provérbios 16:32**

Mas o fruto do Espírito é amor, alegria, paz, paciência, amabilidade, bondade, fidelidade, mansidão e domínio próprio. Contra essas coisas não há lei. **Gálatas 5:22,23**

▶ **Desafio**

Anote algumas coisas que fazem você perder o controle. Agora escreva algumas atitudes práticas que você pode tomar hoje para alcançar o domínio próprio e não perder sua cabeça nessas situações de perigo.

DESCUBRA SEU PROPÓSITO
NO REINO

Calvin Rankin nasceu em Passaic, Nova Jersey onde sofre um acidente com os produtos químicos de seu pai, Ronald Rankin. Este acidente concede a Calvin a capacidade de copiar temporariamente as habilidades, atributos, conhecimentos e poderes de qualquer pessoa que estiver próxima a ele. Aparece pela primeira vez como inimigo dos X-Men, mas depois acaba entrando para a equipe adotando o nome de Mímico. Ele reteve permanentemente os poderes dos cinco X-Men originais. O grande problema com esta habilidade é que ela gera uma crise de identidade com uma grande confusão mental para Calvin. Isso o tornou dependente de antidepressivos pesados para lidar com a realidade.

Muitas vezes, a falta de paciência em buscar em Deus nossa própria identidade nos torna parecidos com o personagem de hoje. Começamos a imitar pessoas que estão próximas a nós, com o desejo de copiar aquilo que receberam de Deus. Seguir bons exemplos não é errado, muito pelo contrário, pois se elas seguem realmente a Cristo, fatalmente nos levarão até Ele. Mas não podemos nos esquecer que devemos buscar a nossa própria identidade no Reino de Deus. Descobrir nosso propósito é fundamental para que possamos viver a plenitude de Deus.

Você não precisa imitar o ministério de ninguém, pois Deus tem algo especial para você! Descobrir seu propósito é a diferença entre ser uma voz ou apenas um eco em sua geração!

▶ Referências
Tornem-se meus imitadores, como eu o sou de Cristo.
1 Coríntios 11:1

De fato, vocês se tornaram nossos imitadores e do Senhor; apesar de muito sofrimento, receberam a palavra com alegria que vem do Espírito Santo.
1 Tessalonicenses 1:6

▶ Curiosidade
O Mímico foi o primeiro membro a entrar nos X-Men após a formação original do grupo.

NÃO ENVENENE SUA ALMA COM A VINGANÇA!

Amanda Clarke foi enviada para um reformatório durante sua infância, pois seu pai foi falsamente acusado de terrorismo, condenado à prisão e assassinado. Ela passou anos planejando sua vingança para quando pudesse voltar e fazer com que todos aqueles que causaram sofrimento a ela pudessem pagar pelo mal que fizeram. Quando completou dezoito anos foi liberada do internato, recebeu a herança de seu pai, mudou sua identidade e iniciou seu plano, especialmente contra Victoria Grayson, a quem responsabilizou pela traição a seu pai. Revenge (Vingança em português) apresentou quatro temporadas entre 2011 e 2015.

O desejo de vingança é um tema recorrente na Bíblia, em especial no Antigo Testamento, por ser palco de batalhas e guerras entre Israel e os demais povos do Oriente Médio na Antiguidade. O desejo de vingança estava sempre presente entre o povo, que era conduzido a entregar todo desejo de vingança a Deus, o único Juiz apto a julgar, não apenas pessoas, mas também tribos e nações inteiras. A revelação que o Novo Testamento traz é que a vinda de Cristo aplacou a ira de Deus contra a humanidade e restaurou o estado inicial perdido no jardim do Éden com o pecado de Adão e Eva.

Não temos o direito de fazer justiça com as próprias mãos, pois seremos corrompidos no processo nos tornando semelhantes àqueles que nos fizeram mal. Pagar na mesma moeda é uma atitude esperada pela sociedade, mas não por aqueles que foram comprados pelo sangue de Cristo derramado na Cruz.

Devemos perdoar aos que nos ofenderam, pois também fomos perdoados! A vingança apenas corrompe nossas almas, por isso afaste-se dela!

▶ Referências

Amados, nunca procurem vingar-se, mas deixem com Deus a ira, pois está escrito: "Minha é a vingança; eu retribuirei", diz o Senhor. **Romanos 12:19**

Perdoa as nossas dívidas, assim como perdoamos aos nossos devedores. **Mateus 6:12**

▶ Reflexão

A vingança nunca é plena, mata a alma e envenena.
Seu Madruga.

A IGREJA NÃO PODE SER UM DOMO ISOLADO

A pequena cidade de Chester's Mill, no estado do Maine era uma típica cidade do interior até que subitamente uma enorme cúpula indestrutível isola a cidade do resto do mundo. Sem internet, telefone ou televisão, os moradores da cidade precisarão aprender a sobreviver com os recursos escassos, enquanto o exército e o governo posicionados do lado de fora do Domo, tentam derrubá-lo. Este é o resumo do enredo de "Under the Dome", série com três temporadas entre 2013 e 2015.

Esta série ilustra muito bem um aspecto da relação entre a Igreja Cristã e a sociedade. Muitas vezes a igreja permanece isolada em suas quatro paredes enquanto o mundo fica do lado de fora perecendo pela falta do que temos conosco: as boas novas do Evangelho! É muito bom nos reunirmos como igreja para celebrar a salvação que temos através do sacrifício de Jesus na Cruz, mas não podemos nos esquecer que muitas pessoas estão sofrendo.

Jesus caminhou entre os lugares sem esperança para levar o amor do Pai para todos aqueles que eram marginalizados em seu tempo. Que possamos aprender com o Mestre e continuarmos seu trabalho em nosso bairro, cidade, estado, nação e até os confins da Terra!

Por isso não fique escondido no conforto das paredes de sua igreja, mas seja aquele que leva esperança e vida de Deus à sociedade! Quando a igreja for relevante de fato no mundo, veremos uma melhora em todas as áreas de nossa sociedade.

Este é o verdadeiro avivamento que precisamos ver em nossa nação!

▶ Referências

Não me envergonho do evangelho, porque é o poder de Deus para a salvação de todo aquele que crê: primeiro do judeu, depois do grego. **Romanos 1:16**

Mas receberão poder quando o Espírito Santo descer sobre vocês, e serão minhas testemunhas em Jerusalém, em toda a Judéia e Samaria, e até os confins da terra". **Atos 1:8**

▶ Desafio

De que maneira você pode se envolver mais efetivamente com as atividades evangelísticas e trabalhos sociais de sua igreja?

O AMOR DE DEUS
DEVE CRUZAR FRONTEIRAS

Carl Hickman é um ex-policial que está perdendo o controle de sua vida após ser ferido no trabalho. Precisou se afastar de suas funções e tornou-se dependente de morfina. Ele vai receber uma nova oportunidade ao ser convidado a participar de uma equipe internacional da Corte Marcial de Haia, composta por agentes de toda a Europa para investigar crimes de serial killers que atacam em vários países simultaneamente. "Crossing Lines" é uma série de televisão multinacional criada por Edwars Allen Bernero e Rola Bauer, que teve ao todo três temporadas entre 2013 e 2015.

É impossível assistir a um episódio de Crossing Lines e não pensar em missões transculturais. O Evangelho deve chegar a todos os recantos deste planeta para que a volta de Cristo aconteça. Muitas vezes lidamos com missões de maneira romântica e utópica quando pensamos na África e em outros lugares. Como Igreja precisamos nos envolver com nossa realidade, mas também com aqueles que estão entregando suas vidas para levar o santo Evangelho a todas as nações da Terra.

Informe-se em sua igreja sobre programas de ajuda a missionários, calendários de intercessão sobre missões e de que maneira você pode participar mais ativamente deste movimento! Você é um missionário em potencial indo, orando ou contribuindo!

▶ Referências

E este evangelho do Reino será pregado em todo o mundo como testemunho a todas as nações, e então virá o fim.
Mateus 24:14

Depois disso olhei, e diante de mim estava uma grande multidão que ninguém podia contar, de todas as nações, tribos, povos e línguas, de pé, diante do trono e do Cordeiro, com vestes brancas e segurando palmas.
Apocalipse 7:9

▶ Curiosidade

O ator Donald Sutherland, que participa da série no papel de Michael Dorn já atuou em mais de 60 filmes ao longo de sua carreira de mais de 50 anos no cinema.

NÃO SEJA UM FANTOCHE
NAS MÃOS DE NINGUÉM!

Os **Muppets** são fantoches que fazem parte de um universo próprio onde os bonecos interagem com os seres humanos em um leque muito grande de criaturas, como animais, humanoides, monstros, extraterrestres ou criaturas exclusivas inventadas para participar do show dos Muppets. Criados por Jim Henson, este projeto inclui mais de 10 filmes, sendo o primeiro de 1979 e o mais recente de 2014, mostrando a longevidade destes bonecos que transpassam gerações.

Gostaria de usar o fato de todos os Muppets serem na verdade fantoches, (talvez seja por isso que sejam tão queridos por todos, por tanto tempo) para nos alertar a respeito do risco de sermos manipulados em nossas emoções e atitudes. Conheço muitos casais onde um dos dois usa de manipulação emocional para manter o relacionamento, filhos que manipulam os pais para conseguirem o que querem, patrões que manipulam os funcionários, líderes que manipulam seus liderados, enfim.

Quando aceitamos a Cristo como Senhor e Salvador, fomos libertos de toda a opressão nas regiões celestiais e portanto, devemos viver segundo esta nova realidade. Quando voluntariamente optamos por sermos fantoches nas mãos de outras pessoas, estamos entregando o controle de nossas vidas para que façam o que quiserem com ela, pois um Muppet só pode ir aonde aquele que o controla quiser. Cristo morreu na Cruz e ressuscitou para que fôssemos livres de fato!

Deposite suas emoções e necessidades aos pés da Cruz, pois nossa dependência de Cristo nos levará a viver a plenitude da liberdade que a Bíblia nos promete!

▶ Referências

Portanto, se o Filho os libertar, vocês de fato serão livres. *João 8:36*

Irmãos, vocês foram chamados para a liberdade. Mas não usem a liberdade para dar ocasião à vontade da carne; pelo contrário, sirvam uns aos outros mediante o amor. *Gálatas 5:13*

▶ Reflexão

Orar antes de fazer algo = Dependência
Orar depois de fazer algo = Gratidão
Orar sempre = Comunhão
Não busque a Deus quando precisar, busque sempre!

VOCÊ TEM UMA HERANÇA EM SEU NOME

Os irmãos Baudelaire, Violet, Klaus e a pequena Sunny perdem seus pais em um terrível incêndio. Eles descobrem que possuem uma grande herança deixada por eles. Entretanto, por serem todos menores de idade, serão deixados pela justiça sob a tutela de um primo distante, o Conde Olaf que é um homem terrível que tenta a todo instante roubar a fortuna que seus pais deixaram a eles. "Desventuras em Série" é o nome de uma coleção de treze livros escrita por Lemony Snicket, pseudônimo do autor Daniel Handler entre 1999 e 2006 e ilustrada por Brett Helquist. Em 2017 estreou a primeira temporada de uma série inspirada nos livros no serviço de streaming Netflix.

Como filhos e filhas de Deus também temos direito a uma herança espiritual. Esta herança é a vida eterna, nosso bem mais precioso. Porém, existe um Conde Olaf que está à nossa espreita disfarçando-se de várias maneiras para tentar nos enganar. Seu nome é Satanás e devemos estar sempre atentos como os irmãos Baudelaire, que sempre identificam o Conde, quando ele se disfarçava.

Por outro lado, muitas pessoas ainda não sabem que possuem esta herança e continuam vivendo vidas miseráveis em todos os sentidos. Precisamos contar esta maravilhosa notícia para todas as pessoas!

▶ Referências

Tudo o que fizerem, façam de todo o coração, como para o Senhor, e não para os homens, sabendo que receberão do Senhor a recompensa da herança. É a Cristo, o Senhor, que vocês estão servindo.
Colossenses 3:23,24

Oro também para que os olhos do coração de vocês sejam iluminados, a fim de que vocês conheçam a esperança para a qual ele os chamou, as riquezas da gloriosa herança dele nos santos. **Efésios 1:18**

▶ Desafio

O que o fato de você ter uma herança espiritual, que levará por toda a eternidade muda a maneira como enxerga as pessoas que ainda não sabem desta boa notícia? Você pode começar a falar mais a respeito de Jesus e Seu Reino a elas? Que tal começar hoje?

VOCÊ VAI VOLTAR
PARA CASA!

Elliott, um garoto de dez anos de idade, encontra um alienígena com quem faz amizade. Ele tenta proteger seu novo amigo de ser capturado pelo serviço secreto dos Estados Unidos para que não seja transformado em uma cobaia. O garoto consegue ajudar o extraterrestre, a quem ele chama E.T. a contatar seu povo que envia uma nave para resgatá-lo e regressar para casa. E.T., o Extraterrestre é um dos maiores sucessos de bilheteria de todo o mundo, sendo o segundo filme da história a alcançar a marca de 700 milhões de dólares, atrás apenas de Star Wars.

E.T. buscava retornar para seu planeta natal, pois sabia que a Terra não era sua casa. Da mesma forma, nosso destino final é o Céu, portanto não devemos nos conformar com a vida que temos, pois fomos destinados à Eternidade. Saber dessa realidade deveria ser útil em nossa jornada, pois se estamos aqui apenas de passagem, será que seria uma atitude sábia gastar tanta energia apenas acumulando coisas que não poderemos levar conosco? Não digo que seja errado trabalhar para conseguir coisas, mas é necessário investir com a mesma prioridade na vida espiritual, pois são estes os frutos que levaremos conosco para a eternidade com Deus. O que você fez com o seu tempo devocional, se abençoou as pessoas que passaram por você e o quanto se dedicou a conhecer mais a Cristo são respostas importantes para verificar se estamos investindo no Reino de Deus.

Seu tempo na Terra determina seu tempo na eternidade! Gaste-o com sabedoria!

▶ Referências

"E estes irão para o castigo eterno, mas os justos para a vida eterna".
Mateus 25:46

Mas acumulem para vocês tesouros no céu, onde a traça e a ferrugem não destroem, e onde os ladrões não arrombam nem furtam.
Mateus 6:20

▶ Curiosidade

"Star Wars Episódio I: A Ameaça Fantasma" conta com a participação de três seres da mesma espécie de E.T. do filme na cena da convenção realizada na Federação de Comércio.

SUA ESPOSA (OU MARIDO) NÃO É UM ADVERSÁRIO

John Smith é um executivo da construção civil e sua esposa Jane Smith uma consultora de tecnologia. Na realidade, esses são disfarces que o casal utiliza para manter sua verdadeira identidade segura: são agentes do DIA (Defense Intelligence Agency). Após uma operação fracassada, recebem a ordem de matarem um ao outro. Depois de uma batalha homérica, onde sua casa fica cravejada de balas, a paixão entre o casal é reacendida. A agência então envia todos os seus agentes para neutralizarem o casal Smith, que deixa de lutar entre si para enfrentar os inimigos externos. "Sr. e Sra. Smith" é uma comédia romântica de 2005 protagonizada por Angelina Jolie e Brad Pitt.

Relacionamentos amorosos, em especial o casamento, podem muito bem parecer com o enredo deste filme. Podemos desanimar e relaxar com a rotina de nossas vidas agitadas e corridas, e deixar que as circunstâncias nos façam perceber o outro como um inimigo que precisa ser combatido. Vencer discussões, mostrar que está certo, enxergar o parceiro de aliança como um adversário a ser superado. Quando deixamos Deus entrar em nosso noivado ou casamento, passamos a enxergar tudo com maior nitidez e vemos que os inimigos estão do lado de fora, não ao nosso lado. Devemos somar forças para vencer os desafios e dificuldades, confiando que, juntos a Deus, seremos invencíveis!

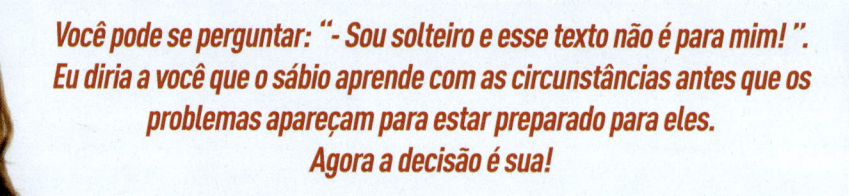

Você pode se perguntar: " - Sou solteiro e esse texto não é para mim! ".
Eu diria a você que o sábio aprende com as circunstâncias antes que os problemas apareçam para estar preparado para eles.
Agora a decisão é sua!

▶ Referências

Um homem sozinho pode ser vencido, mas dois conseguem defender-se.
Um cordão de três dobras não se rompe com facilidade.
Eclesiastes 4:12

"Por essa razão, o homem deixará pai e mãe e se unirá à sua mulher, e os dois se tornarão uma só carne". **Efésios 5:31**

▶ Reflexão

O verdadeiro amor nunca se desgasta. Quanto mais se dá mais se tem.
Antoine de Saint-Exupéry.

CONHEÇA OS DOIS LADOS
DA HISTÓRIA

Capitão Nathan Algren é um veterano da Guerra Civil Americana que é convidado pelo seu ex-comandante para participar com ele do treinamento do recém-criado Exército Imperial Japonês. Algren percebe que os soldados do império não estavam preparados para enfrentar os samurais, mas mesmo assim são enviados para a batalha e massacrados no processo. Algren luta até o fim e sua bravura é reconhecida pelos samurais que poupam sua vida mas o levam como prisioneiro. Conforme vai descobrindo mais sobre a cultura dos samurais, passa a respeitá-los e decide lutar com eles contra a ocidentalização do Japão. O enredo de "O Último Samurai" foi protagonizado nas telonas por Tom Cruise, no ano de 2003.

Este filme ilustra muito bem a luta por uma causa quando não conhecemos bem os dois lados da disputa. Geralmente, antes de aceitarmos a Cristo, temos uma postura de hostilidade para com os cristãos e lutamos junto ao Império das Trevas contra a Igreja. Porém, quando mudamos de lado, passamos a enxergar a realidade de outra maneira e aprendemos os princípios deste novo Reino e nos apaixonamos por ele, como o Capitão Algren pela cultura Samurai.

O Reino de Deus nos apresenta um estilo de vida mais excelente que transforma a vida daqueles que o abraçam, pelo simples fato de termos um padrão para seguir: Jesus Cristo! Neste sentido, precisamos ser o Evangelho que o mundo verá para que saibam quem somos e, principalmente a Quem servimos!

O que você representa? O império das trevas ou o Reino da Luz?

▶ **Referências**

Pois ele nos resgatou do domínio das trevas e nos transportou para o Reino do seu Filho amado. **Colossenses 1:13**
Vocês todos são filhos da luz, filhos do dia. Não somos da noite nem das trevas. **1 Tessalonicenses 5:5**

▶ **Desafio**

Sabendo que muitos simplesmente não conhecem os princípios do Reino de Deus, como você pode ajudar aqueles que ainda não fazem parte deste mesmo Reino a entenderem mais sobre seu estilo de vida?

VOCÊ NÃO É INSUBSTITUÍVEL!

Capitão Roberto Nascimento é o líder da Equipe Alfa do famoso BOPE (Batalhão de Operações Especiais), da Polícia Militar do Estado do Rio de Janeiro. Ele procura equilibrar sua vida profissional com a familiar, ainda mais quando sua esposa fica grávida de seu primeiro filho. A pressão aumenta com a proximidade de uma visita do Papa João Paulo II, que passará a maior parte de sua estadia no Morro do Turano, tomado pelo tráfico. Ele reflete sobre sua vida: após anos lutando contra o crime, percebe que chegou o momento de conseguir um substituto para sua função. Para isso vai analisar os recrutas e testá-los para descobrir quem será tão bom quanto ele na função. "Tropa de Elite", dirigido por José Padilha, estreou no Brasil em 2007, sendo um dos maiores sucessos do cinema brasileiro.

Capitão Nascimento precisava de alguém em seu lugar para poder alçar voos mais altos, mas tinha a responsabilidade de não abandonar seu posto. Por isso começou a procurar alguém à altura do desafio. Da mesma forma, o Reino de Deus é levado adiante através de pessoas como eu e você. Líderes são escolhidos do meio do povo, e alguns critérios devem ser levados em consideração para esta difícil, mas essencial escolha.

Embora todos venhamos a cometer erros, o principal critério deve ser o testemunho diante dos demais, pois ele reflete o comportamento do cristão em seu secreto, nos momentos em que não está em público. Uma vida de intimidade com Cristo, com caráter, honra e honestidade são elementos importantes na vida de um líder cristão. O melhor substituto na sua função atual é aquele que caminha com você, por isso aproxime as pessoas de sua vida e de seu trabalho!

Você não é insubstituível e isso é maravilhoso!

▶ **Referências**

Irmãos, escolham entre vocês sete homens de bom testemunho, cheios do Espírito e de sabedoria.
Atos 6:3a

▶ **Curiosidade**

"Tropa de Elite" começou como um projeto de documentário, derivado de "Ônibus 174", tendo o BOPE como tema principal.

CONTINUE LUTANDO

Uma operação do BOPE para conter uma rebelião no presídio de Bangu I, liderada pelo Capitão Nascimento e André Mathias, gera consequências: o afastamento de Mathias do Bope e a promoção de Nascimento para o cargo de Subsecretário da Inteligência da Secretaria Estadual de Segurança Pública do Rio de Janeiro. Envolvido agora na esfera política, Nascimento vai confrontar outro inimigo, muito mais poderoso que os traficantes ou ladrões: a corrupção. A pacificação das comunidades gerou outro problema: a ascensão das milícias gerenciadas por policiais corruptos. Mesmo atuando em um sistema falido com todas as probabilidades contrárias de sucesso, Nascimento continua acreditando em sua missão de contribuir com a Lei e a Ordem no Rio de Janeiro. Tropa de Elite II foi lançado em 2010 e é o filme brasileiro mais visto em todos os tempos, com 11 milhões de espectadores.

Quando observamos o contexto de nossa sociedade apresentado na mídia, podemos perder a esperança em continuar lutando pelo Reino de Deus em nossa geração. Decepções, frustrações e escândalos bombardeiam nossa força de vontade em gastar nossos dias em prol das almas. O grande erro daqueles que trabalham para espalhar o Evangelho de Cristo na terra está em desviarmos nossos olhos Daquele que nos chamou. Não devemos ser ingênuos, acreditando em um cristianismo barato, pois vivemos em meio a uma guerra espiritual pela vida das pessoas. Pedro caminhou pelas águas enquanto olhava para Jesus. Começou a afundar quando olhou para a tempestade ao seu redor.

▶ Referência
Tenham cuidado com a maneira como vocês vivem; que não seja como insensatos, mas como sábios, aproveitando ao máximo cada oportunidade, porque os dias são maus. **Efésios 5:15-16**

▶ Reflexão
Não há nada como o sonho para criar o futuro. Utopia hoje, carne e osso amanhã. **Victor Hugo.**

**Lembre-se:
Olhe para Cristo e vença.
Olhe para os problemas e seja derrotado.**

NÃO CONFIE EM
SUAS EMOÇÕES!

Riley é uma pré-adolescente de 11 anos de idade que recebe a notícia de que sua família vai se mudar de Minesota para São Francisco. Sua mente é controlada por cinco emoções-base que formam sua personalidade: Alegria, Tristeza, Nojo, Medo e Raiva. Alegria, que até então era a emoção predominante, cede espaço para a Tristeza e todas as emoções começarão a se esforçar para devolver memórias felizes para a pequena Riley. "Divertida Mente", animação da Pixar de 2015, apresenta interessantes pontos para nossa análise de hoje.

As emoções internas de nossa personagem eram movidas pelas experiências que ela vivia e assim também somos nós. O que vivemos no dia a dia gera diferentes reações que alternam nossas emoções e podem guiar nossas decisões, sejam elas boas ou más. Não devemos confiar nas emoções que sentimos, pois elas são enganosas. A Bíblia chama o centro de nossas emoções de coração e ele não deve ser o parâmetro para guiar nossa vida. O elemento que deve nortear nossas escolhas é a fé na Palavra de Deus, pois quando nossas emoções nos traírem, temos a certeza de que podemos confiar nas Escrituras, que nos apresentam situações e promessas muito além do que estamos sentindo. Quando estivermos na igreja, mas não sentirmos a presença de Jesus, podemos crer, pela fé na Palavra, que onde estiverem dois ou três reunidos em nome de Cristo, ali Ele estará! Mesmo não sentindo, cremos que Ele está em nosso meio!

Cristo está muito acima de nossas emoções, pois Ele as criou!

▶ **Referências**

O coração é mais enganoso que qualquer outra coisa e sua doença é incurável. Quem é capaz de compreendê-lo?
Jeremias 17:9

Cuidado, irmãos, para que nenhum de vocês tenha coração perverso e incrédulo, que se afaste do Deus vivo.
Hebreus 3:12

▶ **Desafio**

Busque conhecer a Bíblia mais a fundo, pois é ela que possui as promessas para os dias em que suas emoções não mostrem nada a você. Tome posse delas pela fé e viva no sobrenatural!

NÃO ACEITE O
DOMÍNIO DO PECADO

Peter Quill é filho da terráquea Meredith Quill e do imperador Spartoi da época, J'son que deixou a Terra logo após o nascimento de Peter. Sempre teve um interesse muito grande pelo espaço e após a invasão de dois alienígenas procurando acabar com ele, consegue sobreviver, mas sua mãe é morta no confronto. Mais tarde, após chegar ao espaço, conhece seu pai J'son e descobre seu direito de se tornar o Senhor das Estrelas em seu lugar. Ambos não se entendem, pois para Peter a galáxia não deve ter um dono, mas permanecer livre. O personagem Senhor das Estrelas foi criado em 1976, mas ganhou notoriedade do grande público com o filme dos "Guardiões da Galáxia", de 2014.

O embate entre Peter Quill e seu pai J'son sobre a necessidade de domínio da Galáxia é interessante para nossa discussão de hoje. Fomos criados para sermos livres, por isso não devemos aceitar o domínio do pecado sobre nossas vidas. Parece irracional que alguém que tenha sido liberto da prisão, escolha voluntariamente retornar a ela. É essa atitude que temos quando optamos pelo pecado, estando em Cristo. Devemos buscar uma vida íntegra diante de Deus, realizando as obras de Jesus em nossa geração para que Ele, o verdadeiro Senhor das Estrelas, seja conhecido em toda a Terra.

Caso você conheça a Cristo como Senhor e Salvador, então você foi liberto pelo sacrifício da morte e pelo poder da ressurreição de Jesus. Caso ainda não tenha feito isso, hoje é uma tremenda oportunidade para ser livre do domínio do pecado em sua vida!

▶ Referências

Irmãos, vocês foram chamados para a liberdade. Mas não usem a liberdade para dar ocasião à vontade da carne; pelo contrário, sirvam uns aos outros mediante o amor. **Gálatas 5:13.**

Foi para a liberdade que Cristo nos libertou. Portanto, permaneçam firmes e não se deixem submeter novamente a um jugo de escravidão. **Gálatas 5:1.**

▶ Curiosidade

O sucesso de "Guardiões da Galáxia: Volume 1" foi tão grande que a equipe ganhou uma série animada.

CUIDE DE SUA AGENDA

O Coelho Branco (White Rabbit no original) aparece para Alice assim que ela chega ao País das Maravilhas declarando que está atrasado demais. O Coelho então tira um relógio de bolso de seu colete e este fato inusitado (Um coelho falante com um relógio!) faz com que a heroína corra atrás dele até sua toca, o que vai desencadear uma série de eventos para Alice.

Vivemos em uma sociedade dominada pelo relógio. Compromissos, trânsito, trabalho, estudo, lazer, tudo é rigorosamente cronometrado pelo tempo. Muitos se sentem oprimidos por aquilo que costumo chamar de ditadura do tempo presente, pois existem muitas atividades para realizar, mas parece que faltam horas no dia para cumprir toda a agenda proposta. Este fato é interessante, pois se Terra leva 24 horas para concluir uma volta em torno de si mesma e damos a isso o nome de dia, este tempo é mais que suficiente para realizar todas as atividades que tivermos para cumprir.

O grande problema é que estamos perdendo o controle sobre a organização de nossas vidas. Muitas vezes o trabalho não é aquele que agrada, mas um fardo que deve ser suportado pelo salário que se recebe. Assim, a vida está fora deste ambiente e todo o tempo livre é utilizado para "viver intensamente". Conheço muitas pessoas estressadas com compromissos demais em suas vidas. Uma vez que tenhamos um encontro verdadeiro com Cristo, passamos a viver a plenitude de nossas vidas, graça sobre graça, e este deve ser o nosso foco a partir de então.

Que Cristo e sua Palavra guiem as escolhas de sua agenda, pois esta é a Plenitude de Vida com a escolha de eventos que edifiquem e orientem sua jornada na Terra.

▶ **Referências**

Para tudo há uma ocasião, e um tempo para cada propósito debaixo do céu. **Eclesiastes 3:1**

Mas tudo deve ser feito com decência e ordem. **1 Coríntios 14:40**

Todos recebemos da sua plenitude, graça sobre graça. **João 1:16**

▶ **Reflexão**

Com organização e tempo, acha-se o segredo de fazer tudo e bem feito. **Pitágoras.**

VOCÊ NASCEU PARA CORRER

Pietro Maximoff e sua irmã Wanda Maximoff são filhos do mutante Magneto e uma humana chamada Natalya Maximoff. Foram criados pelo tio Djando e Marya Maximoff, pois a mãe morreu quando eram bebês e o pai Magneto não sabia de sua existência, pois romperam o relacionamento antes de ela saber que estava grávida dos gêmeos. Quando chegaram à adolescência seus poderes mutantes afloraram e Pietro descobriu que possuía supervelocidade. Ele usou seus poderes para proteger sua irmã e assim permaneceram até aceitarem o convite do próprio Magneto para integrarem a Irmandade de Mutantes. Wanda adotou o nome de Feiticeira Escarlate e Pietro, Mercúrio.

O poder mutante de nosso personagem de hoje pode nos ajudar a pensar a respeito das fases de nossa caminhada com Deus. O cristianismo é semelhante ao processo de uma criança quando aprende a andar. Os primeiros passos são comemorados pelos pais, mesmo que sejam acompanhados de muitas quedas. O importante é continuar caminhando mesmo que as dificuldades surjam e erros sejam cometidos. Os tropeços iniciais são comuns, mas nosso Pai Celestial nos segura e ajuda a permanecer de pé. O próximo estágio na caminhada de uma criança é começar a correr, uma vez que tenha aprendido a andar. Da mesma forma, quando aprendermos a andar com Deus, em breve começaremos a "correr" espiritualmente, vivendo o sobrenatural através do exercício da fé.

Você nasceu para correr como Mercúrio! Não pare nem retroceda, apenas continue caminhando até o fim de sua jornada! Persevere!

▶ Referências

Vocês precisam perseverar, de modo que, quando tiverem feito a vontade de Deus, recebam o que ele prometeu.
Hebreus 10:36

Combati o bom combate, terminei a corrida, guardei a fé.
2 Timóteo 4:7

▶ Desafio

Ore a Deus para mostrar-lhe um irmão em Cristo mais novo na fé para que você possa ajudar a dar os primeiros passos, ao mesmo tempo em que você também deve ter alguém para te ajudar na sua jornada. Não caminhe sozinho!

DESMASCARE O INIMIGO

O **Barão Wolfgang von Strucker** é um ex-líder nazista que criou a versão mais recente do culto ao Hive e chamou de HIDRA. Esta será no futuro uma organização criminosa global que tem o objetivo de dominar o mundo, através de ataques indiretos com agentes infiltrados em governos e locais de muita influência e poder. É uma guerra muitas vezes silenciosa, sem tiros mas com uma grande eficiência. A HIDRA é combatida por todos os grupos e heróis do Universo Marvel, em especial pela agência de espionagem SHIELD, do diretor Nick Fury. Ela foi criada por Stan Lee e Jack Kirby em 1965.

A HIDRA, em nossa análise de hoje, poderia representar a sutileza dos ataques de nosso verdadeiro inimigo: Satanás que atua nas sombras, infiltrado em situações e em pessoas que possam auxiliá-lo em seu trabalho de aniquilar os filhos e filhas de Deus. Embora a Bíblia declare que ele já está derrotado, continua lutando para tentar levar com ele para o inferno o máximo de pessoas. Não devemos desprezar este adversário, pois é um excelente estrategista e sabe como nos atacar.

Nós contamos com Alguém ao nosso lado muito mais poderoso que o nosso inimigo e seus serviçais: o Espírito Santo que nos revela as ciladas preparadas por ele para nos atacar e derrotar. Buscando intimidade com o Senhor em todos os dias de nossas vidas, podemos confiar que estaremos seguros.

Caminhe na luz e destrua as obras das trevas!

▶ Referências

Revela coisas profundas e ocultas; conhece o que jaz nas trevas, e a luz habita com ele. **Daniel 2:22**

Porque não há nada oculto, senão para ser revelado, e nada escondido senão para ser trazido à luz. **Marcos 4:22**

▶ Curiosidade

A Hidra da Marvel foi inspirada na criatura da mitologia grega chamada Hidra de Lerna. Este monstro possui um corpo de dragão e três cabeças de serpente, para cada cabeça que era cortada, duas cresciam em seu lugar. Esta é a filosofia dos agentes da Hidra, que encaram a morte como um serviço à organização.

NÃO TENHA MEDO DO PERIGO

Jonathan Crane é um psiquiatra e professor de psicologia que sofreu bullying durante sua adolescência com os colegas o chamando de Espantalho. Essas experiências traumáticas levaram Crane a estudar o funcionamento do medo na mente humana, cursando psicologia na Universidade de Gotham, sendo contratado como professor posteriormente. A especialidade do Espantalho é potencializar o medo em suas vítimas através de soros e drogas que realizam essa função. O personagem foi criado por Bill Finger e Bob Kane em 1941.

Um dos sentimentos que mais gera prejuízo em nossa jornada é o medo potencializado. O medo de alguma situação, real ou imaginária, pode nos paralisar e nos impedir de continuar caminhando. Muitas vezes apenas a ameaça do perigo já é suficiente para paralisar o indivíduo. Por isso, é fundamental viver pela fé, pois este olhar nos leva a agir com ousadia que bloqueia o medo em nossas vidas. Viva a plenitude de seu chamado e não permita que o medo das retaliações do inimigo o impeçam de resgatar almas do inferno.

Fomos chamados para viver o amor de Deus e neste amor não existe espaço para o medo. Quando entendemos que o próprio Criador do Universo cuida de nossas vidas, o que podemos temer? Como embaixadores do Reino devemos levar as boas notícias para a humanidade. Nosso inimigo vai tentar aniquilar a nossa força de vontade através do medo. Não permita que isso aconteça com você através de uma busca por intimidade com Deus.

Quando conhecemos de fato o Deus que servimos e seu magnífico poder, não tememos mal algum, pois Ele é Onipotente, o Todo-Poderoso Deus!

▶ Referências

Você não temerá o pavor da noite, nem a flecha que voa de dia. **Salmos 91:5**

No amor não há medo; pelo contrário o perfeito amor expulsa o medo, porque o medo supõe castigo. Aquele que tem medo não está aperfeiçoado no amor. **1 João 4:18**

Temor e tremor me dominam; o medo tomou conta de mim. **Salmos 55:5**

▶ Reflexão

O medo do perigo é mil vezes pior do que o medo real.
Daniel Defoe.

OUTUBRO

DEVOCIONAL POP

PROTEJA SEUS LÍDERES

Tastuo viu sua família ser assassinada pela Yakusa, a máfia japonesa. Buscando vingança, treinou artes marciais, técnicas estas, que aperfeiçoou com o Batman e ampliou quando encontrou a espada mística Katana que aprisiona a alma de suas vítimas. Adota o codinome Katana e será uma voluntária no Esquadrão Suicida com a missão de proteger o líder Rick Flag.

Vamos aproveitar nossa personagem de hoje para falar a respeito de lealdade. Participar de uma equipe para proteger o líder pode parecer em um primeiro momento uma função não tão nobre, mas vamos pensar um pouco mais a respeito. A Bíblia trata a Igreja como um corpo e nele cada parte tem uma função específica que gera o bom funcionamento do todo. Nem todos podem fazer as mesmas coisas, mas todos podem participar de alguma forma. A vitória de uma visão ou de um projeto não pode ser atribuída a uma pessoa, mas a todos aqueles que participaram e trabalharam em prol desta visão. Neste sentido, trabalhar à frente de um grupo ou nos bastidores providenciando as condições para que o trabalho seja realizado, tem a mesma importância espiritual. Todos, desde o menor até o maior, têm a mesma relevância para Deus.

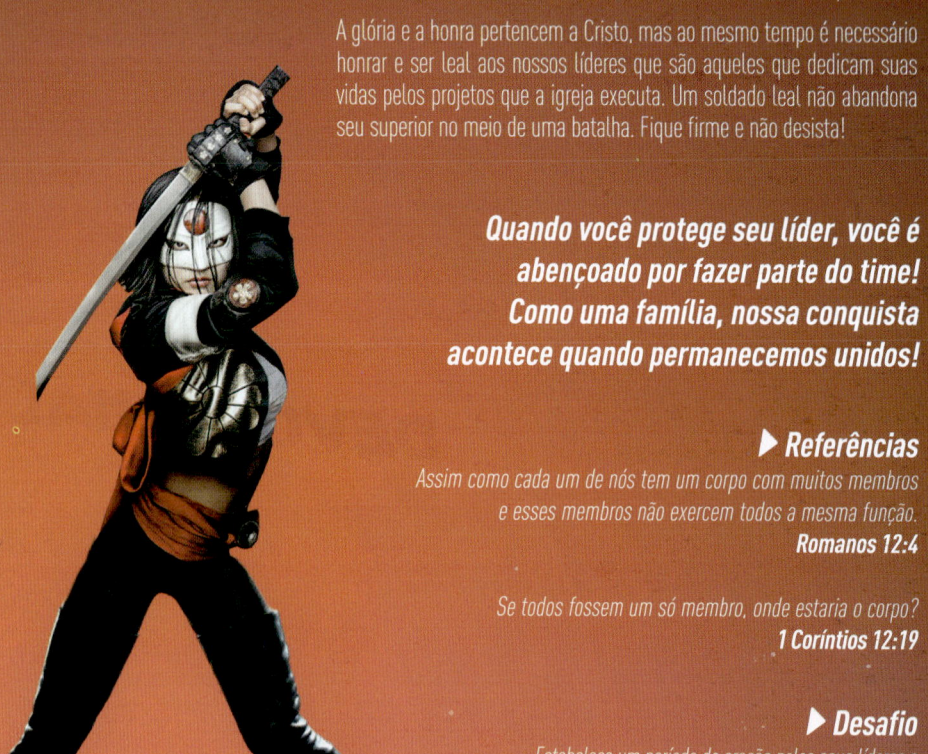

A glória e a honra pertencem a Cristo, mas ao mesmo tempo é necessário honrar e ser leal aos nossos líderes que são aqueles que dedicam suas vidas pelos projetos que a igreja executa. Um soldado leal não abandona seu superior no meio de uma batalha. Fique firme e não desista!

Quando você protege seu líder, você é abençoado por fazer parte do time! Como uma família, nossa conquista acontece quando permanecemos unidos!

▶ Referências

Assim como cada um de nós tem um corpo com muitos membros e esses membros não exercem todos a mesma função.
Romanos 12:4

Se todos fossem um só membro, onde estaria o corpo?
1 Coríntios 12:19

▶ Desafio

Estabeleça um período de oração pelos seus líderes e os proteja dos ataques do inimigo. Este é o primeiro passo para honrar a vida deles!

SEJA SENSÍVEL AO
ESPÍRITO SANTO!

Misty é a Líder do Ginásio Cerulean e seu sonho é ser a maior treinadora Pokémon do tipo água. O treinador mais poderoso de um local de treinamento é chamado Líder do Ginásio. Eles são admirados e respeitados pelos demais treinadores. Depois de um pedido de Ash, Misty deixa Cerulean sob os cuidados de suas irmãs e segue seu amigo por um tempo em sua jornada, retornando mais tarde para seu posto de Líder do Ginásio.

Misty tinha uma reputação e um cargo de muito prestígio em sua região. Mesmo assim abriu mão desta posição para seguir e ajudar um amigo em sua jornada. Podemos aprender com ela neste dia que não devemos nos prender a cargos e posições para sermos felizes. Um grande problema de nossos dias são as pessoas que vivem em função do futuro, pensando que sua vida não valerá a pena até que consiga a promoção, o carro, a casa, o diploma.

Muito mais importante que o seu destino é sua jornada! Aproveite o tempo que existe entre a promessa e seu cumprimento para crescer, aprender, conhecer pessoas, ser feliz! Deus nos dá batalhas que podemos vencer desde que possamos olhar para dentro de nós mesmos e crescermos com isso. Depois de um período com Ash, Misty voltou para o seu Ginásio. Nossas jornadas nos capacitam para mais. Seja sensível ao Espírito Santo para saber quando esperar e quando levantar seu acampamento! Esta atitude poupará muito tempo em sua jornada!

Obedecer ao Espírito Santo é a garantia de estar no lugar certo, na hora certa!

▶ Referências

Paulo e seus companheiros viajaram pela região da Frígia e da Galácia, tendo sido impedidos pelo Espírito Santo de pregar a palavra na província da Ásia.
Atos 16:6

Movido pelo Espírito, ele foi ao templo. Quando os pais trouxeram o menino Jesus para lhe fazer conforme requeria o costume da lei.
Lucas 2:27

▶ Curiosidade

No manga, verificamos que Misty é muito rica, possuindo diversos criados a seu dispor e uma mansão com mais de 40 quartos!

CUIDADO COM PENSAMENTOS
PESSIMISTAS

Lippy e Hardy, um desenho de 1962, da Hana-Barbera New Cartoon Series apresenta uma dupla inusitada: Lippy, um leão alegre e otimista e Hardy, uma hiena pessimista e ranzinza. Este pessimismo exagerado seria hoje e diagnosticado como algo semelhante a uma depressão nervosa crônica e profunda. O desenho apresenta algo muito peculiar, pois os dois amigos são verdadeiros "nêmesis", ou opostos que não são inimigos. Lippy, tentava animar Hardy, mas nunca conseguia, pois ele sempre utilizava suas frases: "Eu sei que não vai dar certo... Oh, dia; Oh céus, Oh azar...", entre outras. Temos um paradoxo interessante, pois os dois amigos vivem as mesmas experiências, mas cada um tem uma visão diametralmente oposta da realidade.

Nossas palavras tem o poder de mudar a perspectiva à nossa volta para melhor ou para pior. Pessoas pessimistas precisam aprender a profetizar bênção sobre si mesmas e sobre suas famílias. Quando começamos a olhar apenas para as dificuldades, fatalmente atraimos essa realidade para nossa vida. Por isso é importante buscar em Deus um coração grato por tudo aquilo que Ele já fez sobre nossas vidas, ao invés de reclamarmos por aquilo que ainda não possuímos.

Não seja um agente do pessimismo em sua geração, pois pessoas que estão **bem podem** começar a enxergar o mundo a partir desta ótica deturpada. Cremos que Deus está no controle de todas as coisas, então podemos encontrar Sua alegria e otimismo nas pequenas coisas da criação!

Comece a olhar pela fé o lado bom das coisas, até que venham a acontecer de fato em sua vida!

▶ Referências

Quem é cuidadoso no que fala evita muito sofrimento.
Provérbios 21:23

Nenhuma palavra torpe saia da boca de vocês, mas apenas a que for útil para edificar os outros, conforme a necessidade, para que conceda graça aos que a ouvem.
Efésios 4:29

▶ Reflexão

O pessimista vê dificuldade em cada oportunidade; o otimista vê oportunidade em cada dificuldade.
Winston Churchill.

BUSQUE A FACE DE DEUS

Shenlong é o título e o nome próprio do dragão que é invocado quando as sete esferas do dragão da Terra são reunidas. O dragão então concede um desejo a quem reuniu as esferas, transformando as mesmas em pedras pelo período de um ano. Ele faz isso para poder descansar antes de ser chamado novamente. As esferas são espalhadas ao redor do planeta e é necessário coletá-las novamente para que, no tempo correto, possam pedir mais um desejo ao poderoso dragão.

Alguns desvios doutrinários em nosso tempo levam muitos a tratarem Deus como os personagens de Dragon Ball tratavam o Dragão Shelong: apenas para realizar seus desejos pessoais. A teologia da prosperidade, muito em voga nos nossos dias, enaltece a realização de nossos pedidos para Deus, transformando o Criador do Universo em uma espécie de gênio da lâmpada. Nesta perspectiva, o fiel pode "determinar" sua bênção, como se Deus fosse refém de suas criaturas. Pensar assim é o mesmo que acreditar que um grão de areia pode dar alguma ordem ao Oceano, algo simplesmente impossível!

Devemos entender este relacionamento como o de um Pai para com seus filhos: baseado no amor paterno, Ele realiza desejos de nosso coração. Mas, como um Pai amoroso, Deus está a procura daqueles filhos que o busquem por quem Ele é e não por aquilo que pode fazer. Percebe a diferença?

Deus não tem filhos prediletos, mas tem filhos que preferem estar em sua presença do que em qualquer outro lugar. Estes filhos trarão o último avivamento para a Terra! Você é um deles?

▶ Referências

Deus olha lá dos céus para os filhos dos homens, para ver se há alguém que tenha entendimento, alguém que busque a Deus.
Salmos 53:2

Busquem, pois, em primeiro lugar o Reino de Deus e a sua justiça, e todas essas coisas lhes serão acrescentadas.
Mateus 6:33

▶ Desafio

O que você pode fazer hoje para buscar a face de Deus mais que pedir coisas a Ele? Como você pode ajudar outras pessoas neste mesmo propósito?

VIAJE AO CENTRO DA
VONTADE DE DEUS

Otto Lidenbrock é um famoso cientista do século XIX, que descobre um manuscrito codificado pelo antigo alquimista Arne Saknussemm. Após conseguir decodificar os códigos rúnicos, ele descobre uma passagem, a partir de um vulcão na Islândia que leva ao centro da Terra. Segundo os manuscritos, o próprio Saknussemm teria encontrado o local. Otto reúne seu sobrinho Axel e o caçador de gansos islandês Hans Bjelke e o grupo parte para o local identificado nos manuscritos traduzidos. Este é o enredo de Viagem ao Centro da Terra, escrito pelo autor francês Júlio Verne, lançado em 1863.

Da mesma maneira como o cientista Otto encontrou um manuscrito antigo, Deus deixou sua Palavra propagada através dos séculos, para que chegasse até as nossas mãos. Este livro também precisa ser decodificado espiritualmente, pois não podemos lê-lo apenas como um livro comum. Ele contém a palavra da vida, que tem o poder de transformar realidades e vidas de pessoas de todas as línguas e nações! É um livro poderoso que não precisa ser descoberto, apenas aberto!

Na Bíblia estão contidas todas as diretrizes para que o ser humano tenha uma vida bem-aventurada na Terra, onde ele possa alcançar a plenitude de sua existência, vivendo segundo o padrão do Reino dos Céus. Você precisa mergulhar nas Escrituras, para que conheça e receba tudo aquilo que está prometido na Palavra aos filhos de Deus.

Esta viagem, embora não seja ao centro da Terra, vai te conduzir ao centro da vontade de Deus e este é, com certeza, o melhor lugar para se estar!

▶ Referências

A tua palavra é lâmpada que ilumina os meus passos e luz que clareia o meu caminho. **Salmos 119:105**

Santifica-os na verdade; a tua palavra é a verdade. **João 17:17**

Afasto os pés de todo caminho mau para obedecer à tua palavra. **Salmos 119:101**

▶ Curiosidade

Com os seus livros, Júlio Verne previu, em pleno século XIX a invenção de aparelhos como o fax, a televisão, o ar-condicionado, a escada-rolante, o helicóptero e o submarino.

HONRE A MEMÓRIA
DOS MÁRTIRES

Harry S. Stampler é o chefe de uma plataforma de extração de petróleo que é convocado pela NASA como consultor, para avaliar os planos de perfurar um asteroide para plantar uma bomba nuclear em seu interior. Este asteroide está a caminho da Terra e o choque aniquilará toda a vida no planeta. Após muita discussão, ele e sua equipe vão para o espaço iniciar o trabalho de perfuração. Muitas dificuldades e algumas baixas no caminho até que a equipe cumpre sua missão, porém Stampler fica no asteroide para detonar a bomba e salvar a humanidade da destruição. O longa "Armageddon" foi dirigido por Michael Bay em 1998.

A história da Igreja é uma história de sacrifícios. Muitos homens e mulheres entregaram voluntariamente suas vidas para que a mensagem de Cristo pudesse chegar aos nossos dias. Interessante que, ao olharmos de maneira natural, sua devoção não teria valido a pena, pois sofreram em vida, ao invés de desfrutar dos manjares, como muitos dizem por aí. Os mártires da Igreja esperavam pelo prêmio da eternidade com Cristo. Este deve ser o nosso pensamento, pois se somos seguidores de Jesus, também seremos perseguidos, pois o Evangelho é loucura para este mundo.

Lembre-se: muitos morreram para que você tivesse a oportunidade de viver nesta geração com o conhecimento de Cristo! Por isso não desperdice o sangue dos mártires e seja um agente de avivamento em sua geração!

▶ Referência
Outros enfrentaram zombaria e açoites, outros ainda foram acorrentados e colocados na prisão, apedrejados, serrados ao meio, postos à prova, mortos ao fio da espada. Andaram errantes, vestidos de pele de ovelhas e de cabras, necessitados, afligidos e maltratados. O mundo não era digno deles. Vagaram pelos desertos e montes, pelas cavernas e grutas. **Hebreus 11:36-38**

▶ Reflexão
Sacrifício não significa nem amputação nem penitência (...) Ele é uma oferta de nós próprios ao Ser a quem recorremos.
Antoine de Saint-Exupéry.

VOCÊ ESTÁ EM MISSÃO
TODOS OS DIAS

Gracie Hart é uma agente do FBI afastada do trabalho em campo depois de não obedecer ao seu superior durante uma operação, sendo enviada para realizar serviços burocráticos. A ameaça de um famoso terrorista americano denominado como "The Citizen" contra o septuagésimo quinto concurso de Miss Estados Unidos, faz com que o FBI monte uma força-tarefa para impedi-lo. Gracie será chamada para participar, mas com um disfarce de concorrente ao concurso de Miss. Para isso, ela terá que aprender como uma modelo age e se comporta. Este é o enredo inusitado de "Miss Simpatia", uma comédia do ano 2000 estrelada por Sandra Bullock.

Todos nós exercemos funções fora de nossas atividades na igreja de Cristo: trabalhamos, estudamos, fazemos cursos, temos uma família que pode ainda não conhecer a Jesus como Senhor e Salvador. Não importa o que você faz, pois é apenas um disfarce para sua verdadeira atividade: um embaixador ou embaixatriz do Reino de Deus! Estamos disfarçados de simples estudantes ou trabalhadores para não levantar suspeitas dos inimigos, mas não podemos perder oportunidades de levar o Evangelho de Cristo a amigos e colegas de jornada!

Não confunda este disfarce com fugir do mundo e das responsabilidades que você tem com Cristo e com Seu Reino. Aproveite todas as oportunidades para ser um instrumento poderoso nas mãos de Deus e use este disfarce para resgatar e proteger vidas que estão correndo risco neste mundo!

▶ Referências

Também deve ter boa reputação perante os de fora, para que não caia em descrédito nem na cilada do diabo.
1 Timóteo 3:7

Pregue a palavra, esteja preparado a tempo e fora de tempo, repreenda, corrija, exorte com toda a paciência e doutrina.
2 Timóteo 4:2

▶ Desafio

"O que você faz é apenas um disfarce para sua verdadeira função: um embaixador ou embaixadora do Reino de Deus". De que maneira você pode fazer com que esta frase do texto, venha a se aproximar mais de sua realidade nos lugares fora da igreja que você frequenta?

NÃO QUEIME ETAPAS!

David Rice descobre aos 15 anos que possui a capacidade para se teletransportar para qualquer lugar. Ele deixa seus pais e vai até Nova York usar seus novos talentos para roubar um banco. Oito anos depois, David vive uma vida luxuosa em uma rica cobertura. Até que uma pista de seus assaltos leva até ele um homem chamado Roland Cox, que sabe de seu poder e tem a arma para anular esta habilidade. Quando Roland tem a oportunidade para acabar com David, não tem coragem e permite que escape. Vai começar uma caçada por todos os lugares onde o Jumper já esteve. O filme "Jumper" estreou em 2008 e foi dirigido por Doug Liman.

A capacidade de teletransporte para qualquer lugar do mundo ilustra muito bem uma prática muito comum em nossos dias: a tentativa de pular etapas em nosso crescimento espiritual. Para sair do ponto A e chegar ao ponto B é necessário planejamento, escolher um meio de transporte, pagar por esta viagem e aguardar o tempo necessário para que ela aconteça. Com o teletransporte tudo acontece instantaneamente, de maneira imediata sem nenhuma etapa natural.

Assim, os processos e etapas de nosso crescimento espiritual têm um objetivo, uma razão de ser que não deve ser ignorada. Toda vez que uma dificuldade ou desafio surge diante de nós e não enfrentamos, permanecemos no nível em que estamos, sem existir crescimento. Muitos usam este padrão de conduta mudando de igreja ao menor sinal de problemas.

Permaneça firme em Cristo e não queime as etapas tão importantes para seu amadurecimento espiritual!

▶ Referências

Por isso mesmo, empenhem-se para acrescentar à sua fé a virtude; à virtude o conhecimento. **2 Pedro 1:5**

Antes, seguindo a verdade em amor, cresçamos em tudo naquele que é o cabeça, Cristo. **Efésios 4:15**

▶ Curiosidade

Os produtores de "Jumper" conseguiram permissão para filmar no interior do Coliseu durante 3 dias, sob a condição de que nenhum equipamento fosse apoiado no chão.

A JORNADA É MUITO MAIOR
DO QUE VOCÊ IMAGINA

Connor Kenway foi batizado com o nome Ratonhnhaké:ton, pois sua mãe é uma indígena americana Mohawk e seu pai um inglês. Ele terá um início de vida bastante difícil, com a perda da mãe em um incêndio criminoso na sua aldeia. Connor receberá a missão de seus líderes para proteger a vila dos forasteiros brancos. Quando decide aceitar a missão, descobre que ela será muito maior do que a simples proteção das terras de sua tribo. Ele será parte fundamental dos eventos da Revolução Americana e na luta milenar entre Templários e Assassinos. O jogo "Assassins Creed" foi lançado em 2012 pela empresa franco-canadense Ubisoft Montreal.

Geralmente nosso início no cristianismo não tem muitas pretensões, como a missão inicial de nosso personagem de hoje. Recorremos a Cristo porque esgotamos as demais possibilidades para resolver nossos problemas. E então pensamos: "Já tentei de tudo, ir a uma igreja não vai me fazer mal, não é mesmo?". O que começa como algo despretensioso toma corpo, à medida em que conhecemos a dimensão do que significa ser um cristão: a possibilidade de mudar a realidade de pessoas, famílias e sociedades inteiras através da salvação e novidade de vida prometidas por Cristo!

Independente de quanto tempo você está na igreja, existe uma jornada muito maior do que seus olhos podem enxergar! Está disposto a ir mais longe com Ele?

▶ Referência

Agora, levante-se, fique de pé. Eu lhe apareci para constituí-lo servo e testemunha do que você viu a meu respeito e do que lhe mostrarei. Eu o livrarei do seu próprio povo e dos gentios, aos quais eu o envio para abrir-lhes os olhos e convertê-los das trevas para a luz, e do poder de Satanás para Deus, a fim de que recebam o perdão dos pecados e herança entre os que são santificados pela fé em mim".
Atos 26:16-18

▶ Reflexão

Deus nunca disse que a jornada seria fácil, mas Ele disse que a chegada valeria a pena.
Max Lucado.

A APOLOGÉTICA AINDA É RELEVANTE?

Gilbert Grissom liderou a equipe do Laboratório de Criminalística de Las Vegas. Esta equipe é conhecida como CSI (iniciais de Crime Scene Investigation). Sua função é desvendar mortes e crimes em circunstâncias não usuais que necessitam de dedicação e trabalho para que as evidências apareçam e possam provar suas teorias. Uma das premissas da equipe de investigadores forenses é que sempre existem evidências que só precisam ser descobertas. Esta famosa série com 15 temporadas entre 2000 e 2015, ganhou 6 prêmios Emmy Awards, o principal prêmio da TV americana.

A obsessão de Grissom pela busca de evidências que possam explicar todos os casos misteriosos, é nosso mote para a conversa de hoje. Como cristãos, somos convidados a também investigar os fundamentos de nossa fé. Não podemos ser alienados e acreditar em algo sem consistência. O cristianismo é verdadeiro e portanto, devemos ter algumas respostas que nos ajudem a defender a fé que professamos. Todos deveríamos entender os fundamentos do cristianismo e da apologética, que é o nome dado ao estudo dos fundamentos para defesa da fé.

O novo milênio traz consigo novos desafios para a igreja, e um deles é conciliar a análise das Escrituras com o poder da experiência com o sobrenatural de Deus.

Estudo da Bíblia sem experiência = Religiosidade vazia
Experiência sem estudo da Bíblia = Fanatismo religioso
Estudo da Bíblia com experiência = Cristianismo equilibrado

Que todas as evidências de nossa fé nos levem a um único destino: Jesus Cristo!

▶ Referências
Eu mesmo investiguei tudo cuidadosamente, desde o começo, e decidi escrever-te um relato ordenado, ó excelentíssimo Teófilo. **Lucas 1:3**

Dediquei-me a investigar e a usar a sabedoria para explorar tudo que é feito debaixo do céu. Que fardo pesado Deus pôs sobre os homens! **Eclesiastes 1:13**

▶ Desafio
Você é capaz de defender sua fé, através de argumentos em uma conversa? O que você poderia fazer hoje para ser capaz de começar, ou ampliar esta capacidade?

SEU PASSADO NÃO
DEFINE SEU FUTURO

Catherine Willows é uma biomédica que faz parte da equipe CSI Las Vegas junto a Gilbert Grissom. O seu passado porém, não condiz com o presente. Catherine era dançarina em uma boate de strip-tease e filha de um dos mafiosos de Las Vegas, dono de cassinos na cidade. Em um belo dia, um policial que frequentava aquela boate, viu nela algo além da função que ela estava praticando em sua vida. Ela ingressa na polícia forense como perita em marcas de sangue e vai crescendo no laboratório. A agente Willows foi interpretada pela atriz americana Marg Helgenberger.

Nosso passado não define nosso futuro. Talvez nossa personagem permanecesse como uma dançarina por toda a sua vida. Mas um dia alguém foi até aquele local e mostrou a ela uma opção mais excelente. Ela acreditou que seria possível mudar de vida e fez o necessário para transformar sua realidade. Da mesma forma, um dia alguém nos contou sobre uma vida melhor do que aquela que vivíamos sem Cristo. Após um convite, levantamos nossa mão e aceitamos a Ele como Senhor e Salvador e nada mais foi igual: os nossos pecados foram perdoados e pudemos iniciar uma nova jornada com Deus.

Uma vez que tenhamos sido tocados pela glória de Deus, nossa função é fazer o mesmo convite que um dia aceitamos a outros, para que também tenham a oportunidade de ver sua vida transformada e um novo futuro seja liberado sobre elas!

Que a glória de Deus toque esta geração e transforme destinos - você é fundamental para que isso aconteça!

▶ Referências

Filhinhos, eu lhes escrevo porque os seus pecados foram perdoados, graças ao nome de Jesus. **1 João 2:12**

Como são felizes aqueles que têm suas transgressões perdoadas, cujos pecados são apagados. **Romanos 4:7**

▶ Curiosidade

No dia 4 de março de 2015, a série "CSI" quebrou o recorde no "Guinness book" de programa de TV com maior exibição simultânea. Foram 171 países para comemorar os 15 anos da franquia. O dia foi declarado "Dia Mundial de CSI".

PRESTE ATENÇÃO
EM SEUS SONHOS

Dom Cobb é um espião industrial especializado em roubar informações através do subconsciente nos sonhos. Ele é desafiado pelo poderoso empresário japonês Saito que, após testá-lo, o contrata para inserir uma ideia na mente de Robert Fischer, o herdeiro de um poderoso concorrente em seus negócios. Em troca, Saito promete anular as acusações que recaem sobre o sr. Cobb nos Estados Unidos, que o impedem de se aproximar de seus filhos. Este é um resumo (muito resumido mesmo, para um dos meus filmes favoritos, que é muito complexo com nuances para analisarmos, mas que o limite deste devocional impede de aprofundar...) do enredo do filme "A Origem", que estreou em 2010 e concorreu a oito prêmios Oscar, vencendo em quatro categorias técnicas. Ele foi escrito, produzido e dirigido por Christopher Nolan.

O sonho é um dos elementos mais fascinantes da natureza humana com explicações religiosas, místicas, culturais e científicas. A Bíblia relata alguns casos em que Deus deu a seus servos o dom para interpretar sonhos como José e Daniel além de alertas como o que José recebeu para partir do Egito em direção a Jerusalém com Maria após a morte do rei Herodes.

Seja como for, devemos buscar equilíbrio nesta área que não é uma ciência exata que possa ser categorizada. Muitos sonhos realmente são apenas resquícios da mente em desaceleração, outros podem nos alertar de realidades espirituais a nossa volta e outros ainda podem ser interpretados segundo uma perspectiva bíblica que é quando os fatos interpretados realmente acontecem.

Preste mais atenção aos seus sonhos, mas não fique paranoico por causa deles!

▶ Referências

Então lhe disse: Tive um sonho, e não há quem o interprete. Ouvi dizer, porém, a teu respeito que, quando ouves um sonho, podes interpretá-lo. **Gênesis 41:15**
"Foi esse o sonho, e nós o interpretaremos para o rei". **Daniel 2:36**
Depois que Herodes morreu, um anjo do Senhor apareceu em sonho a José, no Egito. **Mateus 2:19**

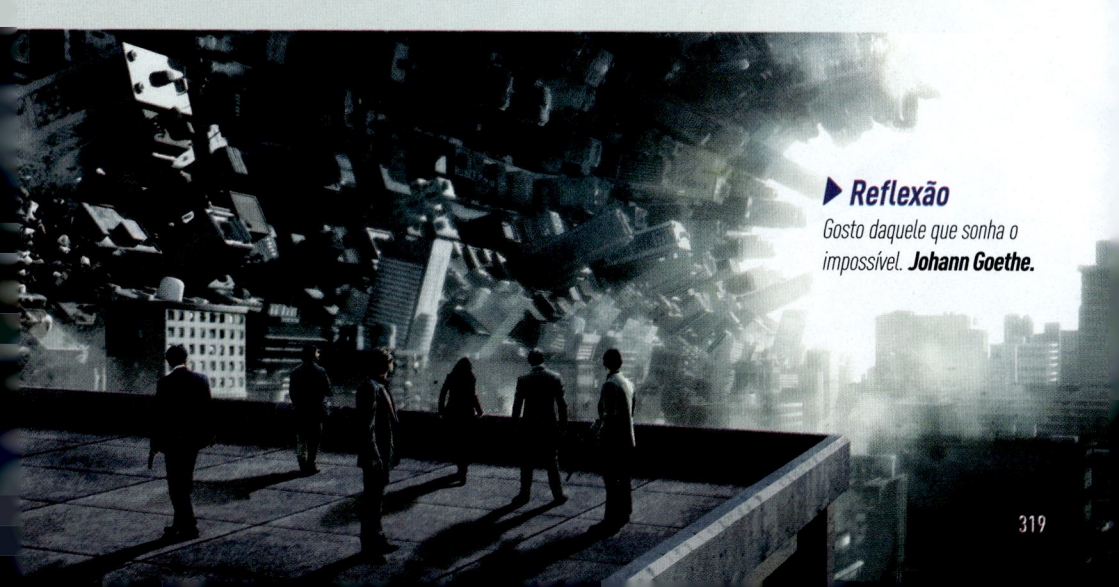

▶ Reflexão

Gosto daquele que sonha o impossível. **Johann Goethe.**

ALMA SAUDÁVEL,
RELACIONAMENTOS SAUDÁVEIS

Cristalys é uma Inumana e membro da família real da cidade de Attilan. Quando foi exposta à névoa terrígena, Cristalys recebeu poderes de controle dos elementos. Ela fugiu de uma guerra na cidade de Attilan e passou anos vagando por vários lugares procurando por sua irmã Medusa. Conheceu o Tocha Humana, por quem se apaixonou e inicia um relacionamento amoroso com ele. Mais tarde começa um relacionamento com o mutante Mercúrio, com quem tem uma filha chamada Luna. Rompe ele, e pouco tempo depois, começa um relacionamento com o Cavaleiro-Negro, quando este fez parte dos Vingadores.

Gostaria de aproveitar nossa personagem de hoje para discutir sobre relacionamentos amorosos. Cristalys era uma pessoa confusa a respeito de seus sentimentos, por esta razão, iniciava namoros sem ter uma perspectiva clara do que queria e por isso teve vários relacionamentos ao longo de sua vida. Falta de clareza com relação à nossa identidade gera confusão e escolhas erradas como as de Cristalys.

Apenas emoções saudáveis podem gerar um relacionamento saudável. Caso contrário, o caos será instaurado em nossas vidas, como na personagem de hoje de nosso devocional. Por isso, o primeiro passo para alcançar o objetivo de um noivado e casamento saudáveis, é organizar a bagunça emocional entregando sua vida sentimental nas mãos de Deus. Entenda que um relacionamento bíblico será pautado em fazer o outro feliz, não o oposto.

Quer ser feliz? Permaneça sozinho! Quer fazer outra pessoa feliz e com isso receber felicidade em troca? Namore, noive e case!

▶ Referências

Há caminho que parece certo ao homem, mas no final conduz à morte. **Provérbios 14:12**

Meu povo foi destruído por falta de conhecimento. **Oseias 4:6a**

▶ Desafio

Busque a Deus em oração entregando sua vida sentimental, pois Ele sabe o que é melhor para você. Se você já for casado, peça que Ele o ajude a amar seu cônjuge a cada dia mais!

SEJA LOUCO AOS OLHOS DO MUNDO

O **Chapeleiro Maluco** está sempre acompanhado pela Lebre de Março, um coelho falante. Ele geralmente é retratado como um homem baixo, com uma cartola grande que convida Alice para tomar chá. Ele é completamente maluco e deixa Alice muitas vezes confusa com seus discursos. O personagem foi criado por Lewis Carrol no clássico da literatura "Alice no País das Maravilhas", e foi recentemente interpretado no cinema pelo ator Johnny Depp.

Somos considerados loucos por aqueles que não receberam a mesma revelação a respeito de Cristo que nós temos. Nosso discurso, nossa transformação de vida, simplesmente não fazem o menor sentido para os que continuaram com as práticas que tínhamos antes de Cristo. Não podemos culpá-los, pois olhando a partir de uma perspectiva natural, realmente não faz nenhum sentido. Por isso caminhamos não apenas pelo que vemos, mas principalmente pela fé Naquele que começou a boa obra em nós.

Fomos chamados para espalhar a "loucura" do Evangelho de Jesus a este mundo "sábio"! Devemos usar nossas vidas para realizar esta obra fundamental para a Igreja do Senhor!

Onde estão os malucos pelo Reino e os loucos por Jesus de nossa geração?

▶ Referências

Nós, porém, pregamos a Cristo crucificado, o qual, de fato, é escândalo para os judeus e loucura para os gentios.
1 Coríntios 1:23

Mas Deus escolheu as coisas loucas do mundo para envergonhar os sábios, e escolheu as coisas fracas do mundo para envergonhar as fortes.
1 Coríntios 1:27

▶ Curiosidade

Antigamente Mercúrio era utilizado no processo de confecção de alguns chapéus, não sendo possível evitar a inalação desses vapores tóxicos. Chapeleiros frequentemente sofriam de intoxicação, causando problemas neurológicos, incluindo desordem na fala e visão distorcida. Não era incomum aos chapeleiros aparentarem perturbação e confusão mental; muitos morriam cedo como resultado desta intoxicação. Deste fato surgiu o personagem do livro.

UM BOM SOLDADO
DEVE SER LEAL

D'Artagnan é um jovem de 18 anos que vai a Paris para se tornar membro da elite militar dos guardas do rei francês. Quando chega a seu destino, encontra três mosqueteiros experientes, conhecidos como "os inseparáveis": Athos, Porthos e Aramis. A partir deste encontro, os quatro participarão de muitas aventuras em nome do rei da França Luís XIII e da rainha, Ana de Áustria. "Os Três Mosqueteiros" foi escrito pelo francês Alexandre Dumas e publicado pela primeira vez no jornal Le Siècle em 1844, para logo em seguida ser lançado em livro. A mistura de ficção com um pano de fundo real é um dos grandes atrativos deste livro, que é o modelo para o que costumamos chamar de "romance capa e espada".

Como cristãos, também fazemos parte da guarda de elite de um Rei. Este Rei governa sobre toda a Terra e devemos honra e lealdade a Ele. Jesus Cristo é o Messias prometido no Antigo Testamento e nosso trabalho é levar a notícia da vinda deste Rei a todos os lugares do planeta, ao mesmo tempo em que enfrentamos batalhas junto a Ele que é também nosso General. Estas duas funções: embaixadores e soldados, deveriam nos tranquilizar quando passarmos por lutas e desafios, pois um soldado existe para guerrear. Porém, sozinho não conseguirá vencer, por esta razão nos reunimos como Corpo para juntos superarmos desafios maiores que nós mesmos. Precisamos nos alinhar com o que a Palavra diz a nosso respeito para que as armas espirituais desta batalha estejam conosco durante a guerra!

Na guerra, ou você é um soldado leal, ou um desertor! A escolha é sua!

▶ **Referências**

Bendito é o rei que vem em nome do Senhor! Paz no céu e glória nas alturas! **Lucas 19:38**
Ao Rei eterno, ao Deus único, imortal e invisível, sejam honra e glória para todo o sempre. Amém. **1 Timóteo 1:17**
Suporte comigo os sofrimentos, como bom soldado de Cristo Jesus. **2 Timóteo 2:3**

▶ **Reflexão**

O homem que não está disposto a morrer por uma causa não é digno de viver. **Martin Luther King.**

NÃO SEJA DEIXADO
PARA TRÁS

Kevin Garvey é um policial de um pequeno distrito no estado de Nova York chamado Mapleton. Ele tenta retomar a normalidade de sua vida após o evento conhecido como "Partida Repentina", em que 140 milhões de pessoas, aproximadamente 2% da população mundial, simplesmente desapareceu no mundo todo, ao mesmo tempo. A trama "Leftlovers" conta como o mundo lidaria com uma situação inexplicável e improvável como este desaparecimento. Esta série televisiva composta por três temporadas, entre 2014 e 2017, produzida por Damon Lindelof e Tom Perrota para o grupo de canais a cabo HBO.

A primeira temporada da série está baseada em um livro escrito pelo próprio Tom Perrota em 2001. Porém, não podemos negar que as premissas tanto do livro quanto da série foram extraídas do relato bíblico, em especial o acontecimento conhecido como o arrebatamento. É um tema complexo, pois entramos no ambiente da escatologia, que é a doutrina do fim da história, segundo o cristianismo. Existem discussões teológicas e diferentes visões para quando ele ocorrerá, mas em síntese este evento acontecerá em consonância com a segunda vinda de Cristo. Os mortos ressuscitarão primeiro e em seguida todos os salvos que estiverem vivos serão levados com Cristo.

Não temos espaço para discutir as diferentes visões teológicas sobre o evento, mas você fará isso no nosso desafio de hoje! Precisamos entender que independente do posicionamento que seja tomado, o arrebatamento não é algo metafórico ou filosófico, mas real e devemos nos preparar para ele!

▶ Referência
Dois homens estarão no campo: um será levado e o outro deixado. Duas mulheres estarão trabalhando num moinho: uma será levada e a outra deixada. Portanto, vigiem, porque vocês não sabem em que dia virá o seu Senhor.
Mateus 24:40-42

▶ Desafio
Faça uma pesquisa sobre as diferentes visões teológicas a respeito do arrebatamento e converse com seu pastor para saber qual é aquela que sua denominação segue.

QUEM SÃO **SEUS SEGUIDORES?**

Ryan Hardy é um agente do FBI aposentado que é chamado de volta ao trabalho após a fuga de um prisioneiro que ele colocou na cadeia. Este prisioneiro é o ex-professor de literatura inglesa Joseph Carroll que se transformou em um serial killer. Enquanto ficou preso, elaborou uma rede de seguidores on line usando as redes sociais para disseminar suas ideias que estão baseadas na obra do escritor inglês Edgar Allan Poe. A série "The Following" foi exibida pela FOX entre 2013 e 2015, totalizando três temporadas de exibição.

Ninguém vai se associar a uma rede on line de serial killers como na série analisada hoje em nosso devocional, mas a internet pode ser uma bênção ou uma maldição em nossas vidas. Precisamos cuidar com o tempo e com quem conversamos e nos relacionamos virtualmente. Ela é uma rede global e de certa maneira democrática, pois todos possuem uma voz que pode ou não ser ouvida através dos novos canais de comunicação de texto ou vídeo.

Com muitas pessoas falando, é natural que existam seguidores para cada uma delas, em maior ou menor grau. Os sentimentos que devem nortear nossa conduta em redes sociais é a prudência e o cuidado. Tenha cuidado com quem você conversa, para quem passa informações importantes sobre sua vida e, especialmente, a quem você ouve ou assiste nas redes sociais.

No sentido oposto, cuide com o que você publica nas redes, pois você também possui seguidores que serão alimentados pelas suas postagens!

▶ *Referências*

Cuidado com os cães, cuidado com esses que praticam o mal, cuidado com a falsa circuncisão!
Filipenses 3:2

Da mesma maneira, encoraje os jovens a serem prudentes. **Tito 2:6**

▶ Curiosidade

Sobre o autor Edgar Allan Poe, base para a série, seu terceiro livro chamado "Poemas" foi financiado por seus colegas da West Point. Com doação de 75 centavos de cada aluno, eles reuniram um total de 170 dólares que ajudaram Poe a imprimir o livro. Uma espécie de protótipo do sistema de crowdfunding de hoje em dia!

A MUDANÇA É DE
DENTRO PARA FORA

Pica-pau foi criado em 1940 por Walt Lantz para seu estúdio como mais um animal antropomórfico (animal com corpo e características humanas), estilo de animação muito utilizado na época. No início do desenho, Pica-pau era um pássaro maluco, com feições grotescas. Ao longo dos anos, foi remodelado pelos criadores através de uma aparência mais refinada e um temperamento um pouco mais tranquilo.

Este personagem clássico da animação que sobrevive ao tempo com novos programas a seu respeito, passou por diversas mudanças ao longo dos anos, passando de um temperamento bastante anormal, para algo mais tolerável e aceito pela sociedade. Da mesma forma também nós passamos por diferentes estágios em nossa caminhada cristã. Antes de conhecer a Cristo como Senhor e Salvador, tínhamos um caráter vergonhoso e isso refletia em nossa aparência física e em nosso semblante. À medida que vamos conhecendo mais a respeito da fé que professamos, e iniciamos um relacionamento com Jesus, vamos descobrindo mais a respeito de seu caráter! Não podemos continuar com as mesmas práticas de antes e assim começa o processo de transformação de nossas vidas a partir dos princípios contidos na Palavra de Deus. O nosso Consolador, o Espírito Santo, colabora conosco nesta jornada, mas precisamos tomar atitudes práticas para que a mudança aconteça e seja efetiva em nossas vidas.

Escolhas precisam ser feitas diariamente para que uma mente centrada em Cristo transforme nossa vida de fato, de dentro para fora!

▶ Referências

Mudaste o meu pranto em dança, a minha veste de lamento em veste de alegria.
Salmos 30:11

Não se amoldem ao padrão deste mundo, mas transformem-se pela renovação da sua mente, para que sejam capazes de experimentar e comprovar a boa, agradável e perfeita vontade de Deus.
Romanos 12:2

▶ Reflexão

Você nunca mudará sua vida até que mude alguma coisa que faz diariamente.
Mike Murdock.

DERRUBE OS GIGANTES E VENÇA!

Charlie é um ex-boxeador em um mundo onde as lutas entre humanos foram substituídas por robôs enormes, transformando o mundo das lutas em um grande show, gerando muito dinheiro para os controladores, que conseguem subir no ranking da liga mundial. Ele é um perdedor falido que mora de favor na casa de sua amiga Bailey, filha de seu antigo treinador. Charlie recebe a guarda de seu filho de 11 anos de idade após a morte prematura de sua ex-mulher. Os dois aprenderão a conviver à medida que tentam, com um antigo robô, vencer lutas para sobreviver com o dinheiro. O robô é uma surpresa e, aos poucos vai vencendo seus oponentes até que o pequeno Max, o filho de Charlie, desafia para uma luta emocionante os controladores do robô, que é o campeão mundial.

A ousadia do menino Max neste filme me fez lembrar de outro menino que foi tão ou mais ousado que ele, mas diferentemente de "Gigantes de Aço" não se trata de entretenimento, mas sim de um relato verídico. O jovem pastor de ovelhas Davi foi até o campo de batalha entre hebreus e filisteus, e viu um cenário pavoroso de medo em seu exército contra o soldado filisteu Golias, que tinha uma enorme estatura em relação aos demais soldados presentes.

Vencer as provas e desafios diários nos capacitam para lutas maiores! Davi havia vencido o leão e o urso em seu trabalho como pastor de ovelhas, por isso tinha confiança de que com o gigante aconteceria o mesmo. Esta deve ser nossa certeza: o mesmo Deus que nos acompanhou até aqui continuará conosco nos ajudando a derrubar nossos gigantes!

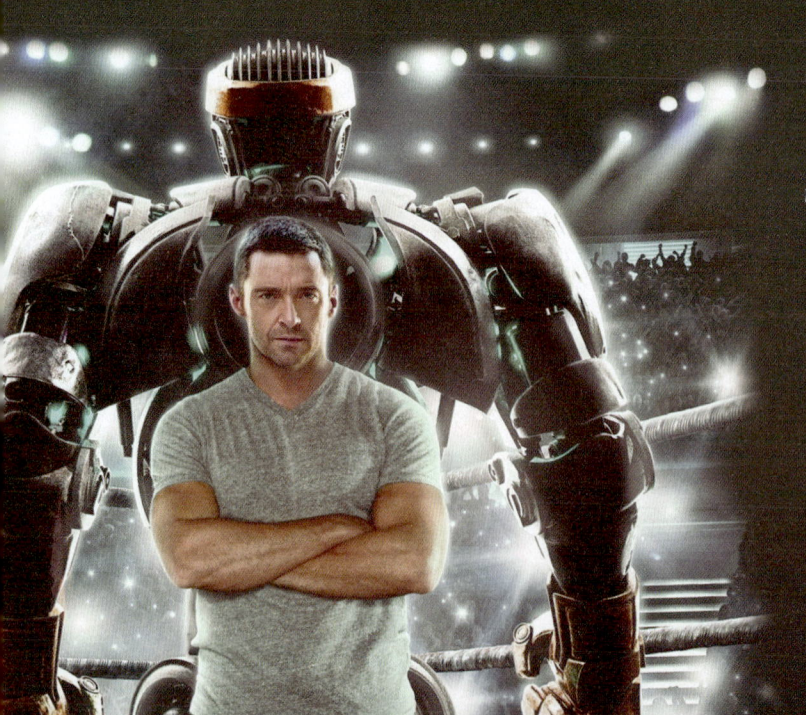

▶ **Referência**
Teu servo é capaz de matar tanto um leão quanto um urso; esse filisteu incircunciso será como um deles, pois desafiou os exércitos do Deus vivo.
1 Samuel 17:36

▶ **Desafio**
Como você pode aumentar sua fé contra grandes desafios em sua vida? Como você pode ter a certeza de que os Gigantes diante de você cairão como Golias?

AGRADEÇA PELAS OPORTUNIDADES

Fred J. Dukes era um jovem comum da classe média até que, aos 13 anos de idade, começa a ganhar massa corporal de maneira anormal, tornando-se alguém com uma obesidade fora dos padrões, sendo motivo de chacota e piadas dos meninos de sua vizinhança. Quando adulto, não conseguia empregos, indo trabalhar como atração de um circo local assumindo o nome de Blob. Ele sofreu nesta situação até ser visitado por Scott Summers, que o levou para a Mansão Xavier. O professor X explicou a ele sobre sua mutação e ofereceu uma vaga como seu aluno. Mas Fred tinha um intelecto limitado e quando descobriu que era um mutante, retornou ao circo para humilhar seu antigo patrão, organizando um ataque com as demais atrações do circo ao Instituto Xavier com a ideia de vender os X-Men como aberrações circenses.

Muitas pessoas viviam vidas sofridas e sem esperança até que recebem a visita de alguém que lhes diz que existe algo além daquele sofrimento e falta de perspectivas. Essa pessoa é convidada a participar de uma igreja, ela aceita o convite e descobre neste lugar que ela é um filho, uma filha de Deus e que tem direito a uma herança no Reino dos Céus - a vida eterna. Ao invés de se alegrar com isso e permanecer no lugar que lhe mostrou esta realidade, ela tenta "retribuir" àqueles que a fizeram sofrer, muitas vezes atacando a igreja com comentários de quem não sabe do que fala. Não devemos ser ingratos em relação à igreja de Cristo. Permaneça firme, orando por ela! As dificuldades no caminho devem nos fazer crescer, não atacar quem nos ajudou a entender a verdade do Evangelho!

Agradeça a Deus pelas oportunidades que Ele trouxer até você! Além de agradecer, por favor, aproveite essas oportunidades!

▶ **Referência**
Ofereça a Deus em sacrifício a sua gratidão, cumpra os seus votos para com o Altíssimo. **Salmos 50:14.**

▶ **Curiosidade**
Os poderes mutantes de Blob consistem basicamente de uma pele ultrarresistente e superforça.

ADAPTE SUA LINGUAGEM, MANTENHA SEUS PRINCÍPIOS

Angus MacGyver trabalha para a Fundação Phoenix em Los Angeles e como agente do Departamento Governamental de Serviços Externos (DXS). Ele serviu na Guerra do Vietnã como técnico da brigada antibomba. Possui muito conhecimento sobre ciências físicas e resolve problemas complexos criando utensílios a partir de elementos comuns do cotidiano, como clipes de papel, por exemplo. Suas preferências sempre apontam para soluções não letais e sem armas de fogo. "MacGyver" foi uma série de televisão americana criada por Lee David Zlotoff, Henry Winkler e John Rich em sete temporadas entre 1985 e 1992.

Nosso personagem apresenta um talento muito interessante para nosso devocional de hoje. Embora conhecesse teorias científicas complexas, traduzia este conhecimento de maneira prática com aquilo que as pessoas comuns conheciam. Da mesma forma, Jesus explicava a seus ouvintes princípios complexos do Reino de Deus através de elementos da cultura popular em seu tempo, como um grão de mostarda, uma dracma perdida, um talento ou candeeiros, por exemplo. As parábolas traduziam conceitos difíceis para a linguagem de quem ouvia Jesus.

Assim também nós, quando ensinamos outros ou conversamos a respeito do Reino de Deus, precisamos ajustar nossa linguagem para que seja inteligível a nossos interlocutores. Contudo, esta adaptação na linguagem se restringe à forma, não ao conteúdo, pois os princípios continuam inegociáveis. O Cristo bíblico deve ser pregado, não um Jesus que se adapte às nossas necessidades.

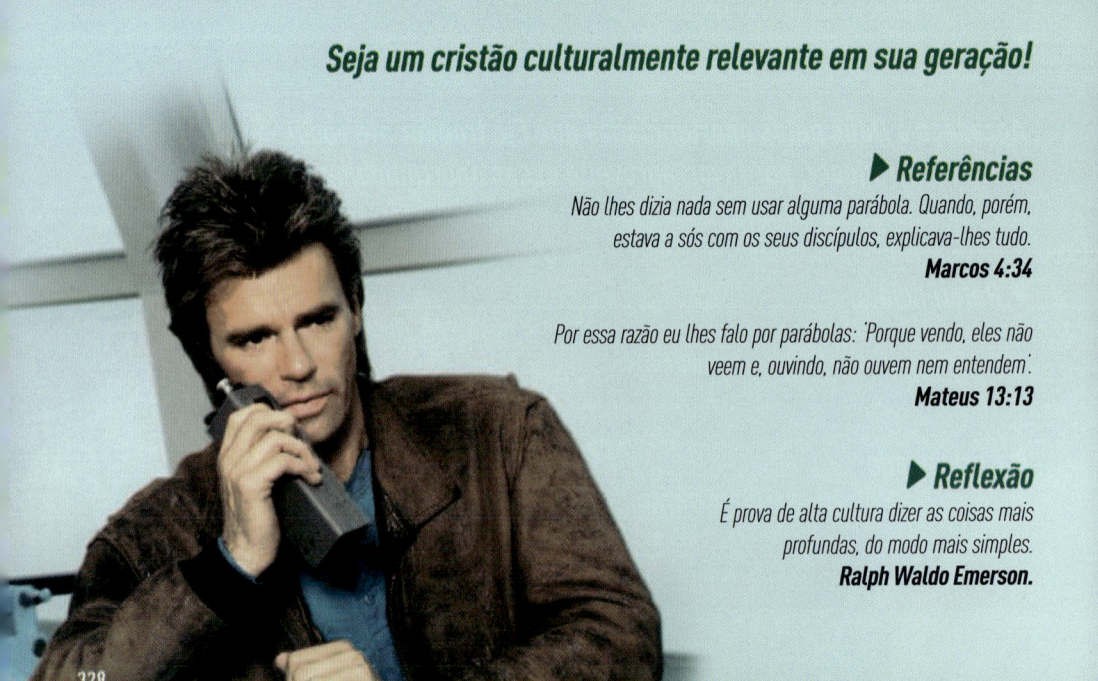

Seja um cristão culturalmente relevante em sua geração!

▶ Referências

Não lhes dizia nada sem usar alguma parábola. Quando, porém, estava a sós com os seus discípulos, explicava-lhes tudo.
Marcos 4:34

Por essa razão eu lhes falo por parábolas: 'Porque vendo, eles não veem e, ouvindo, não ouvem nem entendem'.
Mateus 13:13

▶ Reflexão

É prova de alta cultura dizer as coisas mais profundas, do modo mais simples.
Ralph Waldo Emerson.

COM DEUS, MESMO SOZINHO
VOCÊ É MAIORIA!

Rei Leônidas lidera 300 soldados espartanos contra o "deus-rei" Xerxes da Pérsia e seu exército com mais de 300.000 soldados. Enquanto eles lutam, a Rainha Gorgo, esposa de Leônidas, busca apoio para os soldados em batalha. Eles resistem bravamente em uma luta impossível de ser vencida, mas ganham tempo para que a Grécia possa se organizar para enfrentar o inimigo. A Batalha das Termópilas foi fundamental para a vitória grega contra os persas. Apenas um dos soldados retorna para narrar os fatos apresentados no filme "300", de 2006, dirigido por Zack Snyder. O filme foi baseado na famosa HQ de Frank Miller com o mesmo nome.

A Bíblia relata uma batalha semelhante a esta com um desfecho diferente. No tempo dos Juízes, um período sombrio na história de Israel, Deus levantou um juiz de nome Gideão que, com um exército de 300 homens derrotou a aliança de povos liderados pelos midianitas. A grande diferença entre os dois textos é que os 300 de Esparta exaltam a capacidade humana, enquanto a narrativa de Gideão exalta o poder sobrenatural do Deus de Israel. A vitória depende do favor de Deus e de homens que confiem e obedeçam as suas diretrizes. Uma vitória monumental em Juízes capítulo 8 não proporcionou um final à altura deste feito, pois Gideão se afastou de Deus no final de sua vida.

Que sejamos obedientes a Deus em todo o tempo! Nos intervalos entre nossas batalhas, não baixe a guarda para os ataques sutis de nosso inimigo!

Com Deus, mesmo sozinho, você é maioria!

▶ Referências

O Senhor disse a Gideão: Com os trezentos homens que lamberam a água livrarei vocês e entregarei os midianitas nas suas mãos. Mande para casa todos os outros homens. **Juízes 7:7**

Gideão e seus trezentos homens, já exaustos, continuaram a perseguição, chegaram ao Jordão e o atravessaram. **Juízes 8:4**

▶ Desafio

Como a leitura das Escrituras pode auxiliar você a ter fé no Deus do impossível? Alimente sua fé e cresça na revelação do Deus a quem você serve!

VOCÊ NÃO PRECISA
TROPEÇAR NA JORNADA!

Dastan é um órfão que vive nas ruas do Império Persa e é adotado pelo rei. Seus irmãos Tus e Garsiv com seu tio Nizam planejam um ataque bem-sucedido contra o rei e incriminam Dastan pelo seu assassinato. Ele foge e, a partir de então inicia uma jornada para descobrir a verdade sobre a morte de seu pai adotivo. Ele encontra uma adaga especial que possibilita retornar pequenos períodos no tempo ao portador da Adaga do Tempo. Consegue provar sua inocência e tem seu final feliz, casando-se com a Princesa Tamina. "Príncipe da Pérsia: areias do tempo" foi lançado nos cinemas em 2010.

A ideia da Adaga do Tempo é muito interessante para nossa discussão de hoje. Como seria maravilhoso se tivéssemos a capacidade de voltar no tempo assim que cometêssemos um erro! Já imaginou como seria? Errou? Voltou! Nenhuma culpa, nenhum remorso, nenhum arrependimento, nenhuma mágoa. Mas infelizmente essa possibilidade na vida real não existe. Ou será que existe?

Você não pode voltar no tempo depois de cometer um erro, mas pode, através da Palavra de Deus, antecipar seus erros e simplesmente não cometê-los! O que é quase a mesma coisa, pois vai impedi-lo de fazer aquilo que não deveria. A Bíblia traz tudo o que precisamos para viver! Nossa função é apenas seguir seus ensinamentos para termos uma vida sem tropeços.

Quando aliamos o conhecimento bíblico à prática da vida cristã, temos um tremendo potencial em nossas mãos, pois não seremos facilmente enganados pelas artimanhas sujas de Satanás e poderemos ensinar a outros o mesmo caminho que trilhamos!

Viva a Palavra de Deus e não tropece em sua jornada!

▶ Referências
Dirige os meus passos, conforme a tua palavra; não permitas que nenhum pecado me domine. **Salmos 119:133**
Os que amam a tua lei desfrutam paz, e nada há que os faça tropeçar. **Salmos 119:165**

▶ Curiosidade
"Príncipe da Pérsia: as areias do tempo" é um filme baseado no jogo de videogame de mesmo nome lançado em 2003.

DESCUBRA O SENTIDO
DA VIDA

Jerry, George, Elaine e Kramer são amigos inseparáveis. Adultos com muitas manias e defeitos, vivem centrados em si mesmos. Não se importam com as pessoas fora de seu círculo de amizades. Não costumam aprender com os erros e são indiferentes ao mundo exterior ao seu. A série Sienfeld fez muito sucesso justamente por contrapor o humor familiar e de amigos que as outras séries deste formato apresentavam. Ao invés de finais felizes, geralmente os protagonistas terminavam os episódios levando uma bronca de alguém. Os produtores introduziram na série alguns aspectos do niilismo, corrente filosófica que não encontra sentido na vida humana. vida humana não tem sentido. "Sienfeld" teve ao todo 9 temporadas apresentadas entre 1989 e 1998.

Muito tempo antes de Jerry Sienfeld ter a ideia para sua série, um sábio do outro lado do mundo, por volta de 930 a.C. estava refletindo a respeito destas mesmas questões sobre o sentido da vida. Seu nome era Salomão e o livro, Eclesiastes. Percebemos um rei sábio e, de certa forma, depressivo com a busca pela felicidade nas coisas materiais e físicas. Nada faz sentido! É uma das frases mais ditas nesta obra. E este é o problema: colocar as expectativas de felicidade em coisas externas ao indivíduo. A verdadeira felicidade está em viver de maneira simples tendo o relacionamento com Deus como o centro da nossa vida.

Interessante que Salomão entendeu esta verdade, depois de ter vivido com tudo o que esta vida tem a oferecer em termos de riquezas e prazeres. A felicidade está em ser relevante para nossa geração e ser feliz com o que o Senhor nos conceder!

▶ Referências

"Que grande inutilidade!", diz o Mestre. "Que grande inutilidade! Nada faz sentido!" **Eclesiastes 1:2**

"Tudo sem sentido! Sem sentido!", diz o mestre. "Nada faz sentido! Nada faz sentido!". **Eclesiastes 12:8**

Descobri que não há nada melhor para o homem do que ser feliz e praticar o bem enquanto vive.
Eclesiastes 3:12

▶ Reflexão

Há algo de bom neste mundo Sr. Frodo, e vale a pena lutar por isso.
Samwise Gamgee, "Senhor dos Anéis".

VIVA AS HISTÓRIAS
QUE VOCÊ VAI CONTAR

Tonto é um idoso índio Comanche nativo americano que narra as histórias que não chegaram ao público na famosa lenda do Cavaleiro Solitário chamado John Reid. Ele pode contar aquilo que ninguém mais sabe, porque estava presente em todos os acontecimentos que descreve. Como testemunha ocular da história que conta, Tonto é um privilegiado por viver e não apenas ouvir estas aventuras que definiram sua vida. "O Cavaleiro Solitário" foi lançado em 2013 e tornou-se um fracasso de bilheteria, gerando um prejuízo de mais de 100 milhões de dólares.

Como cristãos, temos uma importante decisão a tomar, baseada em nosso personagem de hoje. Podemos nos contentar em apenas ouvir experiências que outros estão vivendo com Deus, ou podemos fazer parte efetiva do mover e dos propósitos Dele para nossa geração. Não se engane, o Reino está avançando! Homens e mulheres, jovens e idosos estão realizando a obra de Cristo e levando a Palavra da salvação através do arrependimento genuíno, vivendo assim aventuras tremendas com Cristo! Essas pessoas podem contar detalhes maravilhosos sobre essas experiências pois as viveram! Percebe como é importante viver plenamente com com Jesus? É o seu testemunho que moverá a próxima geração a conhecer Cristo com a mesma intensidade que você o conheceu! A sua fome e sede por mais de Deus nos dias da juventude serão o ponto de partida para a próxima geração. Reflita por um instante nesta informação e imagine...

...se a próxima geração dependesse exclusivamente da sua experiência com Deus, ela seria incendiada a buscá-la na mesma intensidade que você?

▶ **Referência**
Contem o que aconteceu aos seus filhos, e eles aos seus netos, e os seus netos à geração seguinte.
Joel 1:3

▶ **Desafio**
Decida hoje ser mais efetivo em seu cristianismo! Seu testemunho de vida deve incendiar os corações das pessoas com as quais você tiver contato! Pense em sua vida hoje e mude o que for necessário para ser uma referência!

É NAMORO OU AMIZADE?

Rachel, Monica, Phoebe, Joey, Chandler e Ross são grandes amigos que passam muito tempo juntos em diversas situações inusitadas. Esta proximidade e intimidade que o relacionamento gera, acaba com alguns efeitos colaterais, como a migração de amizades para relacionamentos amorosos entre o grupo. Todos os protagonistas se beijaram em algum momento da série, com exceção de Rachel e Monica. Rachel tem um relacionamento com Ross, depois deste ter se divorciado três vezes e Monica se casa com Chandler. "Friends" foi uma premiada série de TV transmitida entre 1994 e 2004, totalizando 10 temporadas.

A amizade gera intimidade e isso é natural. Por esta razão, devemos tomar cuidado com as grandes amizades entre homens e mulheres. Temos dois elementos relacionados a este tema para nosso devocional de hoje. O primeiro deles: do planeta todo, a pessoa com quem você escolher casar precisa ser seu (sua) melhor amigo (a). Sem amizade um casamento não se sustenta por anos e décadas. O segundo ponto é o cuidado com seus melhores amigos ou amigas. Ao colocarmos na mesma receita ingredientes como convivência, intimidade, segredos e desabafos, temos uma possibilidade real para um prato cheio de confusões emocionais em sua vida como uma paixonite por seu amigo do sexo oposto. Já presenciei muitos casos assim nos anos como pastor de jovens. Após uma tentativa fracassada de namoro, ambos percebem que deveriam ser apenas amigos, mas com a ultrapassagem da barreira da amizade, não conseguem mais ser nem uma coisa nem outra.

Tome cuidado com suas amizades e não confunda seus sentimentos!
Mantenha distância da aparência do mal em sua vida!

▶ Referências
Afastem-se de toda forma de mal.
1 Tessalonicenses 5:22

▶ Curiosidade
Antes de receber o nome oficial, os produtores cogitaram outras opções como "Across the Hall", "Six of One", "Once Upon a time in West Village", "Insomnia Café" e "Friends like us".

QUANDO VOCÊ VAI REALIZAR SEUS SONHOS?

Carl Fredericksen é um vendedor de balões que se casa com a aventureira Ellie e ambos têm o sonho de morar no Paraíso das Cachoeiras, na Venezuela. Eles guardam dinheiro para concretizar este sonho, mas os imprevistos financeiros da vida sempre atrapalham seus planos. Quando finalmente Carl compra as passagens, Ellie morre de velhice e ele passa a viver em sua casa como um velho rabugento, esperando a morte chegar. Tudo isso muda quando ele conhece o jovem Russel, um escoteiro amante da natureza que vai acompanha-lo em sua derradeira aventura rumo ao seu sonho. ¨Up – Altas Aventuras¨ é uma animação da Disney – Pixar, lançado em 2009 vencedor de dois Oscars: Melhor Animação e Melhor Trilha Sonora.

¨Up¨ mostra algo surpreendentemente simples e que, devido à nossa cultura contemporânea, acabamos nos esquecendo como sociedade: nossa vida é limitada. Corremos o tempo todo e vamos postergando aquilo que é realmente importante em nossas vidas, por causa de distrações que tomam nosso tempo. É importante percebermos que o passado já não existe, e o futuro ainda não chegou, portanto tudo o que temos é o nosso presente! Planeje realizar seus objetivos na vida marcando datas para isso. Quando datamos nossos objetivos, nós os retiramos de um futuro apenas possível e os trazemos para a existência! Quer se casar com seu (sua) noivo (a)? Marque a data! Quer fazer uma faculdade? Marque a data da formatura! Quer sair do aluguel? Estabeleça suas metas! Por um lado muito trabalho de sua parte, do outro fé e favor de Deus sobre a sua vida. O resultado é a realização de sonhos na prática!

Não esqueça que seus sonhos devem estar conectados ao propósito de Deus para sua vida!

▶ **Referências**
Para tudo há uma ocasião, e um tempo para cada propósito debaixo do céu.
Eclesiastes 3:1

▶ **Reflexão**
Tudo o que temos de decidir é o que fazer com o tempo que nos foi dado.
Gandalf.

VOCÊ É UM AGITADOR NA SOCIEDADE!

Maluquinho é um típico garoto de 10 anos de idade: agitado, alegre e peralta. Sua personalidade única o leva a fazer maluquices de menino, aprontando com as pessoas e causando muitas confusões. Ele é conhecido por todos como um causador de problemas. Pode ser reconhecido entre os demais por causa de sua marca registrada que é uma grande panela que usa como um chapéu em sua cabeça. "O Menino Maluquinho" é uma série de histórias criadas pelo cartunista brasileiro Ziraldo, baseado no livro de mesmo nome publicado em 1980. As histórias em quadrinhos foram publicadas entre 1989 e 2007.

Os cristãos foram chamados por Cristo para espalhar seu amor pelo mundo, falando com ousadia a verdade das Escrituras a todos os seres humanos. Embora seja algo maravilhoso, não devemos esperar a compreensão de todas as pessoas, em especial daquelas que estão tão anestesiadas pelo sistema que rege este mundo que não percebem o perigo que correm em manter suas vidas longe do conhecimento de Jesus. Desde o início de sua história, os cristãos foram conhecidos como agitadores ou perturbadores da ordem vigente, pois através da verdade, cultos pagãos simplesmente deixaram de existir, economias baseadas em vendas de ídolos faliram e escravos foram libertos pelo entendimento da soberania de Deus sobre os homens.

Devemos ter equilíbrio para sermos relevantes em nossa sociedade, sem abrir mão de princípios que muitas vezes podem levar outras pessoas a nos acharem "loucos ou malucos".

Não devemos parar de pregar quando não formos aceitos, mas sim intensificar nosso discurso!

▶ Referências
E, levando-os aos magistrados, disseram: "Estes homens são judeus e estão perturbando a nossa cidade, propagando costumes que a nós, romanos, não é permitido aceitar nem praticar".
Atos 16:20,21

▶ Desafio
Como você pode conciliar a necessidade de ser uma bênção em sua sociedade, sem abrir mão dos princípios que podem levar pessoas a odiarem você por ser um seguidor de Cristo?

CRIACIONISMO OU **EVOLUCIONISMO?**

Ulysse Mérou é um astronauta que viaja na invenção de seu amigo Professor Antelle e do médico Levain. Esta invenção é uma nave que tem a capacidade de atingir uma velocidade próxima à da luz. Eles vão até o sistema solar mais próximo ao nosso, chegando a um planeta que é dominado por macacos, onde os humanos são primitivos e caçados por eles. A novela francesa de 1963 "Le Planète des Singes", de Pierre Boulle, deu origem a uma franquia de filmes com o tema do embate entre macacos evoluídos e humanos, mostrando como os símios dominaram a civilização humana.

Este clássico da ficção científica pode nos ajudar em uma questão bastante importante a respeito de um embate intelectual que explica a vida a partir de duas linhas distintas: o evolucionismo e o criacionismo. Segundo a teoria da evolução, o ser humano é apenas mais uma entre os milhões de espécies existentes, com a sorte de ter desenvolvido sua capacidade cerebral acima dos demais animais. A vida evoluiu a partir de seres simples para seres mais complexos, e este processo continua, embora seja muito lento.

Para os criacionistas ou antievolucionistas, a diversidade e a complexidade da vida na Terra não podem ser adequadamente explicadas a partir de uma perspectiva evolucionista. A intervenção sobrenatural de Deus na história resultou na vida no planeta conforme o relato de Gênesis. Para os cristãos, o relato bíblico é a descrição da verdade e todo o texto corresponde à realidade. Não podemos aceitar apenas algumas porções das Escrituras, é necessário aceitar sua totalidade!

Evoluir dos macacos ou uma criação divina? Para ambas as hipóteses, é necessário ter fé, então fique com Deus!

▶ **Referências**

No princípio Deus criou os céus e a terra. **Gênesis 1:1**
Criou Deus o homem à sua imagem, à imagem de Deus o criou; homem e mulher os criou. **Gênesis 1:27**

▶ **Curiosidade**

Andy Serkis, que interpreta César na franquia mais recente de filmes, já havia dado vida ao King Kong, no filme de 2005. O ator também interpretou o personagem Gollum, da saga "O Senhor dos Anéis".

ESCOLHA O MUNDO REAL!

Bobby Generic é um garotinho de 4 anos de idade que sempre faz perguntas difíceis para seu pai Howie responder. Ele usa muita imaginação para tentar entender o mundo dos adultos a partir das respostas do pai. A animação transita entre a realidade e o mundo imaginário de Bobby com seu companheiro de estimação, a aranha de pelúcia Webbly. O desenho "O Fantástico Mundo de Bobby" foi exibido entre 1990 e 1998.

A dificuldade em distinguir o mundo real do imaginário não é um problema exclusivo do pequeno Bobby, mas muitas pessoas adultas em nossos dias também têm o mesmo problema que o nosso personagem de hoje. A realidade da vida moderna, muitas vezes, é chata e monótona no mundo das redes sociais, onde nem sempre você terá eventos tão espetaculares para compartilhar, pois a vida normal é feita também de rotina. Por isso muitos resolvem viver em um "Fantástico Mundo de Bobby", adotando um estilo de vida que não condiz com sua realidade, muitas vezes ao custo de pressão financeira, dívidas e muito sofrimento dentro das quatro paredes de suas casas.

Não queira viver uma fantasia para que as pessoas achem que você é mais legal do que parece ser! Não vale a pena mostrar aos outros algo que você não é, pois o esforço para viver desta forma é muito grande e simplesmente não se sustenta. Seja verdadeiro (a), em primeiro lugar, com Deus que concedeu a você o dom da vida, em segundo lugar, consigo mesmo (a) e em terceiro lugar com seus familiares que serão abençoados ou sofrerão com a sua fuga da realidade.

Entre a fantasia mentirosa e a realidade verdadeira, escolha sempre a verdade, pois ela é libertadora!

▶ Referências

Meus amados irmãos, não se deixem enganar. **Tiago 1:16**

A sabedoria do homem prudente é discernir o seu caminho, mas a insensatez dos tolos é enganosa. **Provérbios 14:8**

▶ Reflexão

A maneira mais fácil e mais segura de vivermos honradamente consiste em sermos, na realidade, o que parecemos ser.
Sócrates.

CUIDADO COM SUA VIDA
DEPOIS DE CRISTO

John Hancock possui poderes inacreditáveis como força ilimitada, capacidade de voar em velocidade supersônica e invulnerabilidade corporal a qualquer tipo de ferimento que venha a sofrer. Porém, ele não é um super-herói do tipo clássico. Hancock é desastrado, mal humorado e tem problemas com bebidas e com as drogas. Vive nas ruas dormindo em praças na cidade de Los Angeles e quando resolve entrar em ação, normalmente deixando um rastro de destruição por onde passa. Depois de salvar um agente de relações públicas, o mesmo resolve ajudar Hancock a melhorar sua imagem diante da sociedade. O filme "Hancock" estreou em 2008 e foi dirigido por Peter Berg.

Hancock pode nos ajudar a pensar a respeito de um tipo de cristão que, infelizmente, é cada vez mais recorrente em nossos dias. São aqueles que aceitam a Cristo e por isso recebem os benefícios que este relacionamento traz, como o auxílio do Espírito Santo, a salvação, a cura para suas enfermidades físicas e emocionais e um grupo onde possa crescer em sua caminhada. Por um tempo tudo funcionará perfeitamente, mas após um período a pessoa começa a retornar para as práticas anteriores a Jesus. A Palavra diz que voltar atrás depois de Cristo é um estado pior do que no início, pois como nosso personagem de hoje, agora temos poderes dados por Deus que não tínhamos antes. Viver sem responsabilidade vai ferir outras pessoas que nos acompanham.

Cuide de sua vida cristã sendo responsável! Não seja indiferente com as consequências de suas ações, pois outras pessoas podem se ferir!

Em outras palavras, não seja um cristão Hancock!

▶ Referência

Se, tendo escapado das contaminações do mundo por meio do conhecimento de nosso Senhor e Salvador Jesus Cristo, encontram-se novamente nelas enredados e por elas dominados, estão em pior estado do que no princípio.
2 Pedro 2:20

▶ Desafio

O que você pode fazer hoje, para não perder seu relacionamento com Cristo e não se tornar um ¨cristão Hancock¨?

NOVEMBRO

DEVOCIONAL POP

OBEDECER É MELHOR
QUE SACRIFICAR!

Rand Peltzer procura por um presente de Natal original para seu filho Billy e encontra em uma loja de artigos chineses, um Mogwai, um bichinho fofinho e muito lindo. Mas ter um Mogwai não é para qualquer um, pois envolve muitas responsabilidades. Existem três regras básicas para cuidar deles: nunca colocá-lo diante da luz forte, nunca molhá-lo e nunca alimentá-lo depois da meia-noite. A luz pode matá-lo, a água faz com que ele se multiplique e a comida depois da meia noite faz com que passe por uma metamorfose e vire um gremlin, criatura que causa confusão e destruição fora de controle. "Gremlins" é um filme de 1984 produzido por Steven Spielberg.

Como cristãos, também temos regras para seguir. Aparentemente, muitas delas não apresentam muito sentido e somos tentados a questionar sua validade. Qual é o mal em molhar um Mogwai? Questionamos por que não podemos manter relações sexuais com nosso(a) namorado(a). Qual o problema em contar uma mentira? Por que devemos devolver o dízimo, entre tantas coisas? O papel das regras é nos proteger de problemas e nos manter seguros. A obediência não está vinculada a uma fé cega, mas ao amor que sentimos por Deus e por isso obedecemos suas regras. Tenha em mente que, ao quebrarmos as regras com o pecado, nossas vidas fogem do controle, exatamente como no filme analisado hoje. Devemos obedecer aos preceitos da Palavra de Deus em todo o tempo!

Quem muito questiona a Palavra, em seu coração deseja pecar e tenta aliviar sua consciência com estas contestações! Não esqueça: obedecer continua sendo melhor que sacrificar!

▶ *Referências*

Acaso tem o Senhor tanto prazer em holocaustos e em sacrifícios quanto em que se obedeça à sua palavra? A obediência é melhor do que o sacrifício, e a submissão é melhor do que a gordura de carneiros.
1 Samuel 15:22

▶ *Curiosidade*

Os bonecos dos personagens Gremlins eram muito caros e, diariamente ao final das gravações, o elenco e a equipe tinham até os seus carros revistados!

HÁ PODER NO NOME DE JESUS

Billy Batson é um jovem repórter de rádio que foi escolhido pelo Mago Shazam para receber seus poderes em sua geração. Esta escolha levou em conta seu caráter excepcional com a missão de preservar a justiça e a paz no Universo. Seus poderes são ativados quando Billy pronuncia a palavra "Shazam" através de um raio mágico que o atinge onde estiver, transformando-o em um adulto com superpoderes. Quando pronuncia novamente a palavra, retorna a seu estado juvenil. Shazam é um anagrama para seis heróis lendários que fornecem os poderes ao protagonista: Salomão, Hércules, Atlas, Zeus, Aquiles e Mercúrio. Shazam foi criado em 1939 por Bill Parker, com o nome Capitão Marvel.

Em nossa caminhada, conhecemos um Nome que, quando pronunciado, traz o sobrenatural do Reino de Deus à Terra. Este Nome pertence àquele que morreu e ressuscitou dentre os mortos para trazer a salvação para uma humanidade decaída, que merecia a condenação eterna. Por causa do seu sacrifício na cruz, temos a opção de mudar a direção de nossas vidas. Este Nome é o de Jesus Cristo e, quando O pronunciamos, anunciamos a todos os seres existentes de quem é o domínio e o controle de todas as coisas, na terra ou no mundo espiritual.

A pronúncia do Nome de Jesus gera milagres, expulsa os demônios, cura os enfermos, batiza os crentes e sabe qual é a razão? A glória pertence a Ele e não a nós.

Que possamos declarar como João Batista: Que Ele cresça e eu diminua!

▶ Referências

Disse Pedro: "Não tenho prata nem ouro, mas o que tenho, isto lhe dou. Em nome de Jesus Cristo, o Nazareno, ande.
Atos 3:6

Tudo o que fizerem, seja em palavra ou em ação, façam-no em nome do Senhor Jesus, dando por meio dele graças a Deus Pai.
Colossenses 3:17

▶ Reflexão

O Nome de Jesus não é um mantra para ser repetido em todo o tempo de qualquer maneira, mas é a certeza de que tudo o que acontecer a partir desta pronúncia não é por nossa causa, mas pela graça do Rei dos Reis e Senhor dos Senhores!
Eduardo Medeiros.

E ESSA TAL **SUBMISSÃO?**

Capitão **Nemo** construiu um submarino chamado Náutilus que é totalmente autônomo, movido à eletricidade e que não depende da superfície. Ele mergulha com sua invenção e tripulação, afastando-se da vida em terra firme. Tudo o que precisam é extraído diretamente do mar. Com o tempo, após acidentes entre o Náutilus e embarcações, uma lenda é criada de que existe um monstro marinho atacando os navios. "Vinte Mil Léguas Submarinas" é mais um clássico do francês Júlio Verne, publicado pela primeira vez em 1869.

A ideia do Náutilus no meio do oceano pode nos ajudar a conversar a respeito de um conceito difícil em nossos dias: submissão. Adotamos um conceito equivocado sobre submissão que diz que a esposa deve ter uma obediência cega e sem questionamentos ao esposo. Porém, a ideia principal do significado da palavra grega, tem o sentido de "estar inserido na missão". Como um submarino no meio do oceano, a esposa está inserida na missão proposta por Deus ao marido e, juntos, os dois irão muito mais longe do que iriam se estivessem sozinhos.

Isso não quer dizer que a esposa vai seguir qualquer missão, mas apenas uma que for digna de ser seguida até as últimas consequências. Portanto, o esposo tem a grande responsabilidade de buscar em Deus a missão específica para sua família ao mesmo tempo em que ama sua esposa com a mesma intensidade com que Cristo amou sua igreja morrendo por ela!

Você já pensou na sua missão de vida, para compartilhá-la com a pessoa com que estará ao seu lado?

▶ Referências
Assim como a igreja está sujeita a Cristo, também as mulheres estejam em tudo sujeitas a seus maridos. Maridos, amem suas mulheres, assim como Cristo amou a igreja e entregou-se a si mesmo por ela. **Efésios 5:24,25**

▶ Desafio
De que maneira o entendimento a respeito do texto de hoje pode ajudar seu casamento ou seu futuro casamento?

ESPERE O INESPERADO

Po Ping é um Urso Panda escolhido como o grande Dragão Guerreiro profetizado entre os sábios como aquele que traria a paz para a China. Esta seria a escolha mais improvável, pois havia outros guerreiros mais capacitados para o cumprimento desta profecia. O que todos não sabiam é que o Dragão Guerreiro foi encontrado primeiro por seu bom coração, não por sua técnica de luta. Embora desastrado e indisciplinado, Po provou ser digno de seu destino. O primeiro filme da franquia "Kung Fu Panda" é de 2008, produzido pela DreamWorks Animation.

Distante da China onde se passa a história de hoje, no século I o povo judeu também não reconheceu o Messias profetizado por séculos pelos profetas, por esperarem o mais óbvio: a vinda de um rei político que expulsaria os romanos e restauraria a glória do reinado de Davi em Israel. Jesus veio com uma proposta totalmente inesperada e inovadora, pois falava de um Reino Espiritual Universal ao invés de um simples reino político local.

Precisamos estar preparados para o inesperado quando caminhamos com Deus, pois Ele não é de modo algum limitado às nossas pequenas expectativas, que por sua vez estão limitadas por nossa mente humana. Mesmo quando parecer que não faz sentido, tenha certeza de que Deus está demonstrando Sua boa, perfeita e agradável vontade para nossas vidas. Não desconfie do que foge à sua compreensão, como muitos contemporâneos de Jesus, mas mergulhe mais ainda em Sua Presença para fazer parte daqueles que serão chamados de discípulos!

Caminhe com Jesus e espere pelo inesperado!

▶ **Referências**

Veio para o que era seu, mas os seus não o receberam. **João 1:11**

João, ao ouvir na prisão o que Cristo estava fazendo, enviou seus discípulos para lhe perguntarem: És tu aquele que haveria de vir ou devemos esperar algum outro? **Mateus 11:2,3**

▶ **Curiosidade**

A franquia "Kung Fu Panda" é baseada em um gênero de fantasia chamado wuxia. Neste gênero, a antiga China é habitada por animais humanoides.

DESCUBRA AS RAZÕES!

Clay Jensen é um estudante que encontra uma caixa deixada em sua varanda. Na caixa existem sete fitas cassete gravadas por Hannah Baker, sua colega de colégio e amor platônico não correspondido. Ela cometeu suicídio recentemente e o conteúdo das fitas apresenta seu relato sobre as treze razões pelas quais resolveu cometer este trágico ato. "13 Reasons Why" é uma série de TV americana baseada no livro homônimo de Jay Asher, de 2007, adaptado como série para o serviço streaming Netflix.

O suicídio é um ato extremo que tem crescido muito nos últimos anos no mundo inteiro. Em 2012, só no Brasil, quase 12 mil pessoas tiraram a própria vida, segundo a Organização Mundial da Saúde, OMS. Ninguém acorda pensando em cometer suicídio, pois como a série mostra, existem várias razões para que alguém tome uma atitude tão drástica da qual não possa se arrepender. Por isso é preciso identificar alguns sinais que mostram o quadro de tristeza, que se transforma em depressão, que gera o contexto propício para o suicídio.

Em nossa vida passaremos por momentos de dificuldade, porém, precisamos contar com o apoio de Deus e daquelas pessoas que possam nos ajudar nesta jornada. Um segredo para sair da depressão é não se isolar, ao mesmo tempo em que procura pessoas que estão crescendo em seus relacionamentos com Cristo! O passado já passou; portanto, tudo o que podemos fazer com ele é consertar os erros e seguir em frente. Alimentar um passado traumático vai apenas potencializar esta tristeza.

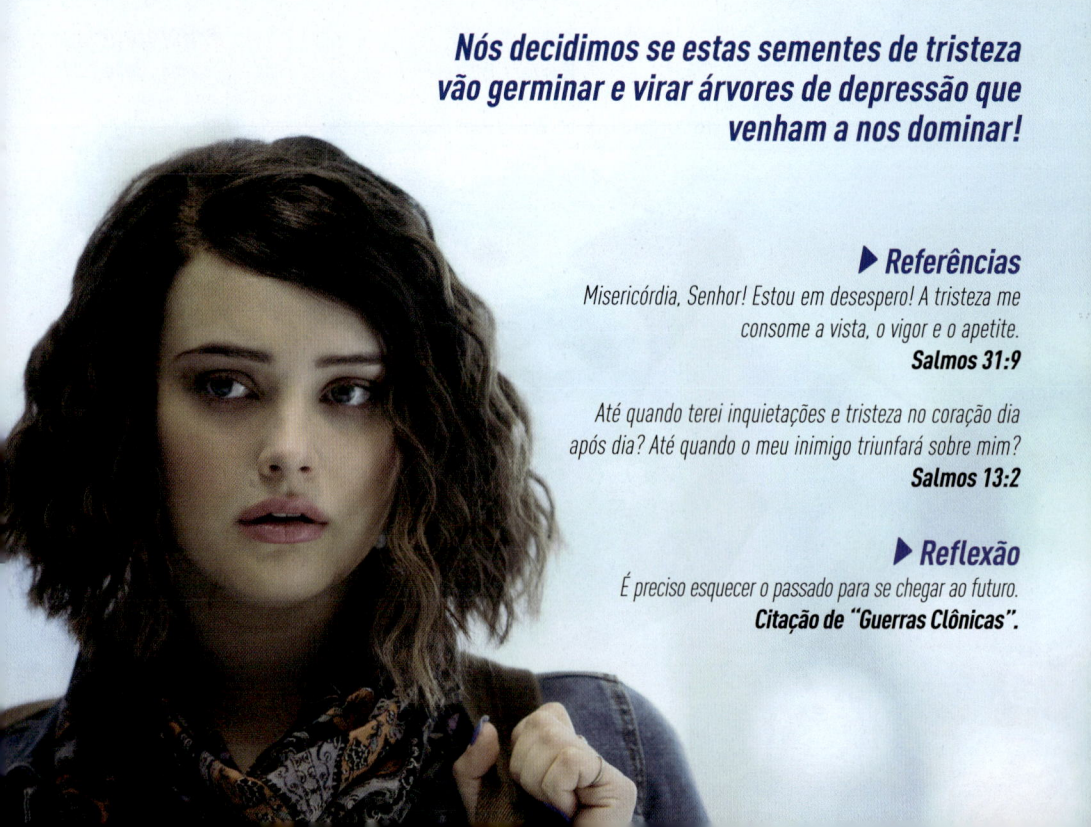

Nós decidimos se estas sementes de tristeza vão germinar e virar árvores de depressão que venham a nos dominar!

▶ Referências

Misericórdia, Senhor! Estou em desespero! A tristeza me consome a vista, o vigor e o apetite.
Salmos 31:9

Até quando terei inquietações e tristeza no coração dia após dia? Até quando o meu inimigo triunfará sobre mim?
Salmos 13:2

▶ Reflexão

É preciso esquecer o passado para se chegar ao futuro.
Citação de "Guerras Clônicas".

UNIDOS VENCEREMOS,
DIVIDIDOS CAIREMOS

O Governo americano aprova uma resolução que obriga todos os super-humanos a se cadastrarem em seu banco de dados, revelando suas identidades secretas. Esta lei polêmica polariza os heróis e dois partidos se formam: o grupo a favor do registro, liderados pelo Homem de Ferro, e aqueles contrários à prática, liderados pelo Capitão América. Esta luta entre as duas facções de heróis será conhecida no Universo Marvel como Guerra Civil.

Relembrar os eventos da Guerra Civil, que ocorreram em 2006 nos quadrinhos, e uma década depois nos cinemas, me levou a refletir a respeito das divergências ideológicas que acontecem em nossos grupos cristãos. Diferenças doutrinárias dividem denominações protestantes que divergem em determinados pontos de vista não poderiam nos afastar e dividir. Não precisamos pensar em outras denominações, mas dentro de nossas igrejas locais já podemos ter uma dimensão do problema. Fomos chamados para a unidade, mas sofremos com a inveja, com o egoísmo, com a falta de compaixão e com a facilidade em julgar nosso irmão, como se não cometêssemos pecados ou errássemos em nossa jornada.

Vivemos em "guerra civil" com grupos e "panelas" que nos afastam de nosso propósito maior, que é trazer o Reino de Deus para a Terra e pregar as boas novas da salvação. Voltemos nossos olhos à missão diante de nós, para que com isso sejamos todos soldados parceiros na batalha. Todos devemos nos defender dos ataques do verdadeiro inimigo da igreja!

Unidos venceremos, divididos cairemos!

▶ **Desafio**
O que você pode fazer de maneira prática nesta semana, para deixar de lado discussões nas redes sociais e demonstrar mais amor pelas almas perdidas?

▶ **Referência**
Façam todo o esforço para conservar a unidade do Espírito pelo vínculo da paz.. **Efésios 4:3**

Que eles sejam levados à plena unidade, para que o mundo saiba que tu me enviaste, e os amaste como igualmente me amaste. **João 17:23**

CRISTO É A ORIGEM DA JUSTIÇA

Após a batalha épica que causou destruição em massa na cidade de Metrópolis entre Superman e o General Zod, a opinião pública está dividida a respeito do papel do Homem de Aço no planeta. Enquanto muitos acreditam que ele é uma espécie de salvador da raça humana, outros o encaram como uma ameaça, pois como é possível controlar um ser tão poderoso? Neste segundo grupo está Bruce Wayne que entrará em conflito com Kal-El. Enquanto os dois brigam, entretanto, a verdadeira ameaça se levanta. "Batman Vs. Superman: a Origem da Justiça" estreou em 2016 e foi dirigido por Zack Snyder.

A discussão que este filme propõe apresenta, por um lado a fé e a crença em uma força superior. Por outro, o temor que os humanos possuem por serem incapazes de controlar esta mesma força. Em nossa jornada na Terra, temos que enfrentar o mesmo dilema. Podemos crer e ter fé em um Deus que tem todo o poder sobre nossas vidas ou resolvermos que é muito perigoso entregar nossas vidas nas mãos de um Deus com um poder inimaginável desses e por isso O negligenciar.

Diferente de Kal-El que é regido por sentimentos muito humanos para um extraterrestre, nosso Deus segue um padrão moral muito mais elevado. Sua intervenção na história é baseada em seu grande amor pela humanidade, que Ele mesmo criou, para que como Filhos, para que houvesse um relacionamento íntimo com Ele, entre Pai e filhos.

Por isso podemos ter a certeza de que nossa fé e devoção a Deus é a melhor decisão que podemos tomar em nossa vida, sem medo do que acontecerá nos próximos episódios desta saga com Deus!

▶ Referências

Quem não ama não conhece a Deus, porque Deus é amor. **1 João 4:8**

Porque Deus tanto amou o mundo que deu o seu Filho Unigênito, para que todo o que nele crer não pereça, mas tenha a vida eterna. **João 3:16**

▶ Curiosidade

O novo uniforme do Batman é baseado na roupa que o Homem Morcego utiliza na HQ "Batman – O Cavaleiro das Trevas", de Frank Miller.

NÃO DESISTA DA **ESPERANÇA**

Luke Skywalker é o último representante da Ordem Jedi após a Queda do Império Galáctico. Por esta razão forma uma nova escola para treinar jovens nos caminhos da Força. Um desses alunos é seu sobrinho Ben Solo, que é poderoso na Força. Ben volta-se para o lado Sombrio, aniquila todos os alunos de Luke e transforma-se em Kylo Ren, líder dos cavaleiros de Ren, discípulo do Líder Supremo Snoke. A decepção de Luke com o fracasso de sua escola e o peso pelas mortes de seus alunos o perturba de tal forma, que ele parte para um exílio e seu destino é desconhecido. Mesmo com sua presença sendo fundamental na luta entre a Nova República e a Primeira Ordem, ele abandona seus ideais e desaparece.

Nós não somos diferentes. Temos muitas expectativas em projetos e sonhos sobre os quais depositamos toda nossa esperança e esforço. Luke queria reviver os tempos áureos da Ordem Jedi e deixar um legado para as gerações futuras. Mas este sonho foi frustrado por elementos externos e, a partir deste momento, um recomeço não foi mais possível. Muitas vezes sofremos uma decepção e isso nos tira o chão. Cair não é o problema, mas sim permanecer lá!

Cada fracasso ou frustração devem ser degraus para nossa próxima tentativa. Nossos erros são maravilhosos professores que nos ensinam por quais caminhos não devemos ir. Somos responsáveis por nossas ações, mas devemos colocar projetos e sonhos diante de Deus para que possamos ser bem-sucedidos no que fizermos.

Uma vez nas mãos do Criador do Universo, tudo o que podemos fazer é confiar que, independente do resultado, tudo está dentro de seus propósitos!

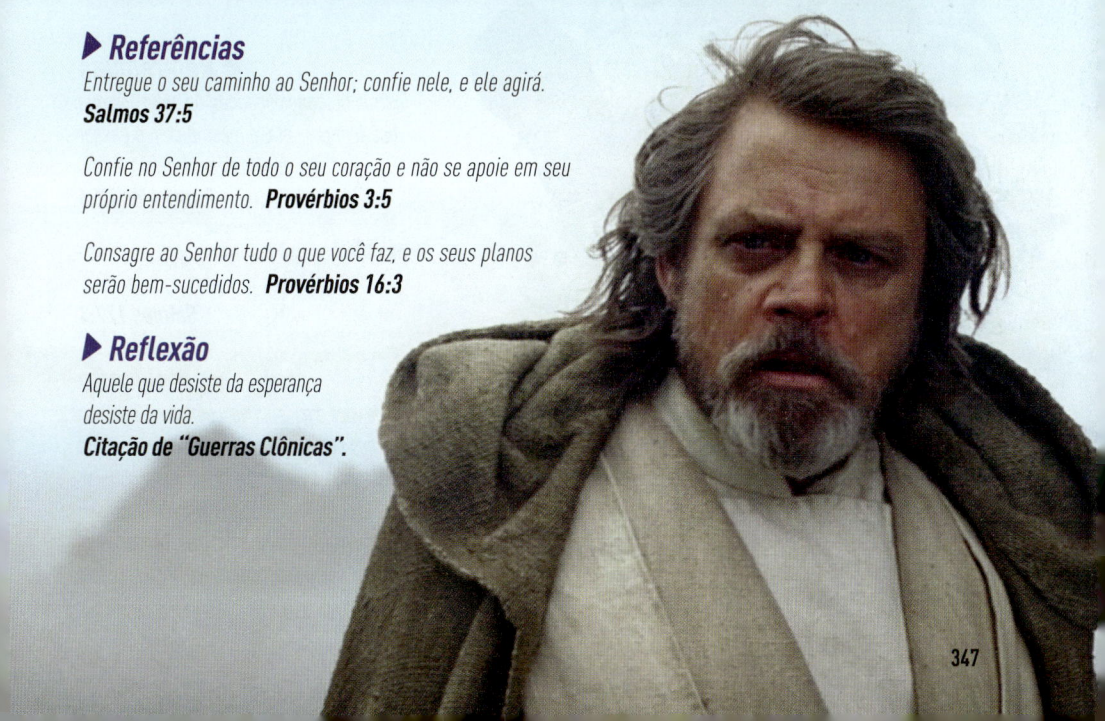

▶ Referências

Entregue o seu caminho ao Senhor; confie nele, e ele agirá.
Salmos 37:5

Confie no Senhor de todo o seu coração e não se apoie em seu próprio entendimento. **Provérbios 3:5**

Consagre ao Senhor tudo o que você faz, e os seus planos serão bem-sucedidos. **Provérbios 16:3**

▶ Reflexão

Aquele que desiste da esperança desiste da vida.
Citação de "Guerras Clônicas".

FILHOS PRECISAM AMADURECER

Conde Drácula construiu um hotel cinco estrelas para monstros de todo o mundo onde podem encontrar descanso, livres dos humanos dos quais eles têm pavor. Ele aproveita o aniversário de 118 anos de sua filha Mavis para chamar os monstros mais famosos do mundo para a festa. Ela porém quer explorar o mundo do qual foi privada por seu pai todos estes anos. Drácula prepara uma vila de fachada com seus funcionários para que Mavis ache que os humanos são perigosos e assim ela retorna ao hotel de seu pai. Este é o início do enredo de "Hotel Transilvânia", uma animação da Sony Pictures Animation que estreou em 2012.

Proteger os filhos dos perigos do mundo externo é uma técnica comum da maioria dos pais que não querem ver seus filhos, sua herança, sofrendo com os males do mundo. O grande problema desta prática é que, ao privá-los do contato com os desafios da vida, os pais não preparam seus filhos para a vida adulta, e consequentemente, para a maturidade emocional, tão importante para a sequência da existência humana. O resultado direto deste assunto é uma geração de jovens com uma mentalidade adolescente. Não conseguem sair da casa dos pais, não conseguem se sustentar sozinhos, não conseguem constituir uma família. Os pais devem preparar seus filhos para esta ocasião!

Não podemos nos esquecer que os filhos pertencem a Deus e devemos prepará-los para que possam cumprir a plenitude de seu chamado diante Dele!

▶ Referências

Instrua a criança segundo os objetivos que você tem para ela, e mesmo com o passar dos anos não se desviará deles.
Provérbios 22:6

Como flechas nas mãos do guerreiro são os filhos nascidos na juventude.
Salmos 127:4

▶ Desafio

Se você é pai ou mãe, como pode preparar seus filhos para cumprirem o propósito de Deus para a vida deles? Se você for solteiro, comece buscando maturidade em seu relacionamento com seus pais, obedecendo, respeitando e orando por eles.

AS DIFICULDADES FORTALECEM
OS SOLDADOS DE CRISTO

John, Brian, Claire, Allison e Andrew são jovens estudantes que passam um sábado inteiro reunidos na detenção da escola Shermer High School. Embora estudem no mesmo colégio, será a primeira vez em que passarão tempo juntos. Aos poucos, começam a conhecer mais sobre os dramas pessoais de cada um e entendem que estão conectados pelas histórias tristes de suas vidas. Para eles, a detenção foi uma maneira de passar um tempo fora de seus problemas caseiros. "O Clube dos Cinco" é um filme de 1985 escrito e dirigido por John Hughes.

Cinco colegas que descobrem o sentimento de não desejarem mais voltar à vida que possuem fora da escola. Muitas pessoas têm o mesmo pensamento em nossas igrejas. Fora do ambiente eclesiástico, suas vidas estão tão problemáticas, com tantos desafios, que elas gostariam de permanecer no templo na presença de Deus. Precisamos entender algumas coisas a este respeito. Nossas vidas passarão por momentos de dificuldade e isto é um fato. Ao mesmo tempo, são estes eventos que nos capacitam ao amadurecimento espiritual. Por esta razão precisamos resistir e permanecer firmes diante das adversidades da vida.

Passando por desafios ou períodos de alegria, o melhor lugar para se estar é na presença de Deus!

▶ Referências

Eu lhes disse essas coisas para que em mim vocês tenham paz. Neste mundo vocês terão aflições; contudo, tenham ânimo! Eu venci o mundo. **João 16:33**

Resistam-lhe, permanecendo firmes na fé, sabendo que os irmãos que vocês têm em todo o mundo estão passando pelos mesmos sofrimentos. **1 Pedro 5:9**

▶ Curiosidade

"O Clube dos Cinco" é considerado pela crítica como um dos melhores filmes sobre o ensino médio americano de todos os tempos. Ele é um clássico cult e uma obra que define a década de 1980. A partir dele, surgem muitos outros filmes sobre a vida adolescente em ambiente escolar.

A SALVAÇÃO E AS OBRAS

Alexander "Lex" Luthor é uma das pessoas mais inteligentes do mundo, bilionário, cientista, inventor e o maior filantropo da cidade de Metrópolis. Por fim, desde sua primeira aparição nas HQ's da DC Comics, em 1940, é o arqui-inimigo do Superman. Lex é carismático, conhecido, e tem o objetivo de eliminar o Homem de Aço, pois enxerga nele um empecilho para seus planos de dominação global. A face que os cidadãos de Metrópolis conhecem é a do grande benfeitor da cidade, que doa enormes quantias para ajudar a financiar a cidade a partir de fundações, parques e instituições de caridade.

É interessante pensar que o fato de realizar boas obras não tornou Luthor um bom homem. Ele é considerado pelo ranking da IGN como o 4º maior vilão de todos os tempos, mesmo não possuindo nenhum poder especial. Realizar obras de caridade, ajudar em atividades quaisquer não afeta o benfeitor, se ele não tiver recebido a salvação gratuita de Deus. Não existe relação entre boas obras e Salvação, mas existe um vínculo estreito entre as obras e a fé. Esta relação é apontada por Tiago como duas faces de uma mesma moeda, pois é necessário complementar a fé com as obras práticas que revelam o verdadeiro discípulo de Cristo.

A salvação é um dom gratuito de Deus mediante o arrependimento genuíno dos pecados e a crença na morte e ressurreição de Cristo.

As obras são fundamentais para o cristianismo, pois elas demonstram o coração daquele que já conhece a Jesus, As obras não salvam, apenas revelam o coração fiel a Cristo.

▶ Referências

E, se é pela graça, já não é mais pelas obras; se fosse, a graça já não seria graça.
Romanos 11:6

Assim como o corpo sem espírito está morto, também a fé sem obras está morta.
Tiago 2:26

▶ Reflexão

As boas obras não tornam bom o homem, mas o homem bom pratica boas obras. As obras más não tornam mau o homem, mas o homem mau pratica obras más.
Martinho Lutero.

VOCÊ NÃO PRECISA SEGUIR
PADRÕES ESTABELECIDOS

Mortícia Addams é a guardiã das tradições bizarras de sua família e é a responsável em repreender seus filhos quando fazem algo "agradável". Seu maior prazer é cortar as rosas e jogar fora os botões, pois acha os caules com espinhos encantadores. Angelica Houston interpretou Mortícia Addams na adaptação para o cinema em 1991.

Mortícia notava beleza em coisas que as demais pessoas desprezavam. A beleza está nos olhos de quem vê, como diria o poeta. O que é belo para você? O padrão de corpo que a mídia impõe? A silhueta que a TV mostra como padrão de beleza? A renda que a sociedade diz que você precisa ter para comprar tudo aquilo que o comércio quer que você compre? Cuidado, pois algumas coisas são armadilhas inatingíveis, onde gastamos nosso tempo e energia, sem alcançar esses objetivos.

Ame quem você é, pois a imagem e semelhança do Deus Altíssimo está em você! Você foi escolhido (a) desde o ventre materno. Não despreze isso, busque o Reino e tudo o que você precisa será acrescentado. A criação de Deus é belíssima, não abra mão dos pequenos prazeres diários, enquanto ainda pode, pois os dias maus virão e talvez já não consiga enxergar os pequenos presentes diários que Ele nos oferece!

Não procure ser feliz segundo o que as outras pessoas dizem ser felicidade! Procure sua alegria em Deus e seja feliz! Não seja mais uma cópia do convencional; o mundo precisa de pessoas autênticas e originais!

▶ Referências

A beleza é enganosa, e a formosura é passageira; mas a mulher que teme ao Senhor será elogiada.
Provérbios 31:30

Pelo contrário, esteja no ser interior, que não perece, beleza demonstrada num espírito dócil e tranquilo, o que é de grande valor para Deus. **1 Pedro 3:4**

▶ Desafio

Escreva algumas medidas práticas que você pode tomar para não ser enganado pelos padrões sociais impostos pela sociedade de consumo. Por exemplo: assistir a menos programas de TV e ler mais a Bíblia.

VOCÊ NÃO PRECISA PECAR
PARA CURTIR A VIDA!

Ferris Bueller é um jovem que está no último ano do ensino médio e resolve faltar aula para "aproveitar" um pouco a vida. Ele finge estar doente e mata a aula junto com seu amigo Cameron e a namorada Sloane. Conta sucessivas mentiras para conseguir seu objetivo de ter um dia realmente memorável para poder se lembrar. Interessante que, mesmo aprontando muitas confusões e sendo "espertinho" no mau sentido da palavra, Ferris acaba terminando o filme numa boa, conseguindo manter sua mentira diante de seus pais e do diretor da escola. "Curtindo a Vida adoidado" é uma comédia dirigida por John Hughes que estreou em 1986.

Este clássico adolescente dos anos 1980 sobre o aparente paradoxo entre aproveitar a vida e estudar, pode nos ajudar a refletir sobre alguns aspectos no dia de hoje. Na vida real, as estratégias de Ferris não funcionariam para sempre e um mentiroso e ardiloso adolescente, mais cedo ou mais tarde seria pego. Não pensar no futuro pode nos cegar para as consequências de nosso presente.

Não precisamos e nem devemos buscar "curtir a vida" segundo esse padrão rebelde de nosso personagem de hoje. É possível viver feliz e alegre buscando a Deus e caminhando em verdade e santidade enquanto estivermos respirando. Procure ser encontrado fiel por Deus, pois quando brincamos de cristianismo estamos jogando uma espécie de roleta russa espiritual, pois não sabemos quanto tempo ainda teremos para nos arrepender de nossos pecados!

▶ Referência

Vocês pertencem ao pai de vocês, o diabo, e querem realizar o desejo dele. Ele foi homicida desde o princípio e não se apegou à verdade, pois não há verdade nele. Quando mente, fala a sua própria língua, pois é mentiroso e pai da mentira. **João 8:44**

▶ Curiosidade

"Curtindo a vida adoidado" é considerado pela crítica moderna como um clássico e uma obra insuperável no estilo, que não envelheceu. A atuação de Mattew Broderic é a mais marcante de sua carreira.

NÃO COLECIONE
AQUILO QUE FAZ MAL

O Colecionador é uma entidade cósmica da qual não sabemos muito, incluindo seu passado, idade ou poderes. Sua missão é percorrer a Galáxia procurando espécies raras ou em extinção, para as prender em sua base espacial e estudá-las, alimentando a sua vasta coleção. Essa base é um planeta prisão. Para ele, seu trabalho tem o objetivo de salvar as espécies protegendo-as em sua nave planetária. O personagem foi criado por Stan Lee e Don Heck em 1966. No Universo Cinematográfico da Marvel, Benício Del Toro deu vida ao Colecionador.

Saindo do Universo Marvel e voltando à vida real, existem muitos "Colecionadores" em nosso meio. Pessoas que colecionam emoções negativas, como traumas, mágoas e frustrações e as guardam no fundo de suas almas para não esquecerem daquilo que os outros lhes fizeram. Isso faz muito mal para elas, pois estão sempre preparadas para tirar alguma emoção de suas prateleiras para mostrar para pessoas que queiram se aventurar na convivência com elas.

Nosso passado é importante, pois conta nossa história de vida. Entretanto, devemos tratar todas as questões emocionais que nos afetam para que possamos lembrar sem que venhamos a sentir a dor de uma ferida ainda aberta. A lembrança saudável deve parecer com uma cicatriz que não causa mais dor.

Não é uma tarefa fácil, mas necessária para nosso amadurecimento espiritual e emocional! Livre-se de suas coleções e abra espaço para novas e boas emoções em sua vida!

▶ Referências

Irmãos, não penso que eu mesmo já o tenha alcançado, mas uma coisa faço: esquecendo-me das coisas que ficaram para trás e avançando para as que estão adiante, prossigo para o alvo, a fim de ganhar o prêmio do chamado celestial de Deus em Cristo Jesus.
Filipenses 3:13,14

▶ Reflexão

Às vezes é preciso esquecer o passado para que se tenha um futuro.
Citação de "A Era do Gelo 2".

NÃO SEJA UM (A) CHANTAGISTA EMOCIONAL

O **Gato de Botas** é dado como a herança de um pai ao seu filho caçula. Depois de ganhar um par de botas, o gato convence um rei muito poderoso de que pertence a um nobre chamado Marquês de Carabás e consegue que seu dono se case com a princesa. Como este é um conto muito antigo, datado do século XVII, existem muitas variações da história. Mais recentemente, ele aparece como coadjuvante nas histórias do ogro Shrek, onde mostra seus olhos irresistíveis, que acaba desarmando qualquer oponente, pois é muito gracioso quando faz sua famosa "carinha de pedinte".

É exatamente sobre este ato de manipulação emocional de nosso pequeno e "fofinho" personagem de hoje, que eu gostaria de conversar com você. Devemos fugir de todo o tipo de manipulação, seja emocional ou física, pois somos filhos e filhas de Deus que devem caminhar em santidade e transparência na Terra. Quando precisamos manipular as emoções de alguém para conseguir o que queremos, será que estamos caminhando segundo a Palavra de Deus? É preciso tomar muito cuidado com nossa conduta, e a chantagem não deve fazer parte de nossas opções para relacionamentos de qualquer tipo.

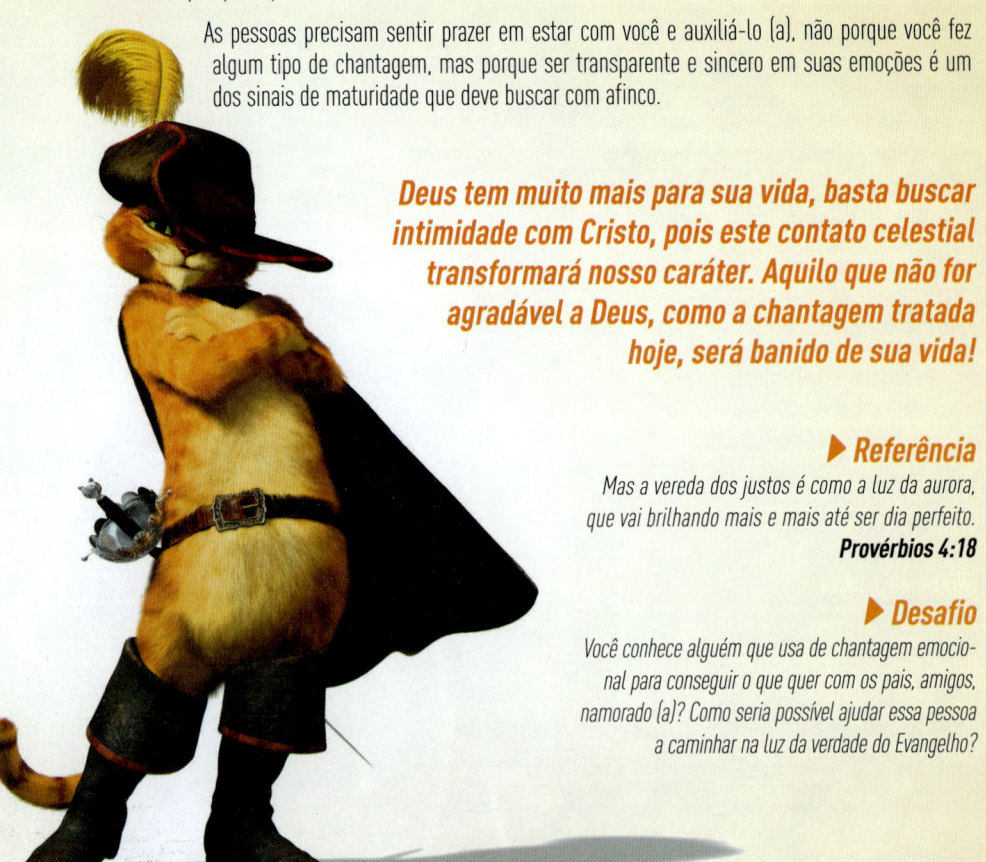

As pessoas precisam sentir prazer em estar com você e auxiliá-lo (a), não porque você fez algum tipo de chantagem, mas porque ser transparente e sincero em suas emoções é um dos sinais de maturidade que deve buscar com afinco.

Deus tem muito mais para sua vida, basta buscar intimidade com Cristo, pois este contato celestial transformará nosso caráter. Aquilo que não for agradável a Deus, como a chantagem tratada hoje, será banido de sua vida!

▶ **Referência**
Mas a vereda dos justos é como a luz da aurora, que vai brilhando mais e mais até ser dia perfeito.
Provérbios 4:18

▶ **Desafio**
Você conhece alguém que usa de chantagem emocional para conseguir o que quer com os pais, amigos, namorado (a)? Como seria possível ajudar essa pessoa a caminhar na luz da verdade do Evangelho?

OS FINS NÃO JUSTIFICAM
OS MEIOS PARA VOCÊ!

Dra Bernadette Rostenkowski era uma garçonete que trabalhava com Penny no Cheesecake Factory para pagar sua pós-graduação em microbiologia. Conhece Howard com quem vai se casar mais tarde e adotar o sobrenome Wolowitz. Quando termina seu doutorado, é contratada por uma empresa farmacêutica que promete a ela muito dinheiro, o que deixa Howard muito enciumado por ganhar menos que sua esposa. Ela é de baixa estatura com uma voz aguda e tranquila. Este estereótipo desaparece quando ela entra em qualquer tipo de competição. Ela fica extremamente nervosa e perde todos os princípios cristãos que possui para vencer a qualquer custo. Na série, este comportamento é hilário, mas na vida real pode ser extremamente perigoso e destrutivo.

Vivemos em uma sociedade competitiva onde os fins justificam os meios e é possível passar por cima de outras pessoas desde que seja para estar em situações pessoas, desde a partir de uma perspectiva cristã, não devemos usar nossa própria força para vencer na vida. Devemos buscar em Deus nossa vitória. É através Dele que podemos conquistar o que precisamos nesta Terra. Esta verdade pode nos trazer muita paz neste mundo estressado em que vivemos, pois Deus cuida de nossos assuntos enquanto dormimos!

Existe algo que você precisa e já não sabe se vai conseguir? Entregue hoje nas mãos de Deus e Ele fará sempre o que for melhor para sua vida!

▶ Referências
Será inútil levantar cedo e dormir tarde, trabalhando arduamente por alimento. Aos seus amados ele o dá enquanto dormem.
Salmos 127:2

Quem retribui o bem com o mal, jamais deixará de ter mal no seu lar.
Provérbios 17:13

▶ Curiosidade
Melissa Rauch, que interpreta Bernadette, tem apenas 1,50 m.

NÃO PERCA TEMPO
COM A RAIVA

Mônica tem sete anos de idade e mora no Bairro do Limoeiro, bairro fictício que é o palco para a maioria das histórias da Turma. Ela tem um gênio muito forte e constantemente entra em conflito com os meninos do bairro por zombarem de suas características físicas como seus dentes salientes. Um detalhe interessante é que ela possui uma força muito superior a uma menina de sua idade e até mesmo de um adulto, pois já levantou uma casa sozinha. Quando perde o controle, geralmente bate em seus colegas com as mãos, ou com seu coelho Sansão, que constantemente é roubado pelos meninos para irritar a "dona da rua".

Crianças geralmente são bastante transparentes com relação aos seus sentimentos, por isso não conseguem esconder o que sentem. Mônica vai melhorar muito seu temperamento na adolescência, o que pode ser visto na HQ "Turma da Mônica Jovem". Ainda assim, é a mais explosiva da Turma. Precisamos tomar cuidado com nosso temperamento, pois nossos pontos fracos serão explorados pelo inimigo de nossas almas e por outras pessoas, como Cebolinha que sabia exatamente como irritar sua colega.

Existem sentimentos que afetam muito mais quem os têm do que as pessoas que são o alvo destes mesmos sentimentos. A raiva e seus derivados: a fúria e a ira, são bons exemplos disso. Devemos manter o autocontrole, pois ele nos leva a tomar as melhores decisões, que não faríamos de "cabeça quente".

Proteja-se da raiva, adotando o caráter de Cristo que é manso e humilde de coração!

▶ **Referências**

Mas agora, abandonem todas estas coisas: ira, indignação, maldade, maledicência e linguagem indecente no falar. **Colossenses 3:8**

Não permita que a ira domine depressa o seu espírito, pois a ira se aloja no íntimo dos tolos. **Eclesiastes 7:9**

Evite a ira e rejeite a fúria; não se irrite: isso só leva ao mal. **Salmos 37:8**

▶ **Reflexão**

A cada minuto que passamos com raiva, perdemos sessenta felizes segundos. **W. Somerset Maugham.**

ZOMBAR DOS OUTROS
GERA CONSEQUÊNCIAS

Cebolinha tem por volta de 8 anos e também mora no bairro do Limoeiro. Apresenta dislalia com a troca da letra R pela L, e é a principal razão da raiva de Mônica. Muito inteligente, arquiteta planos e mais planos "infalíveis" para roubar Sansão e tomar o falso controle da rua onde moram. Cebolinha possui este apelido devido ao cabelo espetado, e tem um estilo extremamente zombador, sempre tirando sarro dos outros. Foi criado por Maurício de Sousa em 1960 como o protagonista da Turma, mas desbancado pela Mônica, criada três anos mais tarde. Ele é um dos personagens mais importantes da história dos quadrinhos brasileiros, conhecido em vários países.

Uma prática comum entre amigos é a criação de apelidos e aquelas brincadeiras de mau gosto, as famosas "trolagens" da galera. Precisamos estar atentos para a reação das pessoas, pois muitas podem não gostar do tipo de brincadeira que é feita. Por esta razão, sempre aconselho que as brincadeiras sejam saudáveis para evitar que existam consequências que possam acabar com amizades. Cebolinha apanha em quase toda a história da turma e seus planos sempre fracassam. Este é o destino dos zombadores: sofrer a consequências de seus atos!

Tome cuidado com suas piadas e brincadeiras, pois elas podem ferir alguém. Na dúvida, faça diferente do dito popular: prefira sempre perder a piada, mas não o amigo!

▶ Referências

Quando se manda embora o zombador, a briga acaba; cessam as contendas e os insultos.
Provérbios 22:10

Se você for sábio, o benefício será seu; se for zombador, sofrerá as consequências.
Provérbios 9:12

Antes de tudo saibam que, nos últimos dias, surgirão escarnecedores zombando e seguindo suas próprias paixões. **2 Pedro 3:3**

▶ Desafio

Para você, quais são os limites entre a brincadeira saudável dos amigos e a zombaria? Como você pode saber se a pessoa está irritada ou tranquila com suas brincadeiras?

A ANSIEDADE NOS CEGA
PARA O SOBRENATURAL

Magali tem 7 anos de idade e é conhecida por sua fome descomunal. Tudo o que ela come é em alta velocidade e sua fome nunca acaba. Mas ela não sofre o efeito colateral de comer muito, pois nunca engorda. Sempre aparece com uma fatia de melancia, sua comida favorita. É a melhor amiga da protagonista Mônica. Sua primeira aparição foi em uma tirinha do jornal Folha de São Paulo em 1964.

Magali representa uma enfermidade na pós-modernidade: a ansiedade, em que um dos sintomas é o descontrole alimentar... Digo uma enfermidade pois converso com muitas pessoas que tomam remédios contra a ansiedade. Elas sentem preocupação e medo extremos em situações simples de rotina. Essa preocupação atrapalha no sono e na alimentação, sendo a comida uma das válvulas de escape para os distúrbios de ansiedade. A Bíblia nos mostra o antídoto para este sentimento. Preocupação e medo surgem de um coração e mente que não consegue se entregar por completo aos pés de Cristo. Quando não confiamos plenamente no cuidado de Deus, começamos a viver preocupados e ansiosos. Não fomos criados para uma vida de preocupações excessivas, pois temos a fé à nossa disposição e isto deveria ser mais que suficiente para nos prevenir da ansiedade.

A preocupação não nos ajuda a resolver os problemas, então nada melhor do que descansar e confiar na santa soberania de Deus para nossas vidas e viver tranquilos e livres de toda ansiedade!

▶ Referências

Lancem sobre ele toda a sua ansiedade, porque ele tem cuidado de vocês. **1 Pedro 5:7**

O coração ansioso deprime o homem, mas uma palavra bondosa o anima. **Provérbios 12:25**

Portanto, não se preocupem com o amanhã, pois o amanhã se preocupará consigo mesmo. Basta a cada dia o seu próprio mal. **Mateus 6:34**

▶ Curiosidade

Magali é outra personagem baseada em uma das filhas do criador Maurício de Souza. A Magali verdadeira é realmente comilona e devorava uma melancia inteira quando criança, conforme informações do próprio Maurício em entrevistas.

COMECE A LIMPEZA
PELO INTERIOR DA ALMA

Cascão é o melhor amigo de Cebolinha e tem sua maior peculiaridade no fato de detestar tomar banho. Ele é apaixonado pela sujeira, o que leva vários vilões a perseguirem o garoto por dois grupos principais: os que querem limpá-lo, como o Doutor Olimpo, que é paranoico com limpeza, e os que não querem concorrência, como o Capitão Feio, que vive nos esgotos. Foi criado antes das meninas, em 1961 pelo mestre Maurício de Souza.

No Antigo Testamento, a limpeza externa era muito importante, por questões sanitárias, pois o povo vivia em regiões desérticas, em acampamentos, onde epidemias poderiam ocorrer ao não tomar cuidado com a higiene e questões rituais, pois o exterior seria um reflexo do interior. O tempo passou e os rituais perderam seu significado simbólico, ao se transformarem em cerimônias vazias e sem sentido. Jesus chegou para devolver o sentido original das coisas, pois o que está dentro da pessoa é mais importante do que o que ela faz externamente. A pureza da alma é muito mais importante do que a limpeza externa. Aliás, aquilo que alimenta nossos pensamentos e sentimentos vai refletir nossas atitudes públicas.

Em nossos dias, associamos a sujeira ao pecado, pois a sensação de estar "sujo" diante de um Deus que é Santo nos afasta Dele. Precisamos constantemente nos lavar nas águas do arrependimento genuíno para com coragem e ousadia permanecermos em Sua Presença!

Cuide da alma, se ela for limpa, todo seu exterior também o será!

▶ Referências

Fariseu cego! Limpe primeiro o interior do copo e do prato, para que o exterior também fique limpo.
Mateus 23:26

Sendo assim, aproximemo-nos de Deus com um coração sincero e com plena convicção de fé, tendo os corações aspergidos para nos purificar de uma consciência culpada e tendo os nossos corpos lavados com água pura.
Hebreus 10:22

▶ Reflexão

Não procure fora, mas dentro de você; é no interior do homem que habita a verdade. **Agostinho.**

TODAS AS VIDAS
MERECEM RESGATE

O capitão John Miller participa do desembarque dos soldados americanos na Normandia, no conhecido Dia D. Após o ataque, descobre-se que três irmãos da família Ryan haviam morrido em combate e o capitão Miller é designado para a missão de resgate do último Ryan vivo. Ele se chama James Francis, um paraquedista cujo agrupamento cai no local errado, podendo estar em qualquer lugar da França. O capitão e seu pelotão começam uma jornada para resgatar o soldado Ryan em meio à Segunda Grande Guerra. "O Resgate do Soldado Ryan" é um filme de guerra épico de 1998 dirigido por Steven Spielberg, que venceu o Oscar de melhor diretor pelo trabalho.

Este clássico dos filmes de guerra mostra muito bem o valor de uma pessoa. Um batalhão inteiro se arriscará para resgatar uma única vida do inferno da guerra. Este é nosso papel como cristãos: levar vida àqueles que estão condenados à morte eterna. Podemos tentar amenizar o discurso, o que aliás está muito em voga em nossos dias, mas a grande realidade é que todos merecemos o fogo do inferno por sermos maus. Através da maravilhosa graça de Deus recebemos o perdão de nossos pecados, quando entendemos que Jesus morreu e ressuscitou para que vivêssemos em liberdade Nele todos os dias de nossas vidas.

Não se engane: todas as vidas são importantes para Deus e por isso todos merecem uma chance para ouvirem esta notícia maravilhosa! Mas para isso você precisa ser a voz de Deus nesta geração!

▶ Referências

Pois nem mesmo o Filho do homem veio para ser servido, mas para servir e dar a sua vida em resgate por muitos.
Marcos 10:45

Lembrem-se disso: Quem converte um pecador do erro do seu caminho, salvará a vida dessa pessoa e fará que muitíssimos pecados sejam perdoados. **Tiago 5:20**

▶ Desafio

Nesta semana comece a orar por um amigo seu que ainda não conhece a Jesus. Convide este amigo a visitar sua célula ou o culto com você!

CRISTO CARREGOU NOSSA MALDIÇÃO NA CRUZ

Gerry Lane é um ex-investigador da ONU durante uma epidemia global semelhante a uma raiva, que gera zumbis em grande parte do planeta. Ele é designado a descobrir a origem da epidemia para que os cientistas consigam uma cura. Ao longo de sua jornada, ele descobre que os zumbis não atacam pessoas com enfermidades terminais e a partir disso desenvolve uma tese que será comprovada de que é possível "mascarar" a presença humana próximo aos zumbis com a manipulação de doenças em laboratório. Para salvar a humanidade, Gerry injeta em si mesmo uma doença mortal. "Guerra Mundial Z" é um filme de 2013, dirigido por Marc Foster e protagonizado por Brad Pitt.

Desde a primeira vez em que assisti a este filme, a ideia de que para escapar da morte pelos zumbis era necessário ficar doente, associei isso imediatamente ao ministério de Cristo. Ele deixou a glória dos céus para tomar sobre si a maldição que estava sobre nós. Aquele que não tinha pecado, tornou-se pecado para que pudéssemos ser salvos.

É maravilhoso sentir a graça de Cristo neste nível, pois Ele cumpriu todos os requisitos para que eu e você tivéssemos o acesso ao Pai e ao Reino dos Céus! Tudo o que precisamos fazer é reconhecer nossa real condição de pecadores, nos arrependermos, mudar a direção de nossa vida e a partir deste dia viver para Cristo, todos os dias que nos restarem!

Que esta informação nos leve cada dia mais a nos aprofundar no conhecimento de Cristo para que mais e mais pessoas recebam a salvação de suas almas!

▶ Referências

Cristo nos redimiu da maldição da lei quando se tornou maldição em nosso lugar, pois está escrito: Maldito todo aquele que for pendurado num madeiro. **Gálatas 3:13**

Deus tornou pecado por nós aquele que não tinha pecado, para que nele nos tornássemos justiça de Deus. **2 Coríntios 5:21**

▶ Curiosidade

O filme é baseado no livro "Guerra Mundial Z", escrito por Max Brooks e publicado em 2006.

O PASSAPORTE PARA O SOBRENATURAL É A FÉ!

Fox Mulder e Dana Scully são agentes do FBI que lidam com casos não explicados, arquivados no subsolo da instituição com o nome de Arquivos X. Estes arquivos contêm supostos casos de abdução e interação extraterrestre que parece envolver o governo americano para tentar ocultar a existência de alienígenas. Agente Scully, uma médica, cientista e legista cética, foi designada para invalidar as teorias de Mulder, que acredita piamente em seu argumento sobre os alienígenas. Ao invés disso, ela passa a acreditar no que o colega diz e nas evidências cada vez maiores a respeito da conspiração. "Arquivo X" foi uma série de muito sucesso na década de 1990, estreando em 1993 e encerrando em 2002, mas retornando em 2016 para uma décima temporada.

Esta série apresenta um paradoxo entre os dois personagens principais, segundo o próprio produtor Chris Carter. Mulder é um homem de fé que acredita nas evidências de vida alienígena, enquanto Scully é a cética que não crê em nada que não possa ver. Quando falamos sobre Cristo, sua morte e ressurreição, temos os mesmos grupos. Os que acreditam na Bíblia e os que não acreditam. Nós que acreditamos nas Escrituras, devemos falar a respeito delas em todas as oportunidades que tivermos. Aos poucos, os céticos começarão a ouvir o que temos a dizer, desde que o nosso testemunho de vida seja digno de um discípulo de Cristo.

Temos muitas evidências sobre o ministério de Cristo e a veracidade da Palavra de Deus, mas sempre chegaremos a um limiar, na fronteira entre o conhecido e o desconhecido, entre o natural e o sobrenatural!

Para cruzar esta fronteira, seu passaporte é a fé!

▶ Referências

Se você confessar com a sua boca que Jesus é Senhor e crer em seu coração que Deus o ressuscitou dentre os mortos, será salvo.
Romanos 10:9

Disse-lhe Jesus: Não lhe falei que, se você cresse, veria a glória de Deus? João 11:40

▶ Reflexão

Sua falta de fé é perturbadora!
Darth Vader

VOCÊ É UM AGENTE DE MILAGRES

Paul Edgecomb foi o chefe de guarda de uma prisão na Louisiana em 1935. Anos após sua aposentadoria, Paul está em um asilo e relembra seu contato com o condenado à morte John Coffey. Ele é acusado de assassinar brutalmente duas meninas. Aos poucos ele descobre que o detento possui um dom incomum de curar enfermidades e um embate interno acontece em Paul, que fica dividido entre cumprir seu dever ou livrar da morte um homem aparentemente inocente. "À Espera de um Milagre" foi baseado no livro de mesmo nome de Stephen King e estreou nos cinemas em 1999.

O misterioso dom de cura de John Coffey não é exclusividade do personagem do filme, mas para este que vos fala e todos os teólogos continuístas, os dons espirituais continuam em operação em nossos dias. Neste sentido, todo cristão sincero está apto a receber oração por cura de suas enfermidades e também a orar para que enfermos sejam curados. O foco desta visão sobre a doutrina do Espírito Santo está presente nas denominações cristãs tidas como pentecostais e comunidades cristãs que aceitam a manifestação do Espírito Santo como válida em nossos dias.

A ênfase da oração está no indivíduo que recebe a oração, e no amor de Deus por esta pessoa. Ela precisa se sentir amada por Deus em primeiro lugar e pela igreja de Cristo em segundo. Quem ora é apenas um canal para a manifestação da glória de Deus.

Existem alguns empecilhos para a cura, como a incredulidade, mas não existe nenhum empecilho para o amor.

▶ Referências

Jesus Cristo é o mesmo, ontem, hoje e para sempre. **Hebreus 13:8**

Pelo Espírito, a um é dada a palavra de sabedoria; a outro, a palavra de conhecimento, pelo mesmo Espírito; a outro, fé, pelo mesmo Espírito; a outro, dons de cura, pelo único Espírito; **1 Coríntios 12:8,9**

▶ Desafio

Pesquise em sua Bíblia textos que falem a respeito da cura divina e medite nestes textos. Eles serão o alimento de sua fé para que você também seja um agente de milagres em sua geração!

NENHUM INIMIGO PODE
VENCER OS FILHOS DE DEUS!

A **Estrela da Morte** é uma estação de batalha que possui proporções gigantescas. Carrega milhares de stormtroopers e caças de combate TIE. Sua maior arma é um laser alimentado pelos famosos cristais Kyber que formam os sabres de luz dos cavaleiros Jedi e Sith. Este gigantesco canhão laser tem a capacidade de aniquilar planetas inteiros. Tamanha ameaça e poder destrutivo gerou muito temor pela Galáxia. Mas, durante a batalha de Yavin, os rebeldes atacaram a Estrela da Morte e o jovem piloto Luke Skywalker atira dois mísseis de prótons na passagem deixada por Galen Erso no interior da estação. Ela é destruída, concedendo uma vitória tão grande à Aliança Rebelde, que a história será contada a partir deste evento como os anos ABY (Antes da Batalha de Yavin) e DBY (Depois da Batalha de Yavin).

Embora fosse uma estação bélica ameaçadora, a Estrela da Morte possuía uma grande fraqueza que permitia que um único caça de combate a destruísse. Penso em Satanás quando reflito na Estrela da Morte. Algumas heresias dos primeiros séculos da Igreja diziam que o poder de Deus e de Satanás eram equivalentes. Heresias dualistas sempre estiveram presentes, mas como disse, são heresias. Satanás é poderoso, mas ainda assim uma criatura. Não é possível comparar Criador com criatura. Claro que isso não nos exime de sermos prudentes e conhecermos nosso adversário, mas devemos confiar no Deus a quem servimos que é infinitamente mais poderoso que ele.

Você é protegido por Deus, então não tema o mal, confie!

▶ Referências

Em breve o Deus da paz esmagará Satanás debaixo dos pés de vocês. A graça de nosso Senhor Jesus seja com vocês. **Romanos 16:20**

O diabo, que as enganava, foi lançado no lago de fogo que arde com enxofre. **Apocalipse 20:10a**

▶ Curiosidade

Em 2012, a Casa Branca recebeu uma petição com mais de 25 mil assinaturas solicitando que a Estrela da Morte fosse construída. O número de assinaturas obrigou a Casa Branca a emitir um parecer sobre o pedido. Eles negaram a petição!

MÚSICA SECULAR vs. MÚSICA SACRA

26 NOV

Mia é uma barista e aspirante a atriz que conhece Sebastian, um pianista de jazz muito talentoso. Os dois encontram-se algumas vezes por acaso, até descobrirem que estão de fato apaixonados e começam um romance, que mais tarde vai se encerrar para que cada um possa se dedicar aos seus sonhos profissionais. Este é o enredo do musical "La La Land", de 2016, filme dirigido e escrito por Damien Chazelle. Teve 13 indicações ao Oscar 2017, levando 6 estatuetas.

Musicais são muito importantes na história do cinema e do teatro americano. Gostaria de aproveitar este estilo de filme para falar no devocional de hoje sobre o papel da música na vida do cristão. As canções oferecidas a Deus são sacrifícios de louvor que entregamos a Ele quando nos reunimos como igreja; por isso são fundamentais para o verdadeiro culto a Deus. O estilo literário da poesia bíblica, em especial os salmos foram escritos para serem cantados. A música possui uma linguagem própria e por isso transmite uma mensagem específica ao nosso coração. Ela se comunica com a nossa alma. Por isso, devemos cuidar com as músicas que ouvimos, pois muitas letras simplesmente não condizem com o estilo de vida que adotamos. Não acredito em estilo de música secular e estilo de música sacra, acredito em letras que edificam o meu espírito e outras que edificam a minha carne. Um bom exercício é ler a letra das músicas que você ouve sem a melodia.

▶ Referências

Aleluia! Como é bom cantar louvores ao nosso Deus! Como é agradável e próprio louvá-lo. **Salmos 147:1**

Cantem de alegria ao Senhor, vocês que são justos; aos que são retos fica bem louvá-lo. **Salmos 33:1**

Ofereçam música a Deus, cantem louvores! Ofereçam música ao nosso Rei, cantem louvores! **Salmos 47:6**

▶ Reflexão

Quando eu não consigo orar, eu canto. Apesar de cantar mal, Ele ouve o meu coração. **Martinho Lutero.**

APRENDA A OUVIR
A VOZ DE DEUS

Bumblebee faz parte do grupo dos Transformers que são robôs alienígenas capazes de se transformar em veículos, armas e máquinas diversas. Bee é o braço direito de Optimus Prime e um dos Autobots que protegem a humanidade dos vilões Decepticons. Antes de chegar ao planeta, sofreu um acidente que o fez perder seu sistema de fala. Para se comunicar com seus companheiros ou com os humanos, usa o sistema de som do carro Camaro em que se transforma. Bumblebee é um dos mais queridos e conhecidos Transformers, pois está presente em todas as versões da franquia.

Nosso personagem de hoje utiliza maneiras criativas para se comunicar com seus interlocutores. Da mesma maneira, Deus também se comunica com a humanidade criativamente. A Palavra de Deus é a maneira mais completa para ouvirmos a sua doce voz ecoando através da história. Mas Deus também utiliza outros meios de comunicação conosco: através da própria criação, dos pequenos detalhes do dia a dia, através de outros irmãos ou até mesmo de sonhos. São tantas maneiras que precisamos estar atentos para entender o que Ele quer dizer.

Nosso problema é que podemos esperar por uma dessas formas e acabamos perdendo seu recado para nós, quando Ele, em sua infinita sabedoria e criatividade, escolher outra forma para falar conosco.

Para não errar, a prioridade deve ser a Palavra de Deus pois através dela, gerações e gerações têm ouvido a poderosa voz de Deus para caminharem em vitória sobre a Terra!

▶ Referências

Pois a verdade é que Deus fala, ora de um modo, ora de outro, mesmo que o homem não o perceba. **Jó 33:14**

Pois desde a criação do mundo os atributos invisíveis de Deus, seu eterno poder e sua natureza divina, têm sido vistos claramente, sendo compreendidos por meio das coisas criadas, de forma que tais homens são indesculpáveis. **Romanos 1:20**

▶ Desafio

Deus se comunica de várias maneiras com seu povo. Como você pode prestar mais atenção aos sinais de Deus através dos detalhes do dia a dia?

DEUS É
O SENHOR DO TEMPO

O **Doutor** é chamado de Senhor do Tempo, um alienígena do planeta Gallifrey. Ele explora o Universo em sua máquina do tempo, uma nave espacial chamada TARDIS (Time And Relative Dimensions In Space), que tem a aparência de uma cabine telefônica londrina de 1963. Como Senhor do Tempo, o Doutor tem a capacidade de regenerar seu corpo, mudando suas características físicas e temperamento em cada regeneração, como forma de evitar sua morte. Ninguém sabe o verdadeiro nome do Doutor. "Doctor Who" é uma série de ficção científica britânica produzida pela BBC desde 1963!

Na minha opinião, é a série mais nerd de todos os tempos, pois agrega referências de praticamente todas as séries em um único lugar. Gostaria de aproveitar o título que o Doutor carrega consigo, sobre ser um dos Senhores do Tempo, para falar sobre o conceito da eternidade de Deus. Para nós humanos, que precisamos medir o tempo para sobreviver e conviver em sociedade, é estranho pensar em um Deus que sempre existiu e sempre existirá, antes mesmo da criação do Universo. Interessante porém, que a Bíblia não tenta explicar muito sobre este assunto, pois para o fiel, subentende-se que Deus simplesmente É.

Entender que Deus é o grande Eu Sou da história deve aliviar nossa alma preocupada com o relógio. Como é Eterno, não nos abandonará nem mudará de posicionamento com o passar do tempo, como nós humanos, fazemos.

Confie no verdadeiro Senhor do Tempo!

▶ Referências
Antes de nascerem os montes e de criares a terra e o mundo, de eternidade a eternidade tu és Deus. **Salmos 90:2**

Ele fez tudo apropriado a seu tempo. Também pôs no coração do homem o anseio pela eternidade; mesmo assim este não consegue compreender inteiramente o que Deus fez. **Eclesiastes 3:11**

▶ Curiosidade
O nome Senhor do Tempo, para descrever os conterrâneos do Doutor, não foi utilizado até 1969, cinco anos e meio após o show começar. Passaram-se mais quatro anos e meio antes de seu planeta natal ser chamado de Gallifrey.

ACESSE A PROTEÇÃO
DO ESPÍRITO SANTO

Samuel Guthrie é o primogênito de sua família com 10 irmãos, vivendo no interior do estado do Kentucky. Seu pai faleceu quando ele ainda era jovem, em um acidente na mina de carvão onde trabalhava. A partir de então, ele tomou para si a responsabilidade de cuidar de sua família. Na adolescência, seus poderes mutantes apareceram e ele foi um dos primeiros alunos que o Professor Xavier chamou para o grupo dos Novos Mutantes. Sam gera um campo de propulsão que o transforma em um míssil vivo, concedendo a ele a capacidade de voar e ser invulnerável a qualquer ferimento, enquanto estiver usando seu poder. Quando não o utiliza, está passível a receber ataques. A sua primeira aparição foi em 1982.

Nossa caminhada com Cristo não pode sofrer interrupções no meio do caminho, como se fosse possível tirar férias de Deus e retomar de vez em quando nas práticas do velho homem. Quando deixamos nossa fé de lado, para experimentar o que o mundo oferece, somos atacados por nosso inimigo, pois abrimos brechas em nossa armadura para o ataque. Caminhar com o Espírito Santo cria uma espécie de "campo de propulsão espiritual", como o que o nosso personagem de hoje possui, onde não seremos atingidos pelas artimanhas dos inimigos de Deus. Não perca seu campo de força espiritual para que não venha a ser ferido em meio à batalha.

Da mesma forma que o Míssil não poderia lutar sem estar voando, nós também devemos estar caminhando e batalhando pelo Reino para permanecermos invulneráveis.

Quando lutamos, olhamos para Deus. Quando paramos, olhamos para as tempestades!

▶ Referências

O Senhor é a força do seu povo, a fortaleza que salva o seu ungido. **Salmos 28:8**

Finalmente, fortaleçam-se no Senhor e no seu forte poder. **Efésios 6:10**

O Senhor é a minha força e a minha canção; ele é a minha salvação! Ele é o meu Deus e eu o louvarei, é o Deus de meu pai, e eu o exaltarei! **Êxodo 15:2**

▶ Reflexão

Concentre-se nos gigantes: você tropeçará. Concentre-se em Deus: seus gigantes cairão!
Max Lucado

NÃO SOMOS **IMBATÍVEIS**

30 NOV

A **Formiga Atômica** possuía poderes muito especiais, como força e velocidade muito maiores que qualquer ser humano, além da capacidade de voar. Em seu formigueiro, havia um computador conectado à polícia que a chamava quando precisava de ajuda. Ela também tinha uma academia de ginástica, usada para aprimorar suas habilidades. Todas as vezes que não conseguia derrotar um oponente da primeira vez, ela retornava até sua academia para treinar e, fortalecida, saía para vencer os combates. "Formiga Atômica" é um desenho criado por Hanna-Barbera em 1965.

A maior lição que podemos extrair deste inseto peculiar é que nenhum de nós é imbatível! Podemos enfrentar situações ou problemas dos quais não temos a menor ideia de como resolver. Nos momentos de desafio, devemos procurar nossa "academia espiritual", também chamada de lugar secreto, para fortalecer nosso espírito através da oração e da Palavra. Muitos cristãos sofrem por desconhecerem quem a Bíblia diz que eles são, assim como as promessas que ela traz para todos os filhos e filhas de Deus.

A intimidade com Deus é a maior arma que você dispõe para vencer seu inimigo e qualquer outro desafio que vier a enfrentar!

▶ Referências

Meu povo foi destruído por falta de conhecimento. Uma vez que vocês rejeitaram o conhecimento, eu também os rejeito como meus sacerdotes; uma vez que vocês ignoraram a lei do seu Deus, eu também ignorarei seus filhos.
Oseias 4:6

Tu és o meu abrigo e o meu escudo; e na tua palavra coloquei a minha esperança **Salmos 119:114**

Ele é o meu aliado fiel, a minha fortaleza, a minha torre de proteção e o meu libertador, é o meu escudo, aquele em quem me refugio. Ele subjuga a mim os povos.
Salmos 144:2

▶ Desafio

Faça uma programação para passar mais tempo em seu quarto ou casa com o Senhor nesta semana. Programe uma semana radical de intensidade com o Deus e avalie os resultados. Que tal fazer isso toda semana?

DEZEMBRO

DEVOCIONAL POP

FAÇA PARTE DA **REVOLUÇÃO**

Katniss Everdeen vive com sua família no Distrito 12, que é responsável por fornecer matéria-prima para o restante da nação fictícia de Panem. Quando sua irmã é sorteada para participar dos Jogos Vorazes (já falamos sobre eles aqui no devocional), Katniss oferece a si mesma como um tributo no lugar de Primrose. Este ato de sacrifício reacende a chama da justiça nos Povos de Panem e as consequências desta escolha particular de uma garota para ajudar sua irmã, culminarão na queda do governo ditatorial do Presidente Snow. Nos quatro filmes da franquia Jogos Vorazes, Katniss foi interpretada por Jennifer Lawrence.

Temos o maior exemplo de sacrifício que poderíamos imaginar, pois o próprio Deus encarnou e viveu entre nós para voluntariamente oferecer sua vida para o resgate da humanidade. Através da morte e ressurreição de Cristo, recebemos a oferta do perdão de nossos pecados, pois Ele pagou o preço de sangue exigido pela remissão dos pecados. Através de seu ato, uma revolução começou através de 12 homens que incendiaram o mundo conhecido com o amor e poder do Espírito Santo! Desde então, de geração em geração, homens e mulheres levantam-se contra o sistema deste mundo para espalhar o amor de Deus através da Igreja de Cristo. Estes são os imitadores de Jesus, pequenos cristos, conhecidos como cristãos!

Para fazer parte da revolução do amor, basta se conectar à fonte, que é Jesus!

▶ Referências

Filhinhos, vocês são de Deus e os venceram, porque aquele que está em vocês é maior do que aquele que está no mundo.
1 João 4:4

O que é nascido de Deus vence o mundo; e esta é a vitória que vence o mundo: a nossa fé.
1 João 5:4

▶ Curiosidade

O nome do país fictício de Panem faz referência à frase "Panem et circenses", conhecida como política do "pão e circo". Esta política foi adotada pelo império romano para diminuir a insatisfação popular, usando o entretenimento como ferramenta de manipulação das massas.

PROCURAM-SE: **AMIGOS LEAIS**

Mestre Samwise Gamgee é um hobbit do Condado, que aceita o desafio de participar da Sociedade do Anel, para destruir o Um Anel na Montanha da Perdição. As coisas não saem como esperado, o Anel começa a corromper a Sociedade, e Frodo é obrigado a abandonar o grupo e partir sozinho em sua missão como o Portador do Anel. Sam será seu companheiro de jornada e será fundamental para o desfecho deste drama para que a Terra-Média e o Condado, por consequência, não sejam destruídos pelo mal crescente.

Sam será o fiel escudeiro de Frodo em toda a jornada e sua fidelidade e lealdade será notória. Para Tolkien, autor da obra, seria impossível para Frodo concluir sua missão sem a ajuda de um amigo verdadeiro. Onde estão os Samwise de nosso tempo? Onde estão aqueles que não se importam em ser coadjuvantes nas sagas de outras pessoas por entenderem que, quando ajudam outros a alcançarem seus objetivos no Reino, serão de igual maneira abençoados?

O mal existe, não podemos negar. Por isso é necessário que amigos se levantem em nossos dias para auxiliar, facilitar o trabalho dos líderes, demonstrar lealdade e paixão pelos projetos dados por Deus para a Igreja. Ao agirmos assim, podemos ter a certeza de que receberemos a mesma recompensa! Alivie o fardo de seus líderes, coloque-se à disposição para o crescimento do reino de Deus na Terra!

Eu e você recebemos a missão de espalhar a luz de Cristo para dissipar a escuridão do tempo presente! Recebemos de Deus todas as ferramentas espirituais para cumprir esta missão!

Não somos cavaleiros solitários, mas fazemos parte de um exército cujo General é Cristo! Fidelidade é a palavra-chave para a nossa vitória!

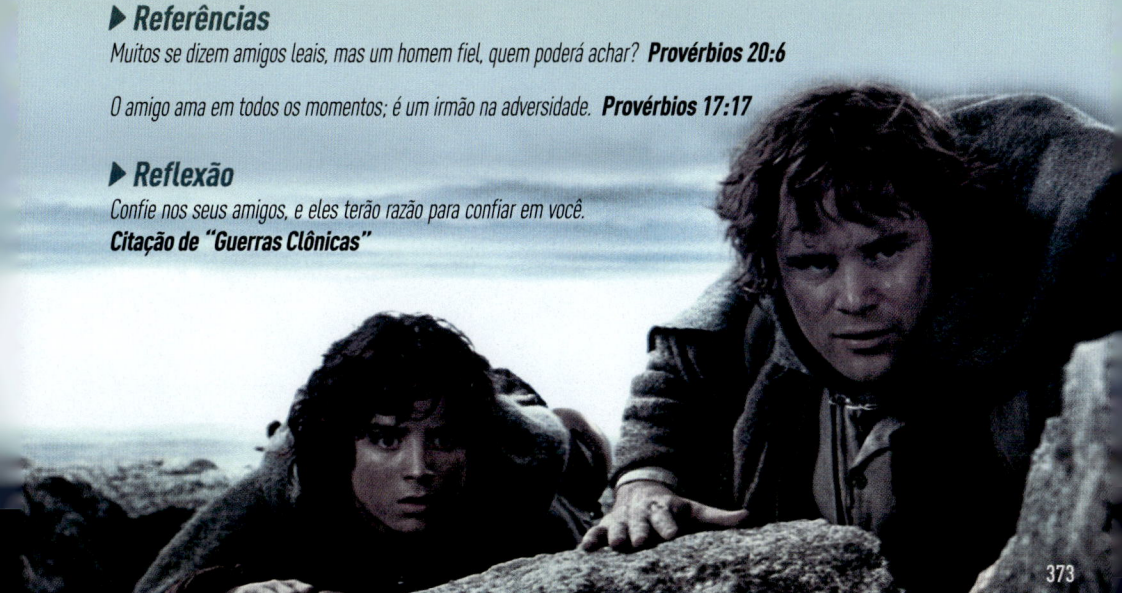

▶ Referências

Muitos se dizem amigos leais, mas um homem fiel, quem poderá achar? **Provérbios 20:6**

O amigo ama em todos os momentos; é um irmão na adversidade. **Provérbios 17:17**

▶ Reflexão

Confie nos seus amigos, e eles terão razão para confiar em você.
Citação de "Guerras Clônicas"

PERSEVERE EM SUA JORNADA

Jean-Luc Picard nasceu em La Barre, França, no ano de 2305. Tinha o sonho de entrar para a Tropa Estelar, mas foi reprovado em seu primeiro teste para a Academia. Será admitido em seu segundo teste, sendo um dos cadetes mais dedicados da Frota, chegando ao posto de capitão da USS Stargaze e mais tarde, da USS Interprise. Conhecido como mestre da diplomacia, é chamado para resolver problemas políticos impossíveis na imensidão da galáxia, além de ser um exímio piloto, pois criou uma manobra evasiva que ficou conhecida como manobra Picard. O personagem da série "Star Trek: The Next Generation" foi interpretado por Sir Patrick Stewart, o eterno Professor Xavier dos cinemas.

A maior lição que o capitão Picard pode nos ensinar no dia de hoje, diz respeito à perseverança. Ele tinha um sonho, mas foi reprovado. Poderia ter desistido no primeiro fracasso, mas insistiu e alcançou seu objetivo. Não importa o quão difícil sejam seus sonhos, você tem um Deus que o ama muito e nada é impossível para Ele! Você também tem uma responsabilidade importante nesta equação, que é fazer a sua parte. Quer passar no vestibular? Estude! Quer casar? Não perca tempo com relacionamentos fora do propósito de Deus! Quer uma promoção no trabalho? Trabalhe como se Deus fosse o seu patrão!

> Deus tem prazer em realizar os sonhos de seus filhos, mas precisamos fazer a nossa parte. O natural é conosco, o sobrenatural é com Ele!

▶ Referências

Peçam, e lhes será dado; busquem, e encontrarão; batam, e a porta lhes será aberta. **Mateus 7:7**

Se vocês, apesar de serem maus, sabem dar boas coisas aos seus filhos, quanto mais o Pai de vocês, que está nos céus, dará coisas boas aos que lhe pedirem! **Mateus 7:11**

▶ Desafio

Você tem sonhos que acha que não consegue realizar? Anote estes sonhos e trace um plano prático para realiza-los. Una trabalho e oração sobre seus sonhos e veja o milagre acontecer!

NÃO ACEITE ESTEREÓTIPOS
DA SOCIEDADE

Daphne Ann Blake é a patricinha (ainda usam este termo?) da Mistério S.A., por sua vaidade. No início da série, passava a maior parte do tempo retocando a maquiagem e usando apetrechos de estética. Com a mudança na mentalidade da sociedade americana nas décadas de 1970 e 1980, em relação às mulheres, a personagem foi reformulada para ter um papel mais ativo na equipe. Ela consegue abrir fechaduras com seus cosméticos, é uma ótima acrobata, lutadora de artes marciais e ajuda a resolver os casos da equipe de um jeito próprio. Sua primeira aparição foi em 1969, no início do desenho de Scooby-Doo, produzido pela Hanna-Barbera.

Daphne é representada nas primeiras temporadas da animação a partir do estereótipo da mulher deste período: fútil, coadjuvante, frágil, que precisa ser resgatada. Nada mais distante da realidade bíblica com relação às mulheres! A Palavra de Deus conta inúmeras histórias de mulheres corajosas que venceram o medo, e através delas Deus mudou o curso da história de seu povo.

Entre tantas mulheres maravilhosas que poderíamos abordar, gostaria de citar Joquebede, a mãe de Moisés, Miriã e Arão. Da tribo de Levi, ela desafiou o governo egípcio que matava todo menino hebreu recém-nascido, um método de controle populacional bem primitivo. Joquebede escondeu Moisés do mundo exterior, mesmo sabendo a dificuldade que seria mantê-lo escondido. Os seus três filhos foram os líderes que conduziram as tribos de Israel para a liberdade do Egito, rumo à terra prometida de Canaã.

Não molde sua vida por estereótipos da sociedade, pois você não está subordinado a eles! Nosso Deus constantemente exalta os improváveis para enlouquecer as probabilidades humanas!

▶ **Referências**
Um homem da tribo de Levi casou-se com uma mulher da mesma tribo, e ela engravidou e deu à luz um filho. Vendo que era bonito, ela o escondeu por três meses. **Êxodo 2:1,2**

▶ **Desafio**
É difícil ser autêntico no mundo de hoje? O que você pode fazer hoje para procurar sua própria identidade, em um mundo de personalidades cada vez mais iguais?

PACIÊNCIA É A CHAVE
PARA A VITÓRIA

Sheev Palpatine assumiu o nome de Darth Sidious quando tornou-se o aprendiz de um Lord Sith chamado Darth Plagueis, o sábio. Palpatine iniciou sua carreira política como um simples senador de seu planeta natal, Naboo. Com um plano magistralmente arquitetado, somado a uma paciência monumental, ele manteve seu disfarce enquanto ascendia na estrutura política da República Galáctica, tornando-se Chanceler, Supremo Chanceler e enfim, Imperador Palpatine. Desta forma, Darth Sidious triunfou em seu plano, eliminando praticamente todos os Cavaleiros Jedi da Galáxia. Este personagem, imperador e mestre de Darth Vader é o principal vilão da saga Star Wars e foi interpretado por Ian McDiarmid.

Palpatine representa muito bem as artimanhas de nosso inimigo real e é um excelente personagem para nosso devocional de hoje. Satanás possui a mesma qualidade que Sidious possuía: ele é paciente. Como um ser espiritual, não está limitado aos anos de vida de um ser humano comum, por isso age com paciência infinita para atacar sempre nos momentos exatos. Como a paciência é um princípio bíblico poderoso, deveríamos ter experiência neste quesito, mas como a nossa expectativa de vida é muito limitada, podemos perder a paciência com muita frequência.

Precisamos entender que nossos inimigos atacam com muita paciência, por isso precisamos cuidar e vigiar sempre! Além do mais, nossa vida precisa estar repleta deste fruto do espírito, pois é ela que nos mantém no trilho da maturidade e do crescimento espiritual e emocional.

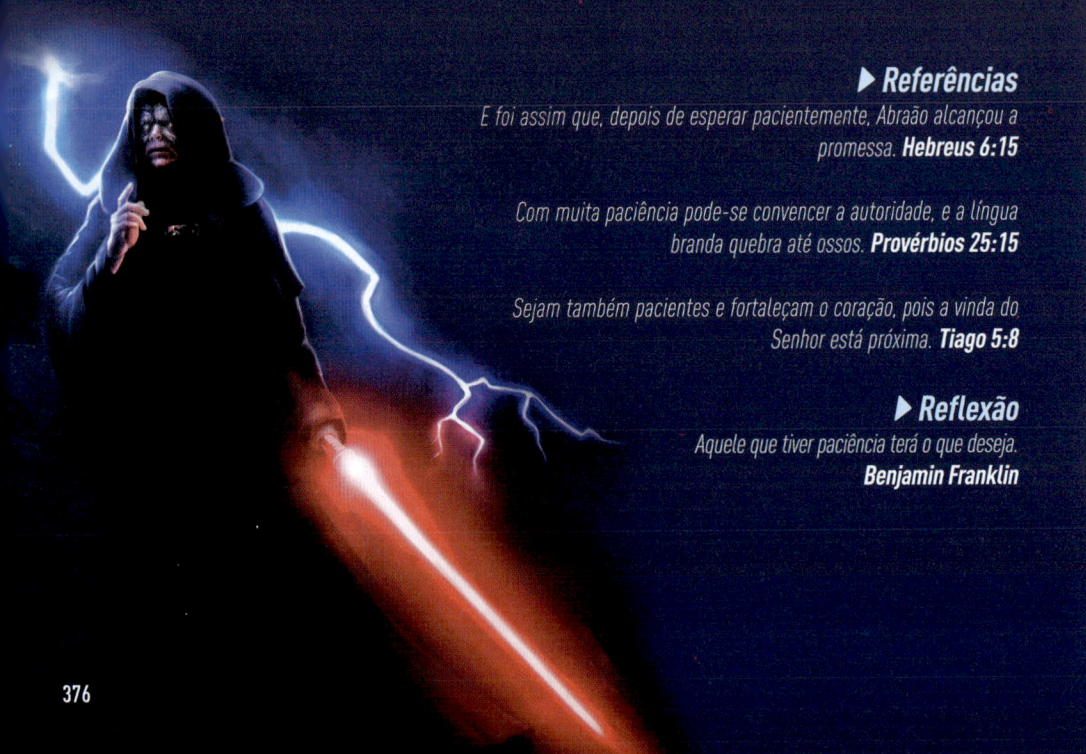

▶ Referências

E foi assim que, depois de esperar pacientemente, Abraão alcançou a promessa. **Hebreus 6:15**

Com muita paciência pode-se convencer a autoridade, e a língua branda quebra até ossos. **Provérbios 25:15**

Sejam também pacientes e fortaleçam o coração, pois a vinda do Senhor está próxima. **Tiago 5:8**

▶ Reflexão

Aquele que tiver paciência terá o que deseja.
Benjamin Franklin

JESUS CONTINUA CURANDO

Elysium é uma estação espacial construída para abrigar as pessoas mais ricas da Terra. Este lugar é uma espécie de paraíso para quem pode pagar, pois não existem enfermidades para os ricos, todos os doentes são curados em máquinas médicas chamadas Med-Bays. Os que permaneceram no planeta sofrem com doenças, fome e toda sorte de dificuldades. Um plano ousado de um hacker chamado Spider vai transformar todos os habitantes da Terra em cidadãos legítimos de Elysium, concedendo a eles a possibilidade de também usarem as Med-Bays e serem curados de suas doenças, não por terem dinheiro para pagar pela cura, mas por serem seres humanos. "Elysium" estreou em 2013 e conta com o ator brasileiro Wagner Moura no elenco do filme.

Esta ficção científica traz uma abordagem interessante para nosso devocional de hoje. Em Elysium não existe sofrimento, porém não existe compaixão pelas pessoas que estão sofrendo abaixo delas. A cura está disponível apenas para os cidadãos da estação, enquanto os demais morrem com enfermidades todos os dias. Na vida real não precisa ser assim. A cura divina está disponível para todos aqueles que reconhecem que são cidadãos do céu, filhos e filhas de Deus. Uma vez tendo conhecimento desta realidade e vivendo como tal, podemos ser os agentes que levam a cura aos lugares onde ela é necessária.

Jesus é o mesmo ontem, hoje e sempre! Ele curou no passado e continua curando hoje, através das mãos de seus discípulos que oram em seu Nome!

▶ Referências

Sabendo disso, Jesus retirou-se daquele lugar. Muitos o seguiram, e ele curou a todos os doentes que havia entre eles. **Mateus 12:15**

Digo-lhes a verdade: Aquele que crê em mim fará também as obras que tenho realizado. Fará coisas ainda maiores do que estas, porque eu estou indo para o Pai. **João 14:12**

▶ Desafio

Peça a Deus pela oportunidade nesta semana de orar por algum enfermo. Não importa o local: na igreja, no trabalho, na escola ou na rua, seja um agente de milagres em sua geração!

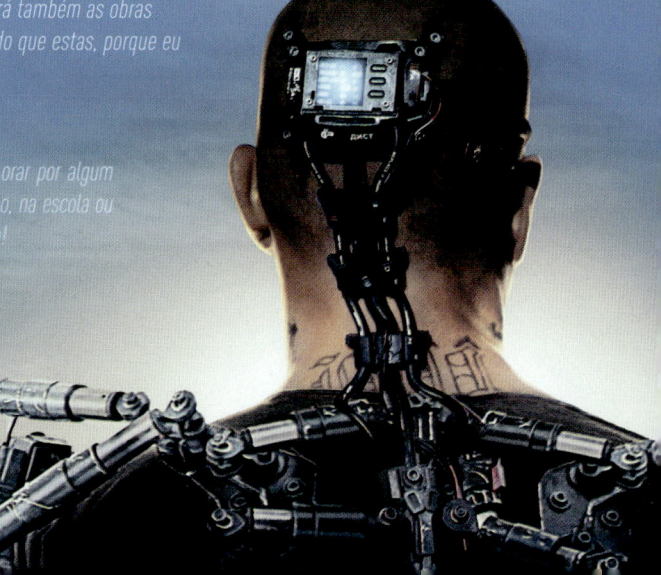

O MUNDO FOI MESMO CRIADO EM SEIS DIAS?

Manfred é um mamute antissocial e ranzinza que encontra Sid, uma preguiça atrapalhada e tagarela. Eles iniciam a trama de "A Era do Gelo", uma animação que se passa durante o período Pleistoceno quando a Terra estava na Era do Gelo. O primeiro filme da franquia estreou em 2002 e teve o brasileiro Carlos Saldanha como um dos diretores.

Gostaria de aproveitar esta animação popular para falar sobre uma teoria existente a partir do século XIX que busca unir criacionismo com evolucionismo, a chamada teoria do Dia-Era. Nela, os dias da criação de Gênesis 1 corresponderiam a Eras Geológicas e não a dias de 24 horas. Assim seria possível unir uma lacuna importante entre o relato bíblico e as especulações científicas. Porém, existem problemas de interpretação para esta teoria. Temos o testemunho dos pais da igreja, dos reformadores do século XVI que usavam a interpretação literal do termo dia que aparece mais de 200 vezes no Antigo Testamento. Partindo do princípio da Reforma, base para a igreja protestante da **sola scriptura**, a Bíblia explica-se por si mesma, não necessitando de fontes externas para seu entendimento.

Neste sentido, segundo os criacionistas tradicionais, a criação do mundo em seis dias de 24 horas condiz com a realidade dos fatos, refutando a teoria do Dia-Era, que é aceita por alguns grupos de analistas conhecidos como concordistas ou conciliadores liberais.

Não devemos tentar "encaixar" o relato bíblico em outras teorias, pois seremos reféns de qualquer nova teoria que venha a surgir!

▶ Referência
Assim foram concluídos os céus e a terra, e tudo o que neles há. No sétimo dia Deus já havia concluído a obra que realizara, e nesse dia descansou. Esta é a história das origens dos céus e da terra, no tempo em que foram criados: Quando o Senhor Deus fez a terra e os céus, **Gênesis 2:1,2,4**

▶ Curiosidade
A saga "Era do Gelo", foi originalmente concebida para ser um drama, mas a Fox só iria aceitá-lo como comédia infantil.

CRISTIANISMO SE
APRENDE NA PRÁTICA

Alex Parrish é uma das novas recrutas do FBI, que vai para a Academia de Quantico, no estado da Virgínia iniciar seu treinamento para tentar ser uma nova agente da instituição. Uma reviravolta em sua vida acontecerá, pois ela será suspeita do maior ataque terrorista desde o 11 de setembro. "Quantico" é uma série dramática criada por Joshua Safran que estreou em 2015 nos Estados Unidos.

A série mostra os recrutas aprendendo através de uma combinação entre aulas teóricas e atividades práticas, em que simulam situações reais de perigo, para em seguida partir em missões reais, sob a supervisão de seus superiores.

Na vida cristã esta deve ser a nossa metodologia de ensino. Além de buscarmos o conhecimento em nossos devocionais particulares, devemos aprimorar o nosso entendimento nas escolas bíblicas, escolas de líderes, institutos teológicos ou na programação que a igreja oferece. Porém, apenas aprender na teoria não muda a sua realidade ou a realidade da sua geração. Quando você resolve aplicar o que aprendeu, o crescimento e o amadurecimento espiritual acontecem. Existem muitos estudiosos da Bíblia que são vazios de experiências com Deus e em ajudar outros cristãos a crescerem em suas jornadas. O sentido fundamental do cristianismo que resume toda nossa fé é: amar a Deus e amar ao próximo. Se não usamos nosso conhecimento para servir e, portanto, amar ao nosso próximo, nossa fé é vazia.

Ande com aqueles que estão caminhando há mais tempo que você e coloque tudo o que aprender com eles em prática!

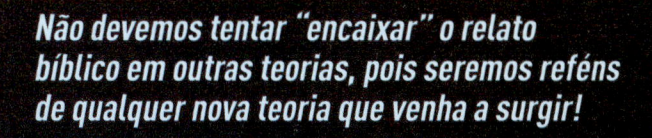

Não devemos tentar "encaixar" o relato bíblico em outras teorias, pois seremos reféns de qualquer nova teoria que venha a surgir!

▶ Referências
Tudo o que vocês aprenderam, receberam, ouviram e viram em mim, ponham-no em prática. E o Deus da paz estará com vocês. **Filipenses 4:9**

De fato, vocês ouviram falar dele, e nele foram ensinados de acordo com a verdade que está em Jesus. **Efésios 4:21**

▶ Reflexão
Um bom aluno é aquilo que o professor espera que ele seja. **Citação de "Guerras Clônicas"**

SEUS DESEJOS
SÃO ENGANOSOS

Doutor Robert Ford é o idealizador e o criador de um parque temático para adultos em um futuro tecnologicamente avançado. Westworld é ambientado no Velho Oeste americano e os "hóspedes", que são os visitantes que entram no parque, possuem a liberdade para fazer o que bem entenderem com os "anfitriões", que são androides sintéticos idênticos aos humanos, sem reação ou retaliação por parte deles. Esta "liberdade" faz com que o lado mais selvagem do ser humano aflore e atrocidades sejam cometidas por uma parcela dos visitantes. "Westworld" é uma série da HBO, que estreou em 2016 e tem como protagonista o consagrado ator Anthony Hopkins.

A ideia de fazer o que bem entender com a sua vida sem se preocupar com o que vai acontecer com as outras pessoas, parece ser tentadora, mas apresenta muitos perigos que precisam ser evitados. Na história de Israel, houve um período em que o povo se afastou de Deus a tal ponto que esqueceram quem eram e a quem serviam. Este foi o período dos Juízes, quando Deus levantava um libertador para o povo, mas que rapidamente era aprisionado e escravizado por outro grupo, pois não havia mudança de mentalidade e fidelidade por parte do povo a Deus. A situação das doze tribos se deteriorou tanto que o fim do livro é um triste relato das consequências para o homem que vive distante dos caminhos do Senhor.

Precisamos buscar entender qual é a vontade de Deus para nossas vidas, pois nossos desejos são enganosos e podem nos levar ao sofrimento e ao sofrimento de outras pessoas!

A vontade de Deus é sempre a melhor!

▶ **Referências**

Naquela época não havia rei em Israel; cada um fazia o que lhe parecia certo
Juízes 21:25

Vocês não agirão como estamos agindo aqui, cada um fazendo o que bem entende
Deuteronômio 12:8

▶ **Desafio**

Escreva o que você deve mudar em sua rotina para estar mais próximo dos propósitos de Deus, ao invés de fazer apenas o que você deseja. É importante que você consiga discernir a vontade de Deus de seus desejos pessoais

TENHA DISCERNIMENTO!

Robert Langdon é professor da Universidade de Harvard na cadeira de simbologia religiosa. Em sua pesquisa, estuda a relação e a representatividade dos símbolos na história da humanidade. Com a morte de Jacques Saunière durante sua palestra, Langdon começa a investigar uma série de pistas deixadas por ele que podem abalar muitas crenças do cristianismo, e por isso sua vida correrá sérios perigos. Ele será perseguido por instituições secretas do catolicismo romano. "O Código Da Vinci" é um romance policial escrito por Dan Brown em 2003, que fez muito sucesso no mundo todo. Parte do sucesso da obra está na contestação de alguns pilares do cristianismo, como a divindade de Cristo, o papel de Maria Madalena, o santo Graal e os cavaleiros templários.

Como já conversamos antes, vivemos dias de superficialidade de conhecimento em nossa sociedade. Assim, autores talentosos aproveitam-se deste fato para compor seus romances que mesclam ficção com fatos históricos e uma pitada de polêmica para causar debate, declarações acaloradas e propaganda gratuita para sua obra. Não por acaso, o livro vendeu mais de 80 milhões de cópias em todo o mundo.

Como cristãos, não devemos dar ibope e alimentar discussões que não possuam outra intenção que não aumentar o interesse do público por essas obras. Assim, é importante que você não seja enganado por materiais como este, que apresentam questionamentos vazios, que abalam a fé de muitos.

Seja sábio e tenha discernimento!

▶ Referências

Mas quem é espiritual discerne todas as coisas, e ele mesmo por ninguém é discernido. **1 Coríntios 2:15**

Vocês não sabem que os santos hão de julgar o mundo? Se vocês hão de julgar o mundo, acaso não são capazes de julgar as causas de menor importância? **1 Coríntios 6:2**

▶ Curiosidade

O sino da catedral de Lincoln, que badala de hora em hora, ficou em silêncio de 15 a 19 de agosto de 2005, por causa das filmagens para o filme. Foi a primeira vez que isso aconteceu desde a Segunda Guerra Mundial.

DEVEMOS NOS COLOCAR
NO LUGAR DO OUTRO

Jake Sully é um ex-fuzileiro paraplégico que é recrutado para participar do programa Avatar após a morte de seu irmão gêmeo. Nele, cientistas criaram uma maneira de conectar humanos a corpos híbridos dos nativos da lua de Pandora, chamados Na'vi. Esta lua fica no sistema de Alpha Centauri e dista 4,4 anos luz da Terra. Os humanos querem explorar o minério Unobtainium que foi encontrado no lar dos Na'vi. Jake acaba se apaixonando pela cultura e pelo povo Na'vi e decide lutar com eles contra os humanos. "Avatar" é um filme de ficção científica de 2009, escrito e dirigido por James Cameron. Revolucionou os efeitos especiais de seu tempo e faturou mais de US$ 2 bilhões de dólares em todo o mundo.

Nosso personagem de hoje só foi capaz de entender os Na'vi quando viveu entre eles e conheceu sua cultura. Da mesma forma, só podemos ser capazes de ter empatia pelo mundo, quando o enxergamos a partir dos olhos de Cristo. Assim, entenderemos as pessoas não a partir de nosso julgamento condenatório, mas pela compaixão de Jesus.

Existem muitos exemplos de homens e mulheres que vivem este princípio em seus ministérios. Entre estes, destaco o ministério Iris desenvolvido pela missionária Heidi Baker. Ela vive em Moçambique ajudando e alimentando crianças para pregar o Evangelho e levar transformação ao continente africano.

Esta é a diferença entre aqueles que olham para os desafios de nosso tempo e aqueles que resolvem ir até onde os problemas estão e resolvê-los com ousadia e intrepidez no Espírito Santo!

▶ Referências

Cada um ajuda o outro e diz a seu irmão: Seja forte! **Isaías 41:6**
Um novo mandamento lhes dou: Amem-se uns aos outros. Como eu os amei, vocês devem amar-se uns aos outros. **João 13:34**
Dediquem-se uns aos outros com amor fraternal. Prefiram dar honra aos outros mais do que a si próprios. **Romanos 12:10**

▶ Reflexão

Quando resgatamos outros, resgatamos a nós mesmos.
Citação de "Guerras Clônicas"

NÃO VIVA COMO ÓRFÃO,
VOCÊ É HERDEIRO DO REINO!

Chaves é um garoto órfão de 8 anos de idade que mora na casa de número 8 em uma vila junto com outras famílias. Ele é encontrado em muitas ocasiões em um barril que segundo ele, usa como esconderijo para suas brincadeiras com seus amigos Quico e Chiquinha, além de fugir dos problemas e confusões com os adultos da vila. "Chaves" (El Chavo del Ocho, no original) é uma série de televisão mexicana de comédia criada por Roberto Gómez Bolaños, conhecido no México como Chespirito. A transmissão original do seriado aconteceu entre 1972 e 1980, continuando como um quadro no programa Chespirito até 1992. Até hoje permanece em exibição em diversos países da América Latina, com bons índices de audiência para uma série encerrada há mais de três décadas.

É interessante que Chaves, mesmo tendo uma casa na vila, passe todo o tempo na rua, vivendo em seu barril. Muitos cristãos vivem da mesma forma, não são mais órfãos, pois foram aceitos como filhos e filhas de Deus, mas continuam vivendo nas ruas, em solidão e miséria. Fomos chamados para sermos herdeiros do Reino de Deus com Cristo, nosso irmão mais velho que nos ensinou o caminho que devemos seguir, portanto não estamos mais sozinhos.

Não somos mais órfãos e esta notícia precisa ser espalhada para muitos filhos que ainda não assumiram sua posição como herdeiros com Cristo! Este é o Evangelho genuíno!

▶ Referências

Assim, você já não é mais escravo, mas filho; e, por ser filho, Deus também o tornou herdeiro. **Gálatas 4:7**

E, se vocês são de Cristo, são descendência de Abraão e herdeiros segundo a promessa. **Gálatas 3:29**

Se somos filhos, então somos herdeiros; herdeiros de Deus e coerdeiros com Cristo, se de fato participamos dos seus sofrimentos, para que também participemos da sua glória. **Romanos 8:17**

▶ Desafio

Como você pode, sendo um irmão mais velho, ajudar os novos irmãos que chegam à igreja a enxergarem sua nova natureza de herdeiros do Reino ao invés de órfãos abandonados à própria sorte?

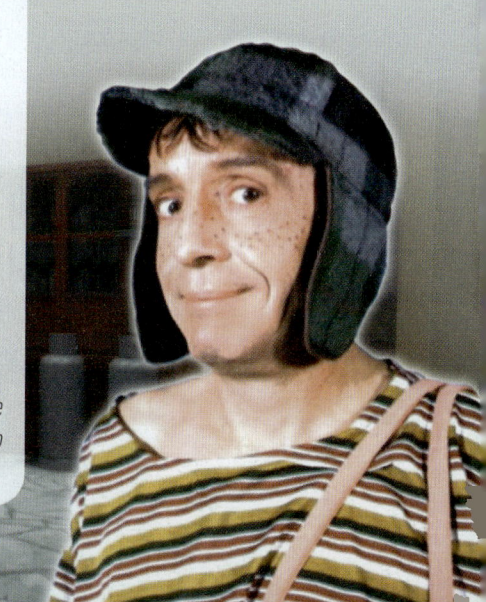

O MEDO NÃO PODE
PARALISAR SEU FUTURO!

Elsa é a princesa do reino de Arendelle, na região da Noruega. Ela nasceu com poderes mágicos relacionados ao tempo: pode criar gelo e neve. Quando era criança, fere acidentalmente sua irmã Anna. Seus pais assustados colocam as meninas dentro do castelo até que Elsa aprenda a controlar seus poderes. O medo de ferir alguém novamente faz com que a princesa se afaste de todos, permanecendo isolada em seu quarto, até que a morte de seus pais em um naufrágio, a force a assumir as responsabilidades de regente de Arendelle. "Frozen" estreou em 2013 arrecadando mais de 2 bilhões de dólares em todo o mundo.

Um trauma na infância isolou a princesa Elsa do restante do mundo e fez com que o medo de machucar mais alguém a impedisse de interagir com outras pessoas até que a responsabilidade a tenha obrigado a isso. Este isolamento gerará uma indiferença com relação aos demais súditos de seu Reino, pois Elsa vai gerar um inverno permanente em Arendelle que prejudicará todas as pessoas.

Muitos cristãos vivem o mesmo drama de nossa personagem de hoje. Traumas do passado geraram isolamento e um coração frio e indiferente. Apenas Deus pode transformar um coração de gelo em um coração de carne novamente. Precisamos entregar nossos caminhos ao Senhor que nos conhece e de quem é simplesmente impossível se esconder!

Não permita que o medo de algum trauma de seu passado venha a paralisar seu futuro!

▶ Referências

Quem se isola, busca interesses egoístas, e se rebela contra a sensatez.
Provérbios 18:1

Ouvindo o homem e sua mulher os passos do Senhor Deus que andava pelo jardim quando soprava a brisa do dia, esconderam-se da presença do Senhor Deus entre as árvores do jardim. **Gênesis 3:8**

▶ Curiosidade

O filme estava nos planos da Disney desde 1940. Demorou para os roteiristas encontrarem o texto ideal para representar a Rainha de Gelo, de forma que gerasse empatia com o público.

ANTES DE CONFIAR EM SEU
CORAÇÃO, USE A CABEÇA

Anna é a irmã mais nova de Elsa, uma princesa ousada e bastante impulsiva. Após o acidente com sua irmã que a feriu, sua memória do incidente foi apagada e ela não sabe a razão pela qual repentinamente, Elsa se afastou. Ela permanece agora trancada em seu quarto, e Anna não consegue tirar sua irmã de lá. Quando o castelo é aberto para a coroação de Elsa como rainha de Arendelle, Anna fica muito feliz com a possibilidade de encontrar um grande amor. Acaba esbarrando no príncipe Hans, das Ilhas do Sul que está interessado no casamento para chegar mais perto do poder, pois se ele casar com Anna e matar Elsa, será coroado rei. Anna imediatamente se apaixona e pede a bênção de sua irmã para o casamento inusitado. As duas discutem e Elsa vai manifestar seus poderes mágicos perante a nobreza de Arendelle, fugindo para a floresta logo após.

Enquanto Elsa representa o medo, Anna representa o amor e as inconsequências que ele pode gerar. Na ânsia em conseguir um grande amor de qualquer maneira, acaba se envolvendo com um aproveitador que não se importa com ela. É preciso cuidado com a área sentimental em nossas vidas, para que não venhamos a sofrer com relacionamentos sem propósito. Muitos jovens estão se afastando do Senhor ao conhecer "o grande amor de sua vida". Com o fim deste tipo de relacionamento, elas voltam para Deus.

Deus é o melhor Pai que poderíamos sonhar ou imaginar para cuidar de cada um de nós. Por isso nada melhor do que entregar seus sentimentos a Ele para que envie a pessoa certa em sua vida, para casar e constituir uma família abençoada!

Lembre-se: antes de entregar seu coração, use o cérebro!

▶ Referências
Alegre-se, jovem, na sua mocidade! Seja feliz o seu coração nos dias da sua juventude! Siga por onde seu coração mandar, até onde a sua vista alcançar; mas saiba que por todas essas coisas Deus o trará a julgamento.
Eclesiastes 11:9

▶ Reflexão
Amar é colocar as necessidades de alguém acima das suas.
Olaf

CUMPRA SUAS PROMESSAS

Brienne Tarth é a última filha viva de Selwyn Tarth e não tem a aparência e os trejeitos típicos de uma donzela à espera de seu pretendente para o casamento. Ela é alta, musculosa e desajeitada nas coisas da corte. Por isso passou a maior parte do tempo sendo desprezada e rejeitada pelas pessoas, que tinham pena dela pela falta de modos. Mas, ela tinha um talento nato para o combate e uso de armas e passou a servir e proteger pessoas com este talento. Primeiro Renly Baratheon, depois Catelyn Stark e, finalmente, Sansa e Arya Stark. Ela ganhou uma espada, à qual deu o nome de "cumpridora de promessas".

Antigamente a palavra de uma pessoa tinha o peso de um documento registrado em cartório. Havia caráter e a preocupação com a reputação, medo de não ser digno da confiança dos demais. Por isso, o que se prometia se cumpria "no fio do bigode". O tempo passou, e hoje tudo precisa ser documentado e registrado legalmente, pois não se pode confiar na palavra das pessoas quando o assunto é dinheiro. Precisamos tomar cuidado para cultivar uma cultura de honra e palavra em nosso meio, especialmente no que tratamos e prometemos a Deus. Se somos capazes de quebrar promessas a homens que vemos, quanto mais a Deus que não enxergamos!

Honre a Deus com sua palavra! Seu testemunho de fidelidade e lealdade em meio a um mundo corrompido, emergirá como luz em meio às trevas! Em nossos dias, os cumpridores de promessas são fundamentais! Você é um deles?

▶ Referências

Seja o seu sim, sim, e o seu não, não; o que passar disso vem do Maligno". **Mateus 5:37**

Quando você fizer um voto, cumpra-o sem demora, pois os tolos desagradam a Deus; cumpra o seu voto. É melhor não fazer voto do que fazer e não cumprir. **Eclesiastes 5:4,5**

▶ Desafio

Como você pode amadurecer no cumprimento das promessas feitas a Deus?

De que maneira prática você pode honrar suas promessas a Deus e aos homens?

NÃO CORROMPA SUA ALMA

Saruman é o líder dos Istari, magos poderosos enviados à Terra-Média para desafiar Sauron. Porém, ao contrário de Gandalf, Saruman é corrompido por sua sabedoria e ambição pelo poder. Deseja o poder de Sauron para si e transforma-se em seu principal aliado na conquista da Terra-Média. Seu nome significa: "homem de habilidade", porém seu vasto conhecimento não ajudou a tomar as decisões corretas, causando sua queda e orgulho. O personagem foi interpretado nos cinemas pelo ator Christopher Lee que faleceu em 2015, aos 93 anos de idade.

A sabedoria de Saruman não foi capaz de impedir sua queda e a corrupção de sua alma. Quando outros sentimentos tornam-se mais importantes que a humildade e a fé em Deus, o ser humano é corrompido. Na Bíblia, temos o exemplo do homem mais sábio que já existiu, Salomão, filho de Davi, que pediu a Deus por sabedoria e recebeu. Prosperou muito e buscou a paz através de alianças políticas com os soberanos de outras nações através de casamentos arranjados. Essas alianças porém, afastaram Salomão dos caminhos do Senhor, pois passou a seguir os deuses de suas esposas estrangeiras.

Tome cuidado com suas escolhas!
Aprenda com Salomão a não corromper sua alma com escolhas aparentemente boas.
Busque em Deus a paz necessária para tomar decisões segundo a vontade Dele!

▶ Curiosidade

O ator Christopher Lee, que interpreta Saruman, disse em entrevista que lia "O Senhor dos Anéis" uma vez por ano. Foi o único membro do elenco do filme que conheceu o autor J.R.R. Tolkien pessoalmente, por isso foi o primeiro ator a ser escalado. Como conhecia muito bem os livros, serviu como consultor e frequentava o departamento de maquiagem para sugerir detalhes para as máscaras dos monstros do filme!

▶ Referências

O rei Salomão era o mais rico e o mais sábio de todos os reis da terra.
2 Crônicas 9:22

Dessa forma Salomão fez o que o Senhor reprova; não seguiu completamente o Senhor, como o seu pai Davi. **1 Reis 11:6**

A VERDADEIRA **PROSPERIDADE**

Patinhas McPato é chamado de Tio Patinhas por seu sobrinho Pato Donald. Um pato de negócios sensacional, possui uma fortuna anunciada pela revista Forbes em 65,4 bilhões de dólares. Possui uma necessidade de criar objetivos e enfrentar desafios. Ele é movido por aventuras que possuam o propósito de aumentar suas riquezas. Patinhas é tido por seu criador, Carl Barks como um modelo capitalista, típico dos anos 1950. O otimismo capitalista americano do pós-guerra pode ser percebido nas primeiras histórias do personagem. Existe um sentido de moralidade nas atitudes de Patinhas, pois há limites para suas ações, em contraste com seu rival, Pão-Duro Mac Mônei.

Nosso personagem de hoje ilustra o padrão de sucesso da sociedade em que vivemos: uma prosperidade financeira baseada em riquezas, dinheiro e bens. A Palavra de Deus revela uma prosperidade que não está firmada na economia ou no dinheiro na conta corrente. A prosperidade bíblica está baseada na felicidade das coisas simples da vida, onde somos convidados a aproveitar aquilo que o Senhor nos concede por sua graça e bondade.

Não devemos viver em função daquilo que esperamos receber no futuro, pois nossa vida é muito curta para passarmos este tempo em busca de uma felicidade futura. Devemos ser felizes hoje com aquilo que já temos, não com o que esperamos um dia receber!

Ser próspero é desfrutar da paz que Deus lhe concedeu. Independa de riquezas ou dinheiro!

▶ **Referências**

Sei o que é passar necessidade e sei o que é ter fartura. Aprendi o segredo de viver contente em toda e qualquer situação, seja bem alimentado, seja com fome, tendo muito, ou passando necessidade. **Filipenses 4:12**

Descobri que não há nada melhor para o homem do que ser feliz e praticar o bem enquanto vive. **Eclesiastes 3:12**

▶ **Reflexão**

O cofre do banco contém apenas dinheiro; frustra-se quem pensar que lá encontrará riqueza.
Carlos Drummond de Andrade

DIVERGENTE OU **CONVERGENTE?**

Beatrice Prior é uma jovem que vive numa Chicago futurista, destruída por uma devastação global. Sua sociedade é distribuída em facções, que detêm uma qualidade humana cada. Todas as pessoas quando atingem a idade correta, devem fazer um teste de aptidão para saber com qual das facções, o ela possui afinidade. As facções são: Abnegação para os altruístas, Erudição para os inteligentes, Audácia para os corajosos, Amizade para os bondosos, Franqueza para os honestos. O teste de Beatrice apresenta aptidão para três facções o que faz dela uma Divergente e portanto, uma ameaça ao sistema social. Ela é orientada a nunca revelar o resultado do teste, pois seria morta antes que pudesse causar problemas para o governo central. "Divergente" é o primeiro livro de uma trilogia escrita pela autora norte-americana Veronica Roth, lançado em 2011.

O significado de divergente é alguém que difere, discorda, se opõe ou se afasta dos demais indivíduos de seu grupo. Existe uma linha tênue entre dar sua opinião, e divergir de uma maneira negativa. Precisamos entender que na igreja, temos o direito de dar nossa opinião, porém a liderança eclesiástica não é democrática, mas sim teocrática. Cada líder, pastor e denominação recebe uma missão da parte de Deus e trabalha e opera de acordo com esta visão. Por esta razão precisamos caminhar de acordo com a visão de nossa liderança.

Tenha o cuidado de ser convergente em suas opiniões, a Igreja já possui divergentes demais sem a sua ajuda!

▶ Referências
Quem não é comigo é contra mim; e quem comigo não ajunta, espalha.
Mateus 12:30

E a esperança não traz confusão, porquanto o amor de Deus está derramado em nossos corações pelo Espírito Santo que nos foi dado. **Romanos 5:5**

▶ Desafio
Para você qual é a diferença entre expor sua opinião e causar divisão entre o grupo do qual você faz parte? Você acha importante cuidar com o que diz e pensa no contexto da igreja em que congrega?

SEJA **IRREPREENSÍVEL!**

Stanley Ipkiss é um típico cidadão sem a menor graça, tímido, sem maiores atrações, uma pessoa que com certeza passaria despercebida por você em qualquer lugar onde o encontrasse. Ele encontra uma máscara Viking (Nas HQ's a origem da máscara é outra) que concede invulnerabilidade física, habilidade de mudar a realidade e a retirada de toda e qualquer inibição que o impeça de realizar seus desejos mais sombrios. "O Máskara" foi adaptado dos quadrinhos para o cinema em 1994 e teve o ator Jim Carrey no papel de Stanley Ipkiss.

Embora não existam máscaras como essa em nossos dias, muitas pessoas procuram por algo que tire suas inibições e mostre uma realidade mais alegre do que a vida cotidiana comum, que muitas vezes é mais monótona do que nas redes sociais. Muitos procuram nas drogas, bebidas e vícios esta chave para alimentar um outro eu, "mais legal", "mais engraçado", "mais desinibido", enfim, alguém diferente do que ele realmente é.

Não podemos esquecer que fomos criados com um propósito: glorificar a Deus a partir de nossas vidas. Por isso devemos cuidar de nossa conduta e aceitar quem somos e, a partir desta aceitação, melhorar segundo o caráter de Cristo, e não aos olhos do mundo.

Não devemos envergonhar o Evangelho com atitudes mundanas, somos embaixadores de um Reino muito mais excelente e devemos viver de acordo com esta realidade!

Seja você mesmo, em todo o tempo!

▶ Referências

Linguagem sã e irrepreensível, para que o adversário se envergonhe, não tendo nenhum mal que dizer de nós.
Tito 2:8

Para confirmar os vossos corações, para que sejais irrepreensíveis em santidade diante de nosso Deus e Pai, na vinda de nosso Senhor Jesus Cristo com todos os seus santos.
1 Tessalonicenses 3:13

▶ Curiosidade

O diretor Chuck Russel contou posteriormente que "O Máskara" começou como um filme de terror bem sombrio mais fiel aos quadrinhos, antes de se tornar uma comédia.

NA CONTRAMÃO
DO MUNDO

Benjamin Button nasceu em 1918 com uma terrível aparência envelhecida. Acreditando que era um monstro, ele é abandonado pelos pais e enviado a um lar de idosos. Ninguém acreditava que pudesse sobreviver, aguardavam por sua morte. Inacreditavelmente porém, ele vai ficando progressivamente mais novo, enquanto todos ao seu redor envelhecem. "O Curioso Caso de Benjamin Button" é um filme de 2008, baseado no livro de mesmo nome publicado em 1921, cuja autoria é do célebre escritor F. Scott Fitzgerald.

A ideia deste livro é espetacular. Enquanto toda a humanidade segue o fluxo natural da vida, Benjamin Button vai contra a maré. Enquanto todos caminham para a morte, ele caminha para seu nascimento, em uma perspectiva inversa da vida, do fim para o começo. Quando aceitamos a Cristo como Senhor e Salvador, algo similar acontece. Paramos de seguir o fluxo do mundo e passamos a caminhar no ritmo do Reino de Deus. Quanto mais caminharmos com Jesus, menos nos parecermos com aquela pessoa que um dia fomos. Somos transformados de glória em glória, rejuvenescendo espiritualmente e emocionalmente, o que muda nossa fisionomia para melhor. Antes sem esperança, tristes, desanimados. Agora com fé, alegres apesar das tribulações e sonhando acordados com o dia do encontro definitivo com Cristo!

As mudanças internas em nossa vida, devem nos levar a pregar o Evangelho da salvação a todos aqueles que encontrarmos!

▶ Referências

Até que todos alcancemos a unidade da fé e do conhecimento do Filho de Deus, e cheguemos à maturidade, atingindo a medida da plenitude de Cristo. **Efésios 4:13**

Jesus ia crescendo em sabedoria, estatura e graça diante de Deus e dos homens. **Lucas 2:52**

E o menino Samuel continuava a crescer, sendo cada vez mais estimado pelo Senhor e pelo povo. **1 Samuel 2:26**

▶ Reflexão

É engraçado voltar para casa. Tudo tem a mesma cara, o mesmo cheiro. Nada Muda. Nos damos conta de quem mudou, fomos nós. ***"O Curioso Caso de Benjamin Button".***

CUIDADO COM
A MURMURAÇÃO

George Jetson é o pai da família Jetson que mora em Orbit City no ano de 2062. Viver no futuro com todo o conforto da tecnologia tem suas regalias pois, mesmo sendo um trabalhador típico, precisa cumprir uma jornada de 1 hora por dia, 2 dias por semana! A vida no futuro é bastante preguiçosa e com muitas atividades de lazer para cumprir. Mas mesmo assim, todos os membros da família reclamam muito de cansaço e fadiga por causa do trabalho e dificuldades do cotidiano. "Os Jetsons" é uma série de desenhos clássicos lançados pela Hanna-Barbera entre 1962 e 1963, relançada nos anos 1980.

Como cristãos não devemos adotar uma postura de reclamação da vida, muito menos quando ela é privilegiada. Temos o terrível costume de sempre olhar para cima, para aqueles que possuem mais recursos que nós e posso te dizer sem medo de errar: sempre existirão pessoas em posições melhores. Por isso, devemos olhar para o nosso interior de nós e avaliar tudo aquilo que o Senhor já nos deu e o que temos, pois muitos apenas lutam para sobreviver e sonham em ter uma vida como a nossa.

Cuidado para não murmurar de sua situação! Ela com toda a certeza é muito melhor do que muitas pessoas que estão sofrendo sem esperança!

Agradeça a Deus todos os dias, e não dê espaço para a murmuração em sua vida!

▶ Referências

Deem graças em todas as circunstâncias, pois esta é a vontade de Deus para vocês em Cristo Jesus. **1 Tessalonicenses 5:18**

Sempre dou graças a meu Deus por vocês, por causa da graça que lhes foi dada por ele em Cristo Jesus. **1 Coríntios 1:4**

Agradeço a meu Deus toda vez que me lembro de vocês. **Filipenses 1:3**

▶ Desafio

Nesta semana, você vai agradecer a Deus por todas as coisas. Será uma semana onde você não pode reclamar, apenas agradecer. Quando chegar ao final desta semana especial, faça uma avaliação de como foi agradecer a semana toda! Se sua avaliação foi positiva, que tal implementar como um estilo de vida?

MARCAS DO PASSADO

Jane Doe acorda dentro de uma mala, no meio da Times Square em Nova York com o corpo coberto por tatuagens recentes. Uma delas apresenta o nome do agente do FBI Kurt Weller, que terá que resolver o mistério sobre quem é Jane e qual o significado de todas as tatuagens. Logo descobrem que cada uma das tatuagens corresponde a uma pista sobre um crime que está prestes a acontecer. Decifrar o significado das tatuagens é fundamental para resolver os crimes. Este é o enredo de "Blindspot", série americana criada por Martin Gero que estreou em 2015.

Em nossas vidas temos marcas em nossa alma. Assim como as tatuagens de Jane Doe indicavam um crime que ocorreria no futuro, nossas marcas nos levam a um evento ou trauma no passado. Todas elas têm um endereço que fica marcado em nossa memória. Quando sofremos por causa do Evangelho e por seguirmos a Cristo, a Palavra é clara: este deve ser um motivo de alegria e de honra, por participarmos dos mesmos sofrimentos de Jesus e dos apóstolos, embora em escala muito inferior ao enfrentado por eles. Outras decepções por mágoas, traumas e traições também deixam marcas que nos levam aos agressores.

A Palavra de Deus nos diz que estes momentos acontecerão em nossas vidas, não podemos evitar passar por momentos assim. O que podemos e devemos fazer é perdoar todas as pessoas que nos ofenderam além de pedir perdão a quem fizemos mal. Esta atitude, desde que genuína, anula o poder que as lembranças do passado têm de nos ferirem no presente.

A lembrança é obrigatória, o sofrimento é opcional!

▶ **Referências**

Pois se perdoarem as ofensas uns dos outros, o Pai celestial também lhes perdoará. **Mateus 6:14**

Considero que os nossos sofrimentos atuais não podem ser comparados com a glória que em nós será revelada. **Romanos 8:18**

▶ **Curiosidade**

A atriz Jaimie Alexander, que dá vida à Jane Doe, passa seis horas com maquiadores para inserir todas as 200 tatuagens em seu corpo, que só desaparecem três dias depois.

SOMOS CLONES DE JESUS!

Jango Fett é um dos mais temidos caçadores de recompensa de seu tempo, que cedeu o seu material genético em troca de uma fortuna, para a formação de um Exército de Clones, criado pela República em sua luta contra o Exército Separatista e seus droides. A partir da batalha de Geonosis tem início as chamadas Guerras Clônicas, em que os Mestres Jedi serão os generais dos Clones, espalhados pela Galáxia para lutar contra os Separatistas. Eles aparecem no "Episódio II: Ataque dos Clones" e no "Episódio III: A Vingança dos Sith", além da série animada "The Clone Wars" e vários livros do Universo Expandido de Star Wars.

A ideia de um exército que é idêntico a nível genético é interessante para nosso devocional de hoje. Os Clones, embora sejam idênticos, possuem diferenças de personalidade, temperamento e mentalidade. Como cristãos, recebemos o DNA celestial e, diante de Deus, nos parecermos com Cristo. Porém, a experiência pessoal de cada indivíduo muda as características internas, exatamente como os nossos personagens de hoje.

Quando aceitamos a Cristo, entramos na família Dele, somos irmãos mais novos que apresentam alguma semelhança com Cristo, porém nossa experiência em apresentar um caráter semelhante ao de Jesus nos leva a uma jornada em um relacionamento com Ele. Judas traiu Jesus com um beijo, pois caso não o identificasse entre os demais discípulos, provavelmente os soldados levariam outra pessoa, tamanha era a semelhança deles com o Mestre.

Seja um clone de Cristo!
Que você esteja tão mergulhado Nele
que as pessoas não saibam mais se é
você ou Jesus que esteja falando!

▶ **Referências**
pois os que em Cristo foram batizados, de Cristo se revestiram.
Gálatas 3:27

Os que são da terra são semelhantes ao homem terreno; os que são do céu, ao homem celestial. **1 Coríntios 15:48**

▶ **Reflexão**
A aparência nem sempre diz quem realmente a pessoa é.
Citação de "Guerras Clônicas"

O EGOÍSMO NOS
TRANSFORMA EM OGROS!

24 DEZ

Shrek é um ogro temido por toda a vizinhança de seu pântano. Tudo o que ele mais ama é a solidão, ameaçada com a chegada de vários personagens de histórias infantis, que são exilados a mando de Lorde Farquaad. Ele vai até o reino de Duloc pedir que tirem os seres de seu pântano - o que Farquaad aceita, caso Shrek e o burro falante que o acompanha, salvem a princesa Fiona do castelo cercado por um feroz dragão e a entreguem ao Lorde para casamento. O primeiro filme da franquia "Shrek" é de 2001 e arrecadou quase 500 milhões de dólares em todo o mundo.

O personagem de hoje é uma ode ao egoísmo. Tudo o que ele queria era ficar sozinho, não se importando com o sofrimento dos demais seres que fogem até o seu pântano. Sua ida até Duloc não tem relação com justiça ou altruísmo, apenas com seu incômodo e com seu problema. O resgate de Fiona também não apresenta heroísmo, foi só um acordo entre partes para conseguir aquilo que se deseja. As coisas mudam somente quando ele se apaixona por Fiona. Assim também somos nós em nossas vidas: egoístas que cuidam apenas de nossos interesses, sem nos preocuparmos com os demais, até que um dia somos atingidos pelo amor do Pai e passamos por uma mudança de mentalidade. Não somos mais ogros egoístas, mas passamos a enxergar no amor a Ele, um novo propósito de vida.

Não seja um (a) ogro (a) egoísta que se conforme em viver em um pântano fétido desde que permaneça sozinho (a)! Deus tem muito mais para nossas vidas quando decidimos viver em comunhão, servindo e ajudando os que precisam de nós!

▶ Referências

Mas haverá ira e indignação para os que são egoístas, que rejeitam a verdade e seguem a injustiça. **Romanos 2:8**

Nada façam por ambição egoísta ou por vaidade, mas humildemente considerem os outros superiores a si mesmos.
Filipenses 2:3

▶ Desafio

Como podemos abrir mão do egoísmo e começar a agir em prol de outras pessoas? Qual é a importância de servirmos aos outros em suas necessidades, na sua opinião?

FOCUS, VIRES ET FIDEM
(FOCO, FORÇA E FÉ)

John-117 conhecido como "Master Chief" é um supersoldado ciberneticamente aprimorado, treinado desde criança para ser uma arma na luta dos humanos contra a Aliança Alienígena Religiosa conhecida como The Covenant. Ele é extremamente focado quando está em missão e o jogador simplesmente não ouve sua voz enquanto está lutando. Durante os períodos em que não está em combate, mesmo assim, escolhe suas palavras. Master Chief é o rosto da saga "Halo", franquia de sucesso nos jogos de videogame, estreando em 2001 no primeiro capítulo da saga. Até hoje ainda não vimos seu rosto e raramente vemos John sem sua armadura.

A lição que aprendemos com Master Chief é que devemos evitar distrações em nossa caminhada. Este argumento é muito mais válido em nossos dias, onde com o advento das redes sociais, temos muitas distrações em nosso cotidiano. Nossa concentração deve estar focada no que é mais importante para nossas vidas. Existe um tempo para cada coisa segundo Eclesiastes 3, por isso precisamos aproveitar ao máximo o tempo presente para realizar a obra que Deus tem para nossas vidas.

Muitas pessoas ficam pelo caminho por não prestarem atenção em seus objetivos com Deus e iniciam mil projetos diferentes, sem concluir nenhum deles. Por isso não devemos mais perder tempo, mas realizar nossa missão de fazer discípulos de todas as nações até a volta de Jesus! **Focus Vires et Fidem!**

▶ Referências

Não me atrevo a falar de nada, exceto daquilo que Cristo realizou por meu intermédio em palavra e em ação, a fim de levar os gentios a obedecerem a Deus. **Romanos 15:18**

Meus amados irmãos, tenham isto em mente: Sejam todos prontos para ouvir, tardios para falar e tardios para irar-se. **Tiago 1:19**

▶ Curiosidade

Master Chief foi inspirado em alguns outros personagens. A sua armadura foi desenvolvida a partir de séries como "Power Rangers" e outros jogos como "Doom". Já a personalidade foi parcialmente inspirada em Clint Eastwood e sua atuação silenciosa nos filmes.

QUANDO VOCÊ SE AFASTA, **PESSOAS SOFREM**

26 DEZ

Alex, Marty, Melman e Glória são animais do Zoológico de Nova York que não sabem o que é viver na natureza. Depois de um encontro com os espertos Pinguins, Alex foge, é seguido por seus amigos e todos são presos pela polícia e bombeiros que os enviam até a ilha de Madagascar para viverem na natureza. Uma vez no continente africano, o leão Marty ajuda os lêmures a escapar da perseguição das "fossas" que aterrorizam os pequenos súditos do rei Julien. Sem sua alimentação do zoológico, Alex passa a ser uma ameaça aos seus amigos, pois começa a vê-los como pedaços de carne ambulantes. Ele cria uma cerca que o separe de seus amigos para impedir que possa machucá-los, atraindo uma vez mais as fossas para atacar os lêmures. "Madagascar" é uma animação da DreamWorks de 2005.

A situação do leão Alex é o cerne de nosso devocional de hoje. Ele ajudou lêmures indefesos contra as terríveis fossas, mas em dado momento, resolveu se afastar de tudo e de todos, e os lêmures passaram a sofrer novamente com a ameaça das fossas. Em nossas vidas acontece algo similar. Temos um propósito e uma missão na Terra e pessoas serão abençoadas através de nossas vidas e trabalho para o Reino, como líderes de célula, pastores, líderes de departamento entre tantas possibilidades reais de sermos bênção em nossa geração.

Uma vez que venhamos a nos afastar da missão que recebemos de Deus, sem que tenhamos a convicção de que Deus está nos chamando para novas alturas, sofreremos as consequências por nossa irresponsabilidade. E não apenas por nós, mas também pelas outras pessoas que caminhavam conosco no processo!

Cuidado com suas atitudes!
Elas impactam não apenas você, mas a sua geração também!

▶ Referências
Jesus respondeu: "Ninguém que põe a mão no arado e olha para trás é apto para o Reino de Deus".
Lucas 9:62

▶ Reflexão
O compromisso é uma virtude a ser cultivada, não uma fraqueza para ser desprezada.
Citação de "Guerras Clônicas"

COMPARTILHE SEU CONHECIMENTO!

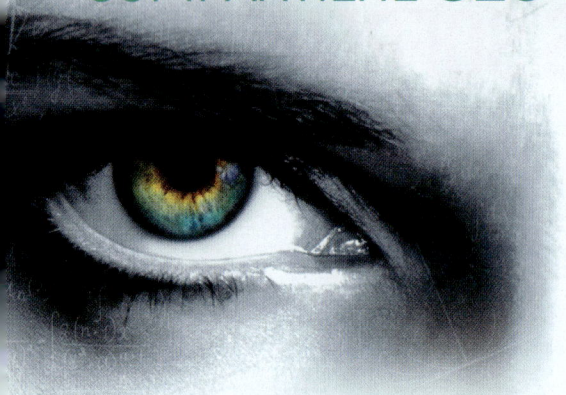

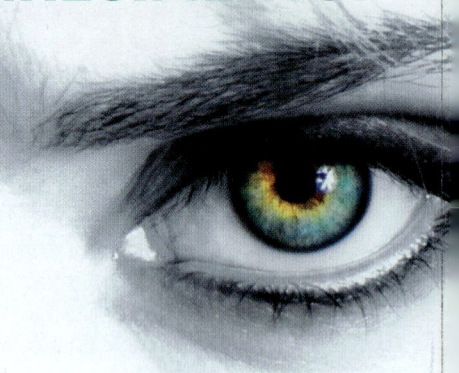

Lucy é uma estudante de 25 anos que mora em Taiwan e acaba envolvida com o tráfico de drogas, pois é aprisionada e obrigada a transportar em seu abdomen, uma nova droga sintética chamada CPH4. Após uma luta com um dos seus captores, um dos pacotes se rompe e a droga cai em sua corrente sanguínea. A partir deste ponto, ela vai adquirindo poderes, à medida que começa a usar um percentual cada vez maior de seu cérebro. Um dos grandes momentos do filme é uma frase onde Lucy diz que o principal objetivo da humanidade é transmitir conhecimento. "Lucy" é um filme francês de 2015 protagonizado pela atriz Scarlett Johansson.

Embora o filme tenha sido bastante criticado por utilizar um mito - o uso de 100% da capacidade do cérebro - ele aponta para algo muito importante para nossa análise de hoje: compartilhar o conhecimento. Como seres humanos, fomos chamados para interagir e viver em comunidade. Como cristãos, é nosso dever compartilhar e repartir aquilo que recebemos com os mais novos na fé. Não crescemos quando aprendemos algo mas sim quando compartilhamos e aplicamos o que sabemos.

O Reino de Deus é dinâmico, por isso ninguém sabe tão pouco que não possa compartilhar algo como as experiências com a Palavra, oração, jejum, evangelismo, louvor, intercessão, serviço etc.

Aproveite todas as oportunidades para compartilhar o que você sabe!

▶ Referências

Se o seu dom é servir, sirva; se é ensinar, ensine; **Romanos 12:7**

Eles percorreram todas as cidades do reino de Judá, levando consigo o Livro da Lei do Senhor e ensinando o povo.
2 Crônicas 17:9

Toda a Escritura é inspirada por Deus e útil para o ensino, para a repreensão, para a correção e para a instrução na justiça.
2 Timóteo 3:16

▶ Desafio

O que você pode fazer em sua igreja para compartilhar seu conhecimento? Liderar uma célula? Auxiliar na escola bíblica dominical? Ser professor das crianças? Repartir seu conhecimento é uma grande forma de abençoar sua geração!

NÃO DETURPE A PALAVRA DE DEUS

Balian é um ferreiro destruído emocionalmente pelo suicídio de sua esposa e recebe a visita inesperada de seu pai, o nobre Godfrey de Ibelin, que morre logo em seguida, dando a Balian o título de Barão de Ibelin. Ele partirá para Jerusalém em busca de uma nova vida e, após uma série de eventos, será o responsável em proteger Jerusalém do ataque do Sultão Saladino, após a quebra do acordo de paz por parte dos cavaleiros Templários. "Cruzada" é uma ficção histórica dirigida por Ridley Scott apresentada em 2005. Este filme segue as tentativas de pacificação entre o mundo muçulmano e o Ocidente pós 11 de setembro de 2001. Por esta razão, o diretor não teve problemas em misturar elementos de ficção com a realidade histórica dos eventos narrados, que descrevem o período entre a Segunda e a Terceira Cruzadas no início do século XII.

O movimento das Cruzadas é um dos exemplos de como a Palavra de Deus pode ser usada como justificativa para legitimar movimentos de cunho político e econômico, sem contudo ser essa a vontade de Deus. Este espaço não nos permite aprofundar este tema fascinante, mas resumindo, crises internas no Ocidente, somadas ao espírito religioso que imperava neste período levaram hordas de cristãos até o Oriente para libertar Jerusalém dos muçulmanos, com mortes e absurdos ocorridos dos dois lados da disputa.

O fato histórico, que é o palco para este filme, demonstra os perigos de utilizar as Escrituras Sagradas para outros fins que não o original: salvar os perdidos e trazer vida!

Precisamos cuidar da maneira como lidamos com a Bíblia!

▶ *Referências*

Declaro a todos os que ouvem as palavras da profecia deste livro: se alguém lhe acrescentar algo, Deus lhe acrescentará as pragas descritas neste livro. **Apocalipse 22:18**

▶ *Curiosidade*

O diretor Ridley Scott sofreu ameaças de morte durante as filmagens por extremistas islâmicos, que não gostaram de algumas cenas de batalha rodadas para o filme.

NOSSO INIMIGO É UM
DERROTADO OBSTINADO

Maxwell Dilion é um dos muitos inimigos do Homem-Aranha, ex-engenheiro eletricista, ganhou a habilidade de controlar a eletricidade depois de ser atingido por um raio quando trabalhava em uma linha de energia, adotando o nome de Electro, e se torna um dos adversários mais duradouros de Peter Parker. Como não conseguiu vencer seu inimigo sozinho, uniu-se ao chamado Sexteto Sinistro. Interessante é que, variando diversas estratégias, Electro sempre perde para o Aranha e é derrotado sucessivas vezes. Sua primeira aparição aconteceu em 1964.

Analisando a história de nosso personagem de hoje, pensei em comparar as sucessivas derrotas de Electro com nosso inimigo real. Satanás sabe o fim da História, pois as Escrituras contemplam sua derrota final em diversas ocasiões. Mesmo sabendo de sua iminente derrota, o diabo, simplesmente não desiste de corromper a humanidade, roubando, matando e destruindo. Ele teve a ousadia de tentar o próprio Jesus Cristo no deserto - e buscará nos tentar da mesma forma.

O motivo dele não desistir é porque deseja levar consigo ao lago de fogo, destinado a ele e seus demônios, o maior número de pessoas que conseguir. Se Cristo morreu e ressuscitou pela humanidade, Satanás deseja colocar-se no caminho entre o homem e Cristo.

Quando ele lembrar suas fraquezas, lembre a ele seu destino final! Nosso inimigo é obstinado, mas já foi derrotado por Cristo Jesus!

▶ Referências

Em breve o Deus da paz esmagará Satanás debaixo dos pés de vocês. A graça de nosso Senhor Jesus seja com vocês.
Romanos 16:20

O diabo, que as enganava, foi lançado no lago de fogo que arde com enxofre, onde já haviam sido lançados a besta e o falso profeta. Eles serão atormentados dia e noite, para todo o sempre. **Apocalipse 20:10**

▶ Reflexão

Se tentarmos combater o diabo e estes poderes unicamente em termos da nossa sabedoria e do nosso entendimento, inevitavelmente seremos derrotados.
Martyn Lloyd-Jones

O MUNDO ATACA O QUE NÃO ENTENDE

King Kong é um gorila gigante, que vive na peculiar Ilha da Caveira, onde animais extintos no restante do mundo ainda sobrevivem. Uma equipe de filmagem resolve fazer um filme na ilha e encontra a criatura. Ele é levado para a civilização para ser exibido como atração. Kong se solta, subirá no topo do Empire State Building, em Manhattan, e será abatido por aviões do exército. O filme ¨King Kong¨ teve diversas versões, sendo que a mais clássica é de 1933.

King Kong é diferente de tudo o que existe em nossa sociedade. O mundo não o reconheceu e por isso o atacou. Este é o mesmo alerta para o qual os filhos de Deus precisam estar preparados. A partir do instante em que aceitamos a Jesus como Senhor e Salvador, não pertencemos mais ao mundo, mas ao Reino dos Céus. O mundo não nos aceitará e sua primeira reação será nos atacar. Não devemos nos esquecer de que nossa luta não é contra outras pessoas, mas contra principados e potestades espirituais que alimentam esta guerra milenar contra nós.

Não seremos aceitos, nem tampouco amados em todos os lugares onde levarmos a Palavra de Deus. Esta situação vai acontecer quando você viver sinceramente os princípios do Reino, que são opostos aos do mundo.

O que você prefere? Ser amado pelo mundo e ficar com ele, ou ser amado por Deus e passar a eternidade ao seu lado? Você decide!

▶ Referências

Pois a nossa luta não é contra pessoas, mas contra os poderes e autoridades, contra os dominadores deste mundo de trevas, contra as forças espirituais do mal nas regiões celestiais. **Efésios 6:12**

Meus irmãos, não se admirem se o mundo os odeia. **1 João 3:13**

Se vocês pertencessem ao mundo, ele os amaria como se fossem dele. Todavia, vocês não são do mundo, mas eu os escolhi, tirando-os do mundo; por isso o mundo os odeia. **João 15:19**

▶ Curiosidade

Peter Jackson recebeu o cachê de U$ 20 milhões de dólares para dirigir a versão de 2015 de ¨King Kong¨, o salário mais alto pago até então, a um diretor de cinema.

QUE A LUZ BRILHE NA
ESCURIDÃO DO MUNDO!

Leia Organa Solo é irmã gêmea de Luke Skywalker, separada de seu irmão assim que nasceu, sendo adotada pelo senador Bail Organa e a rainha Breha de Alderaan. Em sua juventude, atuou muito em diversas áreas, em especial a política, sendo eleita a mais nova senadora da história com apenas 18 anos de idade. Excelente líder, foi uma das protagonistas no momento mais sombrio da História durante a Guerra Civil Galáctica, no Império de Palpatine. Esta habilidade política foi reconhecida através de sua eleição ao cargo de Chefe de Estado por duas vezes. Casou-se com Han Solo e atuou como General Organa, na segunda Guerra Civil Galáctica entre a Nova República e a Primeira Ordem.

Uma mulher impressionante, com habilidades louváveis e reconhecimento em toda a Galáxia pode nos ensinar um princípio poderoso em nosso penúltimo devocional. A sensibilidade de Leia à Força, a impelia de lutar pela justiça na Galáxia com todas as forças que tinha. Seja no campo político do Senado, ou no campo de Batalha, junto à Aliança Rebelde, Leia estava sempre levando a Luz aos lugares corrompidos e sombrios da Galáxia.

Esta deve ser a nossa postura! Que a luz de Cristo, que habita em seu interior, possa brilhar cada dia mais, iluminando os corações daqueles que não possuem o seu entendimento sobre Deus e seu Reino! E que a sua candeia ilumine a escuridão deste mundo!

Que Deus te abençoe muito em sua jornada!

▶ Referências

A vereda do justo é como a luz da alvorada, que brilha cada vez mais até à plena claridade do dia.
Provérbios 4:18

Ninguém acende uma candeia e a esconde num jarro ou a coloca debaixo de uma cama. Pelo contrário, coloca-a num lugar apropriado, de modo que os que entram possam ver a luz.
Lucas 8:16

▶ Desafio

Como sua luz pode brilhar mais fora das quatro paredes da igreja? Que tipo de atitude você pode adotar para que o nome de Jesus seja glorificado através de sua vida entre aqueles que ainda não conhecem a Cristo?